Karl Barth, Die Kirchliche Dogmatik

Studienausgabe Band 2

Studienausgabe Band 2

KARL BARTH

DIE KIRCHLICHE DOGMATIK
Die Lehre vom Wort Gottes
Prolegomena zur Kirchlichen Dogmatik

I,1 §§ 8–12

Die Offenbarung Gottes
Erster Abschnitt: Der dreieinige Gott

Theologischer Verlag Zürich

CIP-Kurztitelaufnahme der Deutschen Bibliothek
Barth, Karl:
Die kirchliche Dogmatik / Karl Barth. – Studienausg. –
Zürich: Theologischer Verlag

Bd. 2 : 1, Die Lehre vom Wort Gottes; 1. §§ 8–12. – 1987
Enth.: Die Offenbarung Gottes,
1. Abschnitt: Der dreieinige Gott
ISBN 3-290-11602-8

Erstausgabe München 1932
© der Originalausgabe Theologischer Verlag Zürich
© der Studienausgabe: 1987 Theologischer Verlag Zürich

INHALT

ZWEITES KAPITEL. DIE OFFENBARUNG GOTTES

Erster Abschnitt. Der dreieinige Gott

§ 8 Gott in seiner Offenbarung 311
    1. Die Stellung der Trinitätslehre in der Dogmatik 311
    2. Die Wurzel der Trinitätslehre 320
    3. Das *vestigium trinitatis* 352

§ 9 Gottes Dreieinigkeit 367
    1. Die Einheit in der Dreiheit 367
    2. Die Dreiheit in der Einheit 373
    3. Die Dreieinigkeit 388
    4. Der Sinn der Trinitätslehre 395

§ 10 Gott der Vater 404
    1. Gott als Schöpfer 404
    2. Der ewige Vater 411

§ 11 Gott der Sohn 419
    1. Gott als Versöhner 419
    2. Der ewige Sohn 435

§ 12 Gott der heilige Geist 470
    1. Gott der Erlöser 470
    2. Der ewige Geist 489

Übersetzung der fremdsprachlichen Zitate .... Anhang 1

Register
    I. Bibelstellen .... Anhang 27
    II. Namen .... Anhang 29
    III. Begriffe .... Anhang 30

ZWEITES KAPITEL
DIE OFFENBARUNG GOTTES

ERSTER ABSCHNITT
DER DREIEINIGE GOTT

§ 8
GOTT IN SEINER OFFENBARUNG

Gottes Wort ist Gott selbst in seiner Offenbarung. Denn Gott offenbart sich als der Herr und das bedeutet nach der Schrift für den Begriff der Offenbarung, daß Gott selbst in unzerstörter Einheit, aber auch in unzerstörter Verschiedenheit der Offenbarer, die Offenbarung und das Offenbarsein ist.

1. DIE STELLUNG DER TRINITÄTSLEHRE IN DER DOGMATIK

Wenn wir, um zu klären, wie die kirchliche Verkündigung an der Heiligen Schrift zu messen ist, vorerst nach dem vorgeordneten Begriff der Offenbarung fragen, so haben wir uns schon bei diesem Fragen selbst an die Heilige Schrift als an das Zeugnis der Offenbarung zu halten. Vielleicht wichtiger als Alles, was die Dogmatik in bezug auf die ausgezeichnete Stellung der Bibel in der Kirche und der Kirche gegenüber sagen kann, ist das Beispiel, das sie selber schon bei ihren Grundlegungen zu geben hat. Sie muß versuchen, was ihr ja mit der Kirche überhaupt zweifellos geboten ist: auf die Schrift zu achten, also schon ihre Probleme sich nicht anderswoher als eben aus der Schrift geben zu lassen. Das grundlegende Problem, vor das uns die Schrift hinsichtlich der Offenbarung stellt, besteht aber darin: die in ihr bezeugte Offenbarung will nicht verstanden sein als irgendeine Offenbarung, neben der es noch andere gibt oder geben könnte. Sie will schlechterdings in ihrer Einzigartigkeit verstanden sein. Das heißt aber: sie will schlechterdings von ihrem Subjekt, von Gott her verstanden sein. Sie ist die Offenbarung dessen, der im Alten Testament Jahve und im Neuen θεός oder konkret κύριος heißt. Gerade die Frage nach dem sich offenbarenden Gott, die sich uns also als erste aufdrängt, kann aber, wenn wir dem Zeugnis der Schrift weiter folgen wollen, gar nicht getrennt werden von der zweiten Frage: Wie geschieht das, wie ist das wirklich, daß dieser Gott sich offenbart? Und von der dritten: Was wird daraus? Was bewirkt dieses Geschehen an dem Menschen, dem es widerfährt? Wie umgekehrt auch diese zweite

§ 8. *Gott in seiner Offenbarung*

und dritte Frage unmöglich von der ersten getrennt werden können. So unmöglich ist hier alle Trennung, daß die Antwort auf jede dieser drei Fragen bei aller Selbständigkeit und Eigenart, die ihr als Antwort auf je eine besondere Frage eigen sein und bleiben muß, mit den Antworten auf die beiden anderen Fragen im Wesen identisch ist. Gott offenbart sich. Er offenbart sich durch sich selbst. Er offenbart sich selbst. Wollen wir die Offenbarung wirklich von ihrem Subjekt, von Gott her verstehen, dann müssen wir vor allem verstehen, daß dieses ihr Subjekt, Gott, der Offenbarer, identisch ist mit seinem Tun in der Offenbarung, identisch auch mit dessen Wirkung. Dies ist der zunächst bloß anzuzeigende Sachverhalt, durch den wir uns angewiesen sehen, die Lehre von der Offenbarung mit der Lehre von dem dreieinigen Gott zu beginnen.

Ich habe in der ersten Auflage dieses Buches (S. 127) auf jene drei Fragen hingewiesen und habe dann fortgefahren mit den Worten: „Es sind logisch ganz einfach die Fragen nach Subjekt, Prädikat und Objekt des Sätzleins: ‚Gott redet‘, *Deus dixit*‘." Diese Worte sind mir von verschiedenen Seiten übel genommen worden. Man hat mir ernst und spöttisch vorgeworfen, das sei eine grammatikalische und also rationalistische Begründung der Trinität, mit der ich betreibe, was ich sonst bekämpfe, nämlich die Ableitung der Offenbarungsgeheimnisse aus den Data einer allgemein einsichtigen Wahrheit. Auch auf die Aussage von der Offenbarung irgendeines anderen, eines bloß angeblichen Gottes, ja sogar auf das Sätzlein: „Ich zeige mich" (so Th. Siegfried, Das Wort und die Existenz, 1928 S. 52) könnte nach diesem Verfahren eine Trinitätslehre aufgebaut werden. — Dazu ist zu sagen, daß jene Worte, die ich noch heute in aller Form wiederholen kann, damals in der Tat etwas ungeschützt und mißverständlich dastanden. Aufmerksame und gutwillige Leser haben es zwar schon damals gemerkt, wie es gemeint war: daß diese Worte natürlich nicht selbst eine Begründung sein, sondern nur eine schon vollzogene Begründung vorläufig auf eine ihr angemessene, möglichst übersichtliche Formel bringen wollten. Ich dachte und denke natürlich nicht daran, die Wahrheit des Trinitätsdogmas aus der allgemeinen Wahrheit einer solchen Formel abzuleiten, sondern aus der Wahrheit des Trinitätsdogmas ist vielleicht die Wahrheit einer solchen Formel in diesem bestimmten Gebrauch, nämlich für das Trinitätsdogma abzuleiten. „Vielleicht" müssen wir sagen, denn die Wahrheit des Trinitätsdogmas steht und fällt nicht mit einer solchen Formel. Ich wüßte nicht jetzt nicht, warum sie nicht als Formel für die durch die Sache geforderten Fragen richtig sein sollte. Rational sind alle dogmatischen Formeln und rational ist jedes dogmatische Verfahren, sofern in ihm von allgemeinen Begriffen, d. h. von der menschlichen *ratio* Gebrauch gemacht wird. Rationalistisch dürfte man sie doch erst dann nennen, wenn nachgewiesen wäre, daß ihr Gebrauch nicht durch die Frage nach dem Dogma, also nicht durch die Unterordnung unter die Schrift, sondern anderswoher, aus den Prinzipien einer bestimmten Philosophie wahrscheinlich, bestimmt sei. Macht man sich aber klar, daß es sich in der Dogmatik allgemein und notwendig um rationales Formulieren handelt, um ein auf eine schon vollzogene Begründung sich beziehendes, um ein auf die Schrift achtendes rationales Formulieren freilich, dann wird man auch an logisch-grammatikalischen Formeln als solchen keinen Anstoß nehmen — es ist bei ihnen so wenig wie bei gewissen juristischen Formeln einzusehen, warum sie besonders verdächtig sein sollten — sondern man wird nur danach fragen, ob sie im vorliegenden Fall der Sache angemessen seien oder nicht. Also im konkreten Fall: ob es eine willkürliche Vorwegnahme, Vereinfachung oder auch Komplizierung bedeutet, wenn man sagt: wir sind

1. Die Stellung der Trinitätslehre in der Dogmatik

durch das, was uns die Heilige Schrift über die Offenbarung, von der sie zeugt, sagt, auf die Frage nach Subjekt, Objekt und Prädikat jenes Sätzleins gestoßen? Und wenn man sagt, daß wir mit diesen drei Fragen bzw. durch ihre uns in der Schrift begegnende Beantwortung auf das Problem der Trinitätslehre aufmerksam gemacht sind? Wenn man also weiter sagt, daß sich in diesen drei Fragen — nicht ein Weg zur Begründung, wohl aber zum Verständnis der Trinitätslehre eröffnet? Ob man auch aus dem Sätzlein „Ich zeige mich" eine Trinitätslehre ableiten kann, haben wir hier nicht zu untersuchen. Es wird sich wohl vor allem fragen, ob man das für ebenso geboten und sinnvoll halten kann, wie wenn es sich um das aus der Bibel exzerpierte Sätzlein „Gott redet" handelt.

Es steht mit der biblischen Beantwortung der Frage: Wer ist Gott in seiner Offenbarung? tatsächlich so, daß sie sofort auch auf die beiden anderen Fragen: Was tut er? und: Was wirkt er? antwortet, und zwar nicht nur beiläufig antwortet, nicht nur so, daß man sich das, was man da zu hören bekommt, aufheben könnte für das andere Mal, wo man dann auch diese anderen Fragen stellen wird, sondern so, daß man sofort, indem man die Antwort auf jene erste Frage entgegennimmt, auch hören muß, was auf diese anderen Fragen geantwortet wird — so, daß man jene erste Antwort nur dann recht hört, wenn man sie auch als mitgegeben in jenen anderen Antworten hört. Sollte sich das auch in anderen Offenbarungsurkunden so verhalten? Mag sein, mag nicht sein, es geht uns hier nichts an. In der Heiligen Schrift der christlichen Kirche verhält es sich jedenfalls so: wer sich da offenbart, wer da Gott ist, danach kann und muß wohl zuerst gefragt werden, und so dann auch nachher zweitens: was dieser Gott tut, und drittens: was er wirkt, ausrichtet, schafft und gibt in seiner Offenbarung. Aber wer hier verständig die Frage 1 stellt, dem wird nicht nur darauf geantwortet, sondern sofort auch auf Frage 2 und 3 und nur, wenn er die Antworten auf Frage 2 und 3 dazunimmt, hat er auch die Antwort auf Frage 1 wirklich bekommen.

1. Die Bibel sagt uns freilich auch, wer der Gott ist, den sie als den sich offenbarenden bezeugt.

Sie nennt und beschreibt ihn als Elohim (vielleicht: den zu Fürchtenden), als Jahve (auf diesen wichtigsten Namen wird noch besonders zurückzukommen sein), als El Schaddai (vielleicht: der Allgenugsame), als den Herrn und Schützer Israels, den Schöpfer Himmels und der Erde, den Herrscher der Welt und ihrer Geschichte, den Heiligen und den Erbarmer, im Neuen Testament als Herrn seines kommenden Reiches, als Vater im Himmel, als Vater Jesu Christi, als den Erlöser, als den Geist und als die Liebe usw.

2. Aber wer würde hier wirklich hören und verstehen ohne mitzuhören und mitzuverstehen, was nun weiter gesagt ist über das Daß und das Wie der Offenbarung dieses Gottes? Daß diese Offenbarung und wie sie geschieht, das ist nicht zufällig gegenüber der Tatsache, daß es sich gerade um dieses Gottes Offenbarung handelt. Auch und gerade im Daß und Wie dieser Offenbarung zeigt er sich als dieser Gott. Ja, dieser Gott will und kann sich offenbar nicht anders zeigen als in dem Daß und Wie dieser Offenbarung. Er ist auch in diesem Daß und Wie ganz er selber.

Gilt das schon im Alten Testament etwa im Blick auf die Tatsache, daß hier die Figuren des Mose und der Propheten es sind, um die sich der berichtete Vorgang der Offenbarung zusammendrängt (sie sind wirklich nicht nur Instrumente in Gottes Hand, sondern als solche zugleich seine Vertreter, nicht nur Zeugen offenbarter Wahrheiten, sondern Repräsentanten des sich offenbarenden Gottes) muß man schon im Alten Testament auf die merkwürdige Figur des an gewissen Stellen als mit Jahve identisch in Aktion tretenden Engels Jahves hinweisen — so noch vielmehr im Neuen Testament, wo die Offenbarung geradezu zusammenfällt mit der Erscheinung Jesu Christi. Also im Geschehen der Offenbarung selbst haben wir jetzt den Offenbarer zu suchen und zu erkennen.

3. Aber wer Gott ist in seiner Offenbarung, das ist dann drittens ebenfalls nach der Weisung der ganzen Bibel zu beantworten im Blick auf die Menschen, die die Offenbarung empfangen, im Blick auf das, was der Offenbarer mit ihnen will und tut, was seine Offenbarung an ihnen ausrichtet, was sein Offenbarsein also für sie bedeutet.

Offenbarung ist in der Bibel immer eine Geschichte zwischen Gott und bestimmten Menschen. Da wird einer ausgesondert und in die Fremde geführt wie Abraham, da wird einer zum Propheten, einer zum Priester, einer zum König berufen und gesalbt, da wird ein ganzes Volk erwählt, geführt, regiert, gesegnet, gezüchtigt, verworfen und wieder angenommen, da wird Glauben und Gehorsam erweckt oder auch Verstockung vollzogen. Da wird im Licht dieses ganzen Geschehens eine Kirche versammelt, Kerygma und Sakrament eingesetzt als Zeichen der Erinnerung und der Erwartung, weil der Mensch jetzt, „in Christus", eine Zukunft bekommen hat und eben damit eine Gegenwart zwischen den Zeiten.

Das Alles, dieses in der Schrift bezeugte Offenbarsein Gottes ist aber nicht bloß „Wirkung" des Offenbarers und seiner Offenbarung, von jenen **nur** zu unterscheiden — es ist **auch** von ihnen zu unterscheiden — sondern zugleich Antwort auf die Frage: Wer offenbart sich? und auf die zweite: Wie offenbart er sich? Also: Wer nach dem Gott fragt, der sich nach dem Zeugnis der Bibel offenbart, der muß ebenso auf sein Sich-Offenbaren als solches achten, wie auf die Menschen, die dieses Sich-Offenbaren angeht.

Das, daß wir die erste Frage stellend, sofort weitergeführt werden zu einer zweiten und dritten, das ist's, was uns vorläufig in die Nähe des Problems der Trinitätslehre führt. In die Nähe: denn noch könnten wir nicht sagen, daß wir durch diese Beobachtungen zur Entwicklung nun gerade der Trinitätslehre aufgerufen seien. Noch wissen wir ja erst das Eine: daß der sich offenbarende Gott der Bibel immer auch in seinem Offenbarwerden als solchem und in seinem Offenbarsein als solchem erkannt werden muß, um erkannt zu werden. Bezeichnend und in unserem Zusammenhang entscheidend werden diese Beobachtungen erst, wenn wir nun noch die folgenden zwei Feststellungen machen:

4. Die Frage „Wer ist der sich offenbarende Gott?" findet jedesmal auch in dem, was wir über sein Sich-Offenbaren als solches und in dem, was wir über sein Offenbarsein unter den Menschen zu hören bekommen,

1. Die Stellung der Trinitätslehre in der Dogmatik

ihre uneingeschränkt vollständige Antwort. Dieser Gott selbst ist gerade nicht nur er selbst, sondern auch sein Sich-Offenbaren.

Er kommt als Engel zu Abraham, er redet durch Mose und die Propheten, er ist in Christus. Offenbarung bedeutet in der Bibel nicht ein Minus, nicht ein Anderes gegenüber Gott, sondern das Gleiche, eine Wiederholung Gottes. Die Offenbarung ist wohl Prädikat Gottes, aber so, daß dieses Prädikat restlos mit Gott selber identisch ist.

Und wiederum: Er selbst ist nicht nur er selbst, sondern auch das, was er bei den Menschen schafft und ausrichtet.

Darum kann ja das Wort, das die biblischen Menschen hören und weitergeben, das Wort Gottes heißen, obwohl es von ihren Ohren gehört, von ihrem Munde geformt, zweifellos ihr Wort ist. Alle Gaben und Gnaden, aber auch alle Strafen und Gerichte haben in der Bibel ihr Gewicht nicht in dem, was sie in sich selbst, losgelöst von der Offenbarung und von dem, der sich offenbart, bedeuten, sondern darin, daß sie sein Werk am Menschen sind, daß er in ihnen den Menschen nahe oder ferne, Freund oder Feind ist.

Also: Es ist Gott selber, es ist in unzerstörter Einheit der gleiche Gott, der nach dem biblischen Verständnis der Offenbarung der offenbarende Gott ist und das Ereignis der Offenbarung und dessen Wirkung am Menschen.

5. Es scheint nicht möglich und es wird in der Bibel auch kein Versuch gemacht, die Einheit des sich offenbarenden Gottes und seiner Offenbarung und seines Offenbarseins in eine Einerleiheit aufzulösen, also die Grenzen, die die genannten drei Gestalten seines Gottseins in der Offenbarung voneinander trennen, aufzuheben, sie etwa auf ein synthetisches Viertes und Eigentliches zurückzuführen.

Wir werden in der ganzen Bibel nicht im Zweifel darüber gelassen, daß Gott unbeschadet seiner Offenbarung als Gott „unsichtbar", d. h. dem Menschen als solchem unzugänglich, weil im Unterschied zu ihm ewig und heilig ist und bleibt. Offenbart sich dieser Gott — und unbeschadet seiner Unsichtbarkeit offenbart er sich, macht er sich demselben Menschen zugänglich — so ist er in der Offenbarung in einer Weise, mit der sich jenes sein erstes Sein wohl indirekt, aber nicht direkt, nicht einfach, nicht unter Aufhebung der Unterschiedenheit identifizieren läßt. Der „Engel Jahves" im Alten Testament ist mit Jahve selbst offenbar identisch und nicht identisch. Es ist ganz unmöglich, daß nicht auch die Nicht-Identität sichtbar werde und bleibe. Ebenso im Neuen Testament die Unvertauschbarkeit der Namen Vater und Sohn. Dasselbe gilt aber auch in bezug auf das in der Bibel bezeugte Offenbarsein Gottes: Gibt Gott dem Menschen sich selbst, so ist er doch ein Anderer als der Geber, ein Anderer als die Gabe, so bleiben doch auch die Namen Christus und Geist oder Wort und Geist unvertauschbar.

Also: Demselben Gott, der in unzerstörter Einheit der Offenbarer, die Offenbarung und das Offenbarsein ist, wird auch in unzerstörter Verschiedenheit in sich selber gerade diese dreifache Weise von Sein zugeschrieben

Damit erst, mit der Beobachtung der Einheit und Verschiedenheit Gottes in seiner in der Schrift bezeugten Offenbarung — eben damit aber nun auch wirklich — sind wir vor das Problem der Trinitätslehre gestellt.

§ 8. Gott in seiner Offenbarung

So mag es noch einmal und nun vielleicht verständlich als nachträgliche Formulierung eines durch die Bibel vorgegebenen Sachverhaltes gesagt sein: Wir stehen vor dem Problem, daß in dem Satz „Gott redet" — nicht in dem allgemeinen, aber in dem der Bibel entnommenen Satz „Gott redet" — Subjekt, Prädikat und Objekt sowohl gleichzusetzen als auch zu unterscheiden sind. Die Behauptung ist wohlfeil, daß man das auch von dem gleichlautenden allgemeinen Satz oder von gleichlautenden Sätzen, die sich auf irgendeinen anderen Gott bezögen oder gar von dem Satz „Ich zeige mich" sagen könne. Man „kann" Alles. Aber daß man Vieles nur theoretisch „kann" und faktisch nicht tut, weil man es zu tun weder Anlaß noch Notwendigkeit hat, das kann hier offenbar nicht gleichgültig sein. Wer behaupten wollte, daß wir auch außerhalb des biblischen Offenbarungszeugnisses — nicht möglicherweise, sondern faktisch — vor das Problem der Trinitätslehre gestellt seien, der müßte aufweisen — er müßte die andere Trinitätslehre einer anderen Dogmatik einer anderen Kirche faktisch zu entwickeln sich getrauen — daß Anlaß und Notwendigkeit besteht zu tun, was man in bezug auf jene anderen Sätze eben vielleicht doch bloß tun „kann", um an dieser Stelle einen gehaltvollen Einwand vorzubringen.

Also wenn es richtig ist, zum Verständnis des Offenbarungsbegriffs zunächst zu fragen, wer denn Gott ist, und wenn wir danach an Hand der Bibel so fragen müssen, wie es eben in Kürze geschehen ist, dann haben wir Anlaß, der sichtbar gewordenen Frage entsprechend, der ebenfalls schon sichtbar gewordenen Antwort nachzugehen, d. h. aber uns zunächst — natürlich wiederum dieser eben sichtbar gewordenen Antwort, d. h. der Heiligen Schrift folgend — der Entwicklung der Lehre vom dreieinigen Gott zuzuwenden.

Wir sind, indem wir die Trinitätslehre an die Spitze der ganzen Dogmatik stellen, im Blick auf die Geschichte der Dogmatik gesehen, sehr isoliert.

Immerhin nicht ganz isoliert: Es waren im Mittelalter Petrus Lombardus in seinem Sentenzenwerk und Bonaventura in seinem *Breviloquium*, die es ebenfalls so gehalten haben.

Man pflegte und pflegt der Trinitätslehre sonst nicht diese Stellung zu geben. Der Grund für diese eigentlich seltsame Tatsache kann nur darin liegen, daß man offenbar in überwältigender Einmütigkeit gemeint hat, einem gewissen formal sehr naheliegenden und einleuchtenden Frageschema folgen und also zuerst von der Heiligen Schrift (oder in der katholischen Dogmatik von der Autorität des kirchlichen Lehramts oder in der modernistischen Dogmatik von der Wirklichkeit und Wahrheit der Religion) als dem *principium cognoscendi* (abgesehen von dem konkreten Inhalt des Glaubens) und dann wiederum in der Gotteslehre zuerst von Gottes Dasein, Wesen und Eigenschaften (wiederum abgesehen von der konkreten Gegebenheit dessen, was christlich „Gott" heißt) reden zu sollen und zu können.

Auch Melanchthon und Calvin und nach ihnen die protestantische Orthodoxie beider Konfessionen gingen hier merkwürdig unbedenklich mit, und ebenso hat keine

1. Die Stellung der Trinitätslehre in der Dogmatik

der späteren Bewegungen in der katholischen und protestantischen Theologie hier zum Betreten eines anderen Weges geführt.

Unser Grund, von dieser Gewohnheit abzuweichen, ist dieser: Es läßt sich schwer absehen, wie denn über die Heilige Schrift das für die Heiligkeit nun gerade dieser Schrift Bezeichnende gesagt werden kann, wenn nicht zuvor (natürlich aus der Heiligen Schrift selbst) klar gemacht ist, wer denn derjenige Gott ist, dessen Offenbarung die Schrift zur heiligen macht. Und es läßt sich wiederum schwer absehen, wie denn das für diesen Gott Bezeichnende klargemacht werden soll, wenn man, wie es in der alten und neuen, katholischen und protestantischen Dogmatik immer wieder gemacht worden ist, die durch die Trinitätslehre zu beantwortende Frage: Wer Gott ist? zurückstellt und zunächst davon handelt, daß und was er ist, als ob dieses Daß und Was anders als unter Voraussetzung jenes Wer zu bestimmen wäre.

Man darf hier Calvin selbst gegen das auch von ihm angewandte Verfahren anrufen: *Quomodo enim immensam Dei essentiam ad suum modulum mens humana definiat...? Imo vero, quomodo proprio ductu ad Dei usque substantiam excutiendam penetret...? Quare Deo libenter permittamus sui cognitionem. Ipse enim demum unus, ut inquit Hilarius, idoneus sibi testis est, qui nisi per se cognitus non est. Permittemus autem si et talem concipiemus ipsum qualem se nobis patefacit: nec de ipso aliunde sciscitabimur quam ex eius verbo* (*Instit.* I 13, 21).

Als ob nicht bei der Lehre von der Heiligen Schrift sowohl wie bei der Lehre von Gott die schwerste Gefahr bestünde, daß man sich in Erwägungen verliert und zu Feststellungen veranlaßt sieht, die mit dem angeblichen konkreten Gegenstand beider Lehren gar nichts zu tun haben, wenn man dessen Konkretheit, wie sie eben in der trinitarischen Gestalt des christlichen Gottesbegriffs manifest ist, zunächst dahingestellt sein läßt. Und als ob nicht die Trinitätslehre selber von der gleichen Gefahr, der Gefahr einer unsachgemäßen Spekulation, bedroht wäre, wenn man sie erst nachträglich zu Worte kommen läßt, statt ihr, die uns über die konkrete und entscheidende Frage: Wer ist Gott? Auskunft zu geben hat, das erste Wort zu geben.

Daß man immer wieder jenem formal eben allzu naheliegenden und allzu einleuchtenden Schema: Wie erkennen wir Gott? Ist ein Gott? Was ist Gott? und endlich und zuletzt erst: Wer ist unser Gott? meinte folgen zu sollen, das steht in eigentümlichem Widerspruch zu den höchst gewichtigen Erklärungen, die man über die tatsächliche umfassende Bedeutung der Trinitätslehre abzugeben denn doch nicht umhin konnte. Was wir durch ihre Voranstellung praktisch zur Anerkennung bringen möchten, das ist ja in der Geschichte der Dogmatik durchaus nicht verborgen gewesen und oft genug in sehr starken Worten ausgesprochen worden: sie ist der Punkt, wo es sich grundlegend entscheidet, ob die wahrlich nach allen Seiten belangvolle Vokabel „Gott" in der kirchlichen Verkündigung in der ihrem Gegenstand als ihrem Kriterium an-

§ 8. *Gott in seiner Offenbarung*

gemessenen Weise zur Verwendung komme. Die Trinitätslehre ist es, die die christliche Gotteslehre als christliche — sie ist es also schon, die den christlichen Offenbarungsbegriff als christlichen vor allen möglichen anderen Gotteslehren und Offenbarungsbegriffen grundlegend auszeichnet. Gewiß die Entscheidung wiederholt sich auf der ganzen Linie. Aber es dürfte sich so verhalten, daß sie sich v o n h i e r a u s wiederholt, v o n h i e r ihr Gefälle gewinnt, v o n h i e r aus so ernsthaft, so einfach zugleich und so verwickelt wird, wie sie es dann letztlich in der Tat überall ist.

Wenn wir Gott nicht erkennen, wie er sich als der Eine offenbart, nämlich *distincte in tribus personis*, so ist damit gegeben, daß *nudum et inane duntaxat Dei nomen sine vero Deo in cerebro nostro volitat* (Calvin, *Instit.* I 13, 2). — *Quia de Deo sentiendum est sicut se patefecit: Credimus, agnoscimus, confitemur et invocamus tres personas, Patrem, Filium et Spiritum sanctum... De re summa et excellentissima cum modestia et timore agendum est at attentissimis ac devotis auribus audiendum, ubi quaeritur unitas trinitatis, Patris, Filii et Spiritus sancti. Quia nec periculosius alicubi erratur, nec laboriosius quaeritur, nec fructuosius invenitur* (M. Chemnitz, *Loci* 1591, I S. 31). — *Ignorato vel negato Trinitatis mysterio tota salutis* οἰκονομία *ignoratur vel negatur* (J. Gerhard, *Loci* 1610, III 1, 7). — *Deus Deus esse non potest nisi tres habeat distinctos existendi modos sive personas* (B. Keckermann, *Systema S. S. Theol.* 1611 S. 20, zit. nach H. Heppe, Dogm. d. ev.-ref. Kirche 1861 S. 86). — *Qui non addunt mentionem trium personarum in descriptione Dei, eam nequaquam genuinam aut completam sistunt, quum sine iisdem nondum constet, quisnam sit verus Deus* (A. Calov, *Systema loc. theol.* 1655 f. II 182, zit. nach H. Schmid, Dogm. d. ev.-luth. Kirche, 4. Aufl. 1858 S. 78). — Solange der Theismus „nur Gott und Welt und nie Gott von Gott unterscheidet, bleibt er immer im Rückfalle und Übergange in die pantheistische oder irgendeine Verleugnung des absoluten Seins begriffen. Einen vollkommenen Schutz gegen Atheismus, Polytheismus, Pantheismus oder Dualismus kann es nur mit der Trinitätslehre geben.... Der Glaube an die ewige heilige Liebe, die Gott ist, kann sich nur durch die Erkenntnis des vollkommenen ewigen Gegenstandes der göttlichen Selbsterkenntnis und Liebe theoretisch und praktisch vollenden, d. h. durch den Gedanken der Liebe des Vaters zu dem eingeborenen Sohne. Endlich wird die volle belebende Natur und Mitteilung Gottes, welche weder Verminderung noch Beschränkung seines Wesens ist, nur durch die trinitarische Lehre vom Geiste bewahrt bleiben" (C. J. Nitzsch, System der christl. Lehre, 6. Aufl. 1851 S. 188). — *Met de belijdenis van Gods drieëenheid staat en valt het gansche Christendom, de geheele bijzondere openbaring. Zij is de kern van het Christelijk geloof, de wortel aller dogmata, de substantie van het nieuwe verbond. Uit dit religieus, Christelijk belang heeft dan ook de ontwikkeling der kerkelijke triniteitsleer haar aanvang genomen. Het ging bij haar waarlijk niet om een metaphysisch lerstuk of eene wijsgeerige bespiegeling, maar om het hart en het wezen der Christelijke religie zelve. Zoozeer wordt dit gevoeld, dat allen, die nog prijs stellen op den naam van Christen, eene zekere triniteit erkennen en huldigen. In elke Christelijke belijdenis en dogmatiek is de diepste vraag deze, hoe God een en toch weer drievoedig kan zijn. En al naar gelang deze vraag beantwoord wordt, komt in alle stukken der leer de Chrijstelike waarheid minder of meer tot haar recht. In de triniteitsleer klopt het hart van heel de openbaring Gods tot verlossing der menschheid....* (H. Bavinck, *Gereformeede Dogmatiek*, 2. Bd. 4. Aufl. 1918 S. 346 f.) — „Der trinitarische Gottesname spricht das spezifisch christliche Gottesbewußtsein aus, und da das Gottesbewußtsein der Grund und Inhalt alles Glaubens ist, ist der trinitarische Gottesname das christliche Evangelium. Auf ihn geschieht deshalb die Taufe" (Ad. Schlatter, Das chr. Dogma, 2. Aufl.

1. Die Stellung der Trinitätslehre in der Dogmatik

1923 S. 354). — Und sogar Troeltsch fand in der Trinitätsformel, natürlich so wie er sie verstand, „einen kurzen Ausdruck des Christentums als der in Christus gegebenen und im Geiste wirksamen Gottesoffenbarung ... die bleibende klassische Formel des Christentums, in die sich die ganze Glaubenslehre zusammenziehen läßt" (Glaubenslehre 1925 S. 124). Vgl. auch Joseph Braun, S. J., Handlexikon der kathol. Dogmatik 1926 S. 55: „Die Lehre von der heiligsten Dreifaltigkeit ist das Grunddogma des Christentums."

Wenn das so oder ähnlich zu sagen ist, dann ist eigentlich nicht einzusehen, warum das nicht in der äußeren und vor allem in der inneren Stellung der Trinitätslehre in der Dogmatik zum Ausdruck kommen soll.

Es gibt eine Reihe von neuzeitlichen Dogmatikern, die diesem Bedürfnis wenigstens äußerlich in der Weise Rechnung getragen haben, daß sie die sog. spezielle Dogmatik nach der Dreiteilung Gott Vater, Sohn und Heiliger Geist aufgebaut haben: Ph. K. Marheineke, Grundlehren der christl. Dogm. als Wiss. 1827, A. Schweizer, Glaubenslehre d. ev.-ref. Kirche 1844 f. und Christl. Glaubenslehre nach prot. Grundsätzen, 2. Aufl. 1877, H. Martensen, Die chr. Dogm. 1856, Th. Haering, Der christl. Glaube 1906, M. Rade, Glaubenslehre 1924 f. Die Notwendigkeit einer solchen Hervorhebung, also die konstitutive Bedeutung der Trinitätslehre wird freilich aus dem, was diese Autoren über sie selbst und als solche zu sagen haben, meist nicht eben sehr deutlich, sie ist z. B. bei A. Schweizer durch den mächtig vorgelagerten ersten Teil, eine breit ausgeführte natürliche Theologie, stark verdunkelt. Ich wüßte auch keinen unter den Genannten, bei dem etwa in der Entwicklung dieser Lehre, obwohl sie ihnen zum Schema des Ganzen dient, eine für dieses Ganze bedeutsame sachliche Entscheidung sichtbar würde. Man wird aber in der wie immer begründeten Wahl dieser Anordnung eine faktische Bestätigung des Vorhandenseins und der Dringlichkeit jedenfalls des Problems der Trinitätslehre nicht verkennen können. Dasselbe gilt natürlich von Schleiermacher, der die Trinitätslehre außerhalb der Reihe der übrigen dogmatischen Loci als solennen Schluß der ganzen Dogmatik zu verwenden gewußt hat. Daß die Schleiermachersche Trinitätslehre eben nur den Schluß seiner Dogmatik bilden kann, nicht aber ebensogut den Anfang bilden könnte, dem ist freilich zu entnehmen, daß ihr eine konstitutive Bedeutung auch bei ihm nicht zukommt, so daß auch hier das Faktum wichtiger ist als die Absicht und Weise, in der es geschaffen ist.

Nicht daß sie äußerlich irgendeine hervorgehobene Stellung bekommt, sondern allein das kann natürlich, indem auch wir ihr eine solche geben, unser Anliegen sein: daß ihr Gehalt für die ganze Dogmatik entscheidend und beherrschend werde. Das Problem der Trinitätslehre ist uns bei der an die Bibel gerichteten Frage nach der Offenbarung begegnet. Wenn wir fragen: wer ist der sich offenbarende Gott? dann antwortet uns die Bibel so, daß wir zum Bedenken der Dreieinigkeit Gottes aufgefordert sind. Auch die anderen Fragen: Was tut und was wirkt dieser Gott? werden, wie wir sahen, zunächst mit neuen Antworten auf die erste Frage: Wer ist er? beantwortet. Das Problem dieser drei gleichen und doch verschiedenen, verschiedenen und doch gleichen Antworten auf jene Fragen ist das Problem der Trinitätslehre. Das Problem der Offenbarung steht und fällt zunächst mit diesem Problem.

Daß die Erörterung der Trinitätslehre gerade in den Zusammenhang einer Erörterung der Offenbarung gehört, in dieser Überzeugung fühlen wir uns, abgesehen von dem angezeigten Weg, auf dem wir dazu gekommen sind, auch durch zwei unter sich im Zusammenhang stehende geschichtliche Tatsachen bestärkt. Die altprotestantischen Orthodoxen konnten, wissend oder nicht wissend, was sie sagten, nicht genug den Charakter der Trinität als eines, ja geradezu als des Mysteriums des Glaubens hervorheben. *Mysterium trinitatis neque lumine naturae inveniri, neque lumine gratiae, neque lumine gloriae potest comprehendi ab ulla creatura.* (H. Alsted, *Theol. scholast.* 1618, zit. nach Heppe a. a. O. S. 86 f.) *Sublimitas tanta est, ut* ὑπὲρ νοῦν, ὑπὲρ λόγον καὶ ὑπὲρ πᾶσαν κατάληψιν*: Quare ex ratione nec oppugnari nec expugnari, nec demonstrari, sive a priori, sive a posteriori potest aut debet* (J. Fr. König, *Theol pos. acroam.* 1664 I § 78). Eben darum haben sie auch im Einklang mit den Kirchenvätern und mit den mittelalterlichen Scholastikern nirgends so eindringlich wie hier von der Notwendigkeit eben der Offenbarung als der alleinigen Quelle der Erkenntnis dieses alle Mysterien beherrschenden Mysteriums geredet. Dazu paßt aber auch aufs genaueste die Abneigung, die der modernistische Protestantismus von den Tagen Servets und der anderen Antitrinitarier der Reformationszeit an gerade dieser Lehre entgegengebracht hat. Sie ist, wie Schleiermacher sehr richtig gesehen und ausgesprochen hat, dadurch vor anderen christlichen Lehren hervorgehoben, daß sie sich nicht als unmittelbare Aussage des christlichen Selbstbewußtseins verständlich machen läßt. „Oder wer dürfte behaupten, daß in dem Eindruck, welchen das Göttliche in Christo machte, aufgegeben gewesen sei, eine solche ewige Sonderung (im höchsten Wesen) als den Grund desselben (nämlich jenes Eindrucks) zu denken?" (Der chr. Glaube § 170, 2.) Wir nehmen gerade das, daß diese Theologie erklärt, von dem aus, was sie unter Offenbarung versteht, keinen Zugang zu dieser Sache zu haben als Indizium dafür, daß diese Sache da, wo es sich um die wirkliche Offenbarung handelt, an erster Stelle zu beachten und zu überlegen ist.

2. DIE WURZEL DER TRINITÄTSLEHRE

Wir haben im Bisherigen zunächst nur festgestellt, daß wir bei der Frage nach dem, was die Heilige Schrift als Offenbarung bezeugt, auf das Problem der Trinitätslehre stoßen, daß wir also Anlaß haben, zunächst diesem unsere Aufmerksamkeit zuzuwenden. Es gilt nun erst genau hinzusehen, um uns klarzumachen, daß wirklich schon der christliche Offenbarungsbegriff das Problem der Trinitätslehre in sich enthält, daß man ihn gar nicht analysieren kann, ohne als ersten Schritt eben diesen zu tun: zu versuchen, die Trinitätslehre zu Worte kommen zu lassen.

Gottes Offenbarung ist nach der Schrift Gottes eigenes unmittelbares Reden, nicht zu unterscheiden von dem Akt dieses Redens, also nicht zu unterscheiden von Gott selbst, von dem göttlichen Ich, das dem Menschen in diesem Akt, in dem es Du zu ihm sagt, gegenübertritt. Offenbarung ist *Dei loquentis persona*.

2. Die Wurzel der Trinitätslehre

Von dem umfassenden Begriff des Wortes Gottes her gesehen ist zu sagen: hier, in Gottes Offenbarung, ist Gottes Wort identisch mit Gott selbst. Das kann man unter den drei Gestalten des Wortes Gottes unbedingt und in strengster Eigentlichkeit nur von der Offenbarung sagen, nicht in derselben Vorbehaltlosigkeit und Direktheit auch von der Heiligen Schrift und von der kirchlichen Verkündigung. Denn wenn man dasselbe auch von ihnen sagen kann und muß, so muß man jedenfalls einschalten, daß ihre Identität mit Gott eine indirekte ist. Man wird ja ohne ihren Charakter als Gottes Wort leugnen oder auch nur einschränken zu wollen, daran denken müssen, daß das Wort Gottes hier vermittelt ist: durch die menschlichen Personen der Propheten und Apostel, die es empfingen und weitergaben und wiederum durch die menschlichen Personen seiner Ausleger und Verkündiger, daß Heilige Schrift und Verkündigung Wort Gottes immer wieder werden müssen um es zu sein. Wenn auch in der Heiligen Schrift und in der kirchlichen Verkündigung das Wort Gottes Gott selbst ist, dann darum, weil es sich in der Offenbarung, von der sie zeugen, so verhält. Indem wir das Wort Gottes als das verkündigte und geschriebene verstehen, verstehen wir es gewiß nicht in einem minderen Grade als Wort Gottes. Wir verstehen dann aber dasselbe Wort Gottes in seiner Beziehung eben auf die Offenbarung. Verstehen wir es dagegen als offenbartes, so verstehen wir es ohne solche Beziehungen oder vielmehr: als den Grund jener Beziehungen, in denen es auch das Wort Gottes ist. Wir verstehen es dann als unverschieden von dem Ereignis, kraft dessen es auch in jenen Beziehungen das eine Wort Gottes ist, also als unverschieden von dem eigenen direkten Reden Gottes, also als unverschieden von Gott selbst. Das ist's, was die Offenbarung im Unterschied zu der Heiligen Schrift und zu der kirchlichen Verkündigung — wir werden nicht sagen auszeichnet, weil ein Rang- und Wertunterschied hier nicht in Betracht kommt, wohl aber kennzeichnet. (Vgl. dazu § 4, 3 und 4.)

Gottes Offenbarung ist nach der Heiligen Schrift ein Grund, der keinerlei höheren oder tieferen Grund über sich oder hinter sich hat, sondern der schlechterdings in sich selber Grund ist und also dem Menschen gegenüber eine Instanz, der gegenüber kein Appell an eine obere Instanz möglich ist. Ihre Wirklichkeit sowohl wie ihre Wahrheit beruhen nicht auf einer übergeordneten Wirklichkeit und Wahrheit, müssen nicht erst von einem solchen anderen Ort aus als Wirklichkeit aktualisiert und legitimiert werden, sind also auch nicht an der Wirklichkeit und Wahrheit, die an einem solchen anderen Ort zu finden wäre, gemessen, nicht mit einer solchen zu vergleichen, nicht im Blick auf eine solche als Wirklichkeit und Wahrheit zu beurteilen und zu verstehen. Sondern Gottes Offenbarung hat ihre Wirklichkeit und Wahrheit ganz und in jeder Hinsicht — also ontisch und noetisch — in sich selber. Nur indem man sie leugnet, kann man ihr einen von ihr selbst verschiedenen höheren oder tieferen Grund zuschreiben, oder sie von einem solchen höheren oder tieferen Grund aus verstehen, annehmen oder ablehnen wollen. Wohlverstanden: auch Annahme der Offenbarung von einem solchen von ihr verschiedenen und ihr vermeintlich überlegenen Grund aus — also z. B. eine Bejahung der Offenbarung, bei der der Mensch zuvor sein Gewissen zum Richter über sie eingesetzt hätte — kann nur unter Verleugnung der Offenbarung stattfinden. Offenbarung wird von keinem Anderen her wirklich und wahr, weder in sich noch für uns. Sie ist es in sich und für uns durch sich selber. Das unterscheidet sie auch von dem Zeugnis, das der Prophet und der Apostel und das der Ausleger und Verkündiger der Schrift von ihr gibt, jedenfalls sofern man dieses Zeugnis für sich betrachtet. Kann man auch von diesem Zeugnis dasselbe sagen: daß es in sich und für uns durch sich selber begründet sei, dann kraft dessen, daß dieses Zeugnis sich nicht bloß auf die Offenbarung beziehen will, sondern wirklich bezieht, weil die Offenbarung auch in ihm Ereignis geworden ist. Das kann geschehen. Das muß aber auch geschehen, damit die Schrift und die Verkündigung Wort Gottes seien. Sie müssen es werden. Die Offenbarung muß es nicht erst werden. In ihr ruht und lebt die Fülle des ursprünglichen, in sich selbst wesenden Seins des Wortes Gottes.

Vgl. zu diesem ganzen Zusammenhang: Eduard Thurneysen, Offenbarung in Religionsgeschichte und Bibel, Z. d. Z. 1928 S. 453 f. — Altes und Neues Testament sind durchaus einig in der Anschauung, daß die Aussprüche Gottes, wie sie nach ihrem Zeugnis an die Menschen ergangen sind, ein in sich geschlossenes Novum bilden gegenüber Allem, was die Menschen sich selbst oder was sie einander sagen können. Man kann dem, was in der Bibel Offenbarung heißt, gehorchen oder nicht gehorchen, glauben oder nicht glauben — beides kommt vor — man kann aber nicht von anderswoher einsehen, man kann sich nicht von anderswoher darüber orientieren, ob sie wirklich geschehen und ob ihr Inhalt wahr ist. Man kann sie nicht nur nicht selbst hervorbringen (wie die Baalspfaffen auf dem Karmel, 1. Kön. 18, es tun wollten), man kann sie auch nicht als Offenbarung kontrollieren (wie man es mit der Forderung von „Zeichen" Jesus gegenüber vergeblich versucht hat). Man kann nur innerhalb ihres geschlossenen Kreises stehen oder vielmehr gehen oder aber — die rätselhafte und doch immer wieder unheimlich zunächst liegende Möglichkeit des *mysterium iniquitatis*, „beschlossen unter den Unglauben" (Röm. 11, 32) — draußen stehen und gehen. Jesus redet ὡς ἐξουσίαν ἔχων (Matth. 7, 29). Was heißt das? Die Fortsetzung lautet: Nicht wie ihre Schriftgelehrten, d. h. offenbar: nicht wie solche, die sich im besten Fall auf die andere höhere Instanz eines schon vorliegenden Offenbarungszeugnisses beziehen müssen. Darum ist es dem Paulus so wichtig, den Herrn Jesus selbst gesehen und gehört zu haben und nicht nur durch die Überlieferung von ihm zu wissen. Sein Apostolat steht und fällt mit dieser seiner Unmittelbarkeit zur Offenbarung bzw. mit dieser Unmittelbarkeit der Offenbarung selber. Ebenso in sich selbst begründet und letztinstanzlich tritt aber auch die Größe auf, die besonders im Neuen Testament als der Geist mit seinen Entscheidungen in größten und kleinsten Dingen (bis auf die Reiserouten der Apostel) auf den Plan geführt wird. Wer nach der Bibel der Offenbarung Gottes teilhaftig und ihr gehorsam wurde, der hatte nicht Motive und Gründe dazu, der ist nicht belehrt und überzeugt

2. Die Wurzel der Trinitätslehre

worden, der folgte weder seiner Vernunft oder seinem Gewissen noch der Vernunft und dem Gewissen anderer Menschen — das Alles mochte auch geschehen, aber die Bibel spricht wenig davon und in dieser Sache ist nicht das wichtig — dem ist diese ἐξουσία entgegengetreten und ihr und niemand und nichts sonst hat er sich gebeugt. Er hat einem Befehl gehorcht.

Wir fassen das Alles zusammen in den Satz: **Gott offenbart sich als der Herr.** Dieser Satz ist als ein analytisches Urteil zu verstehen. Die Unterscheidung von Form und Inhalt kann man auf den biblischen Offenbarungsbegriff nicht anwenden. Es ist also, wo nach der Bibel Offenbarung Ereignis ist, keine zweite Frage, welches denn nun ihr Inhalt sein möchte. Und ihr Inhalt könnte nicht ebensogut in einem anderen Ereignis als in diesem offenbar werden. Sondern Offenbarung ist hier als solche — gewiß entsprechend dem Reichtum Gottes kein Mal wie das andere, sondern immer neu, aber als Offenbarung unter allen Umständen die Ankündigung der βασιλεία τοῦ θεοῦ, der Herrschaft Gottes. Und wie sollte die Ankündigung dieser βασιλεία anders erfolgen können als eben mittels dessen, was hier Offenbarung heißt? Das heißt Herr sein, was Gott in seiner Offenbarung dem Menschen gegenüber ist. Das heißt als Herr handeln, wie Gott in seiner Offenbarung am Menschen handelt. Und das heißt einen Herrn bekommen, was der Mensch an Gott bekommt, indem er seine Offenbarung empfängt — Offenbarung hier immer in dem unbedingten Sinn verstanden, wie sie uns eben im Zeugnis der Schrift entgegentritt. Alles was wir sonst als „Herrschaft" kennen, müßte sein: Abbild, und ist in Wirklichkeit: betrübte Karikatur dieser Herrschaft. Ohne Offenbarung weiß der Mensch das nicht, daß es einen Herrn gibt, daß er, der Mensch, einen Herrn hat und daß Gott dieser Herr ist. Durch die Offenbarung weiß er es. Offenbarung ist Offenbarung von Herrschaft und eben damit Offenbarung Gottes. Denn das ist die Gottheit Gottes, das ist's, was der Mensch nicht weiß, und was Gott ihm offenbaren muß und nach dem Zeugnis der Schrift offenbart: Herrschaft. Herrschaft liegt in der Offenbarung eben darum vor, weil ihre Wirklichkeit und Wahrheit so ganz in sich selbst begründet ist, weil sie sich nicht anders zu aktualisieren und zu legitimieren braucht, als dadurch, daß sie geschieht, weil sie nicht in irgendeiner Beziehung zu etwas Anderem, sondern durch sich selbst Offenbarung, weil sie jenes in sich geschlossene Novum ist. Herrschaft heißt **Freiheit**.

Der vorhin hervorgehobene biblische Begriff ἐξουσία besagt bekanntlich beides.

Gottheit heißt in der Bibel Freiheit, ontische und noetische Eigenständigkeit. In den Entscheidungen, die in dieser Freiheit Gottes fallen, wird das göttlich Gute Ereignis, verdienen es Wahrheit, Gerechtigkeit, Heiligkeit, Barmherzigkeit zu heißen, was ihre Namen besagen, weil sie es in der Freiheit Gottes wirklich sind So, als dieser Freie, als der allein Freie, hat der Gott der Bibel Herrschaft. So offenbart er sie auch.

Gerade jene für die biblische Offenbarung so charakteristische Selbstgenugsamkeit oder Unmittelbarkeit charakterisiert diese Offenbarung einerseits als Offenbarung Gottes, andererseits als Offenbarung von Herrschaft. Aber ganz charakteristisch wird das Alles doch erst dann, wenn wir nun darauf achten, daß es sich nicht etwa abstrakt um Offenbarung von Herrschaft, sondern konkret um die Offenbarung des Herrn handelt, nicht um Gottheit (und wäre es die als Freiheit verstandene Gottheit), sondern um Gott selbst, der in dieser Freiheit als Ich redet und mit Du anredet. Daß das geschieht, heißt in der Bibel Offenbarung und also Offenbarung seiner Herrschaft. Damit, daß dieses Ich redet und mit Du anredet, kündigt Gott sein Reich an und unterscheidet er diese Ankündigung von allen Spekulationen über Freiheit, Herrschaft, Gottheit, wie sie der Mensch vielleicht auch ohne Offenbarung anstellen könnte. Indem Freiheit, Herrschaft, Gottheit wirklich und wahr sind in Gott selbst und nur in Gott selbst, unzugänglich und unbekannt also, wenn nicht Gott selbst, wenn nicht dieses Ich redet und mit Du anredet — so, in Gott selbst, sind sie der Sinn des Ereignisses, das die Bibel Offenbarung heißt. „Gott offenbart sich als der Herr" heißt: Er offenbart, was nur er selbst offenbaren kann: sich selbst. Und so: eben als er selbst, hat und übt er seine Freiheit und Herrschaft, ist er Gott, ist er der Grund ohne Gründe, mit dessen Wort und Willen der Mensch ohne alles Warum nur anfangen kann, um eben darin und damit Alles zu empfangen, was wahr und gut zu heißen verdient. Es wird und ist wahr und gut dadurch, daß wir es von ihm empfangen, daß Gott als er selbst mit uns ist, so mit uns, wie nur ein Mensch, der Ich sagt und mit Du uns anredet, mit dem Anderen ist, aber nun mit uns ist als der, der Er ist, als der Herr, der der Freie ist. Dieses Mitunssein Gottes ist nach der Bibel das Ereignis der Offenbarung.

Den so verstandenen Satz: Gott offenbart sich als der Herr bzw. das, was dieser Satz bezeichnen will, also die durch die Schrift bezeugte Offenbarung selber nennen wir „die Wurzel der Trinitätslehre".

Wir verstehen unter der Trinitätslehre allgemein und vorläufig den Satz: Der, den die christliche Kirche Gott nennt und als Gott verkündigt, also der Gott, der sich nach dem Zeugnis der Schrift offenbart hat, ist in unzerstörter Einheit derselbe, aber auch in unzerstörter Verschiedenheit dreimal anders derselbe. Oder in den Ausdrücken des Trinitätsdogmas der Kirche: Der Vater, der Sohn und der Heilige Geist im biblischen Offenbarungszeugnis sind in der Einheit ihres Wesens der eine Gott, und der eine Gott im biblischen Offenbarungszeugnis ist in der Verschiedenheit seiner Personen der Vater, der Sohn und der Heilige Geist.

Wenn wir den Satz: Gott offenbart sich als der Herr bzw. die mit

2. Die Wurzel der Trinitätslehre

diesem Satz bezeichnete, durch die Schrift bezeugte Offenbarung selbst als die Wurzel der Trinitätslehre bezeichnen, so ist damit ein Doppeltes gesagt:

Einmal (negativ): der Satz oder die Sätze über die Trinität Gottes können nicht beanspruchen, mit dem Satz über die Offenbarung bzw. mit der Offenbarung selbst direkt identisch zu sein. Die Trinitätslehre ist eine Analyse dieses Satzes bzw. dessen, was er bezeichnet. Die Trinitätslehre ist ein Werk der Kirche, ein Dokument ihres Verständnisses jenes Satzes bzw. seines Gegenstandes, ein Dokument ihrer Erkenntnis Gottes bzw. ihres Kampfes gegen den Irrtum und für die Sachgemäßheit ihrer Verkündigung, ein Dokument ihrer Theologie und insofern ein Dokument ihres Glaubens und nur insofern, nur indirekt, ein Dokument der Offenbarung selber. Der Text der Trinitätslehre, ob wir dabei an eine ihrer kirchlich dogmatischen Formulierungen oder an unsere oder an eine andere theologisch-dogmatische Explikation des kirchlichen Dogmas denken, ist also nicht etwa identisch mit einem Stück des Textes des biblischen Offenbarungszeugnisses. Der Text der Trinitätslehre bezieht sich durchweg auf Texte des biblischen Offenbarungszeugnisses, er enthält auch gewisse jenem Text entnommene Begriffe, aber er tut das wie eine Interpretation das tut, d. h. er übersetzt und exegesiert jenen Text, und das bringt z. B. mit sich, daß er sich auch anderer Begriffe bedient als derer, die in seiner Vorlage enthalten sind. Das bedeutet, daß er nicht nur wiederholt, was dasteht, sondern daß er dem, was dasteht, als Erklärung dessen, was dasteht, ein Neues gegenüberstellt. Wir bezeichnen diesen Abstand gegenüber der Offenbarung und gegenüber der Schrift, dessen sich die Kirche und die Theologie bei ihren Leistungen bewußt sein muß, indem wir unseren Satz über die Offenbarung — auch er ist ja schon als Interpretation zu verstehen — nur als die Wurzel der Trinitätslehre bezeichnen.

Die Trinitätslehre ist schon in der alten Kirche mit dem Argument angefochten worden: sie sei nicht biblisch, d. h. sie stehe so, wie sie von der kirchlichen Theologie formuliert wurde, nirgends in der Bibel zu lesen. Ganz besonders gelte das von den entscheidenden Begriffen „Wesen" und „Person", mit denen sie arbeite, es gelte aber schon von dem Begriff „Trinität" selber. Nun, der Einwand kann gegen jedes Dogma, er kann gegen die Theologie überhaupt und als solche, er müßte dann aber auch gegen jede Verkündigung erhoben werden, die über die Lesung der Heiligen Schrift hinaus auch Erklärung ist. Erklärung heißt nun einmal: ein Vorgesagtes in anderen Worten nachsagen. Daß die Trinitätslehre „nicht in der Bibel stehe", das haben natürlich die Kirchen- und Konzilsväter und erst recht später die Reformatoren in ihrem Kampf gegen die neuen Antitrinitarier auch gewußt. Sie haben aber mit Recht in Abrede gestellt, daß es für die Legitimität, d. h. Biblizität des kirchlichen Dogmas und einer kirchlichen Theologie darauf ankomme, *ipsa etiam verba* (d. h. die Worte der Heiligen Schrift) *totidem syllabis et literis exprimere* (M. Chemnitz, *Loci* ed. 1591 1 S. 34). Das bedeute eine *iniqua lex* für die Kirche, eine Verdammung aller Schriftauslegung, die eben darin bestehe, *explicare quod Scripturis testatum consignatumque est* (Calvin, *Instit.* I

13, 3). *Si oporteret de Deo dici solum illa secundum vocem quae sacra scriptura de Deo tradit, sequeretur quod nunquam in alia lingua posset aliquis loqui de Deo, nisi in illa in qua prima tradita est scriptura veteris vel novi testamenti. Ad inveniendum autem nova nomina antiquam fidem de Deo significantia coegit necessitas disputandi cum haereticis* (Thomas v. Aq., *S. th.* I *qu.* 29 *art.* 3). Unzutreffenden Erklärungen der Bibel, selber in der Sprache einer späteren Zeit vorgetragen, mußte eben in der Sprache derselben Zeit entgegengetreten werden. Darin bestand zu allen Zeiten die Aufgabe des Dogmas und der Dogmatik. Darin charakterisieren sich Dogma und Dogmatik in ihrer Unterschiedenheit von der Bibel. Aber darum nicht notwendig als unbiblisch, d. h. widerbiblisch. Sie befinden sich, wie man ohne weiteres zugeben muß, in demselben gefährlichen Raum, in dem sich jeweilen auch die abzuweisenden Irrlehren befinden. Aber was ist das für ein anderer Raum als eben der der *ecclesia militans*, die auf die Propheten und Apostel zu hören, die ihr Wort aber auch in der Sprache späterer Zeiten zu verstehen, unter Gefahr des Mißverständnisses recht zu verstehen sucht. *Nec enim Deus frustra donum prophetiae dedit ecclesiae ad interpretandas scripturas, quod inutile sane foret, si rem scripturis traditam nefas esset aliis vocabulis exprimere* (Fr. Turrettini, *Instit. Theol. elenct.* 1679 I *L.* 3 *qu.* 23, 23). Aber wenn dieser Einwand abzuweisen ist, so wird ihm doch nicht nur diese Erinnerung an die Gefahr aller Theologie, sondern wieder mit Calvin auch das zu entnehmen sein: daß es sich in der Lehre als solcher ihrem Gegenstand gegenüber um eine *impropria loquutio* handelt, daß die Erklärung als solche, sofern sie vom Text verschieden ist, sofern sie mit textfremden Begriffen arbeiten muß, gut und gerne auch „begraben" sein könnte, wenn das rechte Verständnis des Textes sonst gesichert wäre. *(Utinam quidem sepulta essent, constaret modo haec inter omnes fides, Patrem et Filium et Spiritum esse unum Deum: nec tamen aut Filium esse Patrem, aut Spiritum Filium ... ib.* 5.) Es bedeutete demgegenüber ebenso eine Verwechslung der Kategorien, wie eine Vergewaltigung der Tatsachen, wenn man meinte versichern zu dürfen: *Trinitatis dogma non est ecclesiae traditio tantum, sed doctrina in sacris literis expressa* (J. Wolleb, *Christ. Theol. Comp.* 1626 *L.* I *cap.* 2 *can.* 2, 1).

Mit der Bezeichnung der Offenbarung als der Wurzel der Trinitätslehre ist sodann (positiv) auch das gesagt: der Satz oder die Sätze über die Trinität Gottes wollen allerdings mit dem Satz über die Offenbarung nicht direkt, aber indirekt identisch sein. Die Neuheit, die Andersheit, in der sie neben jenen ersten Satz bzw. neben dessen Inhalt treten, kann nicht bedeuten: Eine erste, sagen wir die biblische Zeit, hat noch einen Glauben ohne Offenbarung und Erkenntnis des dreieinigen Gottes gehabt. Was sie mit der Entgegenstellung und der Einheit zwischen Jahve und dem Engel Jahves, zwischen Vater, Sohn und Geist meinte, das war in Wirklichkeit ein nicht ganz geklärter Monotheismus, ein stark gebrochener Polytheismus oder dgl. — dann kam eine zweite, sagen wir die altkirchliche Zeit, die denselben Glauben aus allerhand Gründen nun wirklich trinitarisch im Sinne des Dogmas formulieren zu müssen meinte — und nun stünden wir in einer dritten, sagen wir der modernen Zeit, für die wiederum sowohl die Bibel als auch das Dogma Dokumente des Glaubens vergangener Zeiten geworden sind, denen gegenüber wir jede Freiheit hätten, unseren Glauben ebenso oder auch nicht ebenso auszudrücken. Nein, wir verstehen — mit welchem Recht und in welchem Sinn, wird freilich erst zu zeigen sein — das Dogma als eine notwendige und

2. Die Wurzel der Trinitätslehre

sachgemäße Analyse der Offenbarung, die Offenbarung selbst also durchaus als richtig interpretiert eben durch das Dogma. Die Bibel kann das Trinitätsdogma ebensowenig explizit enthalten, wie sie die anderen Dogmen explizit enthält; denn ihr Zeugnis, das ja auch in einer bestimmten geschichtlichen Situation oder in einer Vielheit von solchen abgegeben wurde, steht als Zeugnis von der Offenbarung wohl der irrenden Menschheit insgemein, aber nicht diesen und jenen explizierten Irrtümern der Kirchengeschichte als solchen gegenüber. Ihr Zeugnis ist aber als Zeugnis von der Offenbarung nicht nur die Urkunde des Glaubens einer bestimmten Zeit, sondern indem sie das ist, zugleich die Instanz, an der der Glaube jederzeit sich messen lassen muß und auch ungeachtet der Verschiedenheit der Zeiten gemessen werden kann.

Man konnte und kann also zwar sinnvoller Weise weder Arius noch Pelagius, weder den tridentinischen Katholizismus noch Servet, weder Schleiermacher noch Tillich direkt aus der Bibel widerlegen in dem Sinn, als ob ihre Irrlehren dort *totidem syllabis et literis* Kapitel und Vers soundsoviel schon widerlegt wären, als ob sich das Wort Gottes dort über die jeweiligen Angelegenheiten der verschiedenen Zeiten schon ausgesprochen hätte und bloß aufgeschlagen zu werden brauchte, um die richtige Entscheidung herzugeben. Man kann und muß aber zur dogmatischen Entscheidung in den jeweiligen Angelegenheiten der verschiedenen Zeiten aus dem jeweilig neu zu entdeckenden Grund der Schrift argumentieren, wenn man nicht ebenso willkürlich, ebenso untheologisch argumentieren will wie wahrscheinlich der Gegner.

Daraus folgt, daß der Beweis für die Wahrheit des Dogmas, das als solches „nicht in der Bibel steht", nicht etwa schon damit geführt ist, daß es nun einmal Dogma ist, sondern nur daraus, daß wir es als eine zutreffende Interpretation der Bibel verstehen können und müssen. Es wird später davon zu reden sein, daß und warum wir an das Dogma mit einem gewissen Vorurteil für seine Wahrheit, mit einem ganz bestimmten Respekt vor seiner (nicht absoluten aber relativen) Autorität heranzutreten haben. Aber das schließt nicht aus sondern ein, daß die Dogmatik das Dogma zu beweisen, d. h. aber seinen Grund, seine Wurzel in der Offenbarung bzw. im biblischen Zeugnis von der Offenbarung nachzuweisen hat. Wenn das Dogma keine solche Wurzel hätte, wenn es sich etwa zeigen ließe, daß bei seiner Entstehung vorwiegend oder ganz eingelegt statt ausgelegt worden ist, wenn es also nicht als Analyse der Offenbarung zu verstehen wäre, dann wäre es auch nicht als Dogma zu anerkennen.

In diesem Sinn können wir eine ganze Reihe von Dogmen der römisch-katholischen Kirche, etwa das von der mit der Heiligung zusammenfallenden Rechtfertigung oder das von Maria oder das vom Fegfeuer oder das von der Siebenzahl der Sakramente oder das von der Infallibilität des Papstes nicht als Dogma anerkennen. Ebensowenig natürlich die spezifischen Dogmen des protestantischen Modernismus wie das von der geschichtlichen Entwicklung der Offenbarung oder das von der Kontinuität zwischen Gott und Mensch im religiösen Erlebnis. Wir sehen die „Wurzel" nicht, die diese Lehren in der Offenbarung bzw. in deren biblischer Bezeugung haben müßten, um Dogmen sein zu können.

§ 8. Gott in seiner Offenbarung

Indem wir die Offenbarung als die Wurzel der Trinitätslehre bezeichnen, zeigen wir also an, daß wir das biblische Zeugnis von Gott in seiner Offenbarung und die Trinitätslehre zwar durchaus nicht verwechseln oder in eins setzen, wohl aber zwischen beiden einen echten und begründeten Zusammenhang zu sehen meinen. Womit dann selbstverständlich gesagt ist, daß die Trinitätslehre auch für uns selbst, für die Dogmatik unserer Zeit — so gewiß das eine ganz andere Zeit ist als die des Athanasius und Augustin — durchaus aktuelle und nicht nur historische Relevanz hat, d. h. daß die Kritik und Korrektur der kirchlichen Verkündigung sich auch heute in Form der Entwicklung der Trinitätslehre vollziehen muß, daß der Text der Trinitätslehre — natürlich auch er in unserer eigenen Auslegung! auf Auslegung verzichten hieße ja überhaupt auf ihn verzichten — uns zum notwendig zu benützenden Kommentar für die Auslegung der Bibel und also für den Gebrauch des dogmatischen Kriteriums wird.

Aber kommen wir zur Sache: also der Grund, die Wurzel der Trinitätslehre, wenn sie eine solche hat und also mit Recht Dogma ist — und sie hat eine solche, sie ist mit Recht Dogma — liegt in der Offenbarung.

Frage 25 des Heidelberger Katechismus lautet folgendermaßen: Dieweil nur ein einig Göttlich wesen ist: warumb nennestu drey, den Vatter, Son, und heiligen Geist? Die Frage ist fast wörtlich übernommen aus dem Genfer Katechismus von 1545, wo Calvin selbst sie folgendermaßen beantwortete: *Quoniam in una Dei essentia Patrem intueri nos convenit... deinde Filium ... postremo Spiritum sanctum* (K. Müller, Bekenntnisschr. d. ref. Kirche 1903 S. 118, 25). Was heißt das: *Quoniam nos convenit?* Deutlicher hat Calvin in der Institutio (I 13, 2) geantwortet: *nam ita se praedicat unicum esse, ut distincte in tribus personis considerandum proponat.* Und dementsprechend formuliert der Heidelberger seine Antwort: Darumb dass sich Gott also in seinem wort geoffenbaret hat, daß dise drey underschiedliche Personen, der einig warhafftig ewig Gott seind. Also darum und insofern: *convenit.* Man könnte hier einwenden, daß Calvin und seine Nachfolger mit dieser Berufung auf die Offenbarung gewiß nur gemeint hätten, daß die Dreieinigkeit Gottes eben wie allerlei anderes in der Schrift bezeugt sei. Aber daß gerade ihre Einführung in dieser seltsamen Weise begründet wird, das wäre doch schon an sich sehr auffällig. Und wir dürfen nun an die früher zitierten Worte Calvins u. a. erinnern, aus denen hervorgeht, daß den alten Protestanten die Trinität durchaus nicht nur ein Glaubensartikel unter anderen war, sondern die grundlegende Antwort auf die Frage: Wer ist der Gott, auf den sich alle anderen Glaubensartikel beziehen? Wenn wir diese Frage mit der Lehre von der Offenbarung als solcher beantworten, so tun wir damit technisch allerdings etwas, was vor vierhundert Jahren so nicht getan worden ist. Wir entfernen uns aber sachlich sicher nicht von den Absichten jener Zeit, wenn wir darauf hinweisen, daß die Offenbarung als solche — die biblisch bezeugte Offenbarung nämlich — der Grund der Trinitätslehre ist bzw. daß die Trinitätslehre die angemessene Interpretation gerade dieser Offenbarung als solcher ist.

Wir sagen damit nicht: die Trinitätslehre ist bloß die Interpretation der Offenbarung und nicht auch eine Interpretation des in der Offen-

2. Die Wurzel der Trinitätslehre

barung sich offenbarenden Gottes. Das wäre darum sinnlos, weil ja eben die Offenbarung die Selbstinterpretation dieses Gottes ist. Haben wir es mit seiner Offenbarung zu tun, so haben wir es mit ihm selbst und nicht, wie die Modalisten aller Zeiten meinten, mit einer von ihm selbst unterschiedenen Entität zu tun. Und eben als Antwort auf die Frage nach dem in der Offenbarung sich offenbarenden Gott interessiert uns ja die Trinitätslehre. Damit ist gesagt: sie ist auch ein Bestandteil, und zwar der entscheidende Bestandteil der hier noch nicht zur Besprechung stehenden Gotteslehre. Wir nehmen die Besprechung dieses Bestandteils der Gotteslehre hier vorweg und werden später alles Übrige, was in diesem Zusammenhang zu entwickeln sein wird, eben auf diese Voraussetzung, die Dreieinigkeit Gottes, aufbauen. Man kann in einer Dogmatik der christlichen Kirche vom Wesen und von den Eigenschaften Gottes nicht recht reden, wenn nicht vorausgesetzt ist: es ist Gott Vater, Sohn und Heiliger Geist, von dem da die Rede ist. Aber diese Tatsache: daß die Trinitätslehre die Grundvoraussetzung auch der Gotteslehre als solcher ist, ist nun wieder kein Hindernis, sie nicht auch und gerade schon als Interpretation der Offenbarung als solcher zu verstehen. Nicht als eine erschöpfende Interpretation: um eine solche zu geben, können wir nicht nur von dem Gott, der sich offenbart, sondern müssen wir auch von der Art, wie er sich und von dem Menschen, dem er sich offenbart, reden, und dazu bedürfen wir weiterer Vorwegnahmen aus dem Gebiet der sog. speziellen Dogmen; es sind bestimmte Teile der Christologie und der Pneumatologie, an die wir uns dabei werden halten müssen. Der Trinitätslehre aber entnehmen wir in der Tat: wer der Gott ist, der sich offenbart, und darum lassen wir sie hier als Interpretation der Offenbarung zu Worte kommen. Wir sagen also damit nicht: die Offenbarung ist der Grund der Trinität, als ob Gott nur in seiner Offenbarung und um seiner Offenbarung willen der dreieinige wäre. Wir sagen aber allerdings: die Offenbarung ist der Grund der Trinitätslehre; die Trinitätslehre hat keinen anderen Grund als diesen. Wir kommen nicht auf einem anderen Weg zur Trinitätslehre als eben auf dem Weg einer Analyse des Offenbarungsbegriffs. Und umgekehrt: die Offenbarung muß, um richtig interpretiert zu werden, als Grund der Trinitätslehre interpretiert werden; man kann die für den Offenbarungsbegriff entscheidende Frage nach dem sich offenbarenden Gott nicht in Absehung von der in der Trinitätslehre gegebenen Antwort eben auf diese Frage beantworten, sondern gerade die Trinitätslehre ist die hier zu gebende Antwort. Wir sagen also damit, daß wir die Trinitätslehre als die Interpretation der Offenbarung oder die Offenbarung als den Grund der Trinitätslehre bezeichnen: wir finden die Offenbarung selbst in der Heiligen Schrift so bezeugt, daß unser auf dieses Zeugnis sich beziehendes Verständnis der Offenbarung bzw. des sich offenbarenden Gottes eben die Trinitätslehre sein muß.

§ 8. *Gott in seiner Offenbarung*

Wir meinen damit nicht nur diejenigen Stellen, die man mit hoher Wahrscheinlichkeit schon im Blick auf ihren Wortlaut als **explizite** **Hinweise** auf die mit Recht kommende und also schon in der Offenbarung bzw. in ihrem biblischen Zeugnis selbst angelegte Trinitätslehre verstehen darf oder muß, also nicht nur die Stellen, in denen deutlich von einer Dreiheit in der Einheit und von einer Einheit in der Dreiheit des sich offenbarenden Gottes die Rede ist.

Im Alten Testament darf als solch expliziter Hinweis vielleicht die Stelle Jes. 61, 1 f. erwähnt werden, wo in einem Atemzug von dem **Herrn Jahve** und von einem von diesem Herrn gesalbten **Träger der Heilsbotschaft**, auf dem wieder der **Geist dieses Herrn** ruht, die Rede ist. Im Neuen Testament haben wir hier natürlich vor allem an den Taufbefehl Matth. 28, 19 zu denken, in welchem, welcher Schicht der Überlieferung er auch angehören mag, Vater, Sohn und Heiliger Geist jedenfalls nicht nur ausdrücklich und unterschieden und sogar in der später klassisch gewordenen Reihenfolge genannt, sondern auch zusammengefaßt werden in dem Begriff des göttlichen „Namens", in den hinein (bzw. hinein in die eine durch diesen Namen bezeichnete göttliche Wirklichkeit) die „Völker" getauft werden sollen. Neben diese Stelle darf Röm. 1, 1—4 gestellt werden, wo das Evangelium bezeichnet wird nach seinem Urheber als das εὐαγγέλιον θεοῦ, nach seinem Inhalt als handelnd von dem υἱός θεοῦ, während das πνεῦμα ἁγιωσύνης bezeichnet wird als der Faktor, durch den dieser „Sohn Gottes" in seiner Auferstehung als solcher „abgegrenzt" und insofern (für die, denen er offenbar wird und die an ihn glauben) als solcher „eingesetzt" (ὁρισθείς) ist. Auf dem Höhepunkt desselben Briefes erscheint dann (11, 36) das berühmte Wort: ἐξ αὐτοῦ καὶ δι' αὐτοῦ καὶ εἰς αὐτὸν τὰ πάντα, an das man wohl so viele und so schwere exegetisch-systematische Gewichte nicht hängen darf, wie dies **Wobbermin** (bes. Systemat. Theol. III 1925 S. 392 f.) getan hat, weil es ja entscheidend nicht sowohl eine Aussage über Gott als vielmehr eine Aussage über die Welt und ihr Verhältnis zu Gott bedeutet. Dafür ist gerade dieses Wort um so erleuchtender für die Beziehungen, in denen der göttliche αὐτός als dreimal derselbe, aber dreimal anders derselbe, erkennbar wird. Nicht zufällig dürfte auch die Art sein, wie die Begriffe θεός, κυριος, πνεῦμα, 2. Thess. 2, 13, auftauchen und verwendet werden. (Dagegen ist die noch im Zeitalter der Orthodoxie hochgeschätzte Stelle 1. Joh. 5, 7 f. zwar in ihrem ursprünglichen Wortlaut — Geist, Wasser und Blut — ein interessantes Zeugnis für die Einheit und Verschiedenheit zwischen Christus und Geist, in ihrem später teilweise verbreiteten und berühmt gewordenen Textgestalt dagegen — Vater, Wort und Geist — für die Eruierung der neutestamentlichen Lehre als solcher nicht zu verwenden.) Jenen vier Stellen dürfen dann zur Seite gestellt werden eine Reihe von solchen, in denen ebenfalls und mehr oder weniger deutlich in denselben besonderen Funktionen, aber nun in mannigfach bewegter Reihenfolge, jene Drei erscheinen. Wir finden nach 1. Petr. 1, 2 die Erwählung der Gläubigen begründet in der πρόγνωσις θεοῦ πατρός, vollzogen in dem ἁγιασμὸς πνεύματος und abgezweckt εἰς ὑπακοὴν καὶ ῥαντισμὸν αἵματος᾽ Ἰησοῦ Χριστοῦ. Wir hören Apok. 1, 4 von der Gnade und dem Frieden, die den sieben Gemeinden gewünscht werden, daß sie herzuleiten seien ἀπὸ ὁ ὢν καὶ ὁ ἦν καὶ ὁ ἐρχόμενος (man beachte, wie sich hier der erste und grundlegende Begriff noch einmal paradox in eine bedeutsame Dreiheit zerlegt), καὶ ἀπὸ τῶν ἑπτὰ πνευμάτων ἃ ἐνώπιον τοῦ θρόνου αὐτοῦ (der eine Geist soll hier offenbar zugleich als der besondere Geist jeder einzelnen der sieben Gemeinden bezeichnet werden) — καὶ ἀπὸ Ἰησοῦ Χριστοῦ dem treuen Zeugen usw. Steht in diesen zwei Stellen Christus, wenn auch gewichtig genug, an dritter Stelle, so rückt er in zwei anderen an die erste. Das geschieht 2. Kor. 13, 13, wo der sog. apostolische Segen die Gnade Jesus Christus, die Liebe Gott dem Vater und die κοινωνία dem Heiligen Geist zuschreibt,

2. Die Wurzel der Trinitätslehre

und Mark. 1, 9 f., wo auf Jesus als das beherrschende Subjekt der Taufgeschichte der Heilige Geist herniedersteigt, wonach eine Stimme vom Himmel seine Gottessohnschaft bestätigt. (Vgl. dazu Fr. Turrettini, *Instit. Theol. elenct. 1679 I Loc.* 3, qu. 25, 7: *Alius auditur, sed nec videtur, nec descendit. Alius non auditur, sed visibili specie descendit. Alius descendit et ascendit e flumine baptizatus in conspectu omnium.*) Wiederum fehlt es aber auch nicht an Stellen, in denen der Geist als das erste und im Zusammenhang namhafteste Glied der Dreiheit genannt wird: dem Heiligen Geist folgen Jud. 20—21 Gott und der κύριος Ἰησοῦς Χριστός oder es erscheint 1. Kor. 12, 4 f. und Eph. 4, 4 f. die klassische Reihenfolge Gott Vater, Sohn und Heiliger Geist nun geradezu umgekehrt, wobei doch gerade diese zwei letzten Stellen wieder besonders merkwürdig sind durch das die Einheit betonende αὐτός oder εἷς, mit denen die drei Begriffe eingeführt werden.

Wir haben uns darüber geeinigt, daß wir nicht erwarten dürfen, die Trinitätslehre im Alten oder Neuen Testament geradezu ausgesprochen zu finden. Man wird aber nur schon im Blick auf das Vorhandensein dieser expliziten Hinweise nicht leugnen können, daß die Problematik, die sich später in der Trinitätslehre entfaltet hat, der Bibel nicht fremd, sondern in ihr mindestens vorgebildet ist. Und dieser explizite Hinweis wird ja nun erst gewichtig dadurch, daß er von einem ganzen Netz von impliziten Hinweisen umgeben ist und vor allem dadurch, daß man das ganze Thema der Offenbarung Gottes, wie es im Alten und Neuen Testament, zentriert im Neuen, behandelt ist, gar nicht berühren geschweige denn erfassen kann, ohne eben auf die Vorbildung jener Problematik zu stoßen. Das ist's, was wir nun zu zeigen haben.

Gott offenbart sich als der Herr, in diesem Satz haben wir unser Verständnis der Form und des Inhalts der biblischen Offenbarung zusammengefaßt. Die Frage ist nun die: muß man diesen Satz ohne der Einheit seines Gehaltes zu nahe zu treten, in einem dreifachen Sinn verstehen und ohne seinem dreifachen Sinn zu nahe zu treten, als einheitlich in seinem Gehalt? Wenn dieser Satz, nicht in irgendeiner allgemeinen Bedeutung, sondern bezogen auf das, was in der Bibel Offenbarung heißt, dieses Verständnis erfordert, dann ist eingesehen, was auf Grund der eben angeführten Stellen nur als höchstwahrscheinlich zu vermuten ist, daß dieser Satz in der Tat die „Wurzel" der Trinitätslehre, daß die Problematik der Trinitätslehre in der Tat in der Offenbarung, wie sie in der Bibel bezeugt wird, vorgebildet ist. Dabei werden wir nun aber nicht mehr nach dem Schema Subjekt, Prädikat, Objekt (Offenbarer, Offenbarung, Offenbarsein) vorgehen, das uns ja nur klarmachen sollte, daß und inwiefern wir durch die Offenbarung selbst an das Problem der Dreieinigkeit herangeführt werden. Oder vielmehr: wir lösen dieses Schema— es hat und es behält seine Bedeutung — nun in der der konkreten Gestalt der biblischen Offenbarung auf der einen und der Trinitätslehre auf der anderen Seite entsprechenden Weise auf. Die Frage nach Offenbarer, Offenbarung und Offenbarsein entspricht der logisch-sachlichen Ordnung sowohl der biblischen Offenbarung als auch der Trinitätslehre. Wir werden darum nachher, wenn diese zu entwickeln sein wird, auf diese Ordnung zurückkommen. In einer anderen Ordnung müssen wir aber fragen, wenn wir nun sehen wollen, wie die biblische Offenbarung und die Trinitätslehre unter sich zusammenhängen, wie die zweite aus der ersten hervorgehen konnte und hervorgegangen ist. Das ist eine geschichtliche Frage, die als solche ihre besondere Gestalt hat. Sie ist aber dadurch bestimmt, daß einerseits die biblische Offenbarung ein bestimmtes geschichtliches Zentrum und andererseits die Trinitätslehre einen bestimmten geschichtlichen Anlaß in der biblischen Offenbarung hat. Geschichtlich betrachtet und gesprochen haben die drei in der Bibel beantworteten Fragen nach dem Offenbarer, nach der Offenbarung, nach dem Offenbarsein nicht das gleiche Gewicht, sondern es ist vielmehr der zweite dieser Begriffe: das Handeln Gottes in seiner Offenbarung — Offenbarung als Antwort auf die Frage: Was tut Gott? also das Prädikat jenes Satzes — das eigentliche Thema des biblischen Zeugnisses. Im Rahmen dieses Themas werden dann die beiden anderen — sachlich ebenso wichtigen — Fragen beantwortet. Und so ist auch die Trinitätslehre geschichtlich betrachtet, in ihrer Entstehung und Ausbildung, nicht gleichmäßig an Vater, Sohn und Heiligem Geist interessiert gewesen, sondern auch hier war das Thema zunächst die zweite Person der Dreieinigkeit, Gott der Sohn, die Gottheit Christi.

Es handelt sich um die dogmengeschichtliche Einsicht, die Harnack (Lehrb. d. Dogmengesch. 4. Aufl. 1909 I. Bd. S. 90) formuliert hat in dem Satz: „Das Bekenntnis zu dem Vater, dem Sohn und dem Geist ist ... die Entfaltung des Glaubens, daß Jesus der Christ sei." Sachlich entsprechend O. Scheel (RGG.² Art. Dreieinigkeit III): „Die Geschichte der Dreieinigkeitslehre ist zunächst eine Geschichte des Logosbegriffs im Christentum." Es handelt sich dabei um dieselbe Einsicht, die schon Irenäus, anknüpfend an den Namen Christus unter Berufung auf Jes. 61, 1 entwickelt hat: *In Christi enim nomine subauditur qui unxit et ipse qui unctus est et ipsa unctio in qua unctus est. Et unxit quidem Pater, unctus vero est Filius in Spiritu qui est unctio (C. o. h.* III 18, 3).

Im Rahmen dieses Themas, der Frage nach der Gottheit Christi, wenn auch logisch-sachlich alsbald gleiches Gewicht beanspruchend, sind dann auch hier die zwei anderen Fragen zunächst als notwendiges Gegenstück zu der Frage nach dem Sohn: die nach dem Vater und dann die nach dem Geist des Vaters und des Sohnes zur Sprache gekommen.

Wenn dies so notwendig und richtig war, wäre also zu sagen, daß wir in 2. Kor. 13, 13 mit der Reihenfolge: Christus, Gott, Geist die genuinste Form des biblischen Zeugnisses in dieser Sache vor uns haben. Die geschichtliche Entwicklung der Trinitätslehre aus dem Offenbarungszeugnis vollzog sich jedenfalls auf diesem Weg, und diesem Weg werden wir nun folgen müssen.

1. Offenbarung bedeutet in der Bibel die Menschen zuteil werdende Selbstenthüllung des seinem Wesen nach dem Menschen unent-

2. Die Wurzel der Trinitätslehre

hüllbaren Gottes. Das Moment der Selbstenthüllung in dieser Definition darf man als das — nicht logisch-sachliche aber geschichtliche Zentrum des biblischen Offenbarungsbegriffs bezeichnen. Wenn die Bibel von Offenbarung redet, so tut sie das ja in Form des Berichtes von einer Geschichte oder von einer Reihe von Geschichten. Der Inhalt dieser Geschichte und jeder einzelnen von diesen Geschichten ist aber eben jene Selbstenthüllung Gottes. Indem sie uns diesen Bericht gibt, erfahren wir freilich auch, daß es der seinem Wesen nach dem Menschen unenthüllbare Gott ist, der sich daselbst enthüllt, und daß diese Selbstenthüllung bestimmten Menschen zuteil wird. Logisch-sachlich wird das sofort gleich wichtig wie jene berichtete Selbstenthüllung. Geschichtlich bildet diese den Mittelpunkt. Was heißt hier aber Selbstenthüllung? Weil es der seinem Wesen nach dem Menschen unenthüllbare Gott ist, der sich da selbst enthüllt, heißt Selbstenthüllung: Gott tut, was Menschen in keinem Sinn und auf keine Weise selbst tun können: Er macht sich ihnen als Gott gegenwärtig, bekannt und bedeutsam. Er bezieht in dem geschichtlichen Leben von Menschen einen Ort, und zwar je einen ganz bestimmten Ort und macht sich zum Gegenstand menschlicher Anschauung, menschlicher Erfahrung, menschlichen Denkens, menschlicher Sprache. Er macht sich zu einer Instanz und zu einem Faktor, und zwar zu einer konkreten Instanz, zu einem geschichtlichen Faktor, zu einem in der Zeit und in zeitlichen Beziehungen bedeutsamen und wirksamen Element ihres menschlichen Daseins. Er ist selbst, er ist als Gott so für sie da, wie auch ganz andere Dinge oder Personen für sie da sind — etwa so wie Esau für Jakob, wie der Berg Horeb oder die Bundeslade für das Volk Israel, wie Johannes für Petrus, wie Paulus für seine Gemeinde da war — natürlich in seiner besonderen, mit keiner anderen zu verwechselnden Gestalt, aber real und konkret, in bestimmter Gestalt da, so da, daß die Menschen, die es angeht, ohne alle Spekulation und Bildrede sagen können: Immanuel, Gott mit uns! so, daß sie ohne alle Fiktion und Selbsttäuschung Du zu ihm sagen, zu ihm beten können. Das heißt Selbstenthüllung, das ist das, was der Mensch sich nicht verschaffen, sondern was ihm Gott nur geben kann, was er ihm aber auch gibt in seiner Offenbarung. Es ist der Begriff der Gestalt, den wir aus dem Gesagten als den entscheidenden herausheben müssen. Wer und was der sich offenbarende Gott auch sonst sein mag — das ist sicher, daß er in seiner Offenbarung nach dem Zeugnis der Bibel Gestalt hat und daß eben dieses sein Gestalthaben seine Selbstenthüllung ist. Es ist ihm nicht unmöglich und es ist ihm nicht zu gering, in seiner Offenbarung sein eigener Doppelgänger zu sein, Doppelgänger, sofern seine Selbstenthüllung, sein Gestalthaben offenbar keine Selbstverständlichkeit, sondern ein Ereignis, und zwar ein weder aus dem Wollen und Tun der Menschen noch aus dem übrigen Weltlauf erkläliches und abzuleitendes Ereignis ist, sofern ein

Schritt seinerseits zu diesem Ereignis nötig ist und sofern dieser Schritt offenbar bedeutet: ein Neues in Gott, ein sich Unterscheiden Gottes von sich selbst, ein Sein Gottes in einer seiner ersten, verborgenen Seinsweise als Gott gegenüber nicht untergeordneten, wohl aber anderen Seinsweise, nämlich einer solchen Seinsweise, in der er auch für uns seiend sein kann. Der sich hier als Gott offenbart, kann sich offenbaren; schon das Faktum seiner Offenbarung sagt dies: es ist ihm eigentümlich sich von sich selbst zu unterscheiden, d. h. in sich selbst und verborgen Gott zu sein und nun zugleich ganz anders, nämlich offenbar, das heißt aber in Gestalt dessen, was nicht er selbst ist, noch einmal Gott zu sein.

Anders noch einmal Gott — das zeigt sich im Alten Testament zunächst darin, daß so ziemlich die sämtlichen für den Jahve Israels bezeichnenden Eigenschaften, seine „Gerechtigkeit", mit der er über seinem Bunde mit Israel wacht, seine „Güte" und „Treue" gegen die Seinen, seine „Herrlichkeit", aber auch sein „Wort" und sein „Geist", die „Weisheit" des späteren Alten Testamentes, aber auch das anthropomorphistisch — oder sagen wir besser: gar nicht anthropomorphistisch — ihm zugeschriebene „Antlitz", sein „Arm", seine „Hand", seine „Rechte" je und je so zur Sprache gebracht werden, als wären sie nicht nur etwas an oder in Jahve, sondern eben anders noch einmal Jahve selbst. Das heißt Offenbarung: daß alle diese menschlichen, allzu menschlichen Begriffe gerade nicht nur das, gerade nicht nur Bezeichnungen und Darstellungen der Wirklichkeit Jahves, sondern die Wirklichkeit Jahves selber sind, daß Jahve in diesen Begriffen und also im Raum, im geistigen aber auch im körperlichen Raum der von ihm wahrhaftig verschiedenen Menschen das hat, was wir vorhin „Gestalt" nannten, daß in ihnen allen Jahve selbst da ist, subsistiert, Gegenständlichkeit hat für die, denen er offenbar ist. Hypostasen, d. h. eben unterschieden-nichtunterschiedene Wirklichkeiten des einen Gottes pflegt die Religionswissenschaft die so gebrauchten Begriffe zu nennen, und warum sollten wir uns diese Bezeichnung nicht gefallen lassen? Die Religionswissenschaft hat sie ja offenkundig ihrerseits aus der christlichen Dogmengeschichte entlehnt. Nun steht es aber so, daß sich aus der Reihe dieser Hypostasen eine in bedeutsamer, ja, wenn nicht alles täuscht, in zusammenfassender Weise heraushebt als der Inbegriff dessen, was Gott „anders noch einmal" in seiner Selbstenthüllung ist: der Begriff des Namens Gottes. Erkenntnis, Furcht, Liebe, Vertrauen, Hoffnung, Lob, Predigt, Anrufung, das alles wird immer wieder auf dieses scheinbare Nebenzentrum neben Jahve und doch unverkennbar gerade so auf Jahve selbst bezogen. In ihm, in diesem Namen denkt, redet und handelt der Fromme, wenn er vor Jahve, in seinem Dienst, unter seinem Schutz, unter seinem Segen steht. Diesem Namen Jahves, nicht dem auf dem Sinai oder nach späterer Anschauung im Himmel Wohnenden wird in Jerusalem ein Haus, der Tempel gebaut. Umgekehrt ist dieser Name die Instanz, um derentwillen Jahve vergibt, gnädig ist, leitet, Israel nicht verläßt; sein Name wohnt in der Tat — Jahve hat es sich erwählt so — zu Jerusalem. Aber auch der schon erwähnte Engel Jahves steht zu dem Namen Jahves in engster Beziehung: das macht ihn nach Ex. 23, 21 zum Engel Jahves und gibt ihm als solchem Autorität, daß „mein Name in ihm ist". Im Namen Jahves läuft Alles zusammen, was er in seinem Verhältnis zu seinem Volk bzw. zu den Frommen ist, und vom Namen Jahves geht irgendwie Alles aus, was das Volk oder was die Frommen in diesem Verhältnis zu ihm stehend von ihm zu erwarten haben. Was bedeutet das Alles? Der Name jemandes ist nicht nur für das alttestamentliche, sondern weithin für das antike Denken überhaupt, vielleicht auch für das sog. primitive (in Wirklichkeit wohl gar nicht primitive!) Denken überhaupt durchaus nicht etwas dem Betreffenden von außen

2. Die Wurzel der Trinitätslehre

Zukommendes, Zufälliges, Unwesentliches, gerade kein bloßes *nomen* im Sinn der mittelalterlichen Debatten, sondern gerade hier (vielleicht im Unterschied zu den vorhin genannten „Eigenschaften" Gottes nur hier) ist zu sagen: der Name ist ein Wesen, freilich ein zu einem anderen Wesen gehöriges, mit ihm in nicht zu klärender Weise identisches, aber nun doch ein eigenes Wesen, so daß die Aussagen über den Namen und den Benamten von einander zu unterscheiden sind und doch auch wieder füreinander eintreten können: „Wo der Name ist, ist der Benamte; was dem Namen geschieht, geschieht auch dem, dem er gehört; wo der Name wirkt, wirkt der Namensträger" (Hans Schmidt, RGG.²: Art. Namensglaube I). Wenn das Alte Testament dieses realistische Denken bezüglich des Namens auf Jahve anwendet, so heißt das einerseits: es unterscheidet zwischen Jahve, der auf dem Sinai oder im Himmel, und Jahve, der in Kanaan, in Silo und später in Jerusalem wohnt, es unterscheidet zwischen Jahve in seiner Verborgenheit und Jahve in seiner geschichtlichen Gestalt, in der er — das besagt ja das Gegebensein seines Namens — in Israel bekannt ist und mit Israel handelt. „Gottes Name ist der Ausdruck für sein persönliches Wesen, wie es in seinem Heiligtum, in seinem Volke gegenwärtig ist" (O. Procksch in G. Kittels Theol. Wörterbuch zum NT. 1932 Art. ἅγιος, S. 90). Es heißt aber auch andererseits: das Alte Testament meint nicht um zwei Götter oder um viele Götter zu wissen, sondern es weiß um den einen Gott: der verborgene Jahve selbst ist ja gegenwärtig in seinem Namen und alle Prädikate seines Namens sind die des verborgenen Jahve selbst — es weiß aber um diesen einen Gott einmal und dann noch einmal ganz anders. Und gerade darauf, daß es so, also „noch einmal ganz anders" um ihn weiß, kommt für Israel bzw. für die Frommen alles an. Denn dieser „noch einmal ganz anders" seiende Jahve, der Name Jahves, ist die Gestalt, in der Jahve Israel angeht, an ihm handelt, ihm offenbar ist. Darum ist der entscheidende Akt der Offenbarung, durch die Israel als Israel erwählt, zum Volk dieses Gottes wird, eben die Offenbarung des Namens Gottes. Daß diese Namensoffenbarung (Ex. 3, 13 f.) faktisch, inhaltlich eine Namensverweigerung ist — „Ich bin, der ich bin" dürfte schwerlich etwas Anderes bedeuten als eben: Ich bin der, dessen eigentlichen Namen niemand nachspricht — das ist bedeutsam genug: der offenbarte Name selbst soll auch seinem Wortlaut nach an die Verborgenheit auch und gerade des offenbarten Gottes erinnern. Aber eben unter diesem Namen, der selbst und als solcher sein Geheimnis ausspricht, offenbart sich Gott seinem Volk, d. h. aber er beginnt, wie Ex. 3 lehrreich zeigt, mit Israel zu handeln durch die an Mose ergehende Ankündigung seiner Errettung aus Ägypten. Man wird, gerade von hier aus gesehen, zum Begriff des Namens Gottes den auf eine ganz andere Ebene gehörenden Begriff des Bundes hinzu nehmen müssen, um das Ganze dessen, was im Alten Testament die Gestalt Gottes und insofern sein Sein in seiner Selbstenthüllung bedeutet, zu übersehen. Im Bunde mit diesem Volk — „Ich will ihr Gott, sie sollen mein Volk sein", Jer. 31, 33 — realisiert sich der Name Gottes: innerhalb des Bundes mit seiner göttlichen Zusage und Beanspruchung, mit seiner im Gesetz niedergelegten Urkunde geschieht ja Alles, was durch den Namen Jahves geschieht. In der Sprache unserer Historiker ausgedrückt: „Der Bundesgedanke ist die Form, in die sich das israelitische Bewußtsein von der in der Geschichte gewordenen Verbindung mit diesem Gott und zugleich von dem Gottgewollten dieser Verbindung kleidet" (J. Hempel, RGG.²: Art. Bund II A). Erkenntnis des Namens Jahves und insofern Erkenntnis Jahves selber haben und also an seiner Offenbarung teilnehmen, heißt eben Genosse des von ihm gestifteten Bundes sein. Jahve ist so und darin „anders noch einmal" Gott, daß er ein Volk erwählt, zu seinem Volke macht und als sein Volk regiert.

Und nun läßt sich verhältnismäßig einfach das Grundsätzliche übersehen, um das es sich im Neuen Testament handelt. „Anders noch einmal" Gott, darum geht es offenbar, nur unverhältnismäßig viel deutlicher, unzweideutiger, greifbarer, auch hier. So viel direkter, daß auch die „Hypostasen" des Alten Testamentes daneben blaß, mit dem berühmten Bild des Hebräerbriefes zu reden, nur wie „Schatten" erscheinen, so viel direkter, daß man jene, insbesondere die merkwürdige Stellung und Bedeutung des „Namens" Jahves ganz unbefangen und zugleich ganz sinnvoll, wie es die Kirche dem Judentum gegenüber immer vertreten hat, überhaupt nur von hier aus, als „Weissagung" der hier vorliegenden „Erfüllung" verstehen kann. Genau an die Stelle — nicht des Jahve auf dem Sinai oder im Himmel, wohl aber des zuletzt in Jerusalem in einem steinernen Haus real wohnenden Namens des Herrn — tritt nun die Existenz des Menschen Jesus von Nazareth. „Mein Herr und mein Gott" wird er an einer der Spitzen der neutestamentlichen Botschaft (Joh. 20, 28) genannt. Der ferne aber beständig auch nahe und aktuelle Hintergrund, ist auch hier der Gott, der keine geschichtliche Gestalt hat, der „Vater im Himmel". Aber eben diesen nennt ja der Jesus des Neuen Testamentes nicht nur den Vater, der ihn gesendet hat, sondern mit Nachdruck seinen Vater, den Vater, neben den er sich selbst stellen darf, nein gestellt weiß, indem er als Mensch unter Menschen existiert, indem er seinen Willen tut, d. h. indem er ihn offenbart, den Vater, von dem ihn wohl diese seine Gestalt als Mensch bzw. die Möglichkeit in dieser Gestalt Gott zu sein, aber nichts Wesentliches trennt. So unveräußerlich wichtig dieser Hintergrund ist, so wenig er auch nur einen Augenblick wegzudenken ist, das Bild selbst, das das neutestamentliche Zeugnis vor uns hinstellt, ist das Bild der Selbstenthüllung dieses Vaters, in der er nicht der Vater, sondern nun eben der Sohn ist, die geschichtliche Gestalt dieses Menschen in seinem Weg von Bethlehem nach Golgatha, der „Name" Jesu. Nochmals: die Konkretheit und Realität der Selbstenthüllung Gottes für den Menschen und damit das Rätsel der diese Selbstenthüllung möglich machenden, in Gott selbst stattfindenden Selbstunterscheidung hat hier dem Alten Testament gegenüber nicht bloß quantitativ zugenommen. Ist nicht vielleicht alles bloß spekulative, bloß bildliche, bloß fiktionäre Verständnis des realen Gegenstandwerdens Gottes in seiner Offenbarung doch erst hier abgeschnitten? Ist nicht die Frage des Glaubens an die Offenbarung, die Frage der Bejahung des „Gott mit uns" doch erst hier so gestellt, daß sie nach Entscheidung ruft, hier, wo an die Stelle der unsichtbaren, zunächst doch nur im Raum der menschlichen Vorstellung wirklichen Gestalt des Namens des offenbaren Gottes die einmalige, kontingente, somatische, menschliche Existenz Jesu getreten ist? Ist nicht in der Verwerfung Jesu durch die Juden erschütternd klar geworden, daß es möglich war, den Gott des Alten Testamentes scheinbar in tiefster Ehrfurcht und eifrigstem Glauben zu bejahen und in Wirklichkeit doch zu verleugnen, sofern gerade seine Gestalt, nun ganz konkret geworden, diesen Frommen zum Ärgernis wurde? Oder was hat Israel Jesus Anderes vorzuwerfen, als die ihm nun — nicht zum erstenmal, aber nun erst ganz unzweideutig gegenübertretende, die ihm nun sozusagen auf den Leib rückende göttliche Selbstenthüllung? Indem es den im steinernen Haus zu Jerusalem wohnenden Namen Gottes gegen Jesus als gegen einen Gotteslästerer verteidigen zu müssen meint, verleugnet es eben diesen Namen, scheidet es sich von ihm und damit von seiner eigenen heiligen Schrift, die ein einziges Zeugnis eben von diesem Namen als von Gottes realem Gegenwärtigsein und Handeln im menschlichen Raume ist. Dieses Gegenwärtigsein und Handeln Gottes verbittet sich Israel. Warum beginnt das Herrengebet des Neuen Testamentes so alttestamentlich: Dein Name werde geheiligt!? Wie sollte es anders beginnen? möchte man fast antworten. Darum geht es ja gerade bei Jesus. Nicht um etwas Neues, sondern um das Uralte und Erste, um den Gott, der „anders noch einmal" Gott und als Gott erkannt sein will: als der Gott Abrahams, Isaaks und Jakobs, der Gott, der in seinem Namen offenbar und in seinem Namen geheiligt sein will. Und darum muß das Herrengebet fortfahren in Explikation dieser ersten Bitte: Dein Reich komme! Dein Wille geschehe wie im Himmel so (N.B !) auch auf Erden! Dieses καὶ ἐπὶ γῆς war die Selbstenthüllung, die Gestalt Gottes, die Israel in seiner heiligen Schrift auf jeder Seite bezeugt fand, und die es nun, als sie erfüllt vor ihm stand, noch einmal verneinte, genau so, wie seine Väter in der Wüste gegen Mose gemurrt und später die Propheten gesteinigt hatten, nicht aus Irreligion, sondern gerade im Protest der feinsten ponderabelsten Re-

2. Die Wurzel der Trinitätslehre

ligion gegen die Offenbarung, die auch und gerade den frommen Menschen nicht sich selbst überläßt, sondern ihn real mit Gott konfrontiert. Darum endigt die Jesus-Offenbarung mit der Kreuzigung Jesu durch diese Frömmsten ihrer Zeit, die, das Immanuel! täglich auf den Lippen und im Herzen, gerade dieses Immanuel! in seinem nun unbedingt gewordenen Vollzug nicht wollten. Aber eben weil das Immanuel nun, in Jesus, unbedingt vollzogen war, mußte die Kreuzigung Jesu etwas Anderes bedeuten als die Steinigung auch des größten Propheten, nämlich: das Ende der Geschichte Israels als des besonderen Volkes der Offenbarung, den Abbruch des steinernen Hauses als der Wohnung des Namens des Herrn, den freien Ausgang — nicht eines neuen, sondern des einen alten Evangeliums nun zu Juden und Heiden. Indem das Wort Fleisch ward: λόγος συντελῶν, vollendet an den Tag bringend, was die Offenbarung im Alten Testament immer erst als Anzeige an den Tag gebracht hatte, mußte es auch werden λόγος συντέμνων, Aufhebung dieser Offenbarung und ihres schriftlichen Zeugnisses — nicht Widerlegung, nicht Abschaffung, nicht Zerstörung, aber Aufhebung in sich selber, wie eben die Morgendämmerung aufgeht in der Helligkeit der aufgehenden Sonne selber (Röm. 9, 28): Christus das τέλος des Gesetzes (Röm. 10, 4). Wir stehen vor dem Thema des großen Kampfes, den vor allen Anderen Paulus bei der Entstehung der Kirche gekämpft hat. Es war kein Kampf gegen, sondern wie der Kampf Jesu Christi selber, von dem er ja nur zeugen wollte, der große Kampf für das Alte Testament, d. h. für den einen, nun in der Zeit besiegelten, ewigen Bund Gottes mit den Menschen, für die Anerkennung der vollkommenen Selbstenthüllung Gottes.

Daß Gott das kann, was die Bibel ihm in ihren Berichten über das Geschehen von den Patriarchen über Mose und die Propheten nach Golgatha und zum Oster- und Pfingsttag zuschreibt: daß Gott Menschen offenbar werden kann in dem streng realen Sinn, wie das schließlich bei der Jesus-Offenbarung sichtbar wird, d. h. aber: daß Gott so sich selbst ungleich werden kann, daß er in der Weise Gott ist, daß er nicht an seine heimliche Ewigkeit und ewige Heimlichkeit gebunden ist, sondern auch zeitliche Gestalt annehmen kann und will und wirklich annimmt — dieses Können und Wollen und wirkliche Tun Gottes dürfen wir jetzt als eine erste Bestätigung unseres Satzes verstehen: Gott offenbart sich als der Herr. Gegenüber der Rede von anderen Offenbarungen außer der in der Bibel bezeugten müßte vor allem dies gefragt werden: ob es sich dort auch um ein solches echtes Gestaltannehmen der Gottheit gegenüber den Menschen und nicht vielleicht doch bloß um solche Erscheinungen handle, für die Identität mit der Gottheit gar nicht ernstlich behauptet wird, sondern bloß ein gewisses Anteilhaben an jener. Und es wäre zweitens zu fragen: ob etwa die Herrschaft, die vielleicht auch dort der Gottheit zugeschrieben wird, auch dort in solcher Freiheit des Gottes in sich selbst, d. h. in solcher Freiheit sich selber ungleich zu sein, gesehen wird. Wo diese zwei Fragen nicht zu bejahen sind oder in dem Maß, als sie nicht sicher zu bejahen sind, sollte man bei der Einordnung der biblischen Offenbarung in die Reihe anderer Offenbarungen mindestens sehr behutsam zu Werke gehen. Aber wie dem auch sei: die Herrschaft, die in der biblischen Offenbarung sichtbar wird, besteht eben in der Freiheit Gottes, sich von selbst sich zu unterscheiden, sich selber ungleich zu werden und doch der gleiche zu bleiben, ja noch mehr: gerade darin der eine sich selbst gleiche Gott zu sein, gerade darin als der eine einzige Gott zu existieren, daß er sich so, so unbegreiflich tief von sich selbst unterscheidet, daß er nicht nur Gott der Vater, sondern auch — das ist in dieser Richtung der zusammenfassende Sinn des ganzen biblischen Zeugnisses — Gott der Sohn ist. Daß er sich als der Sohn offenbart, das ist's zunächst, was gemeint ist, wenn wir sagen, daß er sich als der Herr offenbart. Eben diese Sohnschaft ist Gottes Herrschaft in seiner Offenbarung.

2. Offenbarung bedeutet in der Bibel die Menschen zuteil werdende Selbstenthüllung des seinem Wesen nach dem Menschen unenthüllbaren Gottes. Wir kommen, indem wir dieses Moment betonen, zurück auf das Subjekt der Offenbarung. Die in der Bibel bezeugte Offenbarung ist die Offenbarung des seinem Wesen nach den Menschen unenthüllbaren Gottes. Es gibt andere Dinge, es gibt auch andere Götter, die dem Menschen zwar auch unenthüllbar sind, d. h. von denen er faktisch auch keine Erfahrung und keinen Begriff hat, von denen er aber Erfahrung und Begriff sehr wohl haben könnte, deren Unenthüllbarkeit nur eine faktische ist, die durch irgendein anderes Faktum einmal aufgehoben werden könnte, weil sie nicht im Wesen der Sache oder des betreffenden Gottes begründet ist. Unenthüllbarkeit, Verborgenheit, gehört aber zum Wesen dessen, der in der Bibel Gott genannt wird. Dieser Gott ist als Schöpfer von der Welt verschieden, d. h. aber er gehört als der, der er ist, nicht zu dem Bereich dessen, was der Mensch als Geschöpf direkt erkennen kann. Er kann ihm aber auch nicht indirekt, in der geschaffenen Welt, enthüllbar sein, weil er der Heilige ist, den zu sehen, auch nur indirekt zu sehen, andere Augen nötig wären als unsere durch die Sünde verderbten. Und dieser Gott sagt endlich eben durch seine Gnade, d. h. durch seine Selbstenthüllung Jedem, dem sie zuteil wird, daß er von sich aus nicht könnte, was da für ihn und an ihm getan wird. So liegt es in dem Wesen dieses Gottes, daß er dem Menschen unenthüllbar ist. Wohlverstanden: gerade in seinem offenbarten Wesen unenthüllbar. Gerade der *Deus revelatus* ist der *Deus absconditus*, der Gott, zu dem hin es keinen Weg und keine Brücke gibt, über den wir kein Wort sagen könnten und zu sagen hätten, wenn er uns nicht eben als der *Deus revelatus* von sich aus begegnete. Erst wenn man das als die Meinung der Bibel erfaßt hat, übersieht man die Tragweite ihrer Aussage, daß Gott sich offenbart, d. h. daß er uns zu gut Gestalt angenommen habe. Man darf kein Jota abziehen von unserer vorhin gegebenen Interpretation der Offenbarung, daß sie darin besteht, daß Gott Gestalt angenommen hat. Wenn man das leugnet, leugnet man die Offenbarung selber. Aber daß es der seinem Wesen nach den Menschen unenthüllbare

2. Die Wurzel der Trinitätslehre

Gott ist, der sich da offenbart, das hat nun doch seine sehr bestimmte Bedeutung für das Verständnis seiner Selbstenthüllung. Es muß nämlich bedeuten, daß Gott auch in der **Gestalt**, die er annimmt, indem er sich offenbart, **frei** ist, sich zu offenbaren oder sich nicht zu offenbaren. M. a. W.: wir können seine Selbstenthüllung in jedem einzelnen Fall nur als seine **Tat** verstehen, in der er sich einem Menschen, der ihn zu enthüllen nicht vermögend ist, selber enthüllt, will sagen: in bestimmter **Gestalt** zeigt, aber: **sich selber enthüllt**. Offenbarung heißt immer **Offenbaren**, auch in der Gestalt, auch in den Mitteln der Offenbarung. Die Gestalt als solche, das Mittel, tritt nicht an die Stelle Gottes. **Nicht die Gestalt offenbart, redet, tröstet, wirkt, hilft, sondern Gott in der Gestalt** Es entsteht also damit, daß Gott Gestalt annimmt, kein Medium, kein Drittes zwischen Gott und Mensch, keine von Gott unterschiedene Wirklichkeit, die nun als solche Subjekt der Offenbarung wäre. Das würde ja bedeuten, daß Gott dem Menschen nun doch enthüllbar wäre, daß es Gottes selber nicht mehr bedürfte zu seiner Offenbarung oder vielmehr: daß Gott in die Hände des Menschen gegeben wäre, der, indem ihm Gottes Gestalt gegeben ist, mehr oder weniger über Gott verfügen könnte, wie über andere Wirklichkeiten. Daß Gott Gestalt annimmt, das bedeutet, daß er wie über den Menschen, so auch über die Gestalt, in der er dem Menschen begegnet, verfügt. Göttliche Gegenwart ist immer **Gottes Entscheidung, gegenwärtig zu sein**. Göttliches Wort ist göttliches Sprechen. Göttliche Gabe ist göttliches Geben. Gottes Selbstenthüllung bleibt Akt souveräner göttlicher Freiheit. Sie kann hier dem Einen sein, was das Wort sagt und dort dem Anderen erst recht Verhüllung Gottes. Sie kann für denselben Menschen heute das Erste, morgen das Zweite sein. Gott ist in ihr vom Menschen nicht zu fassen, nicht mit Beschlag zu belegen, nicht in Betrieb zu nehmen. Mit ihr rechnen heißt mit Gottes freier Güte rechnen, nicht mit einem Kredit, der ein für allemal bewilligt ist, nicht mit einem Axiom, auf das man sich ein für allemal zurückziehen kann, nicht mit einer Erfahrung, die man ein für allemal gemacht hat. Wäre es so, dann wäre es ja nicht der dem Menschen seinem Wesen nach unenthüllbare Gott, um dessen Selbstenthüllung es geht, dann ginge es vielmehr um eines jener Geheimnisse, die sich uns eines Tages entschleiern, um uns dann keine Geheimnisse mehr zu sein. Die Geheimnisse der Welt haben es an sich, daß sie einmal aufhören können, Geheimnisse zu sein. Gott ist immer wieder Geheimnis. Offenbarung ist immer wieder Offenbarung im Vollsinn des Wortes, oder sie ist nicht Offenbarung, jedenfalls nicht das, was in der Bibel so heißt.

Wir haben bereits auf den merkwürdigen Umstand hingewiesen, daß die große Namensoffenbarung Ex. 3 nach dem wahrscheinlichsten Verständnis des Textes gerade in einer Namensverweigerung besteht. „Warum fragst du nach meinem Namen, der doch wunderbar ist?" antwortet der Engel Jahves auch dem Manoah Richt, 13, 18 (vgl. Gen. 32, 30.) Eine Auslieferung Gottes an den Menschen, wie es das Wissen um seinen eigentlichen Namen bedeuten würde, soll eben in der Offenbarung nicht stattfinden, sondern die Offenbarung l selbst soll als Offenbarung der freien Güte Gottes verstanden werden und verstanden bleiben. Auf diese Zurückhaltung, dieses Verborgenbleiben Jahves gerade in seiner Offenbarung weist ja auch Ex. 3 jenes dringliche: „Tritt nicht herzu, zieh deine Schuhe aus von deinen Füßen, denn der Ort, wo du stehst, ist heiliges Land!" Wie denn überhaupt der Begriff der Heiligkeit im Alten Testament nichts mit einer Spekulation über den transzendenten Gott zu tun hat, sondern streng zu seiner Immanenz, d. h. zu seiner Offenbarung, zu seinem Namen gehört. Heilig ist im Alten Testament Alles, was mit dem zusammenhängt, was wir die Gestalt Gottes in seiner Offenbarung nennen, und was in diesem Zusammenhang und seinetwegen ein anderes Verhalten vom Menschen fordert als das Profane, in dessen Sphäre und Umgebung es als Gestalt des Gottes sichtbar und hörbar ist, ein unterscheidendes, zurückhaltendes, schlechterdings ehrfürchtiges Verhalten, ein Verhalten, in dem sich der Mensch aller Eigenmächtigkeit, alles täppischen Zugreifens — man denke etwa an die schlimmen Erfahrungen, die man mit der „Bundeslade" machen konnte! — zu entschlagen hat. Alles, was das Alte Testament über Gottes Selbstenthüllung sagt, steht *eo ipso* auch unter dem scheinbar gerade entgegengesetzten Zeichen: „Bin ich nur ein Gott, der nahe ist, spricht der Herr, und nicht auch ein Gott von ferne her?" (Jer. 23, 23.) Der „Engel des Bundes" wird Mal. 3, 1 ausdrücklich selber „Herr" genannt, was doch nicht hindert, daß er gleichzeitig vom Herrn gesendet werden muß. Heilig ist nach Jes. 6 der offenbare Gott, dessen Kleidsaum bloß den Tempel füllt, während er selber auf einem hohen und erhabenen Stuhl sitzt, dem Propheten und seinem ganzen Volk unbegreiflich, eben indem er sich ihm mit seiner Offenbarung zuwendet. Heilig ist Gott und heilig ist, was mit Gott zusammenhängt, weil und sofern Gott, indem er sich aufschließt und mitteilt, auch die Grenze zieht und befestigt, die den Menschen von ihm trennt, und die dieser darum nicht überschreiten soll. Heiligkeit ist die Absonderung, in der Gott Gott ist und als Gott seinen eigenen Weg geht, auch und gerade indem er „Gott mit uns" ist, der Vorbehalt seiner gnädigen oder ungnädigen Entscheidung, mit dem ihm gegenüber zu rechnen und um deswillen er immer von neuem und immer in gleicher Demut zu suchen ist. Heilig hat fraglos auch die Bedeutung von „unheimlich": Gott kommt wohl zu den Menschen, aber nicht um bei ihnen daheim zu sein. Dieser Gott geht, wie besonders schön die Begründung des Sabbats sagt, nicht auf in seinem Tun; er kann nicht nur wirken, er kann auch ruhen von allen seinen Werken; indem er eintritt in den Raum unsres Daseins, wohnt und behauptet er auch seinen ihm und nur ihm eigenen Raum. Es geht diesem Gott gegenüber, wie man sowohl der Haltung der Propheten wie besonders der der Psalmsänger entnehmen kann, immer aufs neue ums Ganze, und die Geschichte seiner Taten ist eine Geschichte von immer erneuten Anfängen. Wohl gibt es und soll es geben eine Tradition der Offenbarung, einen institutionellen Kultus, aber dem steht dann in schärfster Dialektik der Prophetismus gegenüber, immer bereit und gerüstet, Alles, was sich etwa beruhigen wollte, erst recht und aufs neue zu beunruhigen, Alles, was sich menschlich allzu menschlich klären wollte, aufs neue vor das Geheimnis Jahves zu stellen. Selbstverständlich ist gerade von hier aus die Schärfe des Bilderverbotes als Absage nicht sowohl an die Sinnenfreudigkeit, als vielmehr an die fromme Zudringlichkeit und Sicherheit der Religion Kanaans. Man kann nicht genug beachten, daß diese Verborgenheit Gottes im Alten Testament nirgends eine Angelegenheit einer esoterischen Metaphysik wird, daß sie vielmehr immer höchst praktisch wird und bleibt, eben weil sie ja nur die Verborgenheit des offenbarten, des handelnden Gottes ist. Aber eben daß dieser Gott nur als handelnder, gar nicht und nirgends (oder eben nur *per nefas*) als aufgegangen und gebunden in einem Medium gesehen und gehört werden kann, eben das wird verbürgt durch seine Verborgenheit, durch seine Unbegreiflichkeit.

2. Die Wurzel der Trinitätslehre

Dieses Verhältnis ändert sich auch im Neuen Testament nicht. Im Gegenteil, auch da wird jetzt in zugespitzter Weise wahr: daß Gott sich verbirgt, indem er sich offenbart, daß er auch und gerade indem er Gestalt annimmt, frei bleibt, in dieser Gestalt offenbar zu werden oder auch nicht zu werden. Die Gestalt ist hier die *humanitas Christi*. Und da stoßen wir auf eines der schwersten Probleme der Christologie, das uns mehr als einmal zu beschäftigen haben wird: Kann die Fleischwerdung des Wortes nach der Auffassung der biblischen Zeugen das bedeuten, daß die Existenz des Menschen Jesus von Nazareth sozusagen an sich, in ihrer eigenen Kraft und Kontinuität offenbarendes Wort Gottes gewesen wäre? Ist die *humanitas Christi* als solche die Offenbarung? Bedeutet die Gottessohnschaft Jesu Christi dies, daß Gottes Offenbaren nun sozus. auf das Existieren des Menschen Jesus von Nazareth übergegangen, dieses also mit jenem identisch geworden wäre? Wir können dazu an dieser Stelle nur folgendes feststellen: wo man es wirklich so aufgefaßt hat, da zeigte sich noch immer mehr oder weniger deutlich das, was, wie wir hörten, das Alte Testament mit seinem Heiligkeitsbegriff von dem offenbaren Gott gerade abwehren wollte: die Möglichkeit, Gott nun doch durch den Menschen enthüllen zu lassen, dem Menschen zu erlauben, sich mit Gott auf eine gemeinsame Plattform zu begeben, ihn dort zu begreifen und so seiner Herr zu werden. Der „schönste Herr Jesus" der Mystik, der „Heiland" des Pietismus, Jesus der Weisheitslehrer und Menschenfreund in der Aufklärung, Jesus der Inbegriff erhöhter Menschlichkeit bei Schleiermacher, Jesus als Verkörperung der Idee der Religion bei Hegel und den Seinen, Jesus als religiöse Persönlichkeit nach dem Bilde Carlyles in der Theologie des ausgehenden neunzehnten Jahrhunderts — das Alles sieht mindestens ganz bedenklich nach einem im Sinne des Alten Testamentes entheiligenden, profanierenden Zugreifen aus, bei dem man sich über die Gegenwart Gottes in Christus sozusagen verständigen, sich ihrer mit Hilfe irgendwelcher aus der Humanität stammenden Konzeptionen bemächtigen zu können glaubte. Wir können schon daran, daß solche Säkularisierungsversuche im Neuen Testament nicht unternommen werden, entnehmen, daß in ihm auch die *humanitas Christi* unter dem Vorbehalt der Heiligkeit Gottes steht, d. h. daß die Kraft und die Kontinuität, in der der Mensch Jesus von Nazareth nach dem Zeugnis der Evangelisten und Apostel in der Tat das offenbare Wort war, auch hier in der Kraft und Kontinuität des göttlichen Handelns in dieser Gestalt und nicht in der Kontinuität dieser Gestalt als solcher bestand. Faktisch wurde ja auch Jesus durchaus nicht Allen, die ihm begegneten, sondern nur Wenigen zur Offenbarung. Aber auch diese Wenigen konnten ihn verleugnen und verlassen und einer unter ihnen konnte der Verräter sein. Seinem Dasein als solchem wird sichtlich nicht an sich und direkt das Offenbaren zugeschrieben. Dieses sein Dasein als solches wird ja auch in den Tod gegeben und so, vom Tode, also von seiner Grenze her, weil der Gekreuzigte auferstanden ist, wird er als der Sohn Gottes offenbar: wobei aber die Auferstehung nicht als eine der *humanitas Christi* eigene, sondern als eine ihr widerfahrende Wirkung, als ein Auferweckt werden von den Toten durch Gott (öfters, z. B. Gal. 1,1; Röm. 6,4; Eph. 1, 20 ausdrücklich: durch Gott den Vater) beschrieben wird. In der Sprache der späteren Zeit zu reden: die Gottheit ist der Menschheit Christi nicht so immanent, daß sie ihr nicht auch transzendent bliebe, nicht so, daß ihre Immanenz aufhörte, ein Ereignis ganz im Sinne des Alten Testamentes: immer wieder ein Neues, ein von Gott her in bestimmten Begebenheiten wirklich Werdendes zu sein. Man darf in der zusammenfassenden Formel des Paulus 2. Kor. 5, 19: θεὸς ἦν ἐν Χριστῷ κόσμον καταλλάσσων ἑαυτῷ den Nachdruck nicht so auf das ἦν legen, daß man seine Verbindung mit dem Verbum καταλλάττειν übersieht. Dieses versöhnende Handeln Gottes ist das Sein, aber eben dieses versöhnende Handeln Gottes ist das Sein Gottes in Christus. Der Sohn „verklärt" den Vater, ja, aber nicht ohne daß der Vater ihn, den Sohn verklärt (Joh. 17, 1). Nicht irgendein Sohn führt ja hier das Wort, sondern der Sohn dieses Vaters, der auch als Vater dieses Sohnes der Vater im Himmel bleibt, der Vater, der den Sohn sendet, um diese johanneische Bezeichnung des göttlichen Handelns hier an den Schluß zu stellen.

Und nun sagen wir wieder: daß der Gott der biblischen Offenbarung auch das kann, was ihm nun auch in dieser Hinsicht von den biblischen Zeugen zugeschrieben wird: daß seine Offenbarung nicht im geringsten ein Verlieren seines Geheimnisses bedeutet, daß er wohl Gestalt annimmt, aber ohne daß ihn doch irgendeine Gestalt fassen würde, daß er, indem er sich schenkt, frei bleibt, sich aufs neue zu schenken oder zu versagen, so daß immer sein neues Sichschenken des Menschen einzige Hoffnung bleibt, daß sein „noch einmal ganz anders" ihn wirklich nicht hindert, sich selbst ganz gleich zu bleiben — daß dem so ist, darin hören wir nun ein zweites Mal, offenbar in sehr verschiedener Weise gegenüber dem ersten die Bestätigung: Gott offenbart sich als der Herr. Wieder wäre hier nebenbei zu fragen: ob dort, wo man auch sonst von Offenbarung reden zu können meint, wirklich auch dies: das bleibende Geheimnis der sich offenbarenden Gottheit zum Begriff der Offenbarung gehöre und ob die Herrschaft, die dem „Gott" auch dort zugeschrieben wird, wohl auch dort in solcher Freiheit des Gottes gegenüber seinen eigenen Äußerungen bestehen möchte — oder ob dort Offenbarung nicht immer in einem Weltwerden des Gottes und also in einer Ermächtigung des Menschen bestehe und infolgedessen der „Gott" gerade nicht frei bleibe, sondern im besten Fall zu einem Partner, im schlimmeren zu einem Werkzeug des frommen Menschen werden müsse. Man kann ja auch da von „Offenbarung" sprechen, aber man wird dann, noch einmal gesagt: wohl tun, bei der Nebeneinanderordnung von biblischer und sonstiger Offenbarung mindestens nicht zu eilig zu sein. Aber das nur nebenbei. Sicher ist, daß die Herrschaft Gottes, wie sie in der biblischen Offenbarung sichtbar wird, eben in dieser seiner Freiheit besteht: in seiner bleibenden Freiheit, sich zu enthüllen oder zu verhüllen. Gott offenbart sich als der Vater, nämlich als der Vater des Sohnes, in dem er uns zu gut Gestalt annimmt. Gott der Vater ist Gott, der immer, auch indem er im Sohn Gestalt annimmt, nicht Gestalt annimmt, Gott als der freie Grund und als die freie Kraft seines Gottseins im Sohne. Keine Offenbarung im Bezirk des biblischen Zeugnisses, in der Gott nicht auch so, als der Vater, offenbar würde. Daß er dies tut, das ist das Andere — es ist wirklich ein Anderes, dasselbe und doch mit dem Ersten nicht auf einen Nenner zu bringen — was gemeint ist, wenn wir sagen, daß er sich als der Herr offenbart. Auch Gottes Vaterschaft ist Gottes Herrschaft in seiner Offenbarung.

3. Offenbarung bedeutet in der Bibel die Menschen zuteil werdende Selbstenthüllung des seinem Wesen nach dem Menschen unenthüllbaren Gottes. Wir haben vorhin gefragt: woher die Offenbarung kommt? Und fragen nun: wohin sie geht? Die in der Bibel bezeugte Offenbarung spielt sich nicht nur im Raum des Menschen ab, wie man

2. Die Wurzel der Trinitätslehre

das auch von den Theogonien und Kosmogonien sagen kann, die der Gegenstand des Zeugnisses der Urkunden etwa der babylonischen Religion bilden. Sondern sie geht den Menschen, und zwar nicht irgendeinen mythischen Menschen, nicht d e n Menschen im allgemeinen, sondern immer je einen ganz bestimmten, einen bestimmten geschichtlichen Ort einnehmenden Menschen an. Es gehört zum Begriff der biblisch bezeugten Offenbarung, daß sie ein **geschichtliches Ereignis** ist. Geschichtlich heißt nicht: als geschichtlich feststellbar oder gar: als geschichtlich festgestellt. Geschichtlich heißt also nicht, was wir „historisch" zu nennen pflegen. Wir müßten ja alles vorhin über das Geheimnis in der Offenbarung Gesagte wieder aufheben, wenn wir jetzt auch nur ein einziges der in der Bibel berichteten Offenbarungsereignisse als solches als „historisch", d. h. als für einen neutralen Beobachter wahrnehmbar oder gar als von einem solchen wahrgenommen, bezeichnen wollten. Was der neutrale Beobachter von diesen Ereignissen wahrnehmen konnte und wahrgenommen haben mag, war die von ihm nicht als solche verstandene und von ihm auch gar nicht als solche zu verstehende Gestalt der Offenbarung, irgendein im menschlichen Raum sich abspielendes Geschehen mit allen möglichen diesem Raum entsprechenden Deutungsmöglichkeiten, aber auf keinen Fall die Offenbarung als solche.

Millionen im alten Orient mögen den Namen Jahves irgend einmal gehört und seinen Tempel irgendeinmal gesehen haben. Aber dieses Historische war nicht die Offenbarung. Tausende mögen den Rabbi von Nazareth gesehen und gehört haben. Aber dieses Historische war nicht die Offenbarung. Auch das Historische an der Auferstehung Christi, das leere Grab als das möglicherweise Feststellbare an diesem Ereignis, war jedenfalls nicht die Offenbarung. Dieses Historische konnte bekanntlich wie alles Historische auch sehr trivial gedeutet werden.

Wir können von der Frage nach der „historischen" Gewißheit der in der Bibel bezeugten Offenbarung nur sagen, daß sie in der Bibel selbst in einer Weise unberücksichtigt bleibt, die man nur dahin verstehen kann, daß diese Frage ihr eben gänzlich fremd, d. h. dem Gegenstand ihres Zeugnisses offenbar gänzlich unangemessen ist. Der neutrale Beobachter der die in ihr berichteten Ereignisse als Offenbarung verstand, hörte eben damit auf, ein neutraler Beobachter zu sein. Und für den nicht Neutralen, den Hörenden und Sehenden, den Glaubenden war und blieb ja in der Gestalt der Offenbarung zugleich deren Geheimnis, d. h. gerade er mußte wissen, daß hier historisch nicht nur wenig, sondern nichts bzw. immer nur etwas Anderes, für das Ereignis der Offenbarung Belangloses festzustellen war. Also nicht das kann gemeint sein, wenn wir die biblische Offenbarung als ein seinem Begriff nach **geschichtliches Ereignis** bezeichnen. Wir meinen damit vielmehr die Tatsache, daß die Bibel das, was sie Offenbarung nennt, immer als **eine konkrete Beziehung zu konkreten Menschen** versteht. Gott in seiner Unbegreiflichkeit und

Gott im Akt seiner Offenbarung, das ist nicht die Formel einer abstrakten, alle Zeit und überall gelten wollenden Gottes- oder Welt- oder Religionsmetaphysik. Das ist vielmehr Bericht über ein Geschehen, das sich einmalig, d. h. in einem immer mehr oder weniger genau bestimmten Dort und Damals abgespielt hat. Daß dieses Dort und Damals für uns historisch weithin im Dunkel liegt, daß die einzelnen Angaben, die die Bibel darüber macht, der historischen Kritik unterliegen, das ist bei Dokumenten einer Zeit und eines Kulturkreises, die eine historische Frage in unserem Sinn überhaupt nicht kannten, selbstverständlich, ganz abgesehen davon, daß historisches Interesse auch in dem in jener Zeit und in jenem Kulturkreis möglichen Sinn bei der Abfassung jener Dokumente, die ja eben Dokumente von Offenbarung sein wollten, keine ernstliche Rolle spielen konnte. Das ändert aber nichts daran, daß die Bibel mit dem, was sie Offenbarung nennt, immer ein einmaliges, ein **dort und damals sich abspielendes Geschehen** meint. Mag sie denn in so und so vielen Fällen, unbekümmert wie sie nun einmal in dieser Hinsicht ist, in ihren Angaben über das Dort und Damals, an den Maßstäben heutiger Historik gemessen, „irren" — wichtig ist nicht der mehr oder weniger „richtige" Inhalt, sondern die **Tatsache** dieser Angaben. Diese Tatsache, daß die Bibel des Alten und des Neuen Testamentes immer wieder und mit merkwürdigem Gewicht chronologische und topographische Angaben macht, daß sie also der Offenbarung Gottes, von der sie berichtet, jedesmal einen zeitlich und räumlich umschriebenen Ort zuschreiben will, daß sie die von ihr berichteten Vorgänge, in denen Menschen Offenbarung zuteil wird, einordnet in den Rahmen anderer damals und dort sich ereignender Vorgänge, daß das alte Ägypten, Assur und Babylon sichtbar werden als Horizont der Widerfahrnisse des Volkes Israel, daß Cyrenius, der Landpfleger in Syrien, nicht fehlen darf in der Weihnachtsgeschichte, und daß Pontius Pilatus wahrlich ins Credo gehört — das Alles besagt: die Bibel will, indem sie von Offenbarung berichtet, **Geschichte** erzählen, d. h. aber sie will nicht berichten über ein allgemein, immer und überall bestehendes oder in Gang befindliches Verhältnis zwischen Gott und Mensch, sondern von einem dort und nur dort, damals und nur damals, zwischen Gott und gewissen ganz bestimmten Menschen sich abspielenden Geschehen. Die göttliche Selbstenthüllung, von der sie berichtet, samt der Heiligkeit, die sie Gott bei diesem seinem Tun zuschreibt, sie wird **nicht einfach dem Menschen, sondern sie wird diesen und diesen Menschen** in ganz bestimmter Situation zuteil. Sie ist je ein ganz besonderes und als solches nicht vergleichbares und nicht wiederholbares Ereignis. Die Bibel als Zeugnis von Gottes Offenbarung hören, heißt unter allen Umständen: durch die Bibel von solcher Geschichte hören.

Das Hören solcher Geschichte, wie der, die in der in der Bibel bezeugten Offenbarung Ereignis ist, kann selbstverständlich nicht bedeuten: ein solches Geschehen auf

2. Die Wurzel der Trinitätslehre

Grund eines allgemeinen Begriffs von geschichtlicher Wahrheit für möglich, wahrscheinlich oder auch wirklich halten. Auch Geschichten, die sich zwischen Gott und Menschen ereignet haben, fallen freilich nach ihrer menschlichen Seite, also gerade hinsichtlich der in der Bibel geflissentlich betonten Angaben über ihre zeitliche Gestalt, unter diesen allgemeinen Begriff von Geschichte. Sie fallen aber nicht darunter nach ihrer göttlichen Seite. Das „historische Urteil", das diesen allgemeinen Begriff voraussetzt, kann sich also grundsätzlich nur auf diese zeitliche Gestalt beziehen. Es kann weder behaupten noch verneinen, daß da und da Gott an den Menschen gehandelt habe. Es müßte ja, um dies zu behaupten oder zu verneinen, seine Voraussetzung, jenen allgemeinen Begriff, aufgeben und zum Bekenntnis des Glaubens oder Unglaubens dem biblischen Zeugnis gegenüber werden. Über die besondere Geschichtlichkeit der im biblischen Zeugnis berichteten Geschichte kann es kein wirklich „historisches" Urteil geben. Das Hören solcher Geschichte wie der, die in der in der Bibel bezeugten Offenbarung Ereignis ist, kann aber auch — und das ist weniger selbstverständlich — nicht abhängig sein von dem „historischen" Urteil über ihre zeitliche Gestalt. Das Urteil, laut welches eine biblische Geschichte mit Wahrscheinlichkeit als „Geschichte" im Sinne jenes allgemeinen Begriffs von geschichtlicher Wahrheit zu betrachten wäre, ist nicht notwendig das Urteil des Glaubens gegenüber dem biblischen Zeugnis. Denn dieses Urteil kann gefällt werden, ohne daß jene biblische Geschichte in ihrer Besonderheit, d. h. als Geschichte zwischen Gott und Menschen, verstanden wäre. Wiederum: das Urteil, laut welches eine biblische Geschichte nicht mit Wahrscheinlichkeit als „Geschichte" im Sinne jenes allgemeinen Begriffs, sondern vielleicht mit Wahrscheinlichkeit im Sinne jenes allgemeinen Begriffs nicht als „Geschichte" zu betrachten wäre — dieses Urteil ist nicht notwendig das Urteil des Unglaubens gegenüber dem biblischen Zeugnis; denn ein solches Urteil kann gefällt und jene Geschichte kann dennoch in ihrer Besonderheit, d. h. als Geschichte zwischen Gott und Menschen verstanden werden. Die Frage, die über das Hören oder Nichthören biblischer Geschichte entscheidet, kann nicht sein: die Frage nach ihrer allgemeinen, sie kann nur sein: die Frage nach ihrer besonderen Geschichtlichkeit.

Das Urteil, eine biblische Geschichte sei teilweise oder ganz als Sage oder Legende zu verstehen, braucht also die Substanz des biblischen Zeugnisses nicht notwendig anzugreifen. Es könnte nur besagen: diese Geschichte ist nach den Maßstäben, nach denen historische Wahrheit sonst und im Allgemeinen beurteilt zu werden pflegt, eine der sicheren Feststellung, daß sie dem Bericht entsprechend verlaufen sei, sich mehr oder weniger entziehende Geschichte. „Sage" oder „Legende" kann doch nur bezeichnen: den mehr oder weniger eingreifenden Anteil des Erzählers oder der Erzähler an einer erzählten Geschichte. Es gibt keine erzählte Geschichte, in der nach dem allgemeinen Begriff von historischer Wahrheit nicht mit einem solchen Erzähleranteil, also mit sagen- oder legendenhaften Elementen mindestens zu rechnen wäre. Das gilt auch von den in der Bibel erzählten Geschichten. Sie müßte ohne zeitliche Gestalt sein, wenn es anders sein sollte. Diese grundsätzliche Ungesichertheit ihrer allgemeinen Geschichtlichkeit, aber auch das positive Urteil, daß da und da tatsächlich Sage oder Legende vorliege, braucht die Substanz des biblischen Zeugnisses nicht notwendig anzugreifen: 1. darum nicht, weil dieses Urteil auf alle Fälle nur jene allgemeine Geschichtlichkeit eines biblischen Berichts betreffen und bestreiten kann, 2. darum nicht, weil es seinem Wesen nach auch im scheinbar klarsten Fall doch nur ein Wahrscheinlichkeitsurteil sein kann, 3. darum nicht, weil auch „Sage" oder „Legende" jedenfalls Geschichte meint und unbeschadet des „historischen" Urteils als Mitteilung von Geschichte gehört werden kann. Solange dies der Fall ist, ist die Frage der besonderen Geschichtlichkeit des betr. Berichts jedenfalls nicht negativ beantwortet.

Anders verhält es sich mit der Einführung der Kategorie des Mythus. Das Urteil, eine biblische Geschichte sei als Mythus zu verstehen, greift notwendig die Substanz des biblischen Zeugnisses an. Und zwar darum, weil „Mythus" nun gerade nicht Geschichte meint, sondern Geschichte nur vortäuscht. Mythus heißt ja in Form von Erzählung gebrachte, aber an sich raum- und zeitlos wahr sein wollende Darstellung gewisser immer und überall bestehender Grundverhältnisse der menschlichen Existenz in ihren Beziehungen zu ihren eigenen Ursprüngen und Bedingungen im natürlichen und geschichtlichen Kosmos bzw. in der Gottheit, in Form von Erzählung gebracht unter der Voraussetzung, daß der Mensch um alle diese Dinge weiß und sie so oder so darstellen kann, daß er ihrer mächtig ist, daß sie letzten Grundes seine eigenen Dinge sind. Der Mythus (vgl. zum Folgenden Eduard Thurneysen, Christus und die Kirche, Z. d. Z. 1930, bes. S. 189f.) mißt dem von ihm berichteten Geschehen keinen exklusiven Charakter bei — das heißt: „Was der Mythus als Faktum berichtet, kann sich immer und überall ereignen, es ist kein einmaliges, sondern ein wiederholbares Geschehen. . . . Was sich aber wiederholen und sich immer wieder, wenn auch überraschend ereignen kann, das ist eine dem Naturgeschehen verwandte allgemeine Möglichkeit. Das sich so Ereignende beruht auf nichts Anderem als auf der Voraussetzung, daß der Mensch, dem diese im Mythus berichtete Offenbarung zuteil geworden ist, im letzten Grunde in einer freilich verborgenen aber überall wenigstens potentiell vorhandenen ursprünglichen und naturhaften Verbindung und Beziehung zum letzten Grund seines Daseins, zu seinem Gott, stehe. In den vom Mythus dann berichteten Offenbarungsereignissen wird diese latente Möglichkeit sozusagen aktiv. In immer neuen Theophanien erlebt der Mensch den Grund der Welt als gegenwärtig und sich mit ihm verbunden. Das heißt aber: es besteht hier eine letzte Identität zwischen Gott und Mensch. Von einem tiefgreifenden letzten Unterschied ist nicht die Rede. Was also der Mythus als einmal Geschehenes berichtet, das ist gar nicht einmal, sondern es ist die immer gleiche letzte Urbeziehung, die, hervorgelockt durch allerlei Zauber und Magie, ‚wieder einmal' erlebt und erfahren wird, um immer von neuem erlebt und erfahren zu werden."

> Freudig war vor vielen Jahren
> Eifrig so der Geist bestrebt,
> Zu erforschen, zu erfahren,
> Wie Natur im Schaffen lebt.
> Und es ist das ewig Eine,
> Das sich vielfach offenbart:
> Klein das Große, groß das Kleine,
> Alles nach der eignen Art;
> Immer wechselnd, fest sich haltend,
> Nah und fern und fern und nah,
> So gestaltend, umgestaltend —
> Zum Erstaunen bin ich da.
>
> (Goethe, Parabase, Jub-.Ausg. Bd. 2 S. 246)

Das ist die Geburt des Mythus! (Der Unterschied des Mythus von der eigentlichen Spekulation besteht nur darin, daß in der Spekulation die Form der Erzählung wieder abgestreift wird wie ein zu eng gewordenes Kleid, daß also das im Mythus als Faktum Vorgeführte nun in die Sphäre der reinen Idee bzw. des Begriffs erhoben, die vorhandene und bekannte Fülle jener Ursprünge und Beziehungen der menschlichen Existenz nun also auch noch in ihrem „An und für sich" zur Darstellung kommt. Der Mythus ist die Vorform der Spekulation, und die Spekulation ist das an den Tag kommende Wesen des Mythus.) Man kann es nun gewiß keinem Historiker verwehren, die Kategorie des Mythus auch auf gewisse in der Bibel berichtete Vorgänge anzuwenden. Es wäre freilich die Frage zu stellen, ob er die angeblichen Mythen wirklich im Text der Bibel gefunden habe und nicht vielmehr irgendwo hinter ihrem Text, unter Auflösung des Zusammenhangs, in dem die betreffende Stelle ihren Sinn hat, und unter Ignorierung dessen, was sie in diesem Zusammenhang sagt, unter Voraussetzung von dem

2. Die Wurzel der Trinitätslehre

biblischen Text vermutlich zugrunde liegenden sogenannten „Quellen" eigenen Charakters und selbständigen Inhalts, unter Kombination bestimmter Bestandteile des biblischen Textes mit als mythisch vielleicht wirklich anzusprechenden Bestandteilen außerbiblischer Texte. Es dürfte mit einem Wort fraglich sein, ob das Urteil „Mythus" auf die biblischen Berichte angewendet, nicht schon rein historisch-wissenschaftlich betrachtet, ein Fehlurteil ist, weil es vielleicht nur unter Überhören von dem, was die wirklichen biblischen Texte (so wie sie uns faktisch vorliegen, in ihrem engeren und weiteren Zusammenhang, als nun einmal biblische Texte gelesen!) sagen wollen und sagen, zustande kommen kann. Aber auch wenn dieser Einwand unverständlich erscheinen sollte: das wird sich der Historiker, der sich zu diesem Urteil entschließt, jedenfalls klarmachen müssen, daß er, indem es zu diesem Urteil für ihn überhaupt kommen kann, die Bibel sozusagen außerhalb der christlichen Kirche gelesen hat: nicht nach dem Zeugnis von Offenbarung, sondern nach irgend etwas Anderem, vielleicht eben gerade nach Mythus, nach Spekulation fragend — vielleicht selber gar nicht wissend darum oder vergessend, daß es so etwas wie Offenbarung geben möchte, vielleicht selber nur wissend oder doch in diesem Augenblick nur wissend um jene allgemeine Möglichkeit des Menschen, sich der Ursprünge und Beziehungen seines Daseins sei es fabulierend, sei es denkend oder sonstwie zu bemächtigen, weil sie in der Tat seine eigenen Dinge sind. Es ist eigentlich nichts als selbstverständlich, daß ein Zeitalter, das selber in so hohem Grade mythisch denkt, empfindet und handelt, wie die in der Aufklärung (mit Einschluß von Idealismus und Romantik) kulminierende sogenannte Neuzeit, auch in der Bibel den Mythus suchen und — finden muß. Der Historismus ist „das Selbstverständnis des Geistes, sofern es sich um die eigenen Hervorbringungen seiner in der Geschichte handelt" (E. Troeltsch, Ges. Schriften 3. Bd. 1922 S. 104). Gut! Wer nicht nach Offenbarung fragt, dem bleibt wohl nichts Anderes übrig, als eben nach Mythus zu fragen, und wer nach Mythus fragt, weil er danach fragen muß, weil der Mythus sein eigenes letztes Wort ist, der wird sich durch jenen vielleicht doch auch für den Historiker als solchen vorliegenden Einwand nicht abhalten lassen, auch in der Bibel nach Mythus zu fragen, um ihn dann sicher, und zwar genau genommen ein wenig überall, auch wirklich zu finden. Wir können nur feststellen: das Verständnis der Bibel als Zeugnis von Offenbarung und das Verständnis der Bibel als Zeugnis von Mythus schließen sich gegenseitig aus. Die Kategorie Sage, die Problematisierung der allgemeinen Geschichtlichkeit biblischer Berichte greift die Substanz der Bibel als Zeugnis nicht an, wohl aber die Kategorie des Mythus, weil „Mythus" die Geschichte als solche und damit auch die besondere Geschichtlichkeit der biblischen Berichte nicht nur problematisiert, sondern grundsätzlich verneint, weil die als Mythus verstandene Offenbarung nicht ein geschichtliches Ereignis, sondern eine raum- und zeitlose angebliche Wahrheit, d. h. aber eine Schöpfung des Menschen wäre.

Die Bibel legt darum so merkwürdiges Gewicht auf die Geschichtlichkeit der von ihr berichteten Offenbarung, weil sie unter Offenbarung gerade keine Schöpfung des Menschen versteht. Sie sagt so nachdrücklich, daß die Offenbarung diesen und diesen Menschen in dieser und dieser Situation zuteil wurde, weil sie sie eben damit beschreibt als ein Menschen Zuteilwerdendes. Das ist's, was bei der Anwendung — noch nicht des Begriffs Sage, wohl aber des Begriffs Mythus auf die Bibel übersehen bzw. geleugnet wird. Die in der Bibel bezeugten Offenbarungen wollen nicht sein die naturgemäß besonderen Erscheinungen eines Allgemeinen, einer Idee, die der Mensch dann gemächlich mit dieser Idee zu vergleichen und in ihrer Besonderheit zu verstehen und zu würdigen in der Lage wäre.

Weil dem nicht so ist, darum wird man die Religionsphilosophie der Aufklärung von Lessing über Kant und Herder zu Fichte und Hegel mit ihrer unleidlichen Unterscheidung zwischen ewigem Gehalt und historischem „Vehikel" als den Tiefpunkt des modernen Mißverständnisses der Bibel bezeichnen müssen.

Die in der Bibel bezeugte Offenbarung will geschichtliches Ereignis sein, wobei natürlich, wenn wir hier den Begriff der Geschichte zur Erklärung herbeiziehen, nur das das *tertium comparationis* sein kann, daß es sich in der Offenbarung wie in der Geschichte um ein bestimmtes, von allen anderen unterschiedenes, also unvergleichliches und unwiederholbares Ereignis handelt. Wollte man das geschichtliche Ereignis mit der Aufklärung etwa selber doch wieder als bloßen Exponenten eines allgemeinen Geschehens, als unter eine Regel fallenden Sonderfall oder als Verwirklichung einer allgemeinen Möglichkeit auffassen, sollte „Geschichte" irgendwie als Rahmen verstanden werden, innerhalb dessen es nun auch so etwas wie Offenbarung gebe, dann müßten wir an dieser Stelle den Begriff der Geschichtlichkeit mit demselben Nachdruck ablehnen wie den des Mythus. „Geschichtlich" auf „Offenbarung" bezogen muß vielmehr heißen: Ereignis als Faktum, oberhalb dessen es keine Instanz gibt, von der her es als Faktum und als dieses Faktum einzusehen wäre. So wird Offenbarung nach der Bibel Menschen zuteil, und darum legt die Bibel Nachdruck auf Chronologie, Topographie und gleichzeitige Weltgeschichte, d. h. aber auf die Kontingenz und Einmaligkeit der von ihr berichteten Offenbarungen. Sie sagt gerade damit: Offenbarung geschieht senkrecht vom Himmel, sie fällt dem Menschen zu mit derselben Zufälligkeit, in der er, an diesem und diesem Ort, zu dieser und dieser Zeit und in diesem und diesem Zusammenhang lebend, nun eben dieser und dieser Mensch ist: in diesem und diesem Stadium seines inneren und äußeren Lebens, nur mit dem Unterschied, daß diese seine geschichtliche Kontingenz nun doch wieder aus allen möglichen Dimensionen überschaubar und erklärbar ist. Der Satz: *Individuum est ineffabile* läßt sich dem gegenüber zwar wohl behaupten, aber charakteristischerweise nicht begründen, während Offenbarung nun gerade das dem Menschen gegenübertretende, den Menschen angehende I n e f f a b i l e ist, das als solches sich selbst begründet. So und von da aus kommt es nun auch erst zu letzter Klarheit dessen, was wir unter 1 und 2 über die Enthüllung und Verhüllung Gottes in seiner Offenbarung gesagt haben. Mit diesen zwei Beziehungen, in denen die Bibel Gott als seiend versteht, können nicht etwa zwei mit allgemeiner Denknotwendigkeit zu begründende Momente einer vorhandenen und bekannten Wahrheit und Wirklichkeit gemeint sein. Sonst würden wir die biblische Offenbarung, auch wenn wir es nicht wahr haben wollten, doch als Mythus verstehen! Daß der *Deus revelatus* auch der *Deus absconditus* ist und der *Deus absconditus* auch der *Deus revelatus*, daß der Vater den Sohn und der Sohn den Vater „verklärt", das ist nicht

2. Die Wurzel der Trinitätslehre

selbstverständlich, d. h. nicht in sich verständlich, wie etwa die immanente Dialektik dieses oder jenes menschlichen Lebensgebietes oder wie vielleicht eine Dialektik wie die des Hegelschen An sich und Für sich in sich verständlich, d. h. aber in einem Dritten aufhebbar ist. Sind schon die Güte und die Heiligkeit Gottes selbst weder Erfahrungen, die wir machen, noch Begriffe, die wir uns bilden könnten, sondern göttliche Seinsweisen, auf die menschliche Erfahrungen und Begriffe allenfalls antworten können, sofern sie das Entsprechende gefragt sind, so ist erst recht ihr Zusammensein, ihre Dialektik, in der ja beide allein sind, was sie sind, keine erkennbare, d. h. keine von uns selbst vollziehbare, sondern nur eine als faktisch stattfindend feststellbare und anerkennbare Dialektik. Und dieses ihr faktisches Stattfinden, ihr Feststellbar- und Anerkennbarwerden ist die Geschichtlichkeit der Offenbarung. Wir sagen mit diesem Begriff: Offenbarung ist in der Bibel Sache eines Zuteilwerdens, eines Offenbarseins Gottes, durch das die Existenz bestimmter Menschen in bestimmter Situation dahin ausgezeichnet wurde, daß ihre Erfahrungen sowohl wie ihre Begriffe, Gott in seiner Enthüllung und Gott in seiner Verhüllung und Gott in der Dialektik von Enthüllung und Verhüllung — nicht zu fassen, wohl aber ihm zu folgen, ihm zu antworten vermochten.

Es ist das Moment der Berufung im biblischen Offenbarungsbegriff, auf das an dieser dritten Stelle zu achten ist. Wieder finden wir das Alte und das Neue Testament einmütig in der Auffassung, daß der Mensch sich die Offenbarung in keiner Weise selbst verschaffen kann. Wir wiesen schon hin auf die Baalspriester auf dem Karmel, die mit ihren Versuchen, den „Gott" herbeizurufen, genau die Art bezeichnen, wie man zu Jahve eben keinen Zugang hat. Und auf derselben Linie als Verkündiger einer selbst ergriffenen Offenbarung, die eben darum gar keine Offenbarung ist, sind offenbar auch die sogenannten „falschen" Propheten des Alten Testamentes gesehen. Ebenso werden im Neuen Testament (z. B. Mark. 10, 17 f., Luk. 9, 57 f.) diejenigen, die von sich aus das ewige Leben erwerben bzw. Jesus nachfolgen wollen, als solche hingestellt, die dessen gerade nicht fähig sind. Wogegen die dem Abraham gegebene Verheißung nicht nur für seine Sara, sondern nach Gen. 17, 17 zunächst auch für Abraham selbst einfach ein Gegenstand des Gelächters ist, Jakob-Israel (ganz abgesehen von seinen sonstigen heute als so anstößig empfundenen Charaktereigenschaften) Gen. 32, 22 f. geradezu als ein Kämpfer, und zwar ein siegreicher Kämpfer, gegen Gott erscheint, der Widerstand gegen die Berufung, wie er bei einem Mose, Jesaia, Jeremia, Jona zunächst sichtbar wird, geradezu zum Wesen des echten Propheten zu gehören scheint. Dahin gehört natürlich als das große neutestamentliche Beispiel die Berufung des Saulus zum Paulus. Und auch in bezug auf Petrus war vielleicht die Meinung der Überlieferung, daß seine eigentliche Berufung erst durch den Auferstandenen, also hinter seiner Verleugnung Jesu erfolgt sei. Gerade zu ihm wird ja sehr nachdrücklich gesagt, daß Fleisch und Blut ihm d a s (nämlich die Gottessohnschaft Christi) nicht offenbart hätten. Es wäre natürlich töricht, das Alles sozusagen als eine negative Disposition der betreffenden Menschen für die Offenbarung zu verstehen. Bei so und so vielen Berufungen wird ja dieser Widerstand der Menschen nicht besonders hervorgehoben. Allerdings auch nirgends eine Vorbereitung auf die Berufung! Was die Bibel in dieser Hinsicht sagen will, ist offenbar dies: Es gibt keine Disposition des Menschen. Berufung ist ein unableitbares oder nur aus göttlicher Erwählung ableitbares Faktum. Propheten und Apostel stehen als solche da, nicht in irgendein Heroisches erhoben, in ihrer ganzen Menschlichkeit, aber gerade so als Propheten und Apostel sozusagen vom Himmel gefallen, sich selbst eben so erstaunlich wie ihrer Umgebung, in einem Amt, das von ihrer Existenz aus nicht zu erklären ist, Träger einer „Last", die sie nicht auf sich genommen haben, sondern die auf ihre Schultern gelegt wurde. Im Neuen Testament ist das Rätsel oder die Lösung des Rätsels dieses unbegreiflich faktischen Dabeiseins wirklicher Menschen bei Gottes Offenbarung ausgedrückt im Begriff des πνεῦμα. Wie wir mit Enthüllung schließlich nichts Anderes sagen als Ostern und dann, unvermeidlich rückwärts blickend auf das Woher? der Offenbarung mit Verhüllung nichts Anderes als Karfreitag, so sagen wir nun, vorwärtsblickend, zum Menschen hinblickend, an dem und für den die Offenbarung Ereignis wird, auf die Schwelle hinblickend, über die die Offenbarung eintritt in die Geschichte, nichts Anderes als Pfingsten, Ausgießung des Heiligen Geistes. Das πνεῦμα ist das Wunder des Dabeiseins wirklicher Menschen bei der Offenbarung. Es handelt sich nicht um etwas Anderes an Pfingsten als um das Geschehen des Karfreitags und der Ostern. Aber eben: daß es sich hier für wirkliche Menschen, für so ganz menschliche Menschen, wie es die Apostel in der Darstellung des Neuen Testaments sind, um das Geschehen des Karfreitags und der Ostern als um ein sie angehendes, sie betreffendes, sie berufendes Geschehen handeln kann und wirklich handelt, daß nun nicht nur Jesus Christus da ist, sondern Jesus Christus in der Kirche Jesu Christi, im Glauben an Jesus Christus, das ist das Besondere der Pfingsten und des Geistes im Neuen Testament. Eben an Pfingsten haben wir gedacht, wenn wir die Offenbarung als ein vom Menschen aus gesehen senkrecht vom Himmel hereinfallendes Geschehen genannt haben. Wie soll man es anders ausdrücken, wenn man in der Nähe gerade dieses Textes und vielleicht doch aller den „Geist Gottes" oder „Geist Christi" betreffenden neutestamentlichen Stellen bleiben will: Das Wunder, das man hier nicht stark genug betonen kann, entspricht ja nur: einerseits dem Geheimnis Gottes, aus dem die Offenbarung hervorgeht und von dem sie immer umgeben bleibt, andererseits der Paradoxie, daß in der Offenbarung ein wirkliches Hervorgehen Gottes aus seinem Geheimnis stattfindet. So ist das Offenbarsein Gottes beschaffen.

Ohne dieses geschichtliche Offenbarsein Gottes wäre Offenbarung nicht Offenbarung. Gottes Offenbarsein macht sie zur Beziehung zwischen Gott und Mensch, zur effektiven Begegnung zwischen Gott und dem Menschen. Aber eben: Gottes eigenes Offenbarsein macht sie dazu. Auch in dieser Hinsicht, also hinsichtlich ihres Zieles, bestätigt sich unser Satz: Gott offenbart sich als der Herr. Daß Gott das kann, was ihm die biblischen Zeugen zuschreiben: nicht nur Gestalt annehmen, nicht nur frei bleiben in dieser Gestalt, sondern in dieser seiner Gestalt und Freiheit dieser und dieser Menschen Gott werden, Ewigkeit in einem Augenblick, das ist der dritte Sinn seiner Herrschaft in seiner Offenbarung. Man redet von Offenbarung auch außerhalb der Bibel, und es gibt keinen Grund, das als absolut unmöglich zu bezeichnen. Wohl aber besteht Grund, nun auch dieses Dritte zu fragen: ob denn bei dem bei solcher Behauptung vorausgesetzten Begriff von Offenbarung dieses Moment des Offenbarseins Gottes als eines Aktes Gottes selber, diese Auffassung von der Aneignung der Offenbarung als einer schlechthinnigen Zueignung ohne alle Disposition mit in Betracht gezogen sei oder ob dort — an den anderen Orten, wo man das Bezeugtsein von Offenbarung meint annehmen zu dürfen, nicht vielmehr gerade die vielleicht positive, vielleicht (wie im Buddhismus) negative Disposition des Menschen die entscheidend wichtige Rolle spielt,

2. Die Wurzel der Trinitätslehre 351

ob was dort Offenbarung heißt, nicht vielleicht doch besser als Mythus zu bezeichnen wäre, weil es sich dort entscheidend um die Auseinandersetzung des Menschen mit sich selbst handelt? Aber wir legen kein Gewicht auf diese Seitenfragen. Wir haben nur das positive Interesse: im biblischen Zeugnis ist das, die Herrschaft Gottes in diesem dritten Sinn, mitentscheidendes Merkmal der Offenbarung. Gott offenbart sich als Geist, nicht als irgendein Geist, nicht als der entdeckbare und erweckbare Untergrund des menschlichen Geisteslebens, sondern als der Geist des Vaters und des Sohnes, also als derselbe eine Gott, aber nun als derselbe eine Gott auch so: in dieser Einheit, und zwar in dieser sich aufschließenden, gegen Menschen sich aufschließenden Einheit des Vaters und des Sohnes. Daß er das tut, auch dieses Dritte — es folgt nicht selbstverständlich aus dem Ersten und Zweiten, so gewiß auch in deren Sein und Zusammensein nichts, gar nichts Selbstverständliches ist — daß es ein solches Offenbarsein des Vaters und des Sohnes gibt, das ist's, was wir meinen, wenn wir sagen, daß er sich als der Herr offenbart. Auch daß Gott nach Joh. 4, 24 Geist ist, ist Gottes Herrschaft in seiner Offenbarung.

Wir blicken zurück und schließen ab. Wir haben nach der Wurzel der Trinitätslehre gefragt, nach ihrer Wurzel in der Offenbarung, nicht in irgendeiner Offenbarung, nicht in einem allgemeinen Begriff von Offenbarung, sondern in dem der Bibel zu entnehmenden Begriff von Offenbarung. Wir fragten, ob die Offenbarung als Grund der Trinitätslehre, ob die Trinitätslehre als erwachsen aus diesem Grunde verstanden werden müsse. Und nun haben wir nach einem Seitenblick auf die unmittelbar an die Trinitätslehre selbst anklingenden Stellen des biblischen Zeugnisses untersucht, was denn in der Bibel Offenbarung heißt, fragend, aber konkret, im Blick auf die biblischen Texte fragend, ob der Satz: „Gott offenbart sich als der Herr" in diesen Texten wirklich einen dreifachen Sinn und doch einen einfachen Gehalt habe. Wenn es richtig war, im biblischen Offenbarungszeugnis die drei Momente der Enthüllung, der Verhüllung und der Mitteilung oder: der Gestalt, der Freiheit und der Geschichtlichkeit oder: der Ostern, des Karfreitags und der Pfingsten, oder: des Sohnes, des Vaters und des Geistes hervorzuheben, wenn wir diese drei Momente einzeln richtig charakterisiert und wenn wir sie ins richtige Verhältnis zueinander gestellt haben — wenn unser dreimaliger Schluß: „Gott offenbart sich als der Herr" also keine Erschleichung, sondern ein wirkliches Ergebnis war und wenn wir mit diesem Satz wirklich dreimal unauflöslich anders dreimal dasselbe gesagt haben, dann ist jetzt zu schließen: die Offenbarung muß in der Tat als Wurzel oder Grund der Trinitätslehre verstanden werden. Als Wurzel oder Grund, sagen wir. Die Trinitätslehre ist uns noch nicht direkt begegnet. Auch in jenen trinitarisch klingenden Stellen fehlen die für die Trinitätslehre selber charakteristischen Elemente. Unsere Begriffe „unzerstörte Einheit" und „unzerstörte Verschiedenheit", der Begriff des einen Wesens Gottes und der drei in diesem Wesen zu unterscheidenden Personen oder Seinsweisen, endlich der von uns erst kurz berührte polemische Satz, daß die Dreieinigkeit Gottes nicht nur in seiner Offenbarung, sondern weil in seiner Offenbarung, in Gott selbst und an sich stattfinde, daß die Trinität also nicht nur als „ökonomische" sondern als „immanente" zu verstehen sei — das Alles ist nicht direkt biblische, d. h. in der Bibel explizit ausgesprochene, sondern kirchliche Lehre. Wir haben nicht mehr als das festgestellt: die biblische Lehre von der Offenbarung ist implizit und an einigen Stellen auch explizit Hinweis auf die Trinitätslehre. Sie muß in ihrem Grundriß als Grundriß auch der Trinitätslehre interpretiert werden. Läßt sich die Trinitätslehre selbst und als solche begründen und durchführen, so ist zu sagen: es besteht von der Offenbarung her ein echter und notwendiger Zusammenhang mit der Trinitätslehre. Die Trinitätslehre mit ihren in der Bibel nicht explizit ausgesprochenen Konsequenzen, Unterscheidungen und Zusammenfassungen beschäftigt sich mit einem durch das biblische Zeugnis von der Offenbarung tatsächlich und in der zentralsten Weise gestellten Problem. Sie ist tatsächlich Exegese dieses Textes. Sie ist nicht — das können wir schon jetzt sagen — eine willkürlich angestellte Spekulation, die ihren Gegenstand anderswo als in der Bibel hätte. Daß sie mit gewissen Philosophumenen der ausgehenden heidnischen Antike arbeitet, weiß jedes Kind. Das kann aber nach unseren Feststellungen nicht bedeuten, daß sie ein außerkirchliches, d. h. ein nicht in der Kirche als solcher notwendig gewordenes, ein nicht zu seiner Zeit aus dem Grunde der Schrift, aus dem an der Schrift entstandenen Glauben an Gottes Offenbarung hervorgegangenes Gebilde, eine ein Thema der heidnischen Antike behandelnde Lehre sei. Sondern ihre Sätze lassen sich als — nicht direkt aber indirekt identisch mit denen des biblischen Offenbarungszeugnisses verstehen. Sie ist kirchliche Exegese, d. h. sie exegesiert diesen Text, das in der Kirche als solches geltende Offenbarungszeugnis. Wir werden, wenn wir sie als kirchliche Exegese des biblischen Textes im Einzelnen darzustellen haben werden, nicht unterlassen dürfen, immer wieder zu diesem biblischen Text selber hinüberzublicken mit der Frage, ob und inwiefern es dabei mit rechten Dingen zugehen möchte. Daß sie kirchliche Exegese ist, daß die Sätze der Trinitätslehre der biblischen Offenbarung so direkt gegenüberstehen, wie nur eine Antwort einer Frage gegenüberstehen kann, das sollte durch den Nachweis, den wir geführt haben, vorläufig gesichert sein.

3. DAS *VESTIGIUM TRINITATIS*

Bevor wir uns im nächsten Paragraphen der Entwicklung der Trinitätslehre selber zuwenden, ist eine kritische Überlegung nötig hinsichtlich des

3. Das vestigium trinitatis

Ergebnisses, zu dem wir bisher gekommen sind. Wir haben nach der Wurzel der Trinitätslehre gefragt. Indem wir den biblischen Offenbarungsbegriff zu analysieren versuchten, kamen wir zu der Feststellung: eben diese Analyse auf ihren einfachsten Ausdruck gebracht, die dreifach eine Herrschaft Gottes als des Vaters, des Sohnes und des Geistes, ist die Wurzel der Trinitätslehre. M. a. W.: der biblische Offenbarungsbegriff ist selbst die Wurzel der Trinitätslehre. Die Trinitätslehre ist nichts Anderes als die Entfaltung der Erkenntnis, daß Jesus der Christus oder der Herr ist. Indem wir sagen: aus dieser Wurzel stammt die Trinitätslehre, sagen wir kritisch-polemisch: sie stammt nicht anderswoher. Eben dieses „Nicht anderswoher" ist nun noch besonders ins Auge zu fassen. Anlaß dazu gibt uns das durch die Geschichte des Trinitätsdogmas gestellte Problem des *vestigium trinitatis*. Der Ausdruck stammt vermutlich von Augustin und bedeutet: ein Analogon der Trinität, also des trinitarischen Gottes der christlichen Offenbarung in dieser und dieser von ihm unterschiedenen, also geschöpflichen Wirklichkeit, eine solche geschöpfliche Wirklichkeit, die nicht etwa als angenommene Gestalt Gottes in seiner Offenbarung, sondern ganz abgesehen von Gottes Offenbarung in ihrer eigenen schöpfungsmäßigen Struktur eine gewisse Ähnlichkeit mit der Struktur des trinitarischen Gottesbegriffs aufweist und also als ein Abbild des trinitarischen Gottes selbst zu betrachten ist.

Augustin handelt von dieser Sache z. B. *Conf.* XIII 11, 12; *De civ. Dei* XI 24f., vor allem aber *De trin.* IX—XI. Zum allgemeinen Verständnis des Problems, wie die Kirchenväter und Scholastiker es gestellt sahen, ist lehrreich die Stelle *De trin.* VI, 10: *Oportet igitur, ut creatorem per ea quae facta sunt intellectum conspicientes, trinitatem intelligamus, cuius in creatura, quomodo dignum est, apparet vestigium. In illa enim trinitate summa origo est rerum omnium et perfectissima pulchritudo et beatissima delectatio. ... Qui videt hoc vel ex parte, vel per speculum et in aenigmate, gaudeat cognoscens Deum et sicut Deum honoret et gratias agat: qui autem non videt, tendat per pietatem ad videndum.*

Es muß scharf hervorgehoben werden: Es handelt sich (leider!) nicht um die in der Offenbarung einer geschöpflichen Wirklichkeit zuteil werdende Auszeichnung, vermöge welcher ein Mensch, ein Engel, ein natürliches oder geschichtliches Ereignis, menschliche Worte oder Handlungen, zuhöchst und zuletzt und zugleich als Inbegriff der ganzen so ausgezeichneten Kreatur: die *humanitas Christi*, zum göttlichen Organ oder Werkzeug oder Medium wird. Man könnte ja auch das, man kann die Gestalt, die Gott in seiner Enthüllung als der Sohn oder das Wort annimmt, das *vestigium trinitatis* nennen. Aber nicht das war gemeint bei der Entstehung und Anwendung dieses Begriffs. Sondern da handelt es sich um eine gewissen geschaffenen Wirklichkeiten angeblich immanent, also ganz abgesehen von ihrer allfälligen Beanspruchung durch Gottes Offenbarung eigene trinitarische Wesensdisposition, um eine echte *analogia entis*, um Spuren des trinitarischen Schöpfergottes im Seienden als solchem, in seinem reinen

Geschaffensein. Anerkennt man, daß es *vestigia trinitatis* in diesem zweiten Sinn gibt, dann stellt sich offenbar die Frage — und darum müssen wir in unserem Zusammenhang auf die Sache zu reden kommen — ob wir nicht etwa eine zweite Wurzel der Trinitätslehre neben der im vorigen Absatz aufgezeigten anzunehmen haben. Als solche zweite Wurzel der Trinitätslehre müßte doch offenbar das *vestigium trinitatis*, wenn es ein solches im zweiten Sinn des Begriffes gibt, in Betracht gezogen werden. Es müßte dann gefragt werden, ob die Entstehung der Trinitätslehre nicht mindestens a u c h auf die Einsicht in jene in der geschaffenen Welt auch abgesehen von der biblischen Offenbarung vorhandenen und wahrnehmbaren Spuren der Trinität zurückzuführen sei. Und wenn diese Frage einmal zugelassen wäre, dürfte es kaum vermeidbar sein, zu der weiteren Frage vorzuschreiten: welche von den zwei nebeneinander in Betracht kommenden Wurzeln der Trinitätslehre nun die eigentliche und primäre, welche dagegen der nachträgliche Senkling sein möchte? Aber auch die Frage müßte dann zugelassen sein: ob die Ableitung der Trinitätslehre aus der biblischen Offenbarung nicht bloß die nachträgliche Bestätigung einer auch abgesehen von dieser Offenbarung zu gewinnenden Erkenntnis Gottes aus seiner Offenbarung in der Schöpfung sein möchte? Und dann könnte die letzte Frage schwerlich ausbleiben: ob denn die bewußten *vestigia*, auf die sich dann die Trinitätslehre eigentlich gründen würde, wirklich durchaus als *vestigia* eines der Welt transzendenten Schöpfergottes und nicht vielmehr als nunmehr streng immanent zu verstehende Bestimmtheiten des Kosmos, und, weil der Kosmos der Kosmos des Menschen ist, als Bestimmtheiten der menschlichen Existenz zu verstehen sein, ob also nicht der Begriff der natürlichen ebenso wie der der biblischen Offenbarung zu streichen und die Trinitätslehre als kühner Versuch menschlichen Welt- und letztlich Selbstverständnisses, also als Mythus zu beurteilen sein möchte? Das Problem, das uns durch die Behauptung von dem Vorhandensein und Erkennbarsein jener *vestigia trinitatis* gestellt ist, ist also wahrhaftig von größtem Belang: nicht nur für die Frage nach der Wurzel der Trinitätslehre, sondern für die Frage nach der Offenbarung überhaupt, für die Frage nach der Begründung der Theologie allein in der Offenbarung und schließlich geradezu für die Frage nach Sinn und Möglichkeit der Theologie im Unterschied zu einer bloßen Kosmologie oder Anthropologie.

Es fragt sich, ob diese *vestigia trinitatis* uns nicht mit den Konsequenzen, die sich aus ihrer Anerkennung ergeben — und wäre es auch nur die bewußte Fragenreihe, die sich aus dieser Anerkennung ergeben muß — nötigen, zuerst zu jener freundlichen Zweispurigkeit von „Offenbarung" und „Uroffenbarung" (P. Althaus) und dann von dieser Halbheit eiligst zur echten römisch-katholischen Theologie der *analogia entis* überzugehen. Sollten sie uns dann aber nicht gerade noch rechtzeitig darauf aufmerksam machen, daß die Theologie wohl daran täte, sich selber überhaupt nicht unmöglicherweise als Theologie verstehen zu wollen, sondern sich zu geben als das, was sie

3. Das vestigium trinitatis

im Grunde allein sein kann: als ein Stück menschlichen Welt- und Selbstverständnisses, bei dessen Entwicklung der Begriff „Gott" wie ein überflüssiges X im Zähler und Nenner zur Vereinfachung der Rechnung auf beiden Seiten schlicht zu streichen ist, weil es ja mit oder ohne diesen Begriff doch nur um den Menschen, in unserem Falle: um des Menschen eigene Dreieinigkeit geht. Man kann die Frage freilich auch so stellen, ob wir nicht in diesem Begriffe des *vestigium trinitatis* ein uraltes trojanisches Pferd vor uns haben, das man einst (mit Augustin zu reden: um der *pulchritudo* und *delectatio* willen) allzu unbedenklich in das theologische Ilion hat einziehen lassen, in dessen Bauch wir es, gewitzigt durch einige zur Zeit Augustins so noch nicht gemachte Erfahrungen, gefährlich klirren hören, so daß wir Anlaß haben, eine heftige Abwehrbewegung zu vollziehen (vielleicht läßt sich nämlich hier in der Tat nichts Anderes tun als eben dies!), mit der wir erklären (vielleicht wirklich nur ganz naiv erklären!), daß wir mit dieser Sache nichts zu tun haben wollen.

Um uns zunächst über die *quaestio facti*, über die Frage, an was man denn konkret gedacht hat und denken kann, wenn man von *vestigia trinitatis* redet, zu unterrichten, teilen wir ein: es handelt sich um Phänomene aus der Natur, aus der Kultur, aus der Geschichte, aus der Religion und schließlich aus dem menschlichen Seelenleben.

Wir geben, da irgendwelche systematische Vollständigkeit im einzelnen nicht in Betracht kommen kann, aus allen fünf Gebieten einige charakteristische Beispiele. (Vgl. zum Folgenden H. Bavinck, Geref. Dogmatiek 1918 2. Bd. S. 332 f.)

1. Natur. — Anselm von Canterbury vergleicht Vater, Sohn und Geist in der Trinität mit dem Dasein und gegenseitigen Verhältnis von Quelle, Fluß und See, die als Eines und Ganzes Nil heißen mögen. Aber nicht nur das Eine und Ganze, sondern auch Quelle, Fluß und See je für sich sind der Nil. Obwohl doch die Quelle nicht der Fluß, der Fluß nicht der See und der See nicht die Quelle ist, obwohl es andererseits nicht drei Nile, sondern nur einen einzigen gibt. Der eine ganze Nil ist ja Quelle, Fluß und See. Ebenso schwierig bzw. unmöglich wie bei den „Personen" der Trinität zu sagen, was der gemeinsame Begriff ist, unter den diese drei fallen. Aber auch ebenso deutlich wie dort, daß die Quelle weder aus dem Fluß noch aus dem See ist, der Fluß nicht aus dem See, wohl aber aus der Quelle, der See dagegen aus der Quelle und aus dem Fluß (*Ep. de incarn. verbi c.* 13). — Luther scheint, jedenfalls bei Tisch redend, den Satz: *in omnibus creaturis licet invenire et cernere trinitatem istam esse expressam* gerne vertreten und am Beispiel der Sonne, des Wassers, der Gestirne, der Pflanzen usw. erläutert zu haben. Ein zusammenfassender Bericht über eine dieser seiner Darlegungen gerade im Blick auf die natürlichen Phänome lautet: „In allen Creaturen ist und siehet man Anzeigung der heiligen Dreifaltigkeit. Erstlich das Wesen bedeutet die Allmacht Gottes des Vaters; zum Andern die Gestalt und Form zeiget an die Weisheit des Sohnes, und zum dritten der Nutz und Kraft ist das Zeichen des heiligen Geistes; daß also Gott gegenwärtig ist in allen Creaturen, auch im Geringsten Blättlin und Mohnkörnlin" (W. A. Ti. 1, 395 f.). Begnügen wir uns beispielsweise zu erwähnen, daß man in ähnlicher Weise Gewicht, Zahl und Maß oder festen, flüssigen und gasförmigen Zustand und die drei Dimensionen der Körper, die Grundfarben gelb, rot und blau und den Akkord von Grundton, Terz und Quint mit der Trinität in Beziehung gebracht hat.

2. Kultur. — Lehrstand, Wehrstand und Nährstand in der Gesellschaft, Epos, Lyrik und Drama in der Dichtkunst, aber auch die drei Grunddisziplinen der mittelalterlichen Wissenschaft sollten hier *vestigia trinitatis* sein. Wir geben nochmals Luther das Wort: „Der Vater ist in göttlichen Dingen die *Grammatica*, denn er gibt die Wort und die Bronnquelle, daraus gute, feine, reine Wort, so man reden soll, fließen. Der Sohn ist die *Dialectica*; denn er gibt die Disposition, wie man ein Ding fein ordentlich nacheinander setzen soll, daß es gewiß schließe und aufeinanderfolge.

Der heilige Geist aber ist die *Rhetorica*, der Redner, so er fein fürträgt, bläset und treibet, macht lebendig und kräftig, daß es nachdruckt und die Herzen einnimmet" (W. A. Ti. 1, 564).

3. Geschichte. — Hierher gehört die in der Kirchengeschichte immer wieder auftauchende Lehre von den drei Reichen, die man entweder im alttestamentlichen, neutestamentlichen und christlich-kirchlichen Zeitalter zu finden meinte oder aber, eschatologisch pointiert und unter Kombination mit den drei großen Apostelgestalten in den drei Zeitaltern oder Reichen: 1. dem petrinischen, vergangenen, dem Reich der Furcht, d. h. des Vaters, 2. dem paulinischen, gegenwärtigen, dem Reich der Wahrheit, d. h. des Sohnes, und 3. dem johanneischen, zukünftigen, dem Reich der Liebe, d. h. des Geistes. In diesem Zusammenhang ist der Heilige Geist zu dem besonderen Stichwort aller sog. schwärmerischen oder sagen wir besser: aller chiliastischen Richtungen in der Kirche, man könnte fast sagen: der spezifisch unkirchliche oder gar antikirchliche Gott geworden, konnte es geschehen, daß z. B. Luther sich seiner einseitigen Anrufung gegenüber gelegentlich ebenso einseitig auf das Wort meinte berufen zu müssen und daß „spiritualistisch" zu einem Begriff wurde, mit dem eine bestimmte Kritik, eben die gegen alles Schwärmende sich richtende, ausgedrückt wird. Moeller van den Bruck hat (Das dritte Reich, 2. Aufl. 1926 S. 13) den Gedanken des dritten Reiches einen „Weltanschauungsgedanken" genannt, „der über die Wirklichkeit hinaushebt". „Nicht zufällig sind die Vorstellungen, die schon bei dem Begriff sich einstellen, bei dem Namen des dritten Reiches ... von vornherein ideologisch bloßgestellt, sind seltsam wolkig, sind gefühlvoll und entschwebend und ganz und gar jenseitig." Moeller v. d. Bruck wollte ihn bekanntlich „dem Illusionistischen entrücken und ganz in das Politische einbeziehen". Er hat doch auch in dieser Säkularisierung etwas behalten von dem Pathos der altkirchlich-mittelalterlichen Geschichtsphilosophie des *vestigium trinitatis*, wie sie, um nur einen Namen zu nennen, etwa in Joachim von Flore lebendig war.

4. Religion. — Schon das Mittelalter hat in diesem Zusammenhang auf die Phänomene des subjektiven religiösen Bewußtseins hingewiesen: *cogitatio, meditatio, contemplatio* oder: *fides, ratio, contemplatio* oder: *via purgativa, illuminativa* und *intuitiva* der areopagitisch beeinflußten Mystik, deren Wesen und Ordnung die Trinität widerspiegele. Und dem ist wohl an die Seite zu stellen die Behauptung Wobbermins, daß der christlich-trinitarische Monotheismus die Grundüberzeugung alles religiösen Glaubens insofern zum Abschluß bringe, als dieser überall drei Motive einschließe, zum Ausdruck kommend im religiösen Abhängigkeitsgefühl, im religiösen Geborgenheitsgefühl und im religiösen Sehnsuchtsgefühl" (Wesen und Wahrheit des Christentums 1925 S. 432). Nun ist aber durchaus nicht erst unsere religionsgeschichtlich interessierte Neuzeit, sondern, wie z. B. aus J. Gerhard, Loci 1610 L. 3, 30 ersichtlich, schon die alte Theologie darauf aufmerksam gewesen, daß auch in den objektiven Phänomenen der Religion, und zwar auch der nichtchristlichen Religion die Dreizahl gerade der Gottheit eine merkwürdige Rolle spiele. Wir heben Einiges hervor: es kannten die alten Babylonier zwei Göttertriaden, eine kosmische: *Anu, Enlil* und *Ea* (die Götter der Himmel, der Erde und des Wassers) und eine übergeordnete, siderische: *Shamash, Sin* und *Ishtar* (Sonne, Mond und Venusstern). Es kannten die alten Ägypter die Götterfamilie *Osiris* mit seiner Gattin *Isis* und ihrem Sohn *Horus* und in ähnlichem Verhältnis die alten Kananäer, Syrer und Karthager einen höchsten Gott, die später auch unter dem Namen *Kybele* verehrte *magna mater* und den z. B. unter dem Namen *Attis* oder *Adonis* bekannten Gottessohn und vermutlich wieder in ähnlichem Verhältnis das alte etruskische Rom die sog. kapitolinische Trias: *Jupiter optimus maximus, Juno regina* und *Minerva*. Es kennt der jüngere Brahmanismus die sogenante *Trimurti:* die mystische Einheit von *Brahma*, der die Welt hervorbringt, *Vishnu*, der sie erhält, und *Siva* (oder *Rudra*), der sie zerstört. Es lautet das Bekenntnis eines zum Buddhismus Übertretenden noch heute: „Ich nehme

3. Das vestigium trinitatis

meine Zuflucht zum *Buddha*, ich nehme meine Zuflucht zum *Dhamma*, ich nehme meine Zuflucht zum *Sangha*" (die „drei Kleinodien"), wobei Buddha die Persönlichkeit, Dhamma die Lehre, Sangha die Gemeinde des Religionsstifters bezeichnet.

5. Die menschliche Seele. — Es handelt sich hier nach Augustin einmal um die drei Vermögen der Seele: *mens*, das Vermögen der inneren, *notitia*, das Vermögen der äußeren Wahrnehmung, *amor*, das Vermögen, das eine auf das andere zu beziehen und so die Wahrnehmung zu vollziehen — sodann um die drei entsprechenden Momente im wirklichen Prozeß des Bewußtseins: *memoria*, d. h. der grundlegende Akt des Selbst- und Gegenstandsbewußtseins überhaupt und an sich, als reine Form, *intellectus*, d. h. der denkende Vollzug einer Selbst- oder Gegenstandsanschauung in einem bestimmten Bilde, *voluntas*, d. h. zugleich die Bejahung dieses Bildes und die Rückkehr vom Bilde zum reinen Bewußtsein. Es war also kein anderes, sondern in anderen Worten noch einmal dasselbe *vestigium*, wenn Augustin auch unterscheiden konnte: *amans, id quod amatur, amor*. Hören wir Augustin selbst in einer besonders prägnanten Formulierung seines Gedankens: *sine ulla phantasiarum vel phantasmatum imaginatione ludificatoria mihi esse me, idque nosse et amare certissimum est... Quid si falleris? Si enim fallor, sum. Nam qui non est, utique nec falli potest... Consequens est autem, ut etiam in eo quod me novi nosse, non fallor. Eaque duo cum amo... quiddam tertium... eis... adiungo* (De civ. Dei XI 26). Mehr als ein *vestigium*, vielmehr die *imago Dei*, bzw. *trinitatis*, meinte Augustin in dieser Struktur des menschlichen Bewußtseins zu finden. Es war diese Theorie des *vestigium*, die vor allen anderen Eindruck und Schule durch alle Jahrhunderte hin gemacht hat. Wir finden sie in allerhand Abwandlungen, z. B. bei Anselm von Canterbury (Monol. 67 u. passim), Petrus Lombardus (Sent. I dist. 3), Thomas von Aquino (S. theol. I qu. 45, *art.* 7), Bonaventura (*Breviloq.* II c. 12), in der Reformationszeit bei Melanchthon (*Enarr. Symb. Nic.* 1550 C. R. 23, 235; *Loci* 1559 C. R. 21, 615 u. ö), bei dem Reformierten B. Keckermann (*Syst. S. S. Theol.* 1611 S. 20f.), in der Aufklärung in Lessings Erziehung des Menschengeschlechts § 73, im 19. Jahrhundert bei A. Twesten (Dogm. d. ev.-luth. Kirche 2. Bd. 1837 S. 194f.), in der Gegenwart bei keinem Anderen als Ad. Schlatter: „Da wir die Besitzer unseres Bildes sind, entsteht in uns beständig eine Art Dreieinigkeit; zum Wissenden kommt das Gewußte, nun aber nicht so, daß beide nebeneinanderstünden, sondern sofort erscheint der Dritte: der im Gewußten sich selbst Erkennende" (Das chr. Dogma 2. Aufl. 1923 S. 24). Ebenso trinitarisch ist nach ihm die Ordnung unseres Wollens: „Wir haben ein unmittelbares Wollen, ein wählendes Wollen und die Einigung beider, den von uns gewählten Willen, der nun die Aktionsmacht in sich hat (a. a. O. S. 148). Die Beziehung, die sich von da aus zu der Schellingschen Trias: Subjekt, Objekt, Subjekt-Objekt und zu Hegels An sich des subjektiven Geistes als Thesis, Für sich des objektiven Geistes als Antithesis und An und für sich des absoluten Geistes als Synthesis ergeben müssen, sollen nur angedeutet sein. Man darf ruhig behaupten, daß gerade diese Spitzen idealistischer Philosophie anderswo als auf dem Hintergrund der christlichen Dogmatik schlechterdings undenkbar waren, waren sie doch wirklich nichts Anderes als neue Varianten eben des augustinischen Trinitätsbeweises. Es ist klar, daß in diesen Zusammenhang auch das logisch-grammatikalische Schema von Subjekt, Objekt und Prädikat gehören würde, wenn es etwa unser wirklicher Schlüssel zur Trinitätslehre gewesen sein sollte. Und es ist ebenso klar, daß sowohl die mittelalterliche wie die Wobberminsche Konstruktion des religiösen Bewußtseins, auch hier, auch als Variante des allgemeinen augustinischen Bewußtseinsargumentes zu würdigen wäre.

Was soll man zu diesem ganzen Material sagen, was damit anfangen? Es liegt zunächst nahe, es in dem Sinn aufzufassen zu suchen, in welchem es ursprünglich gemeint war: als interessanten, erbaulichen, lehr- und

§ 8. *Gott in seiner Offenbarung*

hilfreichen Hinweis zum Verständnis der christlichen Lehre, nicht zu überschätzen, nicht als Grundlegung, nicht als Beweis im strengen Sinn zu verwenden, weil man die Trinität schon kennen und glauben muß, um ihre *vestigia* im Makrokosmos und Mikrokosmos nun wirklich als solche wahrzunehmen — aber immerhin zu schätzen, nämlich als nachträgliche unverbindliche, aber doch dankbar entgegenzunehmende Illustrationen des christlichen Credo.

Schon Irenäus warnte, man habe nicht *Deum ex factis, sed ea quae facta sunt, ex Deo* zu verstehen (*C. o. h.* II 25,1). Augustin selbst hat an seine Mahnung, der Mensch möchte doch lernen, die Trinität in sich selbst anzuschauen, ausdrücklich die weitere Mahnung angeknüpft: *cum invenerit in his aliquid et dixerit, non iam se putet invenisse illud, quod supra ista est incommutabile* (*Conf.* XIII 11). Auch Petrus Lombardus hält sichtlich zurück: *Non enim per creaturarum contemplationem sufficiens notitia trinitatis potest haberi vel potuit sine doctrinae vel interioris inspirationis revelatione ... Adiuvamur tamen in fide invisibilium per ea quae facta sunt* (*Sent.* I *dist.* 3 F), und äußert sich ausführlich über die gerade in der augustinischen *similitudo* stattfindenden *dissimilitudines. Trinitate posita, congruunt hujusmodi rationes; non tamen ita, quod per has rationes sufficienter probetur trinitas personarum* (Thomas v. Aq. *S. th.* I qu. 32 art. 1). So darf man sicher auch die Äußerungen Luthers zu dieser Sache nicht als theologische Grundlegung sondern eben nur als theologische — Tischreden verstehen.

Man braucht das, was die alte Theologie sich an dieser Stelle leistete, darum doch nicht als ein bloßes und müßiges Spiel zu beurteilen, so spielerisch uns Manches von dem Vorgebrachten fraglos berühren mag.

Der andere Eindruck, den man von dem ganzen Material hat, ist doch unleugbar der, daß irgend etwas, wenn auch bald mehr bald weniger „dran sein" muß an der Beziehung zwischen der Trinität und all den Dreiheiten, auf die wir da hingewiesen werden. Warum soll auch nicht etwas dran sein? Es fragt sich nur: was? Die Theologie und die Kirche, aber schon die Bibel selbst, sprechen ja keine andere Sprache als eben die formell und inhaltlich durch schöpfungsmäßige Beschaffenheit der Welt geformte, aber auch durch die Grenzen der Menschheit bedingte Sprache dieser Welt: die Sprache, in der der Mensch, wie er nun einmal ist, also der sündige und verkehrte Mensch, sich mit der Welt, wie sie ihm begegnet und wie er sie sieht und zu verstehen vermag, auseinanderzusetzen versucht. Bibel, Kirche und Theologie sprechen diese Sprache zweifellos in der Voraussetzung, daß etwas „dran sein" könne, nämlich: daß in dieser Sprache auch von Gottes Offenbarung gesprochen, Zeugnis abgelegt, Gottes Wort verkündigt, Dogma formuliert und erklärt werden könne. Die Frage ist nur, ob dieses Können als ein der Sprache und also der Welt bzw. dem Menschen eigenes Können verstanden werden soll oder aber als ein Wagnis, das der Sprache und also der Welt, bzw. dem Menschen sozusagen von außen zugemutet wird, so daß es nicht eigentlich das Können der Sprache, der Welt, des Menschen, sondern das Können der Offenbarung wäre, wenn nun wirklich in Form von Begriffen und Vorstellungen, die es auch sonst und an sich gibt, entsprechend der geschaffenen Welt und entsprechend dem

3. Das vestigium trinitatis

Vermögen des mit dieser Welt sich auseinandersetzenden Menschen — auf einmal wirklich von Offenbarung, also von der Trinität, von Sündenvergebung und ewigem Leben geredet wird, von Dingen, deren diese Sprache des Menschen als solche durchaus nicht mächtig ist. Es soll nun nicht behauptet sein, daß die Erfinder der *vestigia trinitatis* diese Unterscheidung so vollzogen hätten. Indem wir sie vollziehen, werden wir ja zurückgeführt zu der Einsicht, daß das wirkliche *vestigium trinitatis* eben die in der Offenbarung von Gott angenommene Gestalt ist. Das war, so weit ich sehe, nicht die Meinung der Kirchenväter und Scholastiker, wenn sie vom *vestigium trinitatis* sprachen. Man kann aber mittels dieser Unterscheidung nachträglich verstehen, wie sie dazu kamen, einerseits den Gedanken der Wahrnehmbarkeit des *vestigium trinitatis* zu bejahen, andererseits ihn doch sofort wieder einzuklammern mit der Erklärung, daß dessen wirkliche Wahrnehmung doch nur unter Voraussetzung der Offenbarung, *trinitate posita*, stattfinden könne. Sie könnten tatsächlich etwas Anderes gemeint haben, als was sie scheinbar sagten: Sie waren auf der Suche nach der Sprache für das ihnen aus der Offenbarung und wie sie ja immer wieder sagten, nur aus der Offenbarung bekannte und allen Menschen nur durch die Offenbarung bekannt zu machende Geheimnis Gottes. Bei dieser Suche nach der Sprache begegneten ihnen außer dem durch die Bibel gebotenen Material bekanntlich zunächst eine Anzahl verwendbarer abstrakter Kategorien der zeitgenössischen Philosophie.

Streng genommen würde man ja schon den Begriff *trinitas* als solchen als ein auf dem Felde der Logik vorgefundenes *vestigium trinitatis* verstehen müssen. Und F. Diekamp, Kathol. Dogm. 1. Bd. 6. A. 1930 S. 260 weist richtig darauf hin, daß die von den Kirchenvätern beigebrachten Analogien schließlich nur weitere Ausführungen und Vermehrungen der ebenfalls schon analogischen biblischen Begriffe Vater, Sohn und Geist sind.

In dieser biblisch-philosophischen Sprache ist dann das Dogma formuliert worden. Aber das auch im formulierten Dogma noch immer lebendige Geheimnis der Offenbarung verlangte weiter und nun nach gefallener Entscheidung über ihr rechtes Verständnis erst recht nach Sprache. Und nun erst recht fand man — nicht daß die Sprache die Offenbarung, wohl aber daß die Offenbarung, gerade die im formulierten Dogma nun recht und maßgeblich verstandene Offenbarung, die Sprache fassen könne, d. h. daß, immer von dieser Offenbarung aus, in der bekannten von allen gesprochenen Sprache der Elemente genug zu entdecken seien, um, nicht erschöpfend, nicht angemessen, nicht exakt, aber immerhin bis zu einem gewissen Grade verständlich und anschaulich von der Offenbarung zu reden, Elemente, die sich zur Bezeichnung gewisser Momente und Beziehungen dessen, was von der Offenbarung zu sagen war, mit mehr oder weniger Aussicht brauchen ließen. Man wollte Vater, Sohn und Geist oder *unitas in trinitate, trinitas in unitate* sagen, tat die Augen und Ohren auf und fand, daß man es wagen müsse und könne, in dieser Absicht Quelle, Fluß und See, Gewicht, Zahl und Maß, *mens*, *notitia* und *amor* zu sagen, nicht weil diese Dinge sich an sich und von sich aus dazu eigneten, aber weil sie sich dazu eigneten, als Bilder der Trinität, als Mittel der Sprache von der Trinität angeeignet, sozusagen erobert zu werden, weil man ihnen, wissend um Gottes Offenbarung in der Schrift, meinte zumuten zu können zu sagen, was sie an sich und als solche natürlich nicht sagen und auch nicht sagen können. Nicht daran ist etwas, daß Quelle, Fluß und See, *esse*, *nosse*, *velle* sich zueinander verhalten wie Vater, Sohn und Geist, sondern daran ist etwas, daß Vater, Sohn und Geist sich wie Quelle, Fluß und See verhalten. Man war ja der Trinität sicher, der Sprache der Welt dagegen hinsichtlich der Trinität unsicher. Man mußte aber in dieser Sprache von der Trinität reden. Man mußte sie also für die Trinität, nämlich zum Zeugnis für die Trinität in Anspruch nehmen. Der Vorgang war also nicht der, daß man die Trinität aus der Welt, sondern umgekehrt der, daß man die Welt aus der Trinität erklären wollte, um in dieser Welt von der Trinität reden zu können. Nicht um Apologetik handelt es sich, sondern um Polemik, nicht um den Nachweis der Möglichkeit der Offenbarung in der Welt menschlicher Vernunft, sondern um die Feststellung der tatsächlichen Möglichkeiten dieser Welt menschlicher Vernunft als Stätte der Offenbarung. *Vestigia trinitatis in creatura* sagte man und meinte doch vielleicht eigentlich vielmehr so etwas wie *vestigia creaturae in trinitate* — natürlich in der sich offenbarenden Trinität, in der Trinität, sofern sie kreatürliche **Gestalt annimmt**: nicht traute man es den Dingen zu, daß ihnen die Trinität immanent sei und daß sie die Eigenschaft hätten, die Trinität widerspiegeln zu können — nach dieser Seite blieb ja anerkannterweise Alles unvollkommen, fragwürdig und bedingt durch die vorangehende Offenbarung — wohl aber traute man es der Trinität zu, daß sie sich in den Dingen widerspiegeln könne, und alle jene mehr oder weniger glücklichen Entdeckungen von *vestigia* waren ein Ausdruck **dieses Vertrauens**, nicht des Vertrauens auf das Vermögen der Vernunft für die Offenbarung sondern des Vertrauens auf das **Vermögen der Offenbarung über die Vernunft**. In diesem Sinn kann man sagen: es ging um das Problem der **theologischen Sprache**, die keine andere sein kann als die Sprache der Welt und die nun doch, koste es was es wolle, im Grunde immer gegen das natürliche Vermögen dieser Sprache in dieser Sprache als theologische Sprache von Gottes Offenbarung reden muß und reden zu können glaubt. In dieser Grundsätzlichkeit verstanden — so weit sie sich so verstehen läßt — war die Lehre von den *vestigia* schon keine Spielerei!

Aber warum macht sie uns nun doch weithin und wie man immer wieder empfindet, notwendig und mit Recht diesen Eindruck: den Eindruck, als handle es sich da eben doch um eine bloße nicht so ganz ernst zu neh-

3. Das vestigium trinitatis

mende Tischrede und irgendwie im Hintergrund um eine gefährliche Profanation des Heiligen? Man kann nur antworten: darum, weil man sich über die Absicht, die man dabei legitimerweise allein verfolgen konnte, nun doch nicht so im Klaren war, daß nicht jeden Augenblick die ganze eben entwickelte Ordnung auch umgekehrt, also aus Polemik Apologetik, aus dem Versuch theologischer Sprache die Preisgabe theologischer Sprache zugunsten irgendeiner Fremdsprache, aus der behaupteten angenommenen Vernünftigkeit der Offenbarung die Behauptung einer ursprünglichen Offenbarungsmäßigkeit der Vernunft, aus dem synthetischen „Gott in die Welt" ein analytisches „Gott in der Welt", aus der Inanspruchnahme der Welt durch die Offenbarung eine Inanspruchnahme der Offenbarung durch die Welt, aus dem entdeckten Hinweis also doch ein selbst erzeugter Beweis werden konnte. War man gegen diese Umkehrung nicht gesichert — und man war es wohl weithin nicht — dann mußte die Vorstellung von einer zweiten Wurzel der Trinitätslehre Platz greifen: man konnte nun meinen, die Trinität grundsätzlich ebensogut aus dem menschlichen Selbstbewußtsein oder aus anderen geschöpflichen Ordnungen wie aus der Heiligen Schrift ableiten und begründen zu können und dabei mußte sich zunächst die schon angedeutete Gefahr einstellen, daß das Interesse sich mehr und mehr diesen dem Menschen doch viel näher liegenden innerweltlichen Trinitäten zuwandte, daß man immer mehr in diesen als solchen die göttliche Trinität zu finden meinte. Ob man sie wirklich fand? Ob der dreieinige Gott, den man in der Welt zuerst wiederzufinden und dann auch selbständig zu finden meinte, nun wirklich der war, den die Heilige Schrift Gott nennt? Oder nicht doch etwa bloß ein Inbegriff, ein höchstes Prinzip der Welt und letztlich des Menschen selber? Ob also der geführte Beweis nicht doch — zwar etwas bewies, aber nun gerade nicht bewies, was er eigentlich beweisen sollte, und wenn man das nicht einsah, von dem, was er beweisen sollte, vielmehr abführte? Ob der so geführte Trinitätsbeweis nicht folgerichtig zur Leugnung des trinitarischen Gottes der Heiligen Schrift führen mußte, weil er einen *totaliter aliter* gearteten Gott bewies und an dessen Stelle setzte?

Nehmen wir an, es wollte jemand die Wahrheit der göttlichen Trinität ernstlich aus ihrer Bezeugung in der Religionsgeschichte beweisen. Was würde er, was könnte er beweisen? Die zwei babylonischen Triaden und das brahmanische Trimurti sind nachweisbar nichts Anderes als eben Formulierungen eines dreifach gegliederten Weltprinzips. In den ägyptischen, kananäischen und etruskischen Triaden ist ebenso deutlich das Urverhältnis der Familie das eigentlich Gemeinte und als göttlich Verehrte. In den „drei Kleinodien" des Buddhismus: Persönlichkeit, Lehre und Gemeinde Buddhas, haben wir es, sofern überhaupt mit einer göttlichen Trinität, dann offenkundig mit dem deifizierten geschichtlichen Vorgang der Religionsstiftung zu tun. Wenn das Alles „Gott" zu heißen verdient, was da als triadische Gottheit auftritt, dann ist die Religionsgeschichte eine Bestätigung der christlichen Trinität, sonst nicht. Denn was nach Abzug der Frage nach dem Wesen, das dort als das Wesen Gottes beschrieben wird, übrigbleibt, ist eigentlich nur die Dreizahl. Und die religionswissenschaftliche Begründung der Göttlichkeit gerade der Dreizahl („Heilig ist sie vermutlich deshalb, weil der primitive Mensch eine größere Zahl noch nicht kannte" RGG² Art. Dreieinigkeit I) wird man ja nicht gerade als sehr einleuchtend bezeichnen können. J. Gerhard hat wirklich (a. a. O.) schon Alles gesagt, was zur Fruchtbarkeit der Religionsgeschichte für unser Problem zu sagen ist: *In verbis nobiscum consentiunt, in verborum istorum explicatione ac sensu dissentiunt.* Wir könnten nur ins Leere treten, wenn wir hier wirklich Fuß fassen wollten.

Nehmen wir weiter an, es wollte jemand den Glauben an den dreieinigen Gott nebenbei auch aus der Geschichtsphilosophie begründen, so wäre leicht zu zeigen, daß der dreitaktige Rhythmus der geschichtlichen Entwicklung, wie er immer wieder behauptet worden ist, nichts Anderes ist als der Rhythmus der Auseinandersetzung mit Vergangenheit, Gegenwart und Zukunft, in der sich der handelnde und über sein Handeln reflektierende Mensch immer befindet. Man kann sich mit Sicherheit darauf verlassen, daß das in aller Geschichtsphilosophie entscheidende dritte Moment jeweilen genau den Ort bezeichnet, wo der betreffende Geschichtsphilosoph selber steht bzw. hinstrebt, wobei beides so sehr nicht verschieden ist. Wenn der Traum, den er von da aus träumt, die Weisheit Gottes ist, dann ist solche Geschichtsphilosophie ein Trinitätsbeweis, sonst sicher nicht, sonst hat der Geschichtsphilosoph nichts, gar nichts als eben seine eigene Schau und seinen eigenen Willen bewiesen.

Auf die Bedrohtheit des augustinischen Argumentes aus dem Bewußtsein hat schon Luther hingewiesen. Wir hörten, wie er bei allen möglichen anderen Argumenten dieser Art in seiner Weise fröhlich mittat. Um so mehr ist sein Instinkt zu bewundern, der ihn im Unterschied zu Melanchthon gerade hier nicht mittun ließ. Er erklärte nämlich, daß aus der augustinischen Lehre von der in *memoria, intellectus* und *voluntas* vorhandenen *imago Dei* im Menschen die fatale *disputatio de libero arbitrio* folgen müsse. *Ita enim dicunt: Deus est liber, ergo cum homo ad imaginem Dei sit conditus, habet etiam liberam memoriam, mentem et voluntatem ... Ita nata est hinc periculosa sententia, qua pronuntiant Deum ita gubernare homines, ut eos proprio motu sinat agere.* (Komm. zu Gen. 1, 26 W. A. 42, 45, 25). Der Fortgang der anthropologischen Spekulation über Descartes und Kant zu Schelling und Hegel und endlich und folgerichtig zu Feuerbach hat ihm offenbar recht gegeben. Augustin meinte gewiß fern zu sein von der Möglichkeit solcher Umkehrung. Aber wenn B. Keckermann (a. a. O.) meinte sagen zu können: *quam est necessarium, hominem esse rationalem, ... tam est necessarium in Dei essentia tres esse personas,* dann war diese Umkehrung angebahnt. War sie vermeidlich, wenn dieses *quam ... tam* einmal gewagt war? Das Bild Gottes im Bewußtsein ist eben zunächst, an sich und als solches fraglos das Bild des freien Menschen. Wer in diesem Bild als solchem das Bild Gottes sieht, der sagt damit, daß er den freien Menschen als Gott erkennt. Wenn dieser freie Mensch wirklich Gott ist, dann ist der Beweis gelungen. Wenn aber Gott gerade nicht der freie Mensch sein, sondern dem freien Menschen souverän gegenüberstehen sollte, dann wäre offenbar gerade dieser zugleich naheliegendste und tiefsinnigste und geschichtlich mächtigste Beweis in besonders ausgezeichneter Weise daneben gelungen.

Und so steht es nun auch mit dem ganzen übrigen Material, sobald man es in seinem eigenen Bestand betrachtet mit der Frage, ob und inwiefern da wirklich *vestigia trinitatis in creatura* vorliegen möchten. *Vestigia trinitatis* allerdings, das wird man nicht leugnen können, es fragt sich nur: welcher Trinität? Wenn es die göttliche Trinität sein sollte, die uns in den drei Dimensionen des Raumes oder in den drei Tönen des einfachen Akkordes oder in den drei Grundfarben, oder auch in Quelle, Fluß und See begegnet, dann ist Gott — nun eben, wie ja auch im alten Babylonien und Indien vorgesehen, das geheimnisvoll dreifache Gesetz oder Wesen der uns bekannten Welt, das Mysterium des Kosmos, dessen Spuren uns in dieser Dreifaltigkeit aller oder doch vieler Dinge entgegentritt und das sich dann offenbar mit dem Mysterium des Menschen und mit dem Mysterium von dessen Religion aufs innigste berühren würde. Wenn das

3. Das vestigium trinitatis

Gott ist — es könnte ja sein, daß das Gott wäre, warum sollte dann die Fülle der Dreieinigkeiten in Natur und Kultur nicht wirklich die Dreieinigkeit dieses Gottes beweisen? Aber eben doch nur die Dreieinigkeit dieses Gottes. Es bleibt die Frage, ob dieser Gott auch nur als Schöpfergott wirklich anzusprechen ist und also seinen Namen als „Gott" nicht vielleicht doch zu Unrecht trägt?

Und nun haben wir von den durchgehenden und auch von den Vertretern dieser Lehre nie geleugneten Inkongruenzen der *vestigia* in ihrem Verhältnis zur biblischen und kirchlichen Trinitätslehre noch gar nicht geredet. Man wird nämlich finden, daß gerade die entscheidenden Sätze dieser Lehre, nämlich der von der unauflöslichen Einheit und der von der unzerstörbaren Verschiedenheit der drei Momente sich an keinem dieser *vestigia* durchführen lassen, sondern daß der Beweis, der sich aus ihnen führen läßt, immer nur der Beweis entweder von drei nebeneinander stehenden göttlichen Wesen oder aber von einer einzigen göttlichen Monade ohne hypostatische Selbstunterscheidung sein kann, daß also, selbst wenn das dabei vorausgesetzte göttliche Wesen Gott zu heißen verdienen würde, gerade die Dreieinigkeit dieses Gottes im Sinn der christlichen Trinitätslehre aus diesen *vestigia* nicht zu beweisen wäre. Quenstedt hat völlig recht: *nulla vera et plena similitudo trinitatis in creaturis reperitur* (*Theol. did. pol.* 1685 P. I c. 6 sect. 2 qu. 3 font. sol. 5). Das sagte auch der Lombarde mit seinem Hinweis auf die *dissimilitudines* in der *similitudo*, das hätte schließlich trotz allem auch Augustin sagen können. Und nun hat man, indem man die Möglichkeit der Lehre halbwegs zugab — sie ist selten rundweg bestritten worden — doch auch immer den Vorwurf gegen sie erhoben, es geschehe allzu leicht, daß durch sie der Spott der Ungläubigen herausgefordert und einfache Gemüter in die Irre geführt würden (vgl. Thomas von Aquino, *S. theol.* I qu. 32 art. 1, Calvin *Instit.* I 13, 18, Quenstedt a. a. O. *font. sol.* 6) und faktisch ist das Problem trotz der Autorität Augustins und im Gegensatz zu ihr von den meisten alten Dogmatikern eben nur gestreift und dann als unnütz und gefährlich wieder fallen gelassen worden. Was kann dieser Vorwurf und diese mißtrauische Haltung in einer Sache, die man doch nicht ganz leugnen konnte und wollte, für einen Sinn haben, wenn nicht eben den, daß man die Fremdheit dessen empfand, was mittels der *vestigia* als „Gott" bewiesen wurde, seine vollkommene Unterschiedenheit von dem Gott Abrahams Isaaks und Jakobs, von Vater, Sohn und Heiligem Geist im Neuen Testament, um die es sich doch in der Trinitätslehre handeln sollte.

Daher offenbar jener Eindruck des Spielerischen, ja Frivolen, dem man sich beim Nachdenken über dieses Theologumen kaum entziehen kann, so freundlich und glaubwürdig es einen etwa in den Worten Anselms oder Luthers zunächst berühren mag. Gerade wenn es ernst genommen wird, führt es offenbar unvermeidlich in eine zweideutige Sphäre hinein, in der man im Handkehrum beim besten Willen nicht mehr von dem Gott redet, von dem man ja reden wollte, dessen Spuren man zu entdecken meinte, sondern von irgend einem Welt- oder Menschheitsprinzip, von irgend einem Fremdgott. Um das Sprechen von Gottes Offenbarung ging es ursprünglich. Aber was Ereignis wurde, war Sprache von der Welt und vom Menschen, und diese als Sprache von Gottes Offenbarung verstanden, mußte geradezu werden: Sprache gegen Gottes Offenbarung. Der Eroberer wurde erobert. Dieses Spiel läßt sich eben nicht in Ernst umsetzen. Ernst genommen kann es nur eine Profanierung des Heiligen bedeuten. Daher die Empfindung von Frivolität, ohne die man ihm kaum beiwohnen kann.

Daraus folgt nun nicht, daß jenes Spiel etwa grundsätzlich verboten werden könnte, daß man die immerhin ansehnlichen Theologen, die sich mehr oder weniger eingehend damit beschäftigt haben, ohne weiteres als in diesem Stück häretisch betrachten müßte. Wir haben ja die gute Meinung, in der es getrieben werden konnte und seinen Grund im Problem der theologischen Sprache aufzuzeigen versucht. Aber eben hinsichtlich dieser guten Meinung und hinsichtlich des Problems der Sprache wäre hier etwas zu lernen. Es gibt offenbar Möglichkeiten der Sprache — und es scheint, daß wir es hier mit einer solchen zu tun haben — mit deren Gebrauch die Kirche und die Theologie etwas zwar nicht grundsätzlich zu Verbietendes, wohl aber etwas ganz Unverbindliches, nicht Auftragsgemäßes und sicher Gefährliches unternimmt, sofern dabei die Übersetzung, Neubegründung und Neuerfassung ihres Themas, die ihre Aufgabe ist, in mißliche Nähe zum Ergreifen eines ganz anderen Themas gerät, sofern dabei plötzlich eine μετάβασις εἰς ἄλλο γένος Ereignis werden kann. Die Erfinder der *vestigia trinitatis* wollten keine zweite andere Wurzel der Trinitätslehre neben der Offenbarung angeben, geschweige denn, daß sie diese andere als die eine und wahre angeben und die Offenbarung des trinitarischen Gottes leugnen wollten. Ihr Tun steht aber stark im Schatten der Frage, ob sie gerade dies nicht dennoch getan haben. Um jene unverbindliche, nicht auftragsgemäße und gefährliche Möglichkeit handelt es sich offenbar überall da, wo die theologische Sprache, wie dies hier zweifellos der Fall war, von der Interpretation zur Illustration der Offenbarung meint übergehen zu müssen. Interpretieren heißt: in anderen Worten dasselbe sagen. Illustrieren heißt: dasselbe in anderen Worten sagen. Wo die Grenze zwischen beiden liegt, läßt sich nicht allgemein sagen. Aber hier ist eine Grenze; die Offenbarung will nicht illustriert, sondern interpretiert sein. Wer die Offenbarung illustriert, der stellt ein zweites neben sie und in die Mitte der Aufmerksamkeit. Er traut der Offenbarung als solcher nicht recht hinsichtlich ihrer eigenen Beweiskraft, er möchte sein Reden von ihr auch noch von anderswoher als aus ihr selbst stützen, stärken und bestätigen lassen. Dieses Andere interessiert ihn nun mindestens mit. Seine Illustrationsfähigkeit und wer weiß, ob man nicht sofort sagen muß: seine Beweiskräftigkeit für die Offenbarung wird jetzt eine für sich wichtige Angelegenheit und damit offenbar das eigene Sein und Wesen dieses Anderen, das nun doch als angebliche Illustration der Offenbarung bereits ein solches Gewicht bekommen hat, daß es, weil es dem Menschen ja viel näher liegt als die Offenbarung, weil es ja letztlich sein eigenes Sein und Wesen ist, sofort zu einer Bedrohung seiner Aufmerksamkeit für die Offenbarung werden, eine Einschränkung seines Ernstnehmens der Offenbarung bedeuten muß. Ist nicht schon der Wunsch nach Illustration der Offenbarung geschweige denn die Behauptung der Notwendigkeit solcher Illustration, geschweige denn die Be-

3. Das vestigium trinitatis

hauptung: dies und dies ist Illustration der Offenbarung — anders denn als Abfall von der Offenbarung zu verstehen, ist da nicht schon der Unglaube Ereignis geworden? Steht nicht der Übergang von der Interpretation zur Illustration als solcher unter dem Verbot: Du sollst dir kein Bildnis noch irgendein Gleichnis machen? Dieser Übergang sollte eben in der theologischen Sprache offenbar nicht stattfinden. Ebendarum geht es aber: ob wir in der Lehre von den *vestigia* nicht vielleicht doch typisch diesen Übergang vor uns haben und als solchen abzulehnen haben. Sei es denn: es gibt wohl keine Interpretation der Offenbarung — die sauberste Dogmatik, ja das kirchliche Dogma selbst nicht ausgenommen — in welcher sich nicht Elemente von Illustration befänden. Sei es denn: indem wir, vom Wortlaut der Schrift uns entfernend, auch nur den Mund auftun oder die Feder ansetzen, entfernen wir uns von der Offenbarung in der Richtung jener auf alle Fälle unverbindlichen, nicht auftragsgemäßen und gefährlichen Möglichkeit, also in unserem Fall: in der Richtung der *vestigia trinitatis*. Wir müssen uns z. B. ganz klar sein darüber, daß wir uns mit unserer im vorigen Absatz versuchten Disposition des biblischen Offenbarungsbegriffs nach den Momenten der Verhüllung, Enthüllung und Mitteilung in merkwürdige Nähe des fatalen augustinischen Argumentes begeben haben, daß wir gegen den Verdacht, auch wir möchten uns da einer Illustration bedient, auch wir möchten da ein kleines Spiel mit einem angeblichen *vestigium trinitatis* (vielleicht auf das Sätzlein „Ich zeige mich" zurückzuführen) getrieben haben, in keiner Weise gesichert sind. Haben wir uns damit nicht auch stützen, stärken, bestätigen lassen wollen durch eine von der Offenbarung verschiedene Größe, nämlich durch eine logische Konstruktionsmöglichkeit? Hat letztlich die Bibel zu uns gesprochen oder nicht schließlich doch nur diese Konstruktionsmöglichkeit? Haben wir die Wurzel der Trinitätslehre in der Offenbarung aufgedeckt und nicht letztlich doch diese ganz andere Wurzel? Wir wollten die Wurzel der Trinitätslehre in der Offenbarung aufdecken, keine andere; wir haben allerhand getan um sichtbar zu machen, daß es uns darum und nur darum gehe. Aber wenn irgend jemand uns dennoch vorwerfen wollte, daß es auch uns um jene ganz andere Wurzel gegangen sei — so könnten wir ihn nicht einmal der Böswilligkeit zeihen, denn dem Aspekt, als ob dem tatsächlich so sei, haben wir uns beim besten Willen nicht ganz, nicht eindeutig entziehen können. Es ist gut, sich das Alles klarzumachen. Man ist als Theologe hier wie sonst nicht in der Lage, die Rechtfertigung seines Tuns selbst vorwegzunehmen und sich selbst zuzusprechen. Aber das kann wiederum nichts ändern an der Gültigkeit des Gebotes, das dem Theologen hier gegeben ist, an der Grenze zwischen Interpretation und Illustration, die der theologischen Sprache, will sie theologische Sprache sein und bleiben, auf alle Fälle gezogen ist. Nichts ändern also an der Notwendigkeit der Aufmerksamkeit auf diese Grenze, an der Notwendigkeit der ständigen

Frage, wo wir uns befinden bei unserem Reden: diesseits oder jenseits. Die Entscheidung darüber liegt nicht in unserer Hand — wie wir ja auch nicht letztlich darüber zu entscheiden haben, ob die Erfinder der *vestigia trinitatis* sie wirklich überschritten haben oder nicht — wohl aber ist uns die Sorge auferlegt um diese Entscheidung, die Besinnung und Achtsamkeit von uns fordert. Die theologische Sprache ist keineswegs etwa frei gesprochen, alles und jedes zu wagen. Gerade im Gedanken an die Krisis, in der man immer steht und der man nirgends entgeht, wird man Unterschiede machen in seinem Tun. Es ist eben doch nicht dasselbe, die Trinität bewußt und absichtlich aus dem Schema des menschlichen Selbstbewußtseins oder aus einer anderen geschöpflichen Ordnung abzuleiten statt aus der Schrift, und: bei ihrer Ableitung aus der Schrift nach einem Schema greifen, das mit dem Schema des menschlichen Selbstbewußtseins und anderer geschöpflicher Ordnungen eine zugegeben nicht geringe Ähnlichkeit hat. Gewiß, das ist nur ein relativer Unterschied. Wir sind nicht dadurch gerechtfertigt, daß wir das zweite und nicht das erste tun, wir können schließlich nur in derselben Gefährdung mit allen Anderen, auch mit den Erfindern der alten *vestigia trinitatis*, einen Hinweis darauf versuchen, daß die Wurzel der Trinitätslehre in der Offenbarung liegt und nur in der Offenbarung liegen kann, wenn sie nicht sofort die Lehre von einem anderen, fremden Gott, von einem der Götter, der Menschgötter dieses Äons, wenn sie nicht ein Mythus sein soll. Im Sinne eines solchen Hinweises lehnen wir die Lehre von den *vestigia* ab. Wir können nicht den Anspruch erheben, sie im Namen und in der Kraft der Offenbarung aus dem Felde zu schlagen. Die Offenbarung wäre ja nicht die Offenbarung, wenn jemand in der Lage wäre, Anderen gegenüber den Anspruch zu begründen und als berechtigt zu beweisen, daß gerade er aus und von der Offenbarung rede. Wissen wir, was Offenbarung ist, so werden wir es auch in unserem beabsichtigten Reden von der Offenbarung darauf ankommen lassen, daß die Offenbarung von sich selber redet. Eben um dafür zu demonstrieren, daß dem so ist, setzen wir der Lehre von den *vestigia* schließlich ein ganz schlichtes, anspruchsloses Nein gegenüber, ein Nein, mit dem wir nur sagen wollen, daß uns jene Grenze in dieser Lehre überschritten scheint, aber ein Nein, dessen Kraft damit steht und fällt, daß wir es auch und nicht zuletzt auf uns selbst beziehen und daß wir es letztlich fein unbegründet lassen. Die Begründung könnte nur darin liegen, daß uns gesagt wäre: man kann nicht zweien Herren dienen! Der Herr, der in den *vestigia* sichtbar wird, ist uns nur als ein anderer Herr verständlich als der, der in der Bibel so heißt.

Es gibt freilich, und damit schließen wir, ein wirkliches *vestigium trinitatis in creatura*, eine Illustration der Offenbarung, aber die haben wir weder zu entdecken, noch selbst geltend zu machen. Sie besteht, wie wir es ja auch als den eigentlichen und rechtmäßigen Sinn der *vestigia*-Lehre zu verstehen gesucht haben, in der Gestalt, die Gott selbst in seiner Offenbarung in unserer Sprache, Welt und Menschheit angenommen hat. Was wir hören, wenn wir mit unseren menschlichen Ohren und Begriffen auf Gottes Offenbarung hören, was wir in der Schrift vernehmen (als Menschen vernehmen können), was die Verkündigung des Wortes Gottes in unserem Leben tatsächlich ist, das ist die dreifach eine Stimme des Vaters, des Sohnes und des Geistes. So ist Gott für uns da in seiner Offenbarung. So schafft er offenbar selber ein *vestigium* seiner selbst und also seiner Dreieinigkeit. Wir stellen nichts Zweites daneben, sondern wir sagen dasselbe, wenn wir darauf hinweisen, daß Gott für uns da ist in der dreifachen Gestalt seines Wortes: in seiner Offenbarung, in der Heiligen Schrift, in der Verkündigung.

Im Hinblick auf dieses wirkliche *vestigium trinitatis* werden wir dann wohl in Anwendung jener Luther'schen Tischrede von *Grammatica, Dialectica* und *Rhetorica* sagen dürfen: Der enzyklopädische Grundriß der Theologie muß lauten wie § 1, 1 angegeben: exegetische, dogmatische und praktische Theologie.

Dieses *vestigium* ist deutlich und zuverlässig. Es ist das *vestigium* des Gottes, der Gott zu heißen verdient. Und es ist wirklich das *vestigium* des dreieinigen Gottes im Sinn der kirchlichen Trinitätslehre. Aber gerade dieses *vestigium* wird man dann im oben bestimmten Sinn besser als *vestigium creaturae in trinitate* bezeichnen. Und indem wir uns an dieses halten, halten wir uns nicht an eine zweite neben der ersten, sondern an die eine Wurzel der Trinitätslehre.

§ 9
GOTTES DREIEINIGKEIT

Der Gott, der sich nach der Schrift offenbart, ist Einer in drei eigentümlichen, in ihren Beziehungen untereinander bestehenden Seinsweisen: Vater, Sohn und Heiliger Geist. So ist er der Herr, d. h. das Du, das dem menschlichen Ich entgegentritt und sich verbindet als das unauflösliche Subjekt und das ihm eben so und darin als sein Gott offenbar wird.

1. DIE EINHEIT IN DER DREIHEIT

Wir wenden uns nun, um die eigentliche begriffliche Klärung der Frage nach dem Subjekt der Offenbarung zu vollziehen, zur Entwicklung der kirchlichen Trinitätslehre.

Die Lehre von der Dreieinigkeit Gottes, wie sie sich in der Kirche als Interpretation der biblischen Offenbarung hinsichtlich der Frage nach dem Subjekt dieser Offenbarung herausgebildet und mit Recht behauptet hat, sie bedeutet — das ist vor allem hervorzuheben und festzustellen —

keine Aufhebung oder auch nur Infragestellung, sondern vielmehr die letzte und entscheidende Bestätigung der Einsicht: Gott ist Einer.

Der Begriff der Einheit Gottes als solcher wird uns später in der Gotteslehre zu beschäftigen haben. Er interessiert uns hier nur hinsichtlich eben dieser Einsicht: Dreieinigkeit Gottes besagt nicht nur keine Bedrohung, sondern vielmehr geradezu die Begründung des christlichen Gedankens der Einheit Gottes.

Wir sind bei unserem Nachweis der Wurzel der Trinitätslehre in der biblischen Offenbarung ausgegangen von und immer wieder zurückgekehrt zu dem Altes und Neues Testament zusammenfassenden offenbarten Namen Jahve-Kyrios. Die Trinitätslehre selbst ist nichts Anderes und will nichts Anderes sein als eine explizierende Bestätigung dieses Namens. Dieser Name ist der Name eines Einzigen, der Name des einen, einzigen Wollenden und Handelnden, den die Schrift als Gott bezeichnet.

Daran kann und will offenbar schon in der Heiligen Schrift selbst die Unterscheidung etwa zwischen dem auf dem Sinai und dem zu Jerusalem wohnenden Jahve oder im Neuen Testament die Unterscheidung von Vater und Sohn, oder die Unterscheidung, die in den Gegensätzen von Karfreitag, Ostern und Pfingsten sichtbar wird, nichts ändern. Wer zum Vater betet, wer an den Sohn glaubt, wer vom Heiligen Geist getrieben ist, dem tritt entgegen, dem verbindet sich der eine Herr. Wir zitierten die paulinischen Stellen 1. Kor. 12, 4f., Eph. 4, 4f.: man darf aber in ihnen nicht nur die Unterscheidung von θεός, κύριος, πνεῦμα, man muß in ihnen ebenso die durch das wiederholte αὐτός bzw. εἷς hervorgehobene Einheit beachten. Auch die kirchliche Trinitätslehre will den εἷς θεός nicht nur nicht verdunkeln, sondern vielmehr als solchen ans Licht stellen. Sie wendet sich von Anfang an gegen die Antitrinitarier als gegen solche, die sich auch und gerade an dem Bekenntnis zu dem einen Gott verfehlen. Voraussetzung und Ziel der Kirche in dieser Sache ist die Lehre von der Einheit Gottes, der göttlichen μοναρχία, in der sie τὸ σεμνότατον κήρυγμα τῆς ἐκκλησίας τοῦ θεοῦ erkennt (Papst Dionysius, *Ep. c. Tritheistas et Sabellianos a.* 260 Denz. Nr. 48).

Die trinitarische Taufformel wäre so schlecht als möglich verstanden, wenn sie als Formel einer Taufe auf drei göttliche Namen verstanden würde.

Noch Tertullian Adv. Prax. 26 hat von *singula nomina* geredet. Aber das ὄνομα des Vaters, des Sohnes und des Heiligen Geistes Matth. 28, 19 ist eines und dasselbe. *Ita huic sanctae trinitati unum naturale convenit nomen, ut in tribus personis non possit esse plurale (Conc. Tolet.* XI a. 675 Denz. Nr. 280). *In nomine*, nicht *in nominibus Patris, Filii et Spiritus sancti* wird getauft, hat der *Cat. Rom.* II 2, 10 gut hervorgehoben.

Der Glaube, der in dieser Formel bekannt wird, und ebenso der Glaube der großen dreiteiligen Bekenntnisse der alten Kirche ist also nicht ein Glaube, der drei Gegenstände hätte.

Non habes illic: credo in maiorem et minorem et ultimum; sed eadem vocis tuae cautione constringeris, ut similiter credas in Filium, sicut in Patrem credis, similiter in Spiritum sanctum credas, sicut credis in Filium (Ambrosius, *De myst.* 5, 28) *Quid sibi vult Christus, quum in nomine Patris et Filii et Spiritus sancti baptizari praecepit, nisi una fide in Patrem et Filium et Spiritum credendum esse? Id vero quid aliud est, quam clare testari Patrem, Filium et Spiritum unum esse Deum* (Calvin, *Instit.* I 13, 16).

Drei Gegenstände des Glaubens müßte ja heißen: drei Götter. Die drei sog. „Personen" in Gott sind aber auf keinen Fall drei Götter.

Deus Pater, Deus Filius, Deus Spiritus sanctus. Et tamen non tres dii sunt, sed unus est Deus. Ita Dominus Pater, Dominus Filius, Dominus Spiritus sanctus et tamen non tres domini sed unus est Dominus (Symb. Quicumque).

Wir können den Begriff der Herrschaft Gottes, auf den wir den ganzen biblischen Offenbarungsbegriff bezogen fanden, unbedenklich mit dem gleichsetzen, was in der altkirchlichen Sprache das Wesen Gottes, die *deitas* oder *divinitas*, die göttliche οὐσία, *essentia, natura* oder *substantia* heißt. Das Wesen Gottes ist das Sein Gottes als göttliches Sein. Das Wesen Gottes ist die Gottheit Gottes.

Es muß der Gotteslehre vorbehalten bleiben, diesen Begriff ausführlicher zu entwickeln. An dieser Stelle genügt uns die Definition von Quenstedt (*Theol. did. pol.* 1685 P. I c. 9 sect. 1 th. 11): Das Wesen Gottes ist die *quidditas per quam Deus est, id quod est*. Von der Bibel her gesehen: das, was den Jahve-Kyrios zu dem macht, oder das, worin der Jahve-Kyrios der ist, als der er sich in diesem Namen, dem Herrennamen bezeichnet.

Von diesem Wesen Gottes nun ist zu sagen, daß seine Einheit durch die Dreiheit der „Personen" nicht nur nicht aufgehoben ist, sondern daß vielmehr gerade in der Dreiheit der „Personen" seine Einheit besteht. Was auch von dieser Dreiheit zu sagen sein wird, sie kann auf keinen Fall Dreiheit des Wesens besagen. Dreieinigkeit Gottes heißt nicht dreifache Gottheit, weder im Sinn einer Vielheit von Gottheiten noch im Sinn des Bestehens einer Vielheit von Individuen bzw. von Teilen innerhalb der einen Gottheit.

Die kirchliche Trinitätslehre läßt sich zusammenfassen in die Gleichung: *Deus est Trinitas* — wobei zu *Trinitas* sofort zu bemerken ist: *non triplex sed trina* (*Conc. Tolet.* IX Denz. Nr. 278). *Quidquid est in Deo, est ipse Deus unus et solus*; was auch über die Unterschiede in Gott zu sagen sein wird, einen Unterschied des göttlichen Seins und Daseins (*essentia* und *esse*) wird es nicht besagen können (Bonaventura, Breviloqu. I, 4).

Der Name des Vaters, des Sohnes und des Geistes besagt, daß Gott in dreimaliger Wiederholung der eine Gott ist, und das so, daß diese Wiederholung selbst in seiner Gottheit begründet ist, also so, daß sie keine Alteration seiner Gottheit bedeutet, aber auch so, daß er nur in dieser Wiederholung der eine Gott ist, so, daß seine eine Gottheit damit steht und fällt, daß er in dieser Wiederholung Gott ist, aber eben darum so, daß er in jeder Wiederholung der eine Gott ist.

Man hat in Gott hinsichtlich des Namens des Vaters, des Sohnes und des Geistes zwar zu unterscheiden: *alius — alius — alius*, nicht aber *aliud — aliud — aliud*, als ob es sich dabei um Teile eines Ganzen oder um Individuen einer Gattung handle (Fulgentius, *De fide ad Petrum* c. 5). *Personas distinguimus, non deitatem separamus* (*Conc. Tolet.* IX, Denz. Nr. 280). *Quibus est unum esse in deitatis natura, his est in personarum distinctione specialis proprietas* (*Conc. Tolet.* XVI a. 693, Denz. Nr. 296). Es handelt sich bei den sog. „Personen" um eine *repetitio aeternitatis in aeternitate*, also nicht um eine Dreiheit der Ewigkeit *extra se*, sondern um eine Dreiheit der Ewigkeit *in se*, so daß: *quotiescunque repetatur aeternitas in aeternitate, non est nisi una et eadem aeternitas* (Anselm von Canterbury, *Ep. de incarn.* 15). *Simplicissimam Dei unitatem non impedit ista distinctio* ... denn: *in unaquaque hypostasi tota intelligitur natura* (Calvin, *Instit.* I 13, 19). *Ipsa etenim Dei essentia est maxime unica individua ac singularis, ideoque de tribus personis tanquam species de individuis nullo modo dici potest* (*Syn. pur. theol.* Leiden 1624, *Disp.* 7, 12).

Es ist die Vorstellung einer bloßen Arteinheit oder einer bloßen Kollektiveinheit, die wir ausschließen, die Wahrheit der numerischen Einheit des Wesens der drei „Personen", die wir hervorheben möchten, wenn wir uns zur Bezeichnung der „Personen" zunächst des Begriffs der „Wiederholung" bedienen. Es wird gut sein, schon hier zu bemerken: zu dem einen einzigen Wesen Gottes, das durch die Trinitätslehre nicht verdreifacht, sondern gerade in seiner Einfachheit erkannt werden soll, gehört auch das, was wir heute die „Persönlichkeit" Gottes nennen.

Auch von diesem Begriff wird in der Gotteslehre ausführlich zu handeln sein. Der Begriff — nicht das durch ihn Bezeichnete, aber die Bezeichnung, die explizite Behauptung: Gott ist nicht ein Es, sondern ein Er — war den Kirchenvätern ebenso fremd wie den mittelalterlichen und auch den nachreformatorischen Scholastikern. Sie haben — von uns, aber doch nur von uns aus gesehen — allzu arglos und unkritisch dauernd von der *deitas*, von der *essentia divina* usw., also scheinbar von Gott als von einem Neutrum gesprochen. Der Begriff der „Persönlichkeit" Gottes — wir betonen ihn vorläufig, indem wir das Wesen Gottes als Herrschaft Gottes bestimmen — ist ein Produkt des Kampfes gegen den modernen Naturalismus und Pantheismus.

„Person" im Sinne der kirchlichen Trinitätslehre hat mit „Persönlichkeit" direkt nichts zu tun. Die Trinitätslehre lautet also nicht etwa dahin, daß in Gott drei Persönlichkeiten seien. Das wäre ja gerade der schärfste und schlimmste Ausdruck des Tritheismus, der hier abgewehrt werden soll. Insofern hängt die Lehre von der Persönlichkeit Gottes allerdings mit der Trinitätslehre zusammen, als, wie noch zu zeigen sein wird, gerade mit den trinitarischen Wiederholungen der Erkenntnis der Herrschaft Gottes radikal dafür gesorgt wird, daß aus dem göttlichen Er oder vielmehr Du in keiner Hinsicht ein Es werden kann. Aber nicht von drei göttlichen Ich, sondern dreimal von dem einen göttlichen Ich ist in ihr die Rede. Der Begriff der Wesensgleichheit (ὁμοουσία, *consubstantialitas*) des Vaters, des Sohnes und des Geistes ist also auf der ganzen Linie auch und vor allem im Sinn von Wesensidentität zu verstehen. Aus der Wesensidentität folgt die Wesensgleichheit der „Personen".

Die Behauptung, daß die Kirche mit ihrer Trinitätslehre den Antitrinitariern gegenüber gerade die Erkenntnis der Einheit Gottes und also den Monotheismus verteidigt hat, mag zunächst darum als paradox erscheinen, weil scheinbar das Anliegen der Antitrinitarier aller Zeiten gerade das gewesen ist, die einzigartige Bedeutsamkeit und Kraft der Offenbarung in Christus und seinem Geiste mit dem Prinzip des Monotheismus in das rechte Verhältnis zu setzen. Es könnte sich fragen, ob man nicht vielleicht doch bloß das sagen kann: die Kirche hat trotz der Trinitätslehre auch an der Einheit Gottes festhalten wollen und fest-

1. Die Einheit in der Dreiheit

gehalten; sie hat die Trinitätslehre so geformt, daß sie gleichzeitig dem christlichen Monotheismus gerecht zu werden suchte und vermochte? Wir müssen dieser abschwächenden Deutung gegenüber doch daran festhalten: Nein, es ging und geht auch und gerade in der kirchlichen Trinitätslehre als solcher auch und gerade um den christlichen Monotheismus. Man hat einfach nicht verstanden, um was es sich hier handelt, wenn man hier ein Konkurrieren zweier verschiedener Anliegen sich abspielen sieht, bei deren Geltendmachung es nun etwa zu Spannungen, Bruchstellen usw. kommen könnte. Unter diesem Gesichtspunkt kann man zwar die antitrinitarischen Häresien verstehen, die allesamt schon darum Häresien waren, weil sie Antworten auf falsch gestellte Fragen, nämlich Versuche, fälschlich entgegengesetzte Anliegen miteinander zu versöhnen, unsachgemäß konstruierte Spannungen aufzuheben, gewesen sind. Wogegen die kirchliche Linie schon formal darin sich vor den häretischen auszeichnet, daß, was auf ihr geschieht, ebensowohl und ebenso von Hause aus als Verantwortung gegenüber dem einen wie dem anderen Anliegen gemeint und verständlich zu machen ist, weil es faktisch gar nicht zwei Anliegen sind, die da einander gegenübergestellt und dann künstlich zur Übereinstimmung gebracht werden. Auf dieser schmalen aber stetigen Linie, wo es sich eben im Grunde sehr einfach weder um dieses noch um jenes Prinzip, sondern um die Interpretation der Schrift handelt, geht es von Hause aus und selbstverständlich ebenso um die Einheit wie um die Dreiheit Gottes, weil es um die Offenbarung geht, in der beides eines ist. Wogegen aller Antitrinitarismus zwar auf Grund der Schrift die Dreiheit, aber auf Grund der Vernunft die Einheit Gottes bekennen, beides miteinander vereinigen zu müssen meint und beides naturgemäß, schon wegen der Verschiedenheit der Quellen, aus denen, und des Sinnes, in dem er beides sagt, unmöglich vereinigen kann. Aller Antitrinitarismus kommt unvermeidlich — man muß das sehen, um die Schärfe zu verstehen, mit der er von der Kirche bekämpft worden ist — in das Dilemma, entweder die Offenbarung Gottes oder die Einheit Gottes zu leugnen. In dem Maß, als er wirklich die Einheit Gottes behauptet, wird er die Offenbarung als Akt wirklicher Gegenwart des wirklichen Gottes in Frage stellen müssen: die Einheit Gottes, in der es keine unterschiedenen Personen gibt, wird es ihm ja unmöglich machen, die Offenbarung in ihrer offenkundigen Andersheit dem unsichtbaren Gott, der Geist ist, gegenüber als echte Gegenwart Gottes ernst zu nehmen. In dem Maß, in dem er umgekehrt — und damit haben wir es hier zunächst zu tun — die Offenbarung behaupten aber ohne Anerkennung der Wesensgleichheit des Sohnes und des Geistes mit dem Vater im Himmel behaupten will, wird er die Einheit Gottes in Frage stellen. Er wird ja dann nicht umhin können, im Begriff der Offenbarung irgendein Drittes, das nicht Gott ist, eine nunmehr nicht göttliche — das will er ja nicht — sondern halbgöttliche Hypostase zwischen

Gott und den Menschen hineinzuschieben und zum Gegenstand des Glaubens zu machen. Antitrinitarismus heißt, sofern er nicht Leugnung der Offenbarung ist, in jeder Form eine gröbere oder feinere Vergötzung der Offenbarung.

Wenn Arius und die Seinen in Christus des einen Gottes erstes, höchstes und herrlichstes Geschöpf sehen und verehren wollten, von dem nun doch zu sagen sei: ἦν ποτε ὅτε οὐκ ἦν καὶ οὐκ ἦν πρὶν γένηται, es ist aus dem Nichts geschaffen, wie alle anderen Geschöpfe, es ist dem Vater gegenüber ἀλλότριος καὶ ἀνόμοιος, es wird zwar als υἱὸς τοῦ θεοῦ κτιστός Gott genannt, ohne es doch wirklich zu sein — so treten sie, offenbar gerade mit der Verehrung, die sie diesem Geschöpf nun dennoch darbringen wollen (und je ernster diese Verehrung gemeint wäre um so mehr!), der Einheit Gottes zu nahe. Ist Christus nicht wahrer Gott, was kann dann der Glaube an ihn Anderes sein als eben Aberglaube? Ebenso: wenn die arianischen und nichtarianischen Pneumatomachen, ein Eunomius oder ein Macedonius von Konstantinopel, den Heiligen Geist verstanden als eine geschaffene und dienende geistige Potenz — wie konnte es anders sein, als daß alle ernsthaften religiösen Aussagen über dieses geschöpfliche Pneuma es als eine halbgöttliche Instanz neben Gott erscheinen ließen und also gerade dem Monotheismus, dem diese ganze Richtung dienen wollte, schwersten Abbruch tat? Christus und der Heilige Geist sind „die Lebensmächte, durch die Gott das Wollen und das Vollbringen des Guten in den Menschen schuf" (K. Holl, Urchr. u. RelGesch. 1925, Ges. Aufs. z. KGesch. 2. Bd. 1928 S. 27). Eben gegen das Reden von solchen „Lebensmächten" richtete sich die monotheistische Spitze des kirchlichen Trinitätsdogmas. Subordinatianische Christologie — wir denken vor Allem an Origenes — will zwar den Sohn und den Geist am Wesen des Vaters teilnehmen lassen, aber in abgestuftem Maße: in das Wesen Gottes selbst wird hier eine Hierarchie, ein Mehr und Weniger an göttlichem Wesen hineingedacht. Man wird auch diese Lösung nicht als mit der Einheit Gottes verträglich bezeichnen können. Von dem mit besonderer Gotteskraft ausgerüsteten und endlich zu göttlicher Würde erhobenen Menschen Christus, wie ihn die adoptianischen Monarchianer, ein Artemon und dann ein Paul von Samosata, lehrten, wäre in dieser Hinsicht dasselbe zu sagen wie von dem Christus des Arius. Und wenn endlich die modalistischen Monarchianer, ein Noet von Smyrna, ein Praxeas, ein Sabellius vor allem, ein Priscillian — auf ihren Spuren sind dann in der Neuzeit Schleiermacher und die Seinen gegangen — die Wesensgleichheit der trinitarischen „Personen" zwar behaupteten, aber doch nur als Erscheinungsformen, hinter denen sich Gottes eigentliches eines Wesen als etwas Anderes, Höheres verberge — so ist doch wohl zu fragen, ob die Offenbarung geglaubt werden kann mit dem Hintergedanken, daß wir es in ihr nicht mit Gott, wie er ist, sondern nur mit einem Gott, wie er uns erscheint, zu tun haben. Ist der τρόπος ἀποκαλύψεως wirklich ein anderer als der τρόπος ὑπάρξεως, und ist gerade die ὕπαρξις das eigentliche Sein Gottes, dann heißt das doch, daß Gott in seiner Offenbarung nicht eigentlich Gott ist. Diesen nichteigentlichen Gott als Gott ernst nehmen, ist aber gerade gegen den Monotheismus, den man mit dieser Unterscheidung zu schützen meinte und meint. Offenbarungsglaube muß dann — von daher ergeben sich die Fragen, die auch und gerade an den modernen Sabellianismus zu richten sind — zur Idololatrie werden.

Soll die Offenbarung als Gegenwart Gottes ernst genommen werden, soll es einen legitimen Offenbarungsglauben geben, dann dürfen Christus und der Geist in keinem Sinn untergeordnete Hypostasen sein. Wir müssen es in Prädikat und Objekt des Begriffs Offenbarung noch einmal und in keiner Weise weniger mit dem Subjekt selbst zu tun haben. Die Offenbarung und das Offenbarsein müssen dem Offenbarer gleich sein. Sonst können sie neben diesem, wenn dieser der eine Gott ist, keinen Raum haben. Die Einheit Gottes würde sonst die Offenbarung und das Offenbarsein unmöglich machen. Christus und der Geist würden dem Vater nicht nur, wie Arius in gefährlicher Nähe zur Leugnung aller Offenbarung sagte, „fremd und ganz unähnlich" sein, sondern nicht mehr mit ihm zu tun haben, als irgendwelche anderen Geschöpfe. Mit dem Monotheismus verträgt sich nur die Wesensgleichheit des Christus und des Geistes mit dem Vater.

In hac trinitate nihil prius aut posterius, nihil maius aut minus. Sed totae tres personae coaeternae sibi sunt et coaequales (Symb. Quicumque). Nullus alium aut praecedit aeternitate aut excedit magnitudine aut superat potestate (Conc. Florent. a. 1441 Decr. pro Jacobitis Denz. Nr. 704).

2. DIE DREIHEIT IN DER EINHEIT

Die Trinitätslehre als Lehre von der *repetitio aeternitatis in aeternitate* bestätigt die Erkenntnis der Einheit Gottes. Aber nun nicht irgendeiner Erkenntnis irgendeiner Einheit irgendeines Gottes.

Irgend einen Monotheismus vertritt nicht nur das Judentum und der Islam, sondern, wie wir heute wissen, irgendwie im Hintergrund oder als abschließenden Oberbau ihres Pantheons oder Pandämoniums so ziemlich jede Religion bis hin zu den Animismen etwa der sog. Naturreligionen Afrikas. Irgend ein Monotheismus hatte sich — man kann sich das nicht genug vor Augen halten — in der Philosophie, in den synkretistischen Kultlehren und vor allem im Lebensgefühl der ausgehenden abendländischen Antike längst durchgesetzt, als das Christentum auf den Plan trat, als etwa der Römerbrief des Paulus das damalige Rom erreichte. Man darf nicht erwarten, daß das Dogma und die Dogmatik der Kirche die Bestätigung irgend eines Monotheismus bringen, an irgend einem Monotheismus sich messen lassen werden. Aus dieser falschen Voraussetzung sind die antitrinitarischen Häresien entstanden und müssen sie immer wieder entstehen.

Es handelt sich um die offenbarte Erkenntnis der offenbarten Einheit des offenbarten Gottes — offenbart nach dem Zeugnis des Alten und Neuen Testamentes. Die in der Trinitätslehre bestätigte Einheit Gottes will nicht verwechselt sein mit Einzelheit oder Einsamkeit.

Sustulit singularitatis ac solitudinis intelligentiam professio consortii (Hilarius *De trin.* IV, 17).

Einzelheit und Einsamkeit sind die Einschränkungen, die sich mit dem Begriff der numerischen Einheit im Allgemeinen verbinden müssen. Die numerische Einheit des offenbarten Gottes entbehrt aber dieser Einschränkungen. Keine logische Notwendigkeit darf uns hindern, dies einfach anerkennend festzustellen.

Für die Zahlbegriffe in der Trinitätslehre überhaupt gilt ja: *Haec sancta trinitas, quae unus et verus est Deus, nec recedit a numero, nec capitur numero (Conc. Tolet.* XI, Denz. Nr. 279). *In divinis significant (termini numerales) illa de quibus dicuntur,* sie sind metaphorisch zu verstehen, sie setzen keine Quantität in Gott, sie besagen letztlich nur Negationen (Thomas v. Aq. *S. theol.* I *qu.* 30 *art.* 3). *Quid ista ibi significent, ipso de quo loquimur aperiente, insinuare curemus* (Petr. Lombardus, *Sent.* I dist. 24 A). So besagt die Zahl 1 die Negation aller Vielheit Gottes oder in Gott. Alle weiteren Folgerungen aus der Anwendung dieses Zahlbegriffes sind als unsachgemäß abzulehnen. Man muß sich klar machen: Der Gebrauch der Zahlbegriffe und der rationalen Begriffe überhaupt in der Trinitätslehre (und nicht nur in der Trinitätslehre!) der alten Kirche steht im Zeichen des Satzes des Hilarius (*De trin.* IV, 14): *Intelligentia dictorum ex causis est assumenda dicendi, quia non sermoni res, sed rei sermo subjectus est.* Ohne diesen Satz vor Augen zu haben, kann man hier nicht einmal historisch verstehen, und wer sich diesen Satz nicht als methodisches Axiom zu eigen macht, der ist und wird nimmermehr ein Theologe!

Gott ist Einer, aber nun nicht so, daß er als solcher eines Zweiten und Dritten erst bedürfte um Einer zu sein, und auch nicht so, als ob er allein wäre und des Gegenübers entbehren müßte, nicht so also — das wird bei der Lehre von der Schöpfung und vom Menschen aber auch bei der Lehre von der Versöhnung entscheidend bedeutsam werden — als ob er nicht ohne die Welt und den Menschen zu sein vermöchte, als ob zwischen ihm und der Welt und dem Menschen ein notwendiges Reziprozitätsverhältnis bestünde. Sondern in ihm selbst schon sind diese Schranken dessen, was wir sonst unter Einheit verstehen, aufgehoben; in sich selbst ist seine Einheit keine Einzelheit und Einsamkeit. Damit, d. h. aber eben mit der Trinitätslehre, betreten wir den Boden des christlichen Monotheismus.

Μὴ συμπαραφέρου τοῖς Ἰουδαίοις πανούργως λέγουσι τὸ Εἷς θεὸς μόνος, ἀλλὰ μετὰ τοῦ εἰδέναι ὅτι εἷς θεὸς γίνωσκε ὅτι καὶ υἱός ἐστι τοῦ θεοῦ μονογενής. (Cyrill v. Jerus., *Kat.* 10,2). *Confitemur: Non sic unum Deum, quasi solitarium* (*Fides Damasi a.* 380? Denz. Nr. 15).

Der Begriff der offenbarten Einheit des offenbarten Gottes schließt also nicht aus sondern ein eine Unterscheidung (*distinctio* oder *discretio*) eine Ordnung (*dispositio* oder *oeconomia*) im Wesen Gottes. Diese Unterscheidung oder Ordnung ist die Unterscheidung oder Ordnung der drei „Personen" — wir sagen lieber: der drei „Seinsweisen" in Gott.

Wir betreten damit die nicht nur uns, sondern ausnahmslos Allen, die sich vor uns um diese Sache gemüht haben, schwierigste Strecke unserer Untersuchung. Was heißt hier „Person", wie man gewöhnlich sagt? Oder allgemein gefragt: was ist gemeint mit dem als Vater, Sohn und Geist Unterschiedenen oder Geordneten in Gott? Unter welchem gemeinsamen Begriff sind diese drei zu verstehen? Was sind diese drei — nämlich abgesehen davon, daß sie ebensowohl miteinander, wie jeder einzelne für sich der eine wahre Gott sind? Was ist das gemeinsame Prinzip ihres Seins je als des Vaters, des Sohnes und des Geistes?

Wir haben den Begriff „Person" im Leitsatz unseres Paragraphen vermieden. Weder war er bei seiner Einführung in die kirchliche Sprache genügend geklärt, noch hat die nachträgliche Deutung, die ihm dann zuteil geworden ist und die sich in der mittelalterlichen und nachreformatorischen Scholastik im Ganzen durchgesetzt hat, eine solche Klärung wirklich ge-

2. Die Dreiheit in der Einheit 375

bracht, noch hat die Hereintragung des modernen Persönlichkeitsbegriffs in diese Debatte etwas Anderes als neue Verwirrung angerichtet. Die Lage wäre hoffnungslos, wenn es hier darauf ankäme zu sagen, was in der Trinitätslehre nun eigentlich „Person" heißt. Es kommt zum Glück nicht darauf an. Aber allerdings: die Schwierigkeiten, in die man sich in bezug auf diesen nun einmal klassisch gewordenen Begriff verwickelt sieht, sind doch nur ein Symptom für die Schwierigkeit der Frage überhaupt, die hier so oder so zu beantworten ist.

Der Begriff persona, πρόσωπον, stammt (wie der Begriff *trinitas* vermutlich zuerst von Tertullian gebraucht) aus dem Kampf gegen die sabellianische Häresie, sollte also das Insichsein und Fürsichsein je des Vaters, des Sohnes und des Geistes anzeigen. Aber hieß *persona*, πρόσωπον, nicht auch „Maske" ? Konnte der Begriff nicht aufs neue der sabellianischen Vorstellung von den drei bloßen Erscheinungsformen, hinter denen ein verborgenes Viertes stünde, Vorschub leisten ? In dieser Erwägung zog es die griechische Kirche weithin vor, *persona* statt mit πρόσωπον mit ὑπόστασις zu übersetzen. Aber bei ὑπόστασις dachten umgekehrt die Abendländer notwendig an *substantia* im Sinn von *natura* oder *essentia*, mußten sie sich also von der Nähe tritheistischer Vorstellungen bedroht sehen. Blieb man schließlich bei *persona* im Westen, bei ὑπόστασις im Osten stehen, so konnte kein Teil mit dem anderen und schließlich auch keiner mit sich selbst ganz zufrieden sein.

Es hat etwas Lösendes, daß ein Mann von der Autorität Augustins es (*De trin.* V 9, VII 4) offen ausgesprochen hat, daß es sich, wenn man die Sache nun gerade „Person" nenne, um eine *necessitas* oder *consuetudo loquendi* handle. Einen wirklich angemessenen Begriff dafür gebe es eben nicht. Sicher sei, daß mit den drei göttlichen Personen etwas ganz Anderes bezeichnet werde als ein Nebeneinander wie das von drei menschlichen Personen, und zwar darum, weil das Nebeneinander von menschlichen Personen eine Getrenntheit des Seins *(diversitas essentiae)* bezeichne, die dort in Gott — damit wurde die Möglichkeit des griechischen Einwandes gegen πρόσωπον formell anerkannt! — gerade ausgeschlossen sei. Auf die Frage: *quid tres ?* d. h.: was ist das *nomen generale*, der Allgemeinbegriff für Vater, Sohn und Geist, könne eine eigentliche Antwort nicht gegeben werden, *quia excedit supereminentia divinitatis usitati eloquii facultatem. Verius enim cogitatur Deus quam dicitur et verius est, quam cogitatur.* (Je mehr man den Unterschied der Personen als im göttlichen Wesen selbst stattfindend und begründet versteht, um so begreiflicher wird in der Tat die Unbegreiflichkeit dieses Unterschiedes: dieser Unterschied nimmt eben teil an der Unbegreiflichkeit des göttlichen Wesens, das nicht das Wesen des offenbarten Gottes wäre, wenn es begreiflich, d. h. in den Kategorien des *usitatum eloquium* faßbar wäre. Weder *persona* noch ein anderer Begriff wird also den Dienst leisten können, diesen Unterschied wirklich begreiflich zu machen. Was hier am Platze sein kann, können nur mehr oder weniger fruchtbare und klärende Bezeichnungen eben der unbegreiflichen Wirklichkeit Gottes sein.) Wenn man, so meint Augustin, den Ausdruck *tres personae* dennoch brauche, so geschehe dies *non ut illud diceretur, sed ne taceretur omnino. Non enim rei ineffabilis eminentia hoc vocabulo explicari valet*: nicht um zu sagen, daß die drei in Gott gerade *personae* seien, sondern um mittels des Begriffs *personae* zu sagen, daß in Gott drei sind — wobei auch hier der Zahlbegriff 3 nicht mehr sagen kann als die Negation: daß Vater, Sohn und Geist als solche nicht 1 sind. In Augustins Nachfolge hat Anselm von Canterbury von der *ineffabilis pluralitas* (*Monol.* 38), von den *tres nescio quid* gesprochen: *licet enim possim dicere trinitatem propter Patrem et Filium et utriusque Spiritum, qui sunt tres, non tamen possum proferre uno nomine propter quid tres*. Gegen den Begriff *persona* hat eben auch Anselm das wahrhaftig begründete Bedenken, daß *omnes plures*

§ 9. Gottes Dreieinigkeit

personae sic subsistunt separatim ab invicem, ut tot necesse sit esse substantias, quot sint personae. Das geht bei menschlichen, das geht aber nicht bei den göttlichen Personen. Nur *indigentia nominis proprie convenientis* will darum auch er von den *personae* reden (*ib*. 79).

Das aristotelisch beeinflußte Mittelalter hat es dann doch versucht, dem Personbegriff einen besonderen systematischen Gehalt abzugewinnen. Den Anknüpfungspunkt für die hier angestellten Überlegungen bildete die Definition des Boethius (Anf. d. 6. Jahrh., *C. Eutych. et Nest.* 3): *Persona est naturae rationabilis individua substantia*. Nach Thomas von Aquino (*S. theol.* I *qu*. 29 *art*. 1—2) heißt *substantia individua* (gleichbedeutend mit *singulare in genere substantiae* oder mit *substantia prima*): ein in sich und für sich existierendes, ein in seinem Existieren von anderen geschiedenes, seine Existenz anderen nicht mitteilen könnendes Wesen, ein Einzelwesen. *Natura* bezeichnet das allgemeine Wesen, die *essentia speciei*, die *substantia secunda*, der ein solches Einzelwesen angehört. *Natura rationabilis* oder *rationalis* ist also die (nach mittelalterlicher Anschauung Gott. Engel und Menschen umfassende) vernünftige Natur im Gegensatz zu *natura irrationalis*, der (vom Tier abwärts alle übrigen Substanzen umfassenden) vernunftlosen Natur. *Persona* nun ist nichts Anderes als eben *substantia individua* (was auch *res naturae, subsistentia* oder mit den Griechen ὑπόστασις genannt werden kann), sofern das gemeinte Einzelwesen der vernünftigen Natur angehört. Die boethianische Definition ist also im Sinn von Thomas zu übersetzen: Person ist das vernünftige Einzelwesen. Daß dieser Begriff auf Gott anzuwenden sei, hat Thomas (*ib. art*. 3) begründet mit der Behauptung, *persona* schließe in sich das Merkmal einer Dignität, ja *persona* bezeichne geradezu das *perfectissimum in tota natura*. Diese Dignität, dieses *perfectissimum* müsse in eminentem Sinn, *excellentiori modo*, Gott zugesprochen werden. Thomas hat sich leider nicht darüber geäußert, worin diese im Personbegriff enthaltene Dignität, ja dieses *perfectissimum* der *persona* nach seiner Meinung bestehe. Geht es um die Vorzüglichkeit der vernünftigen Einzelwesen vor den unvernünftigen? Oder geht es um die Vorzüglichkeit des vernünftigen Einzelwesens vor der vernünftigen Natur als solcher? Oder um beides? Aber wie es auch damit stehe, Thomas selbst kennt einmal den Einwurf, daß das für den Personbegriff mindestens mitentscheidende *principium individuationis*, auch wenn von der vernünftigen Natur die Rede ist, eine in Individuation existierende Materie, ein individuell existierendes Etwas, eine Potentialität ist. Gott ist aber auch und gerade nach Thomas *immaterialis, actus purus*. Thomas muß darum zugeben, daß von dem Moment der *individua substantia* bei Anwendung des Personbegriffs auf Gott nur das Merkmal der *incommunicabilitas*, der Nicht-Mitteilbarkeit, der Existenz des betreffenden Wesens an andere übrigbleibt, vom Begriff des Einzelwesens also nur das, was es zu einem Einzelwesen macht unter Wegfall dessen, daß es ein Einzelwesen ist (*ib. art.* 3 *ad.* 4). Und ebenso kennt Thomas natürlich auch jenen noch wichtigeren Einwand, den schon Augustin und Anselm erhoben hatten: daß eine Mehrzahl von Personen notwendig auch eine Mehrzahl von Wesen — also von Gott ausgesagt: eine Mehrzahl göttlicher Wesen oder mindestens eine Teilung des einen göttlichen Wesens besagen müßte. Er muß darum, sachlich korrekt aber für seinen Personbegriff nun doch sehr bedrohlich, feststellen, die *personae* der Trinität seien *res subsistentes in* (nämlich in der einen) *divina natura*. Thomas kann nicht umhin anzuerkennen, daß die ὑπόστασις der Griechen in dieser Hinsicht sachnäher sei als die lateinische *persona* und daß er ὑπόστασις nur wegen der fatalen Übersetzung *substantia* vermeide. Jene *res subsistentes* in *divina natura* sind aber auch nach ihm nichts Anderes als *relationes*, innergöttliche Beziehungen (*ib. qu.* 29 *art.* 4; *qu.* 30 *art.* 1). So gerne man ihm hierin folgen und so gern man ihm methodisch zustimmen wird, wenn er sich auch hier auf die Unvergleichlichkeit des Begriffes in seinem Verhältnis zu dem Gemeinten bezw. göttlich Offenbarten beruft — *aliud est quaerere de significatione huius nominis „persona" in communi et aliud de significatione personae divinae* (*ib. qu.* 29 *art.* 4c) —

2. Die Dreiheit in der Einheit

so wenig kann man sich für überzeugt halten davon, daß auch nur die relative Sinngemäßheit (eine andere kommt in der Tat nicht in Betracht) der Verwendung gerade des Personbegriffs durch Thomas so geklärt worden sei, daß man die Zurückhaltung gegenüber diesem Begriff, bei der man sich immerhin auf Augustin und Anselm berufen darf, nun etwa aufgeben müßte. Die eigentliche, innerhalb der Grenzen des Möglichen liegende Erklärung dessen, um was es denn gehe bei den Dreien in der Dreieinigkeit, hat auch Thomas gerade nicht in Form einer Interpretation des Personbegriffs, sondern an Hand des Begriffs der Relationen gegeben!

Ganz in der Linie von Augustin und Anselm (und sachlich nicht in Widerspruch zu Thomas) hat Calvin gegen den Personbegriff polemisieren können mit den Worten: *Les anciens docteurs ont usé de ce mot de personnes et ont dit, qu'en Dieu il y a trois personnes: Non point comme nous parions en noire langage commun appelant trois hommes, trois personnes ou comme mesmes en la papauté ils prendront ceste audace de peindre trois marmousets* (etwa: Männlein) *et voilà la trinité. Mais* — so meint Calvin weiter — *ce mot de personnes en ceste matière est pour exprimer les propriétez lesquelles sont en l'essence de Dieu* (*Congrégation de la divinité de Christ*, C. R. 47, 473). Von einem *magnum imo infinitum discrimen* zwischen den göttlichen Personen und den uns bekannten menschlichen hat dann auch J. Gerhard (*Loci* 1610 L. III, 62) gesprochen.

Was in der Begriffssprache des 19. Jahrhunderts „Persönlichkeit" genannt wird, unterscheidet sich von der altkirchlichen und mittelalterlichen *persona* durch den Hinzutritt des Merkmals des Selbstbewußtseins. Dadurch ist die ganze Frage nun erst recht kompliziert geworden. Man hatte und hat offenbar die Wahl, entweder zu versuchen, die Trinitätslehre unter Voraussetzung des so verschärften Personbegriffs durchzuführen oder aber bei dem alten seit jener Verschärfung des Sprachgebrauchs außerhalb der klösterlichen und einiger anderen Studierstuben völlig obsolet und unverständlich gewordenen Personbegriff stehen zu bleiben. Es war die 1857 durch Papst Pius IX. verurteilte Lehre des katholischen Theologen Anton Günther, in der die erste Möglichkeit gewählt wurde: Nach ihm wären die einzelnen Personen der Trinität nun doch einzelne Substanzen, drei je für sich denkende und wollende Subjekte, auseinander hervorgehend und aufeinander bezogen und so in der Einheit einer absoluten Persönlichkeit sich zusammenschließend. Auf protestantischer Seite hat auf derselben Linie Richard Grützmacher (Der dreieinige Gott — unser Gott 1910) dem Schöpfer, dem Sohne, dem Geiste je ein besonderes Ich-Zentrum mit besonderem Bewußtsein, Willen und Inhalt zugeschrieben. Nach ihm wäre aber jeder Einzelne von diesen dreien auch absolute Persönlichkeit, mit den anderen darin eins, daß das Wesen aller drei Liebe und Heiligkeit ist, so daß sie auch immer als nebeneinander und miteinander wirkend erfahren werden. Man wird wohl sagen müssen, daß es schwer hält, hier nicht an die von Calvin abgelehnten *trois marmousets* zu denken und also diese Lehre Tritheismus zu nennen. Von einer Dreipersönlichkeit Gottes kann man eben ernsthaft ebensowenig reden wie von einer Dreiwesentlichkeit. Die von Melanchthon an mehr als einer Stelle (z. B. *Exam. ordinand.* 1559, C. R. 23, 2) gegebene und später oft zitierte Definition: *Persona est subsistens vivum, individuum, intelligens, incommunicabile, non sustentatum ab alio* klingt in dieser Hinsicht doch nicht unbedenklich, besonders wenn man daneben hält, daß er imstande war, auch im Pluralis zu sagen: *tres vere subsistentes . . . distincti seu singulares intelligentes* (*Loci* 1559. C. R. 21, 613). *Vita* und *intelligentia* als Merkmale des Personbegriffs bringen notwendig mindestens einen tritheistischen Schein in die Trinitätslehre. Aber auch das Merkmal der Individualität, auf Vater, Sohn und Geist als solche, statt auf das eine Wesen Gottes bezogen, die Vorstellung einer dreifachen Individualität also, ist ohne Tritheismus kaum möglich. „In Gott ist wie eine Natur, so auch eine Erkenntnis, ein Selbstbewußtsein" (F. Diekamp, Kath. Dogmatik[6] 1. Bd. 1930 S. 271).

Offenbar vor der hier drohenden Gefahr meinte fast die ganze neuprotestantische Theologie in den Sabellianismus flüchten zu müssen. Man wollte einerseits auf Vater,

§ 9. Gottes Dreieinigkeit

Sohn und Geist ebenfalls den modernen Persönlichkeitsbegriff anwenden, man scheute sich aber mit Recht davor, das mit einem Günther oder Grützmacher in ontologischem Sinne zu tun. Man beschränkte sich also auf eine nur phänomenologisch gemeinte Lehre von drei Personen, auf eine offenbarungsökonomische Trinität, auf solche drei Personen also, in deren Hintergrund dann Gott selbst immerhin „absolute" Persönlichkeit sein mochte. Es wurde bei dieser Auffassung weder im Altertum noch in der Neuzeit je ganz klar, inwiefern man nicht eigentlich — je ernster die Offenbarung genommen wurde umso näher müßte das eigentlich liegen — von einer Quaternität statt von einer Trinität gesprochen hat. Es war jedenfalls verständlich, daß Schleiermacher es vorgezogen hat, von dem Begriff der Persönlichkeit Gottes einfach zu schweigen, oder daß D. Fr. Strauß (Die christl. Glaubenslehre 1. Bd. 1840 § 33) und A. E. Biedermann (Christl. Dogmatik 1869 §§ 618 u. 715f.) dazu übergegangen sind, ihn geradezu zu streichen, bzw. ihn aus dem Bereich der Wahrheit, in welchem Gott nichts Anderes als eben der absolute Geist ist, in das niedere Gebiet der inadäquaten religiösen Vorstellung zu verweisen. Es bleibt freilich zu fragen, ob die Annahme eines dreifachen göttlichen Selbstbewußtseins nicht auch dann als polytheistisch zu bezeichnen ist, wenn diese Dreifachheit „nur" als eine Sache der Offenbarungsökonomie bzw. der religiösen Vorstellung bezeichnet wird. Was heißt hier eigentlich „nur", wenn der Mensch doch gewiß gerade kraft der Offenbarungsökonomie bzw. in der religiösen Vorstellung faktisch mit Gott lebt, wenn aber gerade hier die *trois marmousets* doch das letzte Wort sein sollten?

Die andere Möglichkeit hat die römisch-katholische Theologie ergriffen, in deren Trinitätslehre noch heute von „Personen" so geredet wird, als ob der moderne Begriff der Persönlichkeit nicht existierte, als ob die boethianische Definition noch immer aktuell und verständlich wäre und vor allem: als ob damals im Mittelalter die Bedeutung dieser Definition so geklärt worden wäre, daß mittels ihrer fruchtbar von den trinitarischen Drei geredet werden könnte.

Angesichts der Geschichte des Personbegriffes in der Trinitätslehre wird man wohl fragen dürfen, ob die Dogmatik wohl daran tut, sich seiner in diesem Zusammenhang weiterhin zu bedienen. Er gehört anderswohin, nämlich in die eigentliche Gotteslehre, und zwar als eine Folgerung aus der Trinitätslehre. Gerade aus dem trinitarischen Verständnis des in der Schrift offenbarten Gottes folgt nämlich, daß dieser eine Gott nicht nur als unpersönliche Herrschaft, d. h. als Macht, sondern als der Herr, also nicht nur als absoluter Geist, sondern als Person zu verstehen ist, d. h. aber als in und für sich seiendes Ich mit einem ihm eigenen Denken und Wollen. So begegnet er uns in seiner Offenbarung. So ist er dreimal Gott als Vater, Sohn und Geist. Aber ist wirklich das auch der Begriff, der diese Dreimaligkeit als solche erklärt, der also der Trinitätslehre als hermeneutisches Prinzip zugrunde gelegt werden kann? Wer ihn durchaus halten will, wird neben der ihm durch uralte kirchliche und wissenschaftliche Gewöhnung allerdings eigenen Ehrwürdigkeit kaum etwas Anderes dafür geltend machen können, als daß er einen anderen, besseren nicht an seine Stelle zu setzen habe. Man wird sich immerhin ernstlich fragen müssen, ob jener Pietätsgrund und dieser technische Grund schwerwiegend genug sind, um den Dogmatiker zu veranlassen den ohnehin und auch sonst schweren Gedanken der Trinität durch einen selber wieder so schweren

2. Die Dreiheit in der Einheit

und nur unter so vielen Kautelen verwendbaren Hilfsgedanken noch mehr zu belasten. Wir haben ja keinen Anlaß, den Personbegriff geradezu zu verfemen oder außer Kurs setzen zu wollen. Wir könnten ihn aber nur im Sinn einer praktischen Abkürzung und im Sinn der Erinnerung an die historische Kontinuität des Problems verwenden.

Die eigentlich gehaltvollen Bestimmungen des Prinzips der Dreiheit in der Einheit Gottes haben weder Augustin noch Thomas noch unsere protestantischen Väter aus der Analyse des Personbegriffs, sondern bei Anlaß ihrer durchweg allzu mühseligen Analysen des Personbegriffs aus ganz anderer Quelle gewonnen. Wir ziehen es vor, diese andere Quelle auch äußerlich als die primäre gelten zu lassen und sagen darum mindestens vorzugsweise nicht „Person" sondern „Seinsweise", in der Meinung, mit diesem Begriff dasselbe, was mit „Person" gesagt werden sollte, nicht absolut aber relativ besser, einfacher und deutlicher zu sagen. Daß Gott als Vater, Sohn und Geist je in besonderer Weise Gott ist, dieses Moment — nicht das der Teilnahme von Vater, Sohn und Geist am göttlichen Wesen, das ja in allen identisch und also für Vater, Sohn und Geist als solche gerade nicht bezeichnend ist, auch nicht das der „vernünftigen Natur" des Vaters, Sohnes und Geistes, die ja wiederum ohne Tritheismus nicht als eine dreifache bezeichnet werden kann — pflegt doch auch von denen, die hier den Personbegriff analysieren zu müssen meinen, bei diesen Analysen als erstes und entscheidendes Moment betont zu werden. Es handelt sich also nicht um die Einführung eines neuen Begriffs, sondern darum, einen bei der Analyse des Personbegriffs von jeher und zwar mit höchstem Nachdruck gebrauchten Hilfsbegriff in den Mittelpunkt zu rükken. Der Satz: „Gott ist Einer in drei Seinsweisen, Vater, Sohn und Heiliger Geist" bedeutet also: Der eine Gott, d. h. aber der eine Herr, also der eine persönliche Gott ist, was er ist nicht nur in einer Weise, sondern — wir berufen uns dafür schlicht auf das Ergebnis unserer Analyse des biblischen Offenbarungsbegriffes — in der Weise des Vaters, in der Weise des Sohnes, in der Weise des Heiligen Geistes.

„Seinsweise" ist die wörtliche Übersetzung des schon in den altkirchlichen Debatten verwendeten Begriffs τρόπος ὑπάρξεως: *modus entitativus* wie z. B. Quenstedt (*Theol. did. pol.* 1685 *P.* I *c.* 9 *sect.* 1 *th.* 8) lateinisch gesagt hat. Aber auch der Begriff ὑπόστασις in dem Sinn verstanden, wie er von der östlichen Kirche nach anfänglichen Bedenken und gegen das dauernde Bedenken des Westens schließlich statt πρόσωπον rezipiert worden ist, bedeutet *subsistentia* (nicht *substantia*), d. h. Existenzweise, Daseinsweise eines Seienden. In diesem Sinn nannte vielleicht schon Hebr. 1, 3 den Sohn χαρακτὴρ τῆς ὑποστάσεως θεοῦ, d. h. in seiner Seinsweise einen „Abdruck", einen Gegentyp der Seinsweise Gottes des „Vaters". Wir hörten schon von der thomistischen Definition des Begriffs der göttlichen Personen: sie sind *res subsistentes in natura divina*. Der Begriff *res* dürfte nicht eben glücklich sein, denn *res in natura* klingt hier nicht gut. Wohl aber ist der Begriff *subsistere* eines von den beiden brauchbaren Momenten des alten Personbegriffs. Ebenso lautet der Hauptbegriff in der Definition Calvins (*Instit.* I 13, 6): *subsistentia in Dei essentia* (Calvin hat übrigens in der vorhin angeführten *con-*

grégation ausdrücklich erklärt, daß er mit den Griechen die Begriffe *substance* oder *hypostase* zur Bezeichnung der in Frage stehenden Sache auch wegen ihrer biblischen Begründung in Hebr. 1, 3 für *plus convenable* halten würde). In der Folgezeit sagten z. B. I. Wolleb (*Chr. Theol. Comp.* 1626 I c. 2 can. 1, 3/4) *persona* bedeute: *essentia Dei cum certo modo entis*, oder die *Syn. pur. Theol.*, Leiden 1624, *Disp.* 7, 10: *substantia divina peculiari quodam subsistendi modo*, oder Fr. Burmann (*Syn. Theol.* 1678 I c. 30, 13): *essentia divina communis et modus subsistendi proprius*. Wir dürfen uns aber hier auch auf neuzeitliche katholische Autoren berufen: M. J. Scheeben (Handb. d. kath. Dogmatik 1. Bd. 1874, Neuaufl. 1925 S. 832) erklärt ausdrücklich, daß die Individualität der göttlichen Personen identisch sei mit der jeder von ihnen zukommenden besonderen Form des Besitzes der göttlichen Substanz, sie sei eine der Individualität der göttlichen Substanz selbst wesentlich zukommende Modalität dieser Individualität. Und B. Bartmann (Lehrb. d. Dogmatik 7. Aufl. 1. Bd. 1928 S. 169): „Das, wodurch die drei Personen sich voneinander unterscheiden, ist nicht in der Wesenheit zu suchen, auch nicht zunächst in der Person an sich, die mit den anderen völlig gleich und vollkommen und ewig ist, sondern in der verschiedenen Besitzweise der Wesenheit." Eben das, was von diesen Theologen *subsistentia, modus entis*, Form des Besitzes oder Besitzweise genannt wird, möchten wir, indem wir an der entscheidenden Stelle „Seinsweise" sagen, in den Mittelpunkt der Aufmerksamkeit rücken, in dem es auch in den verschiedenen Analysen des Personbegriffs faktisch immer, aber wie uns scheint durch den Zusammenhang allzusehr verdunkelt, gestanden hat.

Es handelt sich um besondere, um verschiedene, um je ganz eigentümliche Seinsweisen Gottes. Das will sagen: diese Seinsweisen Gottes sind nicht miteinander zu verwechseln noch zu vermischen. Wohl ist Gott in allen drei Seinsweisen in sich selbst und der Welt und den Menschen gegenüber der eine Gott. Dieser eine Gott ist aber dreimal anders Gott, so anders, daß er eben nur in dieser dreimaligen Andersheit Gott ist, so anders, daß diese Andersheit, sein Sein in diesen drei Seinsweisen ihm schlechterdings wesentlich, von seiner Gottheit unabtrennbar ist, so anders also, daß diese Andersheit unaufhebbar ist. Weder kann in Betracht kommen, daß die eine der göttlichen Seinsweisen ebensogut die andere, daß etwa der Vater ebensogut der Sohn oder der Sohn der Geist sein könnte, noch daß zwei von ihnen oder alle drei sich in einer zusammenfinden und auflösen könnten. Wäre dem so, dann wären sie keine dem göttlichen Sein wesentliche Seinsweisen. Eben weil die Dreiheit in dem einen Wesen des offenbarten Gottes gründet, weil man bei Leugnung der Dreiheit in der Einheit Gottes sofort einen anderen Gott meint als den nach der Schrift offenbarten — ebendarum muß man diese Dreiheit als eine unaufhebbare, die Eigentümlichkeit der drei Seinsweisen als eine unverwischbare verstehen.

Wir sahen, wie bei Thomas von Aquino außer dem Moment des *subsistere* eben das Moment der *incommunicabilitas* in seinem Personbegriff sich als haltbar, d. h. für den Personbegriff der Trinitätslehre brauchbar erwies. Und nun wird es wohl kein Zufall sein, wenn die *Conf. Aug. Art.* 1 gerade diese beiden Momente zusammenfaßte in ihrer Definition: Person im Zusammenhang der Trinitätslehre heiße: (*quod*) *proprie subsistit*. Man wird das „*quod*" in dieser Definition tatsächlich einklammern müssen: was *proprie subsistit*, ist ja nicht die Person als solche, sondern Gott in den drei Personen, aber eben: Gott als dreifach *proprie subsistens*. Es ist bemerkenswert, daß auch der mit den thomistischen *res subsistentes* arbeitende Fr. Diekamp (Kath.

2. Die Dreiheit in der Einheit

Dogmatik 1. Bd. 6. Aufl. 1930 S. 352f.) zu dem Ergebnis kommt, daß absolute Subsistenz nur der göttlichen Substanz als solcher, den Personen als solchen dagegen nur relative Subsistenz zukomme. Aber eben dieses relative *subsistere* der Personen ist ein *proprie subsistere*. Ebenso hat Calvin gesagt, Person heiße *subsistentia in Dei essentia quae ... proprietate incommunicabili distinguitur (Instit.* I 13, 6). Es hat Melanchthon in *Conf. Aug. Art.* 1 erklärend hinzugefügt: *Non pars aut qualitas in alio* und in den *Loci: Non sustentata ab alio*. Und es hat Quenstedt (a. a. O. *th.* 12) in Erweiterung der Formel Melanchthons das *incommunicabilis* noch verstärkt durch die Umschreibung *per se ultimato et immediate subsistens*. Wenn man darauf achtet und Nachdruck legt, daß die in Frage stehende Eigentümlichkeit tatsächlich ganz genau nur in das Verbum *subsistere* umschreibenden Adverbien (*proprie* usw.) oder Ablativen (*proprietate*) bezeichnet werden kann, während das Subjekt dieses *subsistere* und also auch des *proprie subsistere* streng genommen keine von dem einen Wesen Gottes verschiedene *res* oder *substantia*, sondern eben nur dieses eine Wesen Gottes selbst sein kann. dann dürfte sich der Begriff „Seinsweise", nun noch verstärkt und erklärt durch das Adjektiv „eigentümliche Seinsweise" immer deutlicher als der Kern dessen herausschälen, was die Dogmatik von dem alten Personbegriff festzuhalten hat. Gewiß ist über Gott Vater, Sohn und Geist mehr zu sagen als das, was mit der Formel „eigentümliche Seinsweise" gesagt ist. Um Seinsweise, um das dreimalige Anderssein Gottes handelt es sich ja. Die Definition Calvins besteht durchaus zu Recht, *persona* heiße *natura divina cum hoc quod subest sua unicuique proprietas (Instit.* I 13, 19). Aber eben aus dieser und eigentlich aus all den angeführten Definitionen der Alten geht hervor: das bewußte „Mehr" — was Vater, Sohn und Geist „mehr" sind als „eigentümliche Seinsweisen"! — ist die *natura divina*, das eine ununterschiedene göttliche Wesen, mit dem ja der Vater, der Sohn und der Geit identisch sind. Fragen wir nun nach dem Nichtidentischen, nach dem Unterscheidenden und Unterschiedenen, nach dem, was den Vater zum Vater, den Sohn zum Sohn, den Geist zum Geist macht, nach dem *quod subest sua unicuique proprietas* — und danach müssen wir offenbar fragen, wenn wir nach der Dreiheit in der Einheit fragen wollen — dann müssen wir bei der weniger sagenden Formel „eigentümliche Seinsweise" stehen bleiben. Wir bezeichnen auch damit das eine göttliche Wesen, wir bezeichnen es aber damit (und exakt nur damit) als das eine göttliche Wesen, das nicht nur eines, sondern eines in dreien ist.

Ebendarum sind Vater, Sohn und Geist also nicht etwa zu verstehen als drei göttliche Eigenschaften, als drei Teile des göttlichen Besitzes, als drei Departemente des göttlichen Wesens und Wirkens. Die Dreiheit des einen Gottes wie sie uns bei unserer Analyse des biblischen Offenbarungsbegriffs entgegentrat, also etwa die Dreiheit von Offenbarung, Offenbarer und Offenbarsein, die Dreiheit von Gottes Heiligkeit, Barmherzigkeit und Liebe, die Dreiheit des Gottes von Karfreitag, Ostern und Pfingsten, die Dreiheit von Gott dem Schöpfer, Gott dem Versöhner und Gott dem Erlöser — das Alles kann und soll uns zwar, wie gleich zu zeigen sein wird, auf das Problem der Dreiheit in Gott aufmerksam machen und hinweisen. Den Begriff der wirklich eigentümlichen drei Seinsweisen Gottes haben wir damit, daß wir jeweilen diese drei Momente auseinanderhalten, haben wir in diesen drei jeweiligen Momenten als solchen noch nicht erreicht. Denn Alles, was da zu sagen ist, kann und muß, ob es sich nun um den inneren Besitz oder um die äußere Gestalt des Wesens Gottes handle, letztlich von Vater, Sohn und Geist in gleicher Weise gesagt werden. Keine Eigenschaft, keine Tat Gottes, die nicht in gleicher

Weise die Eigenschaft, die Tat des Vaters, des Sohnes und des Geistes wäre. Wohl bedeutet Erkenntnis der Offenbarung Gottes Erkenntnis bestimmter verschiedener, für uns nicht auf einen Nenner zu bringender Eigenschaften, an denen wir uns dann auch Gottes Sein als Vater, Sohn und Geist klarmachen mögen. Aber eben weil es im Wesen des offenbarten Gottes liegt, diese und diese Eigenschaften zu haben, sind sie in seinem Wesen auch ununterschieden eins und also nicht ontologisch auf Vater, Sohn und Geist zu verteilen. Wohl begegnet uns Gott in der biblisch bezeugten Offenbarung, wie wir sahen, immer wieder anders handelnd, immer wieder in je einer Seinsweise, genauer gesagt: ausgezeichnet, charakterisiert in je dieser oder jener Seinsweise. Aber dieses relativ unterschiedene Offenbarwerden der drei Seinsweisen besagt nicht ihr entsprechendes Unterschiedensein in sich selber. Im Gegenteil, werden wir sagen müssen: so gewiß das relativ verschiedene Offenbarwerden der drei Seinsweisen auf ihr entsprechendes Verschiedensein in sich hinweist, so gewiß auch und gerade auf ihr Einssein in diesem Verschiedensein.

Wir mögen uns z. B. am Begriff der Ewigkeit das Wesen des Vaters veranschaulichen; aber wie wäre das möglich, ohne sofort und gerade so auch den Sohn und den Geist unter diesem Begriff zu verstehen? Wir können mit Paulus und Luther in Christus die Offenbarung der Gerechtigkeit Gottes erkennen, um offenbar gerade dann auch den Vater und den Geist so und nicht anders zu verstehen. Wir können im Geist den Inbegriff des göttlichen Lebens anschauen, was dann doch gerade bedeuten muß, daß wir dasselbe Leben als das Leben des Vaters und des Sohnes begreifen. Wir werden — ich folge hier einer Ausführung Luthers (Von den letzten Worten Davids, 1543, W. A. 54, 59, 12) — etwa in der Geschichte von der Taufe Jesu zwar den in Gestalt der Taube Erscheinenden nicht den Vater oder den Sohn, sondern den heiligen Geist, die vom Himmel erschallende Stimme nicht die Stimme des Sohnes oder des Geistes, sondern die Stimme des Vaters, den im Jordan getauften Menschen, nicht den fleischgewordenen Vater oder Geist, sondern eben den fleischgewordenen Sohn nennen, ohne doch zu vergessen oder zu leugnen, daß Alles: das Reden vom Himmel, der Fleischgewordene und die von oben kommende Gabe das Werk des einen Gottes, des Vaters, des Sohnes und des Geistes ist. *Opera trinitatis ad extra sunt indivisa.*

Die Verschiedenheit der Seinsweisen, das *alius-alius-alius*, nach dem wir doch jetzt fragen, ist von hier aus nicht zu begründen. — Wenn aber nicht von hier aus, woher dann? Die einzig mögliche Antwort, die gegeben werden kann und auch faktisch von Anfang an gegeben worden ist, bestätigt uns noch einmal, daß man wohl tut, nicht den Begriff der Person, sondern den Begriff der Seinsweise in den Mittelpunkt der ganzen Untersuchung zu rücken. Diese Antwort lautet: das unterschiedliche Stattfinden der drei göttlichen Seinsweisen ist zu verstehen aus ihren eigentümlichen Beziehungen, und zwar aus ihren eigentümlichen genetischen Beziehungen zueinander. Vater, Sohn und Geist sind dadurch voneinander unterschieden, daß sie ohne Ungleichheit ihres Wesens und ihrer Würde, ohne Mehrung oder Minderung der Gottheit in ungleichen Ursprungsverhältnissen zueinander stehen. Wenn wir eben die Möglichkeit ab-

2. Die Dreiheit in der Einheit 383

gelehnt haben, die Unterscheidung der drei Seinsweisen aus den inhaltlichen Verschiedenheiten des Gottesgedankens im Offenbarungsbegriff abzulesen, weil von solchen letztlich nicht die Rede sein kann, so dürfen und müssen wir nun sagen: sehr wohl ablesbar aus dem Offenbarungsbegriff sind die formalen Eigentümlichkeiten der drei Seinsweisen — das, was sie eben zu Seinsweisen macht — diejenigen Eigentümlichkeiten, die durch ihr Verhältnis zueinander gegeben sind. Das Warum? dieser formalen Eigentümlichkeiten läßt sich freilich so gewiß nicht angeben, als man kein Warum? der Offenbarung angeben kann. Man kann aber, wie wir es versucht haben, das Daß der Offenbarung angeben und umschreiben, und man wird das nicht tun können — wir konnten es tatsächlich nicht tun — ohne in und mit den hier nicht in Betracht kommenden inhaltlichen Eigentümlichkeiten der drei Seinsweisen auf gewisse formale Eigentümlichkeiten zu stoßen, die sich auch als Eigentümlichkeiten des einen Wesens Gottes des Herrn als nicht aufhebbare Eigentümlichkeiten erweisen.

Man hat hier mit Recht zuerst und vor allem auf die neutestamentlichen Namen Vater, Sohn und Geist verwiesen. Wenn diese drei Namen wirklich in ihrer Dreiheit der eine Name des einen Gottes sind, dann folgt, daß in diesem einen Gott zunächst jedenfalls — sagen wir vorsichtig: so etwas wie Vaterschaft und Sohnschaft, also so etwas wie Erzeugen und Erzeugtsein, stattfindet und dazu ein Drittes, jenen beiden Gemeinsames, das nicht ebenfalls ein Erzeugtsein ist, auch nicht ebenfalls ein Hervorgehen bloß aus dem Erzeuger, sondern sagen wir allgemein: eine Hervorbringung, und zwar eine von dem Erzeuger und von dem Erzeugten gemeinsam herrührende Hervorbringung. Wir dürfen aber ruhig auch unter Anwendung unseres Ternars Offenbarer, Offenbarung, Offenbarsein so sagen: es gibt ein Woher, eine Urheberschaft, einen Grund der Offenbarung, einen Offenbarer seiner selbst, von der Offenbarung als solcher so gewiß unterschieden, als Offenbarung ein schlechthin Neues bedeutet gegenüber dem Geheimnis des Offenbarers, das in der Offenbarung als solcher abgelegt wird. Es gibt also, im Unterschied zu jenem ersten, als zweites die Offenbarung selbst als das Ereignis des Offenbarwerdens des zuvor Verborgenen. Und es gibt als das gemeinsame Ergebnis dieser zwei Momente als drittes ein Offenbarsein, die Wirklichkeit, die die Absicht des Offenbarers und darum zugleich der Sinn, das Wohin der Offenbarung ist. Kürzer gesagt: nur weil es eine Verhüllung Gottes gibt, kann es eine Enthüllung, und nur indem es Verhüllung und Enthüllung Gottes gibt, kann es eine Selbstmitteilung Gottes geben.

Wir könnten weiter sagen: daß Gott der Schöpfer ist, ist die Voraussetzung dessen, daß er der Versöhner sein kann; daß der Schöpfer Versöhner ist, darin ist begründet, daß er der Erlöser sein kann. Oder: daß Gott uns in Christus barmherzig sein kann, das gründet in seiner **Heiligkeit**, und also gründet die **Liebe** Gottes gegen uns in seiner Heiligkeit und Barmherzigkeit. Calvin hat sich diese Ursprungsverhältnisse in dem Gott der Offenbarung gerne klar gemacht in den Begriffen *principium* (nämlich *principium agendi*), *sapientia* (nämlich *dispensatio in rebus agendis*), *virtus* (d. h. *efficacia actionis*) (*Instit.* I 13, 18, vgl. *Cat. Genev.* 1545 bei K. Müller S. 118 Z. 25).

Wohlverstanden: nicht aus den inhaltlichen Verschiedenheiten dieser und ähnlicher Begriffsternare sind die realen Seinsweisen in Gott ablesbar. Denn Alles, was hier inhaltlich verschieden ist, muß als in seiner Verschiedenheit in der Einheit des göttlichen Wesens wieder aufgehoben gedacht werden. Wohl aber sind sie ablesbar aus den regelmäßig wiederkehrenden Verhältnissen der jeweils drei Begriffe untereinander, wie sie am einfachsten eben zwischen den Begriffen Vater, Sohn und Geist selber stattfinden. In diesen Verhältnissen gründet die Dreiheit in der Einheit Gottes. Darin besteht diese Dreiheit, daß in dem Wesen oder Akte, in welchem Gott Gott ist, einmal ein reiner Ursprung und sodann zwei verschiedene Ausgänge stattfinden, von denen der erste allein auf den Ursprung, der zweite andersartige auf den Ursprung und zugleich auf den ersten Ausgang zurückzuführen sind. In der Weise ist Gott nach der Schrift offenbar, in der Weise ist er Gott, daß er in diesen Beziehungen zu sich selber ist. Er ist sein eigener Hervorbringer und er ist in doppelter, und zwar in verschiedener Hinsicht, sein eigenes Hervorgebrachtes. Er besitzt sich selbst als Vater, d. h. als reiner Geber, als Sohn, d. h. als Empfänger und Geber, als Geist, d. h. als reiner Empfänger. Er ist der Anfang, ohne den es keine Mitte und kein Ende gibt, die Mitte, die nur vom Anfang her sein kann und ohne die das Ende nicht wäre, das Ende, das ganz und gar vom Anfang her ist. Er ist der Sprecher, ohne den es kein Wort und keinen Sinn gibt, das Wort, das das Wort des Sprechers und der Träger des Sinnes ist, der Sinn, der ebenso der Sinn des Sprechers wie seines Wortes ist. Aber hüten wir uns vor der damit schon beinahe betretenen Zone der *vestigia trinitatis*. Daß das *alius-alius-alius*, das sich an solchen anderweitigen Ternaren veranschaulichen läßt, nun doch kein *aliud-aliud-aliud* bedeutet, daß Einer und Derselbe in den wahrhaftig gegensätzlichen Bestimmungen dieser Ursprungsverhältnisse Dieser und Dieser sein kann, ohne aufzuhören der Eine und Derselbe zu sein, daß jedes dieser Ursprungsverhältnisse als solches zugleich das Eine ist, in dem diese Verhältnisse stattfinden, dafür gibt es keine Analogien, das ist die singuläre göttliche Dreiheit in der singulären göttlichen Einheit.

Es handelt sich bei dem eben Entwickelten um den Gedanken, der in der Dogmengeschichte unter dem Namen der Relationenlehre bekannt ist. Schon Tertullian dürfte sie gekannt haben: *Ita connexus Patris in Filio et Filii in Paracleto tres efficit cohaerentes, alterum ex altero* (*Adv. Prax.* 25). Ausdrücklich von σχέσις Verhältnis, Beziehung als dem personbildenden Momente in Gott haben zuerst die Kappadozier (z. B. Gregor von Nazianz, *Orat.* 29, 16) gesprochen. Im Abendland ist die Lehre dann bei Augustin deutlich hervorgetreten. *His enim appellationibus* (Vater, Sohn und Geist) *hoc significatur quo ad se invicem referuntur* (*Ep.* 238, 2, 14) ...

2. Die Dreiheit in der Einheit

quae *relative dicuntur ad invicem* (*De trin.* VIII. *prooem.* 1). *Non quisque eorum ad se ipsum, sed ad invicem atque ad alterutrum ita dicuntur* (ib. V 6). Im Mittelalter hat Anselm von Canterbury (*De proc. Spir.* 2) die Formel geprägt: *In divinis omnia sunt unum, ubi non obviat relationis oppositio*, eine Formel, die vom Conc. Florent. a. 1441 (*Decr. pro Jacob.*, Denz. Nr. 703) geradezu zum Dogma erhoben worden ist. An anderer Stelle hat er die Sache so formuliert: *Proprium est unius esse ex altero et proprium est alterius alterum esse ex illo* (*Monol.* 38, vgl. auch 61 und *Ep. de incarn.* 3). Thomas von Aquino hat dann den Begriff der Relation in seinen Personenbegriff eingetragen und also die trinitarische *persona* definiert als *relatio ut res subsistens in natura divina* (*S. theol.* I qu. 30 art. 1 c, vgl. qu. 40, art. 1—2). Entsprechend lautet die nun vollständig zu zitierende Definition bei Calvin: *personam voco subsistentiam in Dei essentia, quae ad alios relata, proprietate incommunicabili distinguitur*. Luther hat die ganze Lehre von der Dreiheit in der Einheit völlig korrekt gerade in bezug auf die Relationslehre folgendermassen dargelegt: Der Vater ist mein und dein Gott und Schepffer, der mich und dich gemacht hat, Eben dasselbe Werck, das ich und du sind, hat auch der Son gemacht, ist gleich so wol mein und dein Gott und Schepffer als der Vater. Also der Heilige Geist hat eben das selbige Werck, das ich und du sind, gemacht, und ist mein und dein Gott und Schepffer, gleich so wol als der Vater und Son. Noch sinds nicht drey Götter oder Schepffer, Sondern ein Einiger Gott und Schepffer, unser aller beide. Hie mit diesem Glauben verware ich mich fur der Ketzerey Arij und seinesgleichen, das ich das Einige Göttliche wesen ... nicht zertrenne in drey Götter oder Schepffer, sondern behalte im rechten Christlichen Glauben, nicht mehr, denn den Einigen Gott und Schepffer aller Creaturn. — Widerumb, wenn ich nu uber und außer der Schepffung oder Creatur gehe, in das inwendige unbegreiffliche wesen Göttlicher natur, so finde ich, wie mich die Schrift leret (denn vernunft ist hie nichts) das der Vater ein ander unterschiedliche Person ist von dem Sone in der einigen unzertrenneten ewigen Gottheit. Sein unterscheid ist, das er Vater ist, Und die Gottheit nicht vom Sone noch von jemand hat. Der Son ein unterschiedliche Persone ist vom Vater in derselben einigen Vaterlichen Gottheit, Sein unterscheid ist, das er Son ist, und die Gottheit nicht von sich selbs, noch von jemand, sondern allein vom Vater hat, als ewiglich vom Vater geborn. Der Heilige geist ein unterschiedliche Person ist vom Vater und Sone, in derselbigen einigen Gottheit, Sein unterscheid ist, das er der Heilige geist ist, der vom Vater und Son zu gleich ausgehet ewiglich, Und die Gottheit nicht von sich selbes noch von jemand hat, sondern beide vom Vater und Sone zugleich und das alles von ewigkeit in ewigkeit. Hie mit diesem Glauben verware ich mich fur der Ketzerey Sabellij und sein gleichen, fur Juden, Mahmet, und wer sie mehr sind, die klüger sind, denn Gott selbs, und menge die Person nicht in eine Einige Person, Sondern behalte in rechtem Christlichen Glauben drey unterschiedliche Personen in dem einigen Göttlichen ewigen wesen, die doch alle drey gegen uns und die Creaturn, ein Einiger Gott, Schepffer und Wircker ist aller dinge (Von den letzten Worten Davids, 1543, W. A. 54, 58, 4). Wogegen es zu der tritheistischen Schwäche des Personbegriffs bei Melanchthon gehört, daß er, zum Schaden auch der ihm folgenden lutherischen Orthodoxie, den Begriff der Beziehung jedenfalls nicht in seine Definition aufgenommen hat, sondern ihn, wenn überhaupt, erst nachträglich zur Erklärung heranzuziehen pflegte.

Die Relationen in Gott, kraft welcher er Drei in einem Wesen ist, sind also: sein V a t e r s e i n (*paternitas*), kraft welches Gott der Vater der Vater des Sohnes ist, sein S o h n s e i n (*filiatio*), kraft welches Gott der Sohn der Sohn des Vaters ist und sein G e i s t s e i n (*processio, spiratio passiva*), kraft welches Gott der Geist der Geist des Vaters und des Sohnes ist. Die vierte logisch mögliche und auch real stattfindende Relation, das aktive Verhältnis des Vaters und des Sohnes zum Geiste kann darum keine vierte Hypostase bilden, weil zwischen ihr und der ersten und zweiten Hypostase kein relativer Gegensatz besteht, weil sie vielmehr in der ersten und zweiten Hypostase schon eingeschlossen ist, weil das *spirare* zum Vollbegriff des Vaters und des Sohnes gehört. *Spiratio convenit et personae Patris et personae Filii, utpote nullam habens oppositionem relativam nec ad paternitatem nec ad filiationem* (Thomas von Aquino, *S. theol.* I *qu.* 30 *art.* 2 *c*; vgl. J. Pohle, Lehrb. d. Dogmatik 1. Bd., 1902, S. 329, B. Bartmann a. a. O. S. 211). Diese drei Relationen als solche sind die göttlichen Personen, erklärt Thomas (*paternitas est persona Patris, filiatio persona Filii, processio persona Spiritus sancti procedentis, ib. art.* 2 ad 1) und mit ihm die ganze neuere katholische Dogmatik. Die Sache, die mit dem Personbegriff bezeichnet wird, ist, so erklärt M. J. Scheeben (a. a. O. S. 834), obwohl der Personbegriff formell keine relative Bedeutung hat, eine subsistierende Relation oder die Substanz unter einer bestimmten Relation. „Die göttlichen Personen als solche sind nichts Anderes als subsistente Relationen" (J. Pohle, a. a. O. S. 328). „Die trinitarischen Personen haben kein eigenes Inhäsionssubjekt, sondern sie existieren als *relationes subsistentes"* (B. Bartmann a. a. O. S. 211). Eine göttliche Person ist „eine innergöttliche Beziehung, insofern sie für sich selbst besteht und völlig unmitteilbar ist" (Fr. Diekamp a. a. O. S. 350). „Die Beziehungen ... sind das ... was die einzelnen Personen zu diesen Personen macht" (J. Braun, Handlexikon d. kath. Dogm., 1926, S. 228). Man darf zu dem Allem, schon zu der Erklärung des Thomas selber, noch mehr aber zu denen seiner modernen Schüler wohl fragen:

1. Was ist nun eigentlich aus der Definition: die Personen seien *res subsistentes in natura divina* (*S. theol.* I *qu.* 30 *art.* 1 *c*) geworden? Warum schweigen die katholischen Dogmatiker darüber? Warum reden sie nur von der Realität der Relationen als solcher? Sie haben wohl recht; es geht nicht anders. Die in jenen *res* und *natura* ausgesprochene Verdoppelung bzw. Vervierfachung des Subjektes ist doch wohl als mindestens mißverständlich preiszugeben.

2. Wenn man Scheeben bei seiner Erklärung behaften darf, daß der Name „Person" bei Gott so wenig wie bei den Geschöpfen durch sich selbst die Relativität ausdrückt, daß er formell keine relative Bedeutung hat, wenn aber andererseits gerade die Relativität das ist, was hier ausgesagt werden soll, warum klammert man sich dann an den alles immer wieder verdunkelnden Personbegriff? „Die Terminologie ist durch den kirchlichen und theologischen Sprachgebrauch derart fixiert, daß sie nicht mehr darf verlassen werden" (J. Pohle a. a. O. S. 25)!

Die Sachlichkeit dieses Arguments will uns nicht einleuchten. Es ist offenkundig: einmal, daß der alte Personbegriff, der hier allein in Frage kommen kann, heute obsolet geworden ist, sodann, daß die alleinmögliche Definition der in Frage stehenden Größe nicht einmal eine Definition dieses alten Personbegriffs ist. Darum ziehen wir es vor, dort, wo die alte Dogmatik und wo die katholische noch heute von „Personen" redet, Vater, Sohn und Geist in Gott die drei eigentümlichen, in ihren Beziehungen untereinander bestehenden Seinsweisen des einen Gottes zu nennen.

Das also ist die Wiederholung in Gott, die *repetitio aeternitatis in aeternitate*, durch die sich die Einheit des offenbarten Gottes von Allem, was sonst Einheit heißen mag, abhebt. Wir heben uns die Besprechung der einzelnen hier sichtbar gewordenen Begriffe, der Begriffe *paternitas, filiatio* und *processio* insbesondere, auf zur Erörterung in je ihrem eigenen Zusammenhang. Hier war Antwort zu geben auf die allgemeine Frage nach der Dreiheit in der Einheit, auf das augustinische: *quid tres?*

Es wird gut sein, sich klarzumachen, daß die Frage, auch nachdem die Antwort gegeben ist, immer noch und immer wieder gestellt ist. Man hat es immer wieder versucht, hier Antwort zu geben. Auch wir haben es jetzt versucht. Wir wollten eine relativ bessere Antwort geben als die, die her-

2. Die Dreiheit in der Einheit

kömmlicherweise mit dem Personbegriff gegeben wird. Aber schon die Tatsache, daß wir schließlich doch nur die bekannten Momente des alten Personbegriffs, hoffentlich etwas sinnvoller, um den Begriff der Seinsweise gruppieren konnten, mag uns daran erinnern, daß unsere Antwort den Anspruch eine **absolut** bessere Antwort zu sein, sicher nicht erheben kann. Die großen zentralen Schwierigkeiten, die die Trinitätslehre gerade an dieser Stelle von alters her bedrückt haben, bedrücken auch uns. Auch wir können nicht angeben, wie ein Wesen zugleich sein eigener Hervorbringer und in doppelter Weise sein eigenes Hervorgebrachtes sein kann. Auch wir können nicht angeben, wie eine Ursprungsbeziehung eines Wesens zugleich dieses Wesen selbst, ja wie drei Ursprungsbeziehungen zugleich dieses Wesen selbst und doch sich untereinander nicht gleich sondern unaufhebbar voneinander verschieden sein sollen. Auch wir können nicht angeben, wie die Ursprungsbeziehung eines Wesens zugleich eine dauernde Seinsweise dieses Wesens sein und wie darüber hinaus dasselbe Wesen, in zwei anderen entgegengesetzten Ursprungsbeziehungen stehend, gleichzeitig und ebenso wahr und wirklich, in den entsprechenden zwei weiteren Seinsweisen sein soll. Auch wir können nicht angeben, inwiefern in diesem Fall 3 wirklich 1 und 1 wirklich 3 sein soll. Auch wir können nur feststellen, daß das Alles in diesem Fall so sein muß und nur in Interpretation der biblisch bezeugten Offenbarung und im Blick auf diesen Gegenstand können wir das feststellen. Kein einziger der verwendeten Begriffe, heiße er nun Wesen oder Seinsweise oder Ursprungsbeziehung, sei er der Zahlbegriff 1 oder der Zahlbegriff 3, kann ja hier adäquat sagen, was er sagen sollte, was man mit ihm sagen möchte, indem man ihn verwendet. Wer hier etwa nur auf das achten wollte, was diese Begriffe als solche, in ihrer immanenten Bedeutungsmöglichkeit sagen können, wer sich auf den Hinweis, dem sie hier dienen sollen, nicht einlassen wollte und könnte, der würde sich hier wohl nur grenzenlos ärgern können. Und wer stünde hier nicht immer wieder vor der Frage, ob diese Begriffe ihm Hinweis wirklich **sind**, oder ob er nicht, bei ihrer immanenten Bedeutungsmöglichkeit verharrend, nur grenzenloses Ärgernis nehmen kann. Der Grundsatz: *non sermoni res, sed rei sermo subiectus est*, ohne dessen Aneignung man nicht Theologe sein kann, ist wirklich nicht und wird nie sein ein selbstverständlicher Grundsatz. Daß dem so ist, wird auch und gerade an dieser Stelle offenkundig. Es bleibt dabei, daß die sämtlichen Begriffe, in denen wir hier zu reden versuchen, jeder ein Stück weit taugen für das, was hier gesagt werden sollte, um dann offensichtlich nichts mehr zu taugen oder eben nur dazu, in seiner Untauglichkeit mit einigen anderen Untauglichkeiten seiner Art über sich selbst hinauszuweisen auf das Problem, wie es uns durch die Schrift gestellt ist. Wenn man gesagt hat, was das ist: Vater, Sohn und Geist in Gott, muß man fortfahren und sagen, daß man nichts gesagt hat. *Tres nescio quid* hat ja auch Anselm auf die augustinische Frage schließlich doch wieder antworten können und doch wohl antworten müssen. Die Gefährdung, in der man sich hier hinsichtlich aller Begriffe als solcher befindet, wiederholt sich aber hinsichtlich des Gegenstandes. Die Unangemessenheit aller Begriffe bedeutet nicht nur die drohende Nähe einer von den immanenten Bedeutungsmöglichkeiten dieser Begriffe ausgehenden philosophischen Kritik — die wäre zu ertragen, weil sie letztlich als solche unzuständig ist. Sie bedeutet aber die drohende Nähe theologischen Irrtums. Auch wir können es ja nicht vermeiden, daß jeder unserer Schritte gerade auf diesem Felde in Gefahr steht, sei es von tritheistischem, sei es von modalistischem Irrtum bedroht und je von der einen Seite her gesehen je des entgegengesetzten Irrtums mindestens verdächtig zu sein. Auch wir können hier nicht so mitten hindurchgehen, daß jedes Mißverständnis ausgeschlossen, daß unsere „Orthodoxie" eindeutig gesichert wäre. Auch wir können auch in dieser Hinsicht nur relativ befriedigende Antwort auf die augustinische Frage geben. Es ist also von allen Seiten gesorgt dafür, daß das *mysterium trinitatis* Mysterium bleibt. Von „Rationalisierung" kann darum keine Rede sein, weil man hier weder philosophisch noch theologisch etwas rationalisieren kann. Das will sagen: weder kann man hier als Philosoph mit einem zuvor geklärten Begriffsapparat die Interpretation des Gegenstandes zu Ende führen — man bleibt vielmehr darauf angewiesen, daß als entscheidender Akt der Interpretation vom Gegenstande her eine Klärung des für diesen Gegenstand von Hause aus ungeeigneten Begriffsapparates stattfindet. Noch kann man sich als Theologe mittelst dieses Begriffsapparates vor den beiden entgegengesetzten hier drohenden Irrtümern wirklich sichern, sondern man bleibt darauf angewiesen, daß gegenüber einer jenes Begriffsapparates sich bedienenden und darum ungesicherten theologischen Sprache die Wahrheit sich selbst die nötige Sicherung verschafft. Theologie heißt rationale Bemühung um das Geheimnis. Aber alle rationale Bemühung um dieses Geheimnis, je ernster sie ist, kann nur dazu führen, es aufs neue und erst recht als Geheimnis zu verstehen und sichtbar zu machen. Eben darum kann es sich lohnen, sich dieser rationalen Bemühung hinzugeben. Wer sich hier gar nicht bemühen wollte, der würde ja wohl auch nicht wissen, was er sagt, wenn er sagt, daß es sich hier um Gottes Geheimnis handelt.

3. DIE DREIEINIGKEIT

Es handelt sich in der Trinitätslehre um die Einheit in der Dreiheit und um die Dreiheit in der Einheit Gottes. Über diese beiden offenbar einseitigen und ungenügenden Formulierungen können wir nicht hinauskommen. Sie sind beide einseitig und ungenügend, weil bei der ersten eine leichte Überbetonung der Einheit und bei der zweiten eine leichte Überbetonung der Dreiheit unvermeidlich ist. Man muß den Begriff „Dreieinigkeit" verstehen als die Zusammenfassung dieser beiden Formeln, oder vielmehr als die Bezeichnung derjenigen Zusammenfassung beider, die wir nicht zu erreichen vermögen und für die wir darum auch keine Formel haben, sondern um die wir nur als um die unbegreifliche Wahrheit des Gegenstandes selber wissen können.

Dreieinigkeit sagen wir. „Dreifaltigkeit" ist, wie Luther einmal sagte, „ein recht böse Deutsch". „Dreifaltigkeit lautet ebentheuerlich." Sein Anstoß an diesem Wort war offenbar sein an das fatale *triplicitas* erinnernder tritheistischer Klang. Luther wollte statt dessen reden von einem „Gedritt in Gott" (Predigt üb. Luc. 9, 28f., 1538, W. A. 6, 230). Es dürfte sich doch empfehlen, bei dem Wort „Dreieinigkeit" stehen zu bleiben, einmal, weil es besser als *trinitas* oder τριάς, sicher auch besser als „Dreifaltigkeit" und doch wohl auch besser als „Gedritt" die beiden entscheidenden Zahlbegriffe zum Ausdruck bringt, sodann darum, weil es im Unterschied zu dem Wort „Dreieinheit" das ja auch in Betracht kommen könnte, mit dem einig andeutet, daß es sich bei der Dreiheit in Gott wohl um Einheit aber um die Einheit eines Einsseins, das immer auch ein Einswerden ist, handelt.

Der Vollzug dieses Begriffs „Dreieinigkeit" wird doch immer wieder nur das dialektische Vereinigen und Unterscheiden in der gegenseitigen Beziehung jener beiden an sich einseitigen und ungenügenden Formeln sein können. Wir sehen einerseits, wie sich für die biblischen Hörer und Seher der Offenbarung Vater, Sohn und Geist oder wie man die drei Momente in der biblischen Offenbarung nennen möge, zusammenschließen zur Erkenntnis und zum Begriff des einen Gottes. Und wir sehen andererseits, wie für sie das Woher und das Wohin gerade dieser Erkenntnis und dieses Begriffs nie und nirgends eine kahle Eins, sondern vielmehr jene wie immer zu benennenden Drei sind. In der Bewegung dieser beiden Gedanken besteht der Vollzug des Begriffs der Dreieinigkeit.

Ex uno omnia, per substantiae scilicet unitatem, et nihilominus custodiatur oikonomiae sacramentum, quae unitatem in trinitatem disponit, tres dirigens Patrem et Filium et Spiritum — tres autem non statu, sed gradu, nec substantia sed forma, nec potestate sed specie — unius autem substantiae et unius status et unius potestatis, quia unus Deus, ex quo et gradus isti et formae et species in nomine Patris et Filii et Spiritus Sancti deputantur (Tertullian, *Adv. Prax.* 2). Calvin hat mehrfach (z. B. *Instit.* I 13, 17) auf ein Wort des Gregor von Nazianz (Orat. 40, 41) hingewiesen, das diese Dialektik der Erkenntnis des dreieinigen Gottes in der Tat sehr schön zum Ausdruck bringt: οὐ φθάνω τὸ ἓν νοῆσαι καὶ τοῖς τρισὶ περιλάμπομαι· οὐ φθάνω τὰ τρία διελεῖν καὶ εἰς τὸ ἓν ἀναφέρομαι. *(Non possum unum cogitare quin trium fulgore mox circumfundar: nec tria possum discernere quin subito ad unum referar.)* Ähnlich hat Gregor von Naz. Orat. 31, 14 den Gedanken entwickelt, wir könnten uns das Tun und Wollen und das Wesen Gottes immer nur als eines vorstellen, um dann doch, der unterscheidenden Ursprünge gedenkend, drei — nicht nebeneinander anzubeten, aber als Gegenstand der Anbetung zu kennen. Sehr schön begegnet uns die trinitarische Dialektik auch in der „Praefatio von der Allerheiligsten Dreifaltigkeit" im Missale Romanum: *Domine sancte, Pater omnipotens, aeterne Deus! Qui cum unigenito Filio tuo et Spiritu Sancto unus es Deus, unus es Dominus: non in unius singularitate personae, sed in unius trinitate substantiae. Quod enim de tua gloria, revelante te, credimus, hoc de Filio tuo, hoc de Spiritu sancto, sine differentia discretionis sentimus. Ut in confessione verae sempiternaeque Deitatis et in personis proprie-*

tas et in essentia unitas et in maiestate adoretur aequalitas. Man beachte, wie in dem dreigliedrigen Schluß dieser Stelle den *personae* und der *essentia* in Gott die *maiestas*, der *proprietas* und der *unitas* die *aequalitas* (offenbar gleichbedeutend mit ὁμοουσία) gegenübergestellt und so versucht wird, dem Dritten, auf das die trinitarische Dialektik hinzielt, einen eigenen Raum zu geben.

Dreieinigkeit Gottes heißt darum notwendig auch: Einigkeit des Vaters, des Sohnes und des Geistes unter sich. Das Wesen Gottes ist ja eines, aber auch die verschiedenen Ursprungsbeziehungen besagen gerade keine Trennungen, sondern — wo Unterschied ist, da ist auch Gemeinschaft — eine bestimmte Teilnahme jeder Seinsweise an den anderen Seinsweisen, und zwar, weil die Seinsweisen ja identisch sind mit den Ursprungsbeziehungen, eine vollständige Teilnahme jeder Seinsweise an den anderen Seinsweisen. Genau so wie nach dem biblischen Zeugnis in der Offenbarung der eine Gott nur in den Dreien, die Drei nur als der eine Gott erkennbar werden, so auch keiner der Drei ohne die zwei Anderen, sondern jeder der Drei nur mit den zwei Anderen.

Es braucht wohl nicht besonders gezeigt zu werden, daß, wo im Alten und Neuen Testament die trinitarische Unterscheidung in Frage kommt, die Hervorhebung je der einen Seinsweise Gottes nie und nirgends deren Getrenntsein von den anderen besagt, vielmehr durchgängig — man denke an die ausdrücklichen Aussagen über Vater und Sohn bei Johannes (etwa Joh. 10, 30, 38; 14, 10, 11; 17, 11) oder an das Verhältnis von Christus und Geist bei Paulus — nicht die Identität der einen Seinsweise mit der anderen, wohl aber die Mitgegenwart der anderen in der einen implizit oder explizit ausgesprochen wird.

Diese Einsicht hat seit Johannes Damascenus (*Ekdosis* I, 8 und 14) in der Theologie Ausdruck gefunden in der Lehre von der Perichorese (*circumincessio*, Ineinanderschreiten) der göttlichen Personen. Sie besagt, daß die göttlichen Seinsweisen sich gegenseitig so vollkommen bedingen und durchdringen, daß eine auch immer in den beiden anderen wie die beiden anderen auch in ihr stattfinden. Man hat das bald mehr von der Einheit des göttlichen Wesens, bald mehr von den Ursprungsbeziehungen als solchen her begründet. Beides ist richtig und besagt ja auch letztlich dasselbe. *Nec enim Pater absque Filio cognoscitur, nec sine Patre Filius invenitur. Relatio quippe ipsa vocabuli personalis personas separari vetat, quas etiam, dum non simul nominat, simul insinuat. Nemo autem audire potest unumquodque istorum nominum, in quo non intelligere cogatur et alterum* (*Conc. Tolet.* XI Denz. Nr. 281). *Propter unitatem naturalem totus Pater in Filio et Spiritu sancto est, totus quoque Spiritus sanctus in Patre et Filio est. Nullus horum extra quemlibet ipsorum est* (Fulgentius, *De fide ad Petr.* 1). *Est et enim totus Pater in Filio et communi Spiritu et Filius in Patre et eodem Spiritu et idem Spiritus in Patre et Filio.... Tanta igitur ... aequalitate sese complectuntur et sunt in se invicem, ut eorum nullus alium excedere aut sine eo esse probetur* (Anselm von Canterbury, *Monol.* 59; vgl. auch Petr. Lomb., *Sent.* I dist. 19 *E*; Thomas v. Aq., *S. theol.* I qu. 45 art. 5). Das innere Leben Gottes würde sich auf Grund dieser Lehre darstellen als eine Art ununterbrochenen Kreislaufs der drei Seinsweisen, wobei wir uns an die Unangemessenheit dieses aus dem wörtlichen Sinn von περιχώρησις sich ergebenden Bildes gerne dadurch erinnern lassen, daß die lateinische Kirche statt des zeitlichen Nacheinanders lieber ein räumliches Nebeneinander der drei Personen annahm und also statt von einer *circumincessio* lieber von einer *circuminsessio* (Ineinander wohnen, *immanentia, inexistentia*) redete. So oder so hat dieses Theologumen — es entfernt sich von dem notwendigen Schriftgrund

der echten Dogmatik weniger als es auf den ersten Blick den Anschein haben mag —
die Bedeutung, die Unterschiedenheit der Seinsweisen zugleich zu bestätigen: keine
wäre ja, was sie ist (auch der Vater nicht!) außerhalb ihres Zusammenseins mit den
anderen — und zu relativieren: keine existiert ja als besonderes Individuum, alle
drei „inexistieren" einander, sie existieren nur gemeinsam als Seinsweisen des einen
von Ewigkeit zu Ewigkeit sich selbst setzenden Gottes und Herrn. Nicht mit Unrecht
hat darum J. Pohle (Lehrb. d. Dogm. 1. Bd., 1902, S. 355) die Lehre von der Perichorese „den letzten Summenzieher der beiden abgehandelten Hauptstücke", nämlich von der Lehre der *unitas in trinitate* und der Lehre von der *trinitas in unitate* genannt. Man wird sie in der Tat als die eine wichtige Gestalt der zum Vollzug des Begriffs „Dreieinigkeit" erforderlichen Dialektik zu würdigen haben.

Der Einigkeit des Vaters, des Sohnes und des Geistes unter sich entspricht ihre Einigkeit nach außen. Wesen und Wirken Gottes sind ja nicht zweierlei sondern eins. Das Wirken Gottes ist das Wesen Gottes in seinem Verhältnis zu der von ihm unterschiedenen, zu schaffenden oder geschaffenen Wirklichkeit. Das Wirken Gottes ist das Wesen Gottes als das Wesen dessen, der (*NB.* in freier Entscheidung, begründet in seinem Wesen, aber nicht genötigt durch sein Wesen) der Offenbarer, die Offenbarung, das Offenbarsein oder der Schöpfer, der Versöhner, der Erlöser ist. In diesem seinem Wirken ist uns Gott offenbar. Alles, was wir nach dem Zeugnis der Schrift von Gott wissen können, sind seine Taten. Alles, was wir von Gott sagen, alle Eigenschaften, die wir Gott beilegen können, beziehen sich auf diese seine Taten. Also nicht auf sein Wesen als solches. Obwohl das Wirken Gottes das Wesen Gottes ist, ist es notwendig und wichtig, sein Wesen als solches von seinem Wirken zu unterscheiden: zur Erinnerung daran, daß dieses Wirken Gnade, freie göttliche Entscheidung ist, zur Erinnerung auch daran, daß wir von Gott nur wissen können, weil und sofern er sich uns zu wissen gibt. Gottes Wirken ist freilich das Wirken des ganzen Wesens Gottes. Gott gibt sich dem Menschen ganz in seiner Offenbarung. Aber nicht so, daß er sich dem Menschen gefangen gäbe. Er bleibt frei, indem er wirkt, indem er sich gibt.

In dieser seiner Freiheit gründet die Unterscheidung des Wesens Gottes als solches von seinem Wesen als des Wirkenden, als des Sichoffenbarenden. In dieser Freiheit gründet die Unbegreiflichkeit Gottes, die Unangemessenheit aller Erkenntnis des offenbarten Gottes. Auch die Dreieinigkeit Gottes ist uns nur in Gottes Wirken offenbar. Darum ist uns auch die Dreieinigkeit Gottes unbegreiflich. Daher auch die Unangemessenheit aller unserer Erkenntnis der Dreieinigkeit. Die Begreiflichkeit, in der sie sich uns primär in der Schrift, sekundär in der kirchlichen Trinitätslehre dargestellt hat, ist eine kreatürliche Begreiflichkeit. Sie ist von der Begreiflichkeit, in der Gott für sich selber existiert, nicht nur relativ, sondern absolut geschieden. Nur auf der freien Gnade der Offenbarung beruht es, daß jene Begreiflichkeit in dieser absoluten Geschiedenheit von ihrem Gegenstand dennoch nicht ohne Wahrheit ist. In diesem Sinn ist die Dreieinigkeit Gottes, wie wir sie aus dem Wirken Gottes erkennen, Wahrheit. In einer von Gott aus geschehenden Überbrückung des Abgrundes zwischen göttlicher und menschlicher Begreiflichkeit wird es Ereignis, daß es im Bereich und in den Schranken menschlicher Begreiflichkeit ein wahres Erkennen des Wesens Gottes überhaupt und so auch der Dreieinigkeit gibt. In diesem Bereich und in diesen Schranken findet die Offenbarung statt. Wie wäre sie sonst Offenbarung, wo dieser Bereich nun einmal unser Bereich ist? Wie sollten wir der Dreieinigkeit anders einsichtig werden als in diesem Bereich und in diesen Schranken? Für ihre Wahrheit bürgt freilich ganz allein die Offenbarung als Schritt Gottes zu uns hin. Wir können so gewiß nicht dafür bürgen, als wir unsererseits den Schritt über jenen Abgrund zu tun nicht vermögen. Wir können sie uns nur verbürgt sein lassen. Und wir dürfen uns nicht wundern über die Unbegreiflichkeit, in der sie für uns verbleibt, indem sie uns begreiflich wird. Wir dürfen auch unser Begreifen mit seiner uns zugemessenen und angemessenen Wahrheit nicht mit der Wahrheit der Dreieinigkeit selbst verwechseln, von der her es für uns durch Gottes Gnade zu unserem in uns angemessener und zugemessener Wahrheit stattfindenden Begreifen kommt. Es ist also legitim, wenn wir auf Grund der im Bereich und in den Schranken menschlicher Begreiflichkeit stattfindenden Offenbarung die drei Seinsweisen des einen Gottes unterscheiden.

Gottes in der Schrift bezeugte Offenbarung nötigt uns zu dieser Unterscheidung. Die Schrift selbst redet fortwährend in diesen Unterscheidungen, und zwar ernstlich, d. h. so, daß wir ohne exegetische Gewalttat nicht in der Lage sind, diese Unterscheidungen aufzuheben. Sie zeigt uns Gott in seinem Wirken als Offenbarer, als Offenbarung, als Offenbarsein oder als Schöpfer, Versöhner und Erlöser, oder als Heiligkeit, Barmherzigkeit und Güte. In diesen Unterschieden können und sollen wir der Unterschiede der göttlichen Seinsweisen in der uns zugemessenen und angemessenen Wahrheit einsichtig werden. Die Schranke unseres Begreifens liegt darin, daß wir, indem wir diese Unterschiede begreifen, die Unterschiede der göttlichen Seinsweisen selber nicht begreifen. Diese bestehen nicht in solchen Unterschieden der Taten oder Eigenschaften Gottes. Wollten wir das annehmen, dann würden wir ja drei Götter oder ein dreigeteiltes Wesen Gottes annehmen. Gottes Wirken wäre dann ein merkwürdiges Zusammenspiel dreier göttlichen Wahrheiten oder Kräfte oder gar Individuen. Also wir müssen schon glauben, daß jene Unterschiede im Wirken Gottes zwar im Raum und in den Schranken unserer Begreiflichkeit wirklich stattfinden, daß sie aber auch hier und erst recht im verborgenen Wesen Gottes selbst das letzte Wort nicht bedeuten, daß in diesen Unterschieden die Unterschiede in Gott selbst nicht beruhen können.

Aber warum sollten sie uns nicht aufmerksam machen auf die uns unbegreiflichen Unterschiede in Gott selber, auf jene Unterschiede, die auf

3. Die Dreieinigkeit

der verschiedenen Art beruhen, wie Gott in der Verborgenheit seiner Gottheit sich selber setzt, sein eigener Ursprung ist? Warum sollten uns jene **begreiflichen** Unterschiede in Gottes Offenbarung nicht in ihrer ganzen Vorläufigkeit vor das Problem seiner **unbegreiflichen** und ewigen Unterschiede stellen? Man wird jedenfalls sagen müssen, daß sie verstanden werden können als **angetan und geeignet** dazu, uns diesen Hinweis zu geben. Es besteht — wir erinnern uns hier des zur Relationenlehre in dieser Hinsicht Ausgeführten — eine **Analogie** zwischen den Begriffen Vater, Sohn und Geist und den verschiedenen anderen Formulierungen jener Trias in der Offenbarung einerseits und andererseits den drei in den verschiedenen Ursprungsbeziehungen bestehenden göttlichen Seinsweisen, in denen wir die wahrlich unbegreiflichen ewigen Unterschiede in Gott erkannt haben. In diesen nicht wie die angeblichen *vestigia trinitatis* in der Welt vorhandenen, sondern durch die Offenbarung **in der Welt aufgerichteten** Analogien, durch die uns das Geheimnis nicht etwa ausgeliefert und aufgelöst, wohl aber bezeichnet, und zwar gerade als Geheimnis bezeichnet wird, haben wir die uns zugemessene und angemessene Wahrheit der Dreieinigkeit. Wir werden diese Wahrheit nicht **überschätzen**. Täten wir dies, verwechselten wir die Analogie mit der Sache selbst, setzten wir die uns begreiflichen Unterschiede den uns unbegreiflichen gleich, m. e. W.: meinten wir, das Wesen Gottes begriffen zu haben, indem wir sein Wirken begreifen, dann stünden wir sofort mitten im Irrtum des Tritheismus. Aber warum sollten wir jene Wahrheit darum **unterschätzen**? Warum sollten wir sie nicht unter Anerkennung der Unzugänglichkeit der Sache selbst gelten lassen als Hinweis auf die Sache selbst? *Abusus non tollit usum*: warum diesen Hinweis nicht brauchen, wie er als Schöpfung und Gabe der Offenbarung gebraucht sein will?

In der Sprache der alten Dogmatik heißt das, was über dieses positive Verhältnis zwischen Vater, Sohn und Geist in Gottes Wirken zu Vater, Sohn und Geist in Gottes Wesen zu sagen ist: die Lehre von den Appropriationen (Zueignungen, Zuteilungen). Durch besondere Zuteilung eines Wortes oder einer Tat an diese und diese Person der Gottheit soll uns, so hat Leo der Große (*Sermo* 76, 2) gelehrt, die Wahrheit der in ihrem Wirken faktisch ungeteilten und nun doch in den drei Personen existierenden Dreieinigkeit zum Bewußtsein gebracht werden. *Ob hoc enim quaedam sive sub Patris, sive sub Filii, sive sub Spiritus sancti appellatione promuntur, ut confessio fidelium in trinitate non erret: quae cum sit inseparabilis, nunquam intelligeretur esse trinitas, si semper inseparabiliter diceretur. Bene ergo ipsa difficultas loquendi cor nostrum ad intelligentiam trahit et per infirmitatem nostram coelestis doctrina nos adiuvat.* Augustin (*De doctr. chr.* I 5) appropriierte: dem Vater die *unitas*, dem Sohn die *aequalitas*, dem Geist die *connexio*. Thomas von Aquino: dem Vater die *potentia*, dem Sohn die *sapientia*, dem Geist die *bonitas* (*S. theol.* I *qu.* 45 *art.* 6 *ad.* 2). Eine Fülle von Appropriationen hat Bonaventura (*Breviloq.* I 6) teils von Älteren übernommen, teils selbst aufgezeigt: dem Vater die Einheit, dem Sohne die Wahrheit, dem Heiligen Geist die Güte, oder: dem Vater die Ewigkeit, dem Sohn die Erscheinung (*species*), dem Geist das Ereignis (*usus, fruitio*), oder: dem Vater das Prinzip, dem Sohn die Ausführung, dem Geist das Ziel, oder: dem Vater die Allmacht, dem Sohn die Allwissenheit, dem Geist den guten Willen. Eine besonders charakteristische biblische Appropriation hat man von jeher in dem ἐξ αὐτοῦ, δι' αὐτοῦ, εἰς αὐτόν (Röm. 11, 36) gefunden. Eine Appropriation haben wir natürlich auch vor uns, wenn in Luthers Katechismus die Begriffe Vater und Schöpfung, Sohn und Erlösung, Heiliger Geist und Heiligung in das bekannte enge Verhältnis zueinander gebracht werden, wobei man doch wohl beachten muß, wie gerade Luther, wo er auf die Trinität zu sprechen kommt, niemals versäumt, auf die wirkliche Einheit der scheinbar — und nun doch nicht nur scheinbar, sondern in ihrer Weise wahrhaft — dreiteiligen Aussagen über das Wirken Gottes hinzuweisen. Eine Appropriation ist natürlich auch das von Calvin in deutlicher Anlehnung an die große mittelalterliche Tradition bevorzugte Ternar: *principium, sapientia, virtus.*

Die klarste und vollständigste Definition des Begriffs der Appropriation hat Thomas von Aquino gegeben: *appropriare nihil est aliud quam commune trahere ad proprium ... non ... ex hoc quod magis uni personae quam alii conveniat ... sed ex hoc quod id quod est commune, maiorem habet similitudinem ad id quod est proprium personae unius quam cum proprio alterius (De verit. qu. 7 art. 3, vgl. S. theol. I qu. 39 art. 7—8).* Die zwei Regeln, die hier im Sinne dieser Definition zu beachten sind, lauten nach Anweisung der katholischen Dogmatiker (vgl. z. B. B. Bartmann, Lehrb. d. Dogm. 7. Aufl. 1. Bd., 1928, S. 215):

1. Die Appropriation darf **nicht willkürlich**, sondern sie muß vernünftig geschehen. Es eignen sich nicht alle und jede in sich vielleicht sinnvollen Triaden dazu, das Geheimnis der Dreieinigkeit auch nur wahrhaft zu bezeichnen. Es muß eine Verwandtschaft, eine Ähnlichkeit, eine Analogie zwischen den drei Bezeichnenden und den drei Bezeichneten stattfinden und sichtbar sein, wie sie etwa zwischen Vater, Sohn und Geist einerseits und den drei Ursprungsbeziehungen andererseits wirklich stattfindet und sichtbar ist. Fehlt dies, dann fehlt der Appropriation die Bedeutsamkeit.

Und 2. die Appropriation darf **nicht exklusiv** sein. Aus der Appropriation dieser und dieser Eigenschaft oder Tat Gottes an diese und diese Seinsweise darf keine Proprietät dieser Seinsweise, keine für diese Seinsweise konstituierende Unterscheidung gemacht werden. Das Appropriierte kommt ja in Wirklichkeit allen Seinsweisen zu, und die wirkliche Unterscheidung der Seinsweisen kann durch keine Appropriation (letztlich nicht einmal durch die Bezeichnungen Vater, Sohn und Geist) wirklich erreicht werden.

Evangelische Dogmatik wird als dritte und entscheidende Regel hinzuzufügen haben: Appropriationen dürfen **nicht frei erfunden** sein. Sie sind dann echt, wenn sie wörtlich oder sachlich oder beides der Heiligen Schrift entnommen, wenn sie Wiedergabe bzw. Interpretation der schon dort stattfindenden Appropriationen sind. Sind sie das, dann werden sie sicher auch weder willkürlich noch exklusiv sein.

Die gemachte Feststellung über die Begreiflichkeit des Vaters, des Sohnes und des Geistes in Gottes Wirken bedarf offenbar — wir fragen ja nach der Einigkeit der drei Seinsweisen nun auch nach außen — eines dialektischen Gegenstücks. Es ist schon am Rande des bisher Gesagten beständig sichtbar gewesen, aber es muß nun hervorgehoben werden: auch und gerade im Wirken Gottes, auch und gerade in dem Hereintreten Gottes in den Raum der Kreatur und also in den Raum und in die Schranken unserer Begreiflichkeit, ist Gott in seiner ewigen Wahrheit und ist Gott auch in der uns zugemessenen und angemessenen Wahrheit Einer. Es wäre heidnische Mythologie, sich das Wirken Gottes vorzustellen in Form eines gleichsam dramatischen Hervortretens und Wiederzurücktretens jetzt dieser, jetzt jener der göttlichen Personen, eines Auf- und Abwogens von halb oder ganz vereinzelten Kräften oder Gestalten oder Ideen, einer veränderlichen Koexistenz und Konkurrenz der drei Hypostasen. Wieder einmal läßt sich die Grenze nicht etwa eindeutig und allgemein bezeichnen: zwischen der erlaubten und gebotenen „Appropriation" und dieser verbotenen Mythologie. Eines kann hier dem anderen oft zum Verwechseln ähnlich sehen. Aber die Grenze ist gezogen: dem Ineinander und Miteinander der drei Seinsweisen im Wesen Gottes entspricht aufs genaueste ihr Ineinander und Miteinander in seinem Wirken. Daß er je in dieser für uns unverwischbar charakteristisch anderen entgegengesetzten Tat oder Eigenschaft je in dieser und dieser Seinsweise besonders sichtbar wird, kann und darf nicht bedeuten, daß wir Gott nicht auch in den jeweils verborgenen anderen Seinsweisen zu glauben und anzubeten hätten. So gewiß die Schrift als Zeugnis von Gottes Offenbarung im Zusammenhang gelesen sein will, so gewiß z. B. Karfreitag, Ostern und Pfingsten nur miteinander sagen, was sie sagen sollen, so gewiß ist zu sagen: Alles Wirken Gottes, wie wir es auf Grund seiner Offenbarung begreifen müssen, ist ein einziger in allen seinen drei Seinsweisen zugleich und gemeinsam erfolgender Akt. Von der Schöpfung über die Offenbarung und Versöhnung zur kommenden Erlösung gilt: der hier handelt ist der Vater und der Sohn und der Geist. Und von allen Vollkommenheiten, die im Blick auf dieses Handeln von Gott auszusagen sind, gilt: sie sind ebenso die Vollkommenheiten des Vaters wie des Sohnes wie des Geistes. *Per appropriationem* muß je diese Tat und jene Eigenschaft im Blick auf diese und diese Seinsweise Gottes in den Vordergrund gerückt werden, damit diese überhaupt als solche bezeichnet werden kann. Aber nur *per appropriationem* darf dies geschehen, also in keinem Fall unter Vergessen oder Leugnung der Gegenwart Gottes in allen seinen Seinsweisen, in seinem ganzen Sein und Tun auch uns gegenüber.

Die trinitätstheologische Regel: *opera trinitatis ad extra sunt indivisa* findet sich nicht wörtlich wohl aber der Sache nach deutlich zuerst bei Augustin: *Sicut inseparabiles sunt, ita inseparabiliter operantur* (De trin. I, 4). *Ad creaturam Pater et Filius et Spiritus sanctus unum principium, sicut unus creator et unus dominus* (ib. V 14). Denn: *Non potest operatio esse divisa, ubi non solum aequalis est, verum etiam indiscreta natura* (C. Serm. Arian. I, 15). Im Dogma der katholischen Kirche hat diese Einsicht ihren schärfsten Ausdruck gefunden in dem Satz des *Conc. Florent.* 1441 (Denz. Nr. 704): *Pater et Filius et Spiritus sanctus non tria principia creaturae, sed unum principium.* An den Nachdruck, mit dem Luther gerade für diese Wahrheit eingetreten ist, sei auch hier nochmals erinnert. Man wird von ihr nicht weniger als von der Lehre von der Perichorese sagen müssen, daß sie gewissermaßen die Probe aufs Exempel ist hinsichtlich der entgegengesetzten Satzreihen von der *unitas in trinitate* und von der *trinitas in unitate*. Sie bildet mit der Lehre von den Appropriationen zusammen die andere Gestalt des dialektischen Vollzugs des Begriffs der Dreieinigkeit.

4. DER SINN DER TRINITÄTSLEHRE

Wir verstehen unter der Trinitätslehre die kirchliche Lehre von der Einheit Gottes in den drei Seinsweisen des Vaters, des Sohnes und des Heiligen Geistes oder von dem dreimaligen Anderssein des einen Gottes in den Seinsweisen des Vaters, des Sohnes und des Heiligen Geistes. Alles, was hier im Einzelnen auszuführen war und noch sein wird, konnte und kann nur ausführen: die Einheit in der Dreiheit, die Dreiheit in der Einheit Gottes. Diese Lehre steht als solche nicht in den Texten des alt- und neutestamentlichen Zeugnisses von Gottes Offenbarung. Sie ist nicht aus den geschichtlichen Situationen entstanden, denen diese Texte angehören. Sie ist Exegese dieser Texte in der Sprache und das heißt auch im Lichte der Fragen einer späteren Situation. Sie gehört der Kirche an. Sie ist ein Theologumenon. Sie ist Dogma. Wir haben (§ 8, 2) nach ihrer Wurzel gefragt, d. h. nach der Möglichkeit, auf Grund derer sie in einer Kirche, die ihre Lehre durch das biblische Zeugnis normieren wollte, Dogma werden konnte. Und wir haben gesehen: ihre Möglichkeit liegt darin, daß Offenbarung in der Bibel bedeutet: die Menschen zuteil werdende Selbstenthüllung des seinem Wesen nach dem Menschen unenthüllbaren Gottes. Dieser Sachverhalt ist nach dem biblischen Zeugnis so beschaffen, daß wir im Blick auf die drei Momente der Verhüllung, der Enthüllung und der Mitteilung Gottes von einem dreifachen Anderssein des einen Gottes, der sich nach dem Zeugnis der Bibel offenbart hat, zu reden Anlaß haben. Das biblische Zeugnis von Gottes Offenbarung stellt uns vor die Möglichkeit, den einen Satz „Gott offenbart sich als der Herr" dreimal in verschiedenem Sinn zu interpretieren. Diese Möglichkeit ist die biblische Wurzel der Trinitätslehre. Es bleibt aber in der Bibel bei dieser Möglichkeit. Wir fragen nun nach dem Sinn ihrer Verwirklichung, nach der Notwendigkeit und dem Recht, mit dem die Kirche dieses Dogma formuliert hat. Sie konnte es tun. Aber mußte sie es tun? Welche Einsicht hat sie mit diesem Dogma ausgesprochen und welchen Grund haben wir also, uns um sein Verständnis zu bemühen?

Über diese Frage kann selbstverständlich dann sinnvoll nicht geredet werden, wenn uns die Kirche der Vorzeit, die dieses Theologumenon bildete und zum Dogma erhob, etwa in dem Grade fremd geworden ist, daß wir sie und ihre Gedankenarbeit nur noch historisch, d. h. in diesem Fall: von außen, unsererseits als Fremde, ihre Gedanken nicht wirklich mitdenkend, beschauen und nach ihren Absichten so oder so beurteilen können.

Das wäre z. B. dann der Fall, wenn wir über die Reminiszenz nicht hinauskommen sollten, daß in den Auseinandersetzungen etwa vor und nach Nicaea auch sehr undogmatische, nämlich kirchen- und staatspolitische, höfische, landschaftliche und gewiß auch wirtschaftliche Gegensätze eine sehr erhebliche Rolle gespielt haben. Oder nicht hinauskommen über die Reminiszenz, daß die Bildung des Trinitätsdogmas schlechterdings auch ein Stück spätantiker Philosophiegeschichte, ein Ausläufer der stoischneuplatonischen Logosspekulation gewesen ist. Oder mit den Historikern und Systematikern der Schule A. Ritschls nicht hinauskommen über die Reminiszenz, daß der Offenbarungsglaube der christlichen Welt, in der dieses Dogma entstand, für uns bis zur Unkenntlichkeit eingehüllt war in den Brodem einer von allen möglichen Orien-

4. Der Sinn der Trinitätslehre

talismen genährten alten Mysterienreligion, eingebettet in ein überwiegend physisches Verständnis des offenbarten Heilsgutes, in ein überwiegend kosmisch interessiertes Erkennenwollen der Offenbarung, in eine überwiegend sakramental orientierte Frömmigkeit, mit der wir uns so wirklich nicht identifizieren können, deren Legitimität wir vielmehr von der Reformation wie vom Neuen Testament her aufs ernstlichste in Frage stellen müssen. Wenn Erwägungen auf dieser Linie — und darüber hinaus vielleicht nur ein Gefühl der Pietät für eine durch ihr Alter geheiligte Form — in Sachen unserer Teilnahme an der Entstehung dieses Dogmas das letzte Wort behalten sollten, was würde das Anderes bedeuten als eben dies, daß uns jene Vorgänge und damit auch ihr Ergebnis, das Dogma, und damit auch alle spätere in der Richtung dieses Dogma versuchte Arbeit im Grunde fremd wären. Wir stünden dann gerade dem Entscheidenden, was das Dogma sein will, nämlich christliche Erkenntnis Gottes, mindestens mit dem schweren Verdacht, wenn nicht gar mit der Gewißheit gegenüber, daß es damit nichts sei, daß da vielmehr nur byzantinische Politik, nur die Stoa und der Neuplatonismus, nur antike Mysterienfrömmigkeit das Wort geführt hätten. Alles Fragen nach dem Sinn der Trinitätslehre könnte dann nur aus dem Abstand des verwunderten und mißbilligenden Zuschauers erfolgen und schließlich ebensogut unterbleiben.

Man muß sich klar machen, daß man mit solcher Stellungnahme der Kirche jener Vorzeit zutraut, daß sie sozusagen ihr Thema verloren habe, daß sie in dem, was sie eigentlich sein wollte, Kirche Jesu Christi, von uns gar nicht mehr ernst zu nehmen sei, daß ihre Arbeit uns darum nichts angehe, es wäre denn als Objekt solcher Betrachtung von außen. Indem man sie würdigt, wie man allenfalls eine Häresie oder gar eine fremde Religion zu würdigen sucht, kann man natürlich nicht ernsthaft, d. h. nicht mit ihr zusammen, nach dem Sinn ihres Wollens fragen. Aber nun muß man sich weiter klarmachen, daß eben das ein sehr gewagtes und sehr gefährliches Urteil ist. Gewagt eben darum, weil man die Kirche der Vorzeit damit im Grunde als eine Häresie oder fremde Religion erklärt, ein Urteil, das zwar gewiß nicht formal unmöglich ist, aber mindestens höchst verantwortlich, insbesondere wenn es sich, wie gerade hier, um die dogmengeschichtliche Linie handelt, auf der seit den großen Entscheidungskämpfen des vierten Jahrhunderts alle bedeutsam gewordenen kirchlichen Theologen mit Einschluß der Reformatoren und ihrer Nachfolger im 17. Jahrhundert unentwegt weitergegangen sind. Und gefährlich könnte ein solches Urteil darum sein, weil, wer in der Kirche Andere in dieser Weise nur noch von außen sehen und verstehen will, sich fragen lassen muß, ob nicht vielleicht umgekehrt er der ist, der als Anhänger einer Häresie oder gar einer fremden Religion draußen steht. Normaler und sicherer dürfte es jedenfalls sein, mindestens auszugehen von der Voraussetzung, daß die Kirche der Vorzeit und gerade die Kirche dieser Vorzeit mit der Kirche, die wir kennen und die wir die Kirche nennen möchten, eine und dieselbe, daß es also sinnvoll ist, ernsthaft zu fragen, d. h. mit ihr zusammen zu fragen, was sie mit dem Dogma gewollt habe. Die Annahme, daß Jesus Christus seine Kirche in dieser Zeit nicht ganz verlassen habe und daß es also trotz allem, was vielleicht mit Recht gegen sie zu sagen ist, am Platze sei, sie zu hören, wie man eben die Kirche hört, diese Annahme dürfte vor der entgegengesetzten in allen Fällen einen sehr bestimmten Vorsprung haben. Die Gründe müssen in jedem Fall schon sehr gewichtig sein, wenn man sich entschließen muß, die Kirche irgendeiner Zeit wirklich sozusagen fallen zu lassen und jener Betrachtung und Beurteilung von außen, jenem nicht mehr ernstlichen Hören auf ihre Stimme Raum zu geben. Sind die Gründe, die im Fall der kirchlichen Vorzeit, in der das Trinitätsdogma entstanden ist, dafür sprechen könnten, so zwingend?

Profane Motive aller Art haben in der Dogmen- und Theologiegeschichte aller Zeiten, wahrlich auch in der des Protestantismus, ihre mitunter alles Übrige bedeckende Rolle gespielt. Es war trotz der Schadenfreude, mit der das geschah, gut, daß die Kirchengeschichtsschreibung des Pietismus und der Aufklärung es so unwiderleglich herausarbeitete, daß die Geschichte der Kirche gerade auch in solchen größten Entscheidungszeiten wie der, in der das Trinitätsdogma entstanden ist, alles Andere als eine Helden- und Heiligengeschichte gewesen ist. Aber man soll dann gerecht und einsichtig sein und sich sagen, daß nicht nur die Kirche von Byzanz, sondern auch die von Wittenberg und Genf und schließlich auch die reinste Kirche irgendwelcher Stillen im Lande noch immer und überall aus der Nähe besehen Stätten von Menschlichkeiten und Skandalen aller Art gewesen sind und daß es sich jedenfalls auf dem Boden der reformatorischen Rechtfertigungslehre nicht ziemt und nicht lohnt, die Weltlichkeit der Kirche gegen den Ernst ihrer vielleicht trotz und in dieser Weltlichkeit gewonnenen Erkenntnisse auszuspielen. Dasselbe ist zu sagen von der fraglos vorliegenden Verhängtheit des Dogmas mit der Philosophie jener Zeit. Mit dem Nachweis philosophischer Bedingtheiten kann man sich der Bekenntnisse und der Theologie aller Zeiten und aller Richtungen erwehren, um so wirkungsvoller, je weniger man den Balken in seinem eigenen Auge sieht. Denn von irgendeiner Philosophie haben die Theologen sprachlich immer gelebt und werden sie sprachlich immer leben. Aber statt sich pharisäisch darüber zu entrüsten und ganze Vorzeiten in den Orkus einer angeblich das Evangelium verleugnenden Philosophie zu schicken — nur darum, weil man selber eine andere Philosophie hat — wäre es besser danach und streng nur danach zu fragen, was denn nun die Theologen der Vorzeit in der Sprache ihrer Philosophie eigentlich haben sagen wollen. Und erst recht gilt es vorsichtig zu sein, wenn man die Unterschiede der sog. Frömmigkeit der verschiedenen Zeiten geltend macht und also gegen das Trinitätsdogma dies, die Frömmigkeit, aus der es hervorgegangen sei, eine so ganz andere sei als — so sprach man z. B. vor dreißig Jahren — unsere nüchtern auf „Weltanschauung und Sittlichkeit" eingestellte. Wer berechtigt uns, unsere eigene „Frömmigkeit" — und wenn uns ihre Übereinstimmung mit der Reformation und mit dem Neuen Testament noch so einwandfrei erschiene — als die in der Kirche allein mögliche zu betrachten und zum Kriterium der Erkenntnisse vergangener Zeiten zu erheben? Seien wir unserer Sache gewiß so weit wir es können. Antithetische Versteifungen dürften doch gerade in der Beurteilung der subjektiven „Religion" Anderer eine Sache sein, von der man nur abraten kann.

Die Gründe, die man haben kann, sich nun gerade der Kirche des vierten Jahrhunderts und also auch ihrem Dogma so mißtrauisch gegenüberzustellen, daß die Frage nach dessen Sinn hinfällig würde, scheinen uns nicht zwingend.

Aber es ist klar, daß wir sie, wenn Jemand sie nun doch geltend machen will, mit keinen Gegengründen widerlegen können. Die formale Möglichkeit, daß jene Kirche eine abgefallene Kirche sein könnte, die uns nichts angeht und nichts zu sagen hat, läßt sich nicht bestreiten. Wenn wir diese Möglich-

4. Der Sinn der Trinitätslehre

keit faktisch leugnen, so ist das wie in allen entsprechenden Fällen eine Glaubensentscheidung oder sagen wir vorsichtiger: eine Entscheidung, die sich für eine Glaubensentscheidung halten möchte, die nur als Glaubensentscheidung Bedeutung haben kann, eine Entscheidung, für deren Recht wir schließlich nur an das Dogma selbst und an die uns und dem Dogma gegenüberstehende Heilige Schrift appellieren können mit der Frage: ob das Dogma nicht etwa, bei und in aller nicht zu leugnenden und nicht zu verwischenden Bedingtheit seiner Entstehung, eine Einsicht ausspricht, zu der eine auf die Heilige Schrift hörende Kirche nicht nur kommen konnte, sondern zu bestimmter Zeit kommen mußte? Ob man sich, indem man die Schrift und das Dogma für sich selbst reden läßt, der Überzeugung entziehen kann, daß hier die göttliche Wahrheit in einer Weise menschlich formuliert worden ist, in der sie einmal formuliert werden mußte und so, daß diese Formulierung, nachdem sie einmal geschehen ist, nicht wieder verloren gehen oder vergessen werden darf? Ob dort nicht — gewiß Exegese und darum nicht unfehlbare Offenbarung, aber immer noch und bis auf weiteres getrost als richtig nicht nur, sondern auch als wichtig zu bezeichnende Exegese stattgefunden hat? Und wenn wir diese Frage bejahen, wenn wir uns also zu der Möglichkeit bekennen, uns mit der Kirche der Vorzeit, die dieses Dogma als solches erkannt und bekannt hat, in einem Raume, d. h. mit ihr als dieselbe Kirche zu verstehen, wenn wir also nach einem Sinn der Trinitätslehre fragen, so bedeutet das doch nicht bloß eine zufällige persönliche Entscheidung. Wir dürfen uns darauf beziehen, daß diese Entscheidung bis auf diesen Tag nicht etwa nur die der römischen und der orthodoxen Kirche, sondern grundsätzlich auch die aller großen evangelischen Kirchen ist.

Keine von ihnen hat das geradezu widerrufen, was damit geschehen ist, daß **eine ausdrückliche Bestätigung der altkirchlichen das Trinitätsdogma aussprechenden Symbole im 16. Jahrhundert zum integrierenden Bestandteil der reformatorischen Bekenntnisse gemacht wurde**. Die gottesdienstliche Lesung des sog. „**Apostolikums**", wie sie in der preußischen und in anderen Landeskirchen in Übung steht, wiederholt in ihrer Weise dieses bedeutsame Geschehen. Und mindestens vor das **Problem** der Trinitätslehre stellt uns jede in unseren Kirchen gültig vollzogene **Taufe**.

Niemand kann sagen, daß er weiß, und niemand ist befugt zu erklären: daß es bloß das Gefühl der Pietät für ein altehrwürdiges Wahrzeichen des Christentums sei, das der Trinitätslehre in mehr oder weniger deutlicher Gestalt tatsächlich noch immer einen gewissen Raum auch in der vom Modernismus verwüsteten evangelischen Kirche verschafft. Diese Tatsache gibt uns auch das äußere Recht, ja sie stellt uns vor die Aufgabe, hier nach einem Sinn zu fragen.

Wir werden dabei davon ausgehen dürfen, daß die Entstehung der Trinitätslehre, welche andersartigen Motive dabei auch mitgewirkt haben mögen, jedenfalls mitbedingt war durch das Bedürfnis nach Klärung einer Frage, vor die sich die Kirche bei der Ausrichtung ihrer Botschaft durch die Heilige Schrift selbst gestellt sah. Vorausgesetzt, daß die Kirche ihrem Wesen nicht nur, wie es freilich zu allen Zeiten auch geschah, untreu, sondern in irgendeinem Maß und Sinn auch treu war und also mit ihrer Verkündigung das Zeugnis des Alten und Neuen Testamentes aufnehmen wollte, kann man sich nicht wundern, daß sie auf die Frage gestoßen ist, die in der Trinitätslehre ihre Beantwortung gefunden hat. Man kann sich auch darüber nicht wundern, daß sie in verhältnismäßig so früher Zeit gerade auf diese Frage gestoßen ist, und nicht wundern über die Heftigkeit der Kämpfe, in die sie durch diese Frage gestürzt worden ist und über die Unerbittlichkeit, mit der sie an der großen Linie der damals gewonnenen Antwort durch alle Jahrhunderte hin festgehalten hat. Die aus der Bindung ihrer Verkündigung an die Schrift ihr erwachsende Frage, die sie in der Trinitätslehre beantwortete, war tatsächlich eine Grundfrage, eine Lebensfrage erster Ordnung für die kirchliche Predigt und damit auch für die kirchliche Theologie. Ebendarum halten wir es für richtig, die Erörterung dieser Lehre an die Spitze aller Dogmatik zu stellen: eine praktische Durchführung dessen, was über ihre Bedeutung theoretisch von altersher von Vielen gesagt worden ist.

Die durch die Trinitätslehre beantwortete Frage ist aber eine bestimmte Frage in bezug auf den grundlegenden Begriff bzw. auf die grundlegende, in der Schrift bezeugte Tatsache der Offenbarung Gottes.

Auch wenn man sie nur als einen Ausläufer der spätantiken Logosspekulation würdigen wollte, wäre jedenfalls zuzugeben: ihr Anlaß mindestens ist die als Offenbarung des Logos verstandene Erscheinung Jesu Christi: Sie will die Göttlichkeit dieses offenbarten, fleischgewordenen Logos erörtern. In dieselbe Richtung weist dann auch ihr zweiter Gegenstand: der Begriff des Geistes. Und um den Ursprungs- und Beziehungspunkt dieser Beiden, des Sohnes und des Geistes, handelt es sich, wenn sie von Gott dem Vater redet.

Die bestimmte Frage in bezug auf die Offenbarung, die die Trinitätslehre beantwortet, ist aber die Frage: Wer ist der, der sich offenbart? die Frage nach dem Subjekt der Offenbarung. Man kann den Sinn der Trinitätslehre kurz und einfach dahin zusammenfassen: sie antwortet auf diese Frage streng und folgerichtig, daß Gott der ist, der sich offenbart. Aber wenn dieser ihr Sinn ganz sichtbar werden soll, muß man denselben Satz auch umgekehrt betonen: Gott ist der, der sich offenbart. Denn gerade darin besteht die Strenge und Folgerichtigkeit der Antwort auf die Frage nach dem Subjekt der Offenbarung, daß wir, nach Interpretation dieser Antwort fragend, uns sofort wieder auf die Offenbarung selbst zurückverwiesen sehen. Die kirchliche Trinitätslehre ist ein in sich geschlossener Kreis. Ihr beherrschendes und entscheidendes Interesse besteht darin, genau und vollständig zu sagen, daß Gott der Offenbarer ist. Aber wie könnte sie gerade das genau und vollständig sagen ohne eben

4. Der Sinn der Trinitätslehre

damit zu bekunden: kein Anderer als der Offenbarer ist Gott? Man könnte noch schlichter sagen: die Trinitätslehre sagt, daß unser Gott — nämlich der in seiner Offenbarung sich zum unsrigen machende wirklich Gott ist. Und auf die Frage: Wer aber ist Gott? wäre dann ebenso schlicht zu antworten: eben dieser unser Gott. Ist es nicht so: jene übergeordnete zusammen mit dieser untergeordneten Antwort sind die ebenso einfachen wie höchst folgenschweren Voraussetzungen alles christlichen Denkens und Redens von Gott. Christliche Verkündigung hat ihr erstes und letztes Kriterium darin, ob sie sich in dem durch diese beiden Antworten bezeichneten Zirkel bewegt. Christliche Theologie kann nichts Anderes bedeuten als Übung in dieser Bewegung. Die in der Bibel selbst nicht gelöste, aber in aller Schärfe gestellte Frage nach dem Subjekt der Offenbarung und damit alles Handelns Gottes am Menschen mußte doch beantwortet werden. Ist die Eile nicht verständlich, mit der man sich zu ihrer Beantwortung aufgerufen fühlte und der gewiß unheimliche Eifer, mit dem man sich an dieses Werk machte? Gerade weil es sich um eine so einfache aber auch so zentrale Sache handelte? Und konnte diese Frage anders als so beantwortet werden? Oder ist dieses Problem in der Bibel etwa nicht gestellt? Oder konnte es etwa doch anders beantwortet werden als es in der Trinitätslehre beantwortet worden ist?

Das auf die kirchliche Trinitätslehre hinweisende Problem, das wir in der Bibel gestellt zu sehen meinten, besteht darin, daß dort das Sein, Reden und Handeln und also das Sichoffenbaren Gottes durchweg beschrieben wird in den Momenten seiner Selbstverhüllung oder seiner Selbstenthüllung oder seiner Selbstmitteilung an Menschen, daß seine charakteristischen Eigenschaften die Heiligkeit, die Barmherzigkeit und die Liebe sind, seine charakteristischen Erweisungen im Neuen Testament bezeichnet durch Karfreitag, Ostern und Pfingsten und dementsprechend sein Name als der des Vaters, des Sohnes und des Heiligen Geistes. Es fehlt in der Bibel die ausdrückliche Feststellung, daß der Vater, der Sohn und der Heilige Geist gleichen Wesens und also im gleichen Sinn Gott selber sind. Und es fehlt auch die andere ausdrückliche Feststellung, daß Gott so und nur so, also als der Vater, der Sohn und der Heilige Geist Gott ist. Diese zwei ausdrücklichen Feststellungen sind, über das Zeugnis der Bibel hinausgehend, der doppelte Inhalt der kirchlichen Trinitätslehre.

Die Trinitätslehre bedeutet einerseits als Abweisung des Subordinatianismus die ausdrückliche Erklärung: jene drei Momente bedeuten kein Mehr oder Weniger im Gottsein Gottes. Der Vater ist nicht im Unterschied vom Sohn und vom Geist als der eigentliche Gott zu verstehen, und Sohn und Geist sind nicht im Unterschied zum Vater begnadete und verherrlichte Kreaturen, von Gott erweckte und in Bewegung gesetzte Lebensmächte und als solche und in diesem Sinn Offenbarer. Sondern Gott ist es, der sich offenbart, in gleicher Weise als der Vater in seiner Selbstverhüllung und Heiligkeit wie als Sohn in seiner

Selbstenthüllung und Barmherzigkeit, wie als Geist in seiner Selbstmitteilung und Liebe. Vater, Sohn und Geist sind der eine, einzige und gleiche Gott. Das von der Bibel bezeugte Subjekt der Offenbarung ist, welcher Art sein Sein, Reden und Handeln auch sein möge, der eine Herr, kein Halbgott, weder ein herabgestiegener, noch ein heraufgestiegener. Gemeinschaft mit dem, der sich da offenbart, bedeutet für den Menschen auf alle Fälle und unter allen Umständen, daß jener ihm gegenübertritt wie ein Du einem Ich gegenübertritt und sich mit ihm verbindet, wie sich ein Du mit einem Ich verbindet. Nicht anders! Abgeschnitten ist alle Gemeinschaft mit diesem Gott, die von der Art wäre, wie wir mit Kreaturen Gemeinschaft haben können, von der Art nämlich, daß das Du durch ein Ich in ein Es oder Er verwandelt werden kann, über das oder über den das Ich eben damit Verfügung bekommt. Auch und gerade als Sohn und als Geist wird der, der sich nach dem Zeugnis der Schrift offenbart, kein Es oder Er, er bleibt Du. Und indem er Du bleibt, bleibt er der Herr. Das Subjekt der Offenbarung ist das Subjekt, das unauflöslich Subjekt bleibt. Man kann nicht hinter dieses Subjekt kommen. Es kann nicht Objekt werden. Aller Subordinatianismus beruht auf der Absicht, aus dem der sich da offenbart, ein solches Subjekt zu machen, wie wir selbst es sind, ein Geschöpf, dessen Duhaftigkeit ihre Grenzen hat, das man überblicken, begreifen und meistern, das man objektivieren, demgegenüber sich das Ich behaupten kann. Wohlverstanden: auch der angeblich als Schöpfer gedachte Vater wird nach der subordinatianischen Lehre faktisch in die Geschöpfsphäre hineingezogen. Er wird sich nach dieser Lehre zu Sohn und Geist so verhalten wie die Idee zur Erscheinung. Eben in diesem überschaulichen Verhältnis stehend verrät auch er sich als eine vom Ich aus zu entwerfende und zu meisternde Größe. Subordinatianismus bedeutet letztlich Leugnung der Offenbarung, Einbeziehung der göttlichen Subjektivität in die menschliche und auf dem Weg über den Polytheismus Einsamkeit des Menschen mit sich selbst, in seiner eigenen Welt, in der es letztlich kein Du und darum keinen Herrn gibt. Diese Möglichkeit ist es, die die Kirche mit ihrer Verwerfung des Arius und jedes Subordinatianismus treffen wollte. Wir fragen: hat sie wohl daran getan oder nicht?

Die Trinitätslehre bedeutet aber andererseits, als **Abweisung des Modalismus**, die ausdrückliche Erklärung: **jene drei Momente sind dem Gottsein Gottes nicht etwa fremd.** Es verhält sich nicht etwa so, daß wir den eigentlichen Gott jenseits dieser drei Momente, in einem höheren Sein, in welchem er nicht der Vater, der Sohn und der Geist wäre, zu suchen hätten. Die Offenbarung Gottes und also sein Sein als Vater, Sohn und Geist ist nicht eine seinem Wesen fremde Ökonomie, die nach oben oder innen sozusagen begrenzt wäre, so daß wir nach dem verborgenen Vierten fragen müssen, um eigentlich nach Gott zu fragen. Sondern

4. Der Sinn der Trinitätslehre 403

wenn wir nach Gott fragen, können wir nur nach dem fragen, der sich offenbart. Eben der, der nach dem Zeugnis der Schrift ist, redet und handelt als Vater, Sohn und Geist, in Selbstverhüllung und Selbstmitteilung, in Heiligkeit, Barmherzigkeit und Liebe, eben dieser und kein Anderer ist Gott. Gemeinschaft mit Gott bedeutet für den Menschen streng und exklusiv: Gemeinschaft mit dem, der sich offenbart, der in seiner Offenbarung Subjekt ist, und zwar unauflöslich Subjekt ist. Gerade die Unauflöslichkeit des Subjektseins wird garantiert durch die Erkenntnis der Letztwirklichkeit der drei Seinsweisen im Wesen Gottes, über oder hinter der es kein Höheres gibt. Abgeschnitten ist hier alle Gemeinschaft mit Gott, die ein Entrinnen vor seiner Offenbarung, ein Übersteigen der Wirklichkeit, in der er sich selber zeigt und gibt, bedeuten würde. Gott ist genau der, als der er sich uns zeigt und gibt. Wer an dem vorbeieilt, der uns nach dem biblischen Zeugnis in dreifacher Wendung als Du anredet, der kann nur ins Leere eilen. Modalismus bedeutet letztlich Leugnung Gottes. Unser Gott und nur unser Gott, nämlich der Gott, der sich in seiner Offenbarung zum unsrigen macht, ist Gott. Die Relativierung dieses Gottes, wie sie in der Lehre von dem eigentlichen Gott jenseits dieses offenbaren Gottes geschieht, bedeutet Relativierung, und das heißt Leugnung des einen wirklichen Gottes. Das Du, der Herr, fällt auch hier aus. Auch hier will der Mensch offenbar hinter Gott kommen, nämlich hinter Gott, wie er sich wirklich zeigt und gibt und damit hinter das, was er ist, denn beides ist dasselbe. Auch hier handelt es sich also um eine Objektivierung Gottes. Auch hier wird die göttliche Subjektivität aufgesogen von der menschlichen, die nach einem Gott fragt, den es nicht gibt. Auch hier findet sich der Mensch, auf dem Weg über die Mystik diesmal, letztlich allein mit sich selber, in seiner eigenen Welt. Diese Möglichkeit, mit jener ersten in ihrer Wurzel und in ihrer Spitze zusammentreffend, hat die Kirche abwehren wollen, indem sie den Sabellius und jeden Modalismus ablehnte. Und wieder fragen wir: sollte sie daran nicht wohl getan haben?

Die Trinitätslehre sagt — und das ist das Positive, das sie auf ihren polemischen Fronten verteidigt —, daß und inwiefern der, der sich nach dem Zeugnis der Schrift Menschen offenbart, unser Gott, daß und inwiefern er unser Gott sein kann. Er kann unser Gott sein, weil er in allen seinen Seinsweisen sich selbst gleich, ein und derselbe Herr ist. Erkenntnis der Offenbarung, wie sie am Zeugnis der Schrift aufgehen kann, heißt im Sinn der Trinitätslehre in allen Momenten des Ereignisses, auf das uns dieses Zeugnis hinweist: Erkenntnis des Herrn als dessen, der uns begegnet und sich uns verbindet. Und dieser Herr kann unser Gott sein, er kann uns begegnen und sich uns verbinden, weil er Gott ist in diesen drei Seinsweisen als Vater, Sohn und Geist, weil die Schöpfung, die Versöhnung, die Erlösung, das ganze Sein, Reden und Handeln, in dem er unser Gott sein will, begründet und vorgebildet ist in seinem eigenen Wesen, in seinem Gottsein selber. Als Vater, Sohn und Geist ist Gott sozusagen im voraus der unsrige. So sagt uns die Trinitätslehre beides, daß der, der sich nach der Schrift offenbart, zu fürchten und zu lieben ist: zu fürchten, weil er Gott sein kann, zu lieben, weil er unser Gott sein kann. Daß er beides ist, das kann uns die Trinitätslehre als solche nicht sagen. Kein Dogma, keine Theologie als solche kann das. Die Trinitätslehre als solche ist nicht das Wort Gottes, das uns das sagen könnte. Aber wenn es einen Dienst am Worte Gottes gibt, eine Verkündigung, die Wort Gottes werden kann und einen Dienst an diesem Dienst, Dogmatik als kritische Besinnung auf den rechten Inhalt der Verkündigung, dann dürfte doch wohl die Frage nach dem Subjekt der Offenbarung, auf die die Trinitätslehre antwortet, der erste Schritt solcher Besinnung sein. Die Schrift, in der das Problem der Trinitätslehre gestellt ist, ist und bleibt das Maß und der Richter der Lösung dieses Problems. Sie steht über dem Dogma der Kirche und also über der kritischen Besinnung, zu der wir uns durch das Dogma der Kirche anleiten lassen. Aber Alles wohl erwogen wagen wir es, diese Anleitung bis auf bessere Belehrung für eine angemessene zu halten.

§ 10
GOTT DER VATER

Der eine Gott offenbart sich nach der Schrift als der Schöpfer, d. h. als der Herr unseres Daseins. Er ist als solcher Gott unser Vater, weil er es als der Vater Gottes des Sohnes zuvor in sich selber ist.

1. GOTT ALS SCHÖPFER

In dem Ereignis, das die Bibel als Offenbarung beschreibt, handelt Gott als Herr mit dem Menschen. Nicht als ein Wesen von der Art und Ordnung, der der Mensch selber angehört, also nicht als ein Wesen, dessen der Mensch ebensogut seinerseits Herr sein könnte. Aber auch nicht als ein in seiner eigenen Art und Ordnung für sich seiendes und bleibendes Wesen. Das sind die beiden Irrtümer, die beiden Lügen in bezug auf Gott, die durch die Offenbarung gerade aufgehoben werden. Er handelt als der Herr, d. h. als die Instanz, die dem Menschen im Unterschied zu allen anderen Instanzen schlechthin überlegen ist, die ihn aber auch, gerade in dieser schlechthinnigen Überlegenheit schlechterdings angeht und in Anspruch nimmt. Daß Gott sich offenbart, d. h. daß er als Herr mit dem Menschen handelt, das ist aber auch nicht gleichbedeutend damit, daß Gott über den Menschen Macht hat und gebraucht. Macht ist allerdings die Voraussetzung und das Mittel von Herrschaft. Von Herrschaft reden wir da, wo eine Person einer anderen, ein Ich einem Du, sich als Träger von Macht zum Bewußtsein bringt, wo ein überlegener Wille seine Macht zu erkennen gibt. Das ist's, was in dem in der Bibel als Offenbarung beschriebenen Ereignis geschieht. Darum die beherrschenden Gottesnamen Jahve im Alten und Kyrios im Neuen Testament.

Aber wer ist der Herr und also der Gott, von dem da die Rede ist? Es ist, wie wir schon sahen, charakteristisch für die Bibel beider Testamente, daß ihre Antwort auf diese Frage uns zunächst durchaus nicht in einen Raum jenseits der menschlichen Geschichte, sondern mitten in diese Geschichte selbst hineinverweist.

Die Antwort lautet auf dem Höhepunkt des biblischen Zeugnisses: Jesus von Nazareth ist der Kyrios. Er ist der, der den Menschen in schlechthinniger Überlegenheit angeht. Er ist der sich offenbarende Gott. Wir kommen im folgenden Paragraphen auf dieses für die ganze Form und den ganzen Inhalt des biblischen Zeugnisses bezeichnende und als Voraussetzung der christlichen Kirche entscheidende Bekenntnis zurück.

Die Antwort, daß Jesus von Nazareth der Herr ist, ist schon im Neuen Testament keineswegs selbstverständlich; sie ist es auch in der Kirche nicht geworden und sie wird es nie werden können. Warum nicht? Sie enthält offenbar, wenn dieser Jesus von Nazareth ein wahrer und wirklicher Mensch gewesen ist, eine Ungleichung. Sie muß als Gleichung bestenfalls einsichtig werden. Wahre und wirkliche Gottheit, wie sie in dem Kyriosprädikat doch ausgesprochen ist, schreibt schon das Neue Testament zunächst einem ganz Anderen als Jesus zu.

Es erinnert mit dem Namen Christus, den es Jesus beilegt, an die Propheten, Priester und Könige des Alten Testamentes als an die bevollmächtigten und geheiligten Männer Jahves, hinter denen und über denen der steht, der primär und eigentlich vollmächtig und heilig ist. Es nennt Jesus das Wort oder den Sohn Gottes, den von Gott als Licht und Leben der Menschen in die Welt Gesandten. Es versteht Jesu Würde, Jesu Herrschaft, Jesu Überlegenheit als eine prinzipiell andersartige, untergeordnete gegenüber jenes Anderen, der eigentlich ϑεός heißt. In den sog. Synoptikern scheint diese Betrachtungsweise ganz besonders im Vordergrund zu stehen. Fast wie eine Inkonzinnität, rätselhaft jedenfalls berührt es, wenn auch und gerade hier Jesus Kyrios heißt. Denn was ist hier Jesus Anderes als ein einziger Hinweis auf den Herrn, dessen Reich (nicht sein eigenes!) Jesus ausruft, verkündigt durch Worte und Taten, formell und sachlich kaum sehr viel anders als Johannes der Täufer, demgegenüber als dem „Einen Guten" (Mc. 10, 18) Jesus sich mit seinen Jüngern zusammenfaßt in den Anruf: Unser Vater! dessen Willen er auf das Bestimmteste auch von seinem eigenen Willen unterscheidet (Mc. 14, 36), zu dem er, wie immer wieder hervorgehoben wird, betet, dem gehorsam zu sein, schließlich als der ganze Sinn seines Berufs und Werks erscheint. Den ($\H{α}$γιος) παῖς Gottes gleich David und dem Gottesknecht von Jes. 53 nennt ihn darum eine wahrscheinlich alte aber in der Literatur des zweiten Jahrhunderts sehr beachtete Überlieferungsschicht (Matth. 12, 18; Act. 3, 13, 26; 4, 27,

30). Wie könnte dieser Jesus energischer von dem, der eigentlich Gott heißt, abgerückt und unterschieden werden als indem ihm das doppelt ärgerliche: *Eli, Eli, lama asabthani!* (Mc. 15, 34) in den Mund gelegt wird. Der hier, in den Synoptikern, eigentlich Gott heißt, scheint zweifellos der „Vater im Himmel" zu sein, der den Hintergrund und gerade so in unvergleichlicher Bedeutsamkeit den Sinngrund des berichteten Geschehens bildet. Aber auch bei Johannes steht nicht nur das vielbemerkte: „Der Vater ist größer als ich" (Joh. 14, 28), sondern durchgängig stellt sich Jesus gerade hier dar als den vom Vater (dem μόνος ἀληθινὸς θεός, Joh. 17, 3!) Gesandten, der davon lebt, des Vaters Willen zu tun, seine Worte zu sprechen, sein Werk zu vollenden, dessen Triumph einfach in seinem „Gehen zum Vater" besteht, und „durch" den Menschen zum Vater kommen (Joh. 14, 6). A. v. Harnack hatte in bezug auf alle Evangelien, das vierte mit eingeschlossen, recht, wenn er von Jesus sagte: „Ziel, Kraft, Einsicht, Erfolg und das harte Müssen — alles kommt ihm vom Vater. So steht es in den Evangelien; da ist nichts zu drehen und zu deuteln" (Wesen des Christentums, 51. Taus., 1906, S. 80). Und so wird auch Paulus nicht müde, neben Jesus und in gewissem Sinn an Jesus vorbei und über ihn hinaus auf den Vater, den „Vater Jesu Christi" zu verweisen. Die Grußformel fast aller seiner Briefe lautet: Χάρις ὑμῖν καὶ εἰρήνη ἀπὸ θεοῦ πατρὸς ἡμῶν καὶ κυρίου Ἰησοῦ Χριστοῦ. Soll damit „Gott unser Vater" nachdrücklich als der Vater auch des Herrn Jesus Christus bezeichnet werden? Nach Eph. 1, 17, wo er ὁ θεὸς τοῦ κυρίου ἡμῶν Ἰησοῦ Χριστοῦ, ὁ πατὴρ τῆς δόξης heißt, könnte dies unzweifelhaft der Fall sein. Oder stehen die beiden Größen θεὸς πατήρ und κύριος Ἰησοῦς Χριστός, wie in der Übersetzung der Vulgata und Luthers angenommen ist, nebeneinander als gemeinsames Woher der Gnade und des Friedens? Sicher ist, daß der κύριος Ἰησοῦς Χριστός von dem θεὸς πατήρ unterschieden und diesem nachgeordnet wird: Ἡμῖν εἷς θεὸς ὁ πατήρ . . . καὶ εἷς κύριος Ἰησοῦς Χριστός (1. Kor. 8, 6). Ὑμεῖς δὲ Χριστοῦ, Χριστὸς δὲ θεοῦ (1. Kor. 3, 23). Ἀνδρὸς ἡ κεφαλὴ ὁ Χριστός ἐστιν . . . κεφαλὴ δὲ τοῦ Χριστοῦ ὁ θεός (1. Kor. 11, 3). Jesus Christus ist κύριος εἰς δόξαν θεοῦ πατρός (Phil. 2, 11). Er ist die προσαγωγὴ πρὸς τὸν θεόν (Eph. 2, 18). Er wird zuletzt das Reich übergeben τῷ θεῷ καὶ πατρί (1. Kor. 15, 24). Er ist die εἰκὼν τοῦ θεοῦ (2. Kor. 4, 4; Kol. 1, 15). Und so nennt ihn der Hebräerbrief das ἀπαύγασμα τῆς δόξης (Hebr. 1, 3) den πιστὸν ὄντα τῷ ποιήσαντι αὐτόν (Hebr. 3, 2), der sich selbst untadelig Gott darbrachte (Hebr. 9, 14), und gibt von seiner Passion jene ganz an die Schau der Synoptiker erinnernde Schilderung: ὃς ἐν ταῖς ἡμέραις τῆς σαρκὸς αὐτοῦ δεήσεις τε καὶ ἱκετηρίας πρὸς τὸν δυνάμενον σῴζειν αὐτὸν ἐκ θανάτου μετὰ κραυγῆς ἰσχυρᾶς καὶ δακρύων προσενέγκας καὶ εἰσακουσθεὶς ἀπὸ τῆς εὐλαβείας, καίπερ ὢν υἱός, ἔμαθεν ἀφ' ὧν ἔπαθεν τὴν ὑπακοήν (Hebr. 5, 7—8).

Auf dieser Linie gesehen ist die Herrschaft Jesu als des Sohnes offenkundig nur eine Erscheinung, Ausübung, Anwendung der Herrschaft Gottes des Vaters. Wer Gott der Vater, Gott im eigentlichen Sinne ist, was er will und tut am Menschen, das klarzumachen, mitzuteilen, zu vollstrecken, diesen Gott den Vater zu vertreten, ist das Wesen der Jesus zugeschriebenen Göttlichkeit.

Filius revelat agnitionem Patris per suam manifestationem (Irenäus, *C. o. h.* IV 6, 3) . . . *ut in suis verbis non tam se quam Patrem adspiciamus . . . ut sic defixis oculis in Christum recta trahamur et rapiamur ad Patrem* (Luther, Komm. zu Gal. 1, 4, 1535, W. A. 40 I S. 98 Z. 25). Wir sollen: Erkennen, das Christus ist der rechte Brieff, das güldene Buch, darinnen wir lesen, Lernen in sehen vor augen den Willen des Vaters (Zwei deutsche Fastenpredigten, 1518, W. A. 1 S. 274 Z. 41), der ein Spiegel ist des veterlichen hertzens (Gr. Kat., 1529, W. A. 30^I S. 192 Z. 5). Auf dieser Linie hat einst A. v. Harnack (a. a. O. S. 91) den damals viel umstrittenen Satz formuliert: „Nicht der Sohn, sondern allein der Vater gehört in das Evangelium wie es Jesus verkündigt hat, hinein", wobei doch Harnacks Meinung ausgesprochenerweise die war: nicht als ein Bestandteil oder Satz neben anderen gehöre das Zeugnis Jesu über seine eigene Person in das von ihm verkündigte Evangelium, wohl aber als Ausdruck des Tatbestandes, daß er als der Weg zum Vater sich gewußt habe.

Gerade wenn es richtig ist, bei der Antwort auf die Frage nach dem, der in der Schrift der Herr heißt, von dem Bekenntnis: Jesus ist der Herr! auszugehen, dürfte es wiederum richtig sein, uns zunächst in diese andere scheinbar gerade entgegengesetzte Richtung weisen zu lassen und also zu fragen: Welches ist das Ziel, zu dem Jesus der Weg ist? Wen oder was offenbart er denn, sofern er Gott den Vater offenbart? Was sehen wir in ihm, sofern er Gottes „Abglanz" und „Spiegel" ist? Wer ist „der Vater des Herrn Jesus Christus"? Die Antwort, die das Neue Testament uns hier gibt, ist eine sehr andere als die, die eine allzu naheliegende erbauliche, aber ganz willkürliche Auslegung des Wortes „Vater" hier geben möchte. Was als der dem Menschen zugewandte Wille des himmlischen Vaters gerade in dem, was durch und an Jesus geschieht, erkennbar wird, liegt nämlich zunächst durchaus nicht in der Richtung einer gütigen Bejahung, Bewahrung und Sicherung, sondern vielmehr in der einer radikalen Infragestellung ja Aufhebung der menschlichen Existenz.

Man beachte, daß schon im alten Testament der Begriff „Vater" ebenso durch den Begriff „Herr" zu interpretieren ist wie umgekehrt (Deut. 32, 6; Mal. 1, 6). Daß die Menschen als solche Kinder Gottes seien, daß ihnen als solchen Gott Vater sei, sagt weder das Alte noch das Neue Testament. Sondern Israel wird nach dem Alten Testament aus der Masse der Völker erwählt und berufen zur Kindschaft Jahves. „Aus Ägypten habe ich meinen Sohn gerufen" (Hos. 11, 1). Und durch eine „neue Geburt", also durch eine menschlich schlechterdings unbegreifliche Neubegründung seines natürlichen Daseins jenseits von dessen Aufhebung wird der Mensch nach dem Neuen Testament in diese Kindschaft versetzt (Joh. 1, 12f.; 3, 3f.). „Alle Pflanzen, die mein himmlischer Vater nicht gepflanzt hat, werden ausgerottet werden", so lautet das unerbittliche Gesetz, das hier gilt (Matth. 15, 13). Es ist ja der leidende Knecht Gottes von Jes. 53, der in Jesus wiederentdeckt wird (Act. 8, 26f.). Jesu Lebensgeschichte wird in allen vier Evangelien beschrieben als eine genau genommen von Anfang an sich ankündigende und in zunehmendem Gefälle sich verwirklichende Sterbensgeschichte Ἡμεῖς δὲ κηρύσσομεν Χριστὸν ἐσταυρωμένον, schreibt Paulus (1. Kor. 1, 23), wohlbewußt, daß das die Weisheit Gottes ist, die den Juden ein Ärgernis und den Griechen eine Torheit sein muß. Als den Hohepriester des neuen Bundes, der selber das Opfer ist, das er darbringt, versteht ihn der Verfasser des Hebräerbriefes. Sein Gehorsam ist Leidensgehorsam (Hebr. 5, 8), Gehorsam μέχρι θανάτου, θανάτου δὲ σταυροῦ (Phil. 2, 8). Und darum hat ihn Gott erhöht und ihm den Namen κύριος Ἰησοῦς Χριστός gegeben (Phil. 2, 9—11). Das geschlachtete Lamm ist würdig zu nehmen Kraft und Reichtum und Weisheit und Stärke und Ehre und Herrlichkeit und Lobpreisung (Apk. 5, 12). Ἐν τῇ ταπεινώσει ἡ κρίσις αὐτοῦ ἤρθη. Darum ist seine Lebensdauer unausdenkbar: ὅτι αἴρεται ἀπὸ γῆς ἡ ζωὴ αὐτοῦ (Act. 8, 33). Er ist das Weizenkorn, das in die Erde fallen und sterben muß, um viele Frucht zu bringen (Joh. 12, 24). Jenseits des Todes des Menschen Jesus von Nazareth liegt der Ort, von dem aus das Licht auf ihn fällt, das ihn zur Offenbarung Gottes des Vaters macht: ἐξ ἀναστάσεως νεκρῶν ist er „eingesetzt zum Sohne Gottes" (Röm. 1, 4). Darin handelt Gott der Vater an ihm und durch ihn, daß er ihn von den Toten auferweckt (Gal. 1, 1; 1. Kor. 6, 14; Röm. 4, 24; 6, 4; Eph. 1, 20). Den, der sich in Jesus so offenbart, nennt der Glaubende Ἀββὰ ὁ πατήρ (Gal. 4, 6; Röm. 8, 15). Diesen Vater sieht, wer Jesus sieht (Joh. 14, 7f.). Der Jesus „dahingegeben um unserer Sünde willen und auferweckt um unserer Gerechtigkeit willen" (Röm. 4, 25), der ist's, dem dieser Anruf gilt. Und indem der Glaube Glaube an Jesus ist, ist er selbst Glaube an den Willen und an das Werk dieses Vaters. In Christus hineingetauft sein, heißt: in seinen Tod hineingetauft sein, „eingepflanzt werden in die Gemeinschaft mit seinem Tode" (Röm. 6, 3f. vgl. Phil. 3, 10), in seiner Kreuzigung mitgekreuzigt und gestorben sein (Gal. 5, 24; Röm. 6, 6; Kol. 3, 3; Eph. 4, 22). Darum ist schon bei den Synoptikern Nachfolge Jesu identisch mit Selbstverleugnung und Aufsichnehmen des Kreuzes (Mc. 8, 34) und kann man sein Leben nur retten, indem man es verliert um Jesu willen (Mc. 8, 35). Jenseits dieser engen Pforte liegt schlechterdings Alles, was das Neue Testament über die καινότης ζωῆς (Röm. 6, 4) der Getauften und Glaubenden zu sagen weiß. Und den, der „in Christus" so mit Menschen handelt, diesen Weg zu diesem Ziel sie führt, ihn nennen die Glaubenden Vater und „Vater des Herrn Jesus Christus". Er ist der Vater des Sohnes, der gestorben war und wieder lebendig wird, verloren war und wieder gefunden wurde (Lc. 15, 29!). Μετανοεῖν, umdenken, neu denken, zu Gott und seinem Reich hindenken, heißt wirklich auch und gerade im Neuen Testament: bedenken, daß wir sterben müssen (Ps. 90, 12, vgl. Ps. 39, 5). Es heißt nicht nur das; aber Alles, was es sonst heißen mag, kann es nur heißen, indem es zuerst und entscheidend das heißt. Man beachte: Dein Name, dein Reich, dein Wille, sind die Gegenstände der drei ersten Bitten des an „Unseren Vater im Himmel" zu richtenden Gebetes (Matth. 6, 9f.), auf die die drei folgenden zu stehen kommen. Dieses „Dein" macht diese Bitten im Zusammenhang des Neuen Testaments schlechterdings gleichbedeutend mit dem: Lehre uns bedenken, daß wir sterben müssen!

Der, den Jesus als den Vater offenbart, wird schlechterdings am Tode des Menschen, am Ende seiner Existenz erkannt. Nicht identisch mit dem Tode, aber auch nicht etwa nur wie der Tod, sondern real mit dem Tode, den Tod am Menschen vollstreckend, die Zeichen des Todes dem Menschen aufprägend, tritt sein Wille in das Leben des Menschen hinein. Erst in der scharf gezogenen und immer wieder zu ziehenden Grenzlinie des Kreuzes wird sein Wille sichtbar als Wille, lebendig zu machen, zu segnen und wohlzutun. Durch den Tod hindurchgegangenes, vom Tode erstandenes, ewiges Leben, wirklich neue Geburt wird das Leben sein, das dieser Wille schafft.

Was bedeutet das Alles für unsere Frage: Wer ist Gott der Vater? Es kann wie gesagt nicht bedeuten, daß Gott der Vater mit dem Tode, mit der Negation des menschlichen Daseins identisch wäre. Hier wird ja vielmehr im Tode der Tod, in der Negation die Negation überwunden. Auferstehung ist ja die Kraft des Kreuzes, Lebensgewinn die Kraft des Lebensverlustes. Aber streng und ausschließlich als Kraft des Kreuzes, des Lebensverlustes, kommt es hier zu Auferstehung und Lebensgewinn. Damit ist gesagt, daß Gott der Vater jedenfalls auch mit dem, was wir als unser Leben kennen oder vielleicht mit dessen Sinn und Kraft, keineswegs identisch ist, daß sein Wille unserem Lebenswillen überlegen, ohne Verbindlichkeit, vielmehr in schlechthinniger Verfügungsgewalt gegenübersteht. Es wird nicht nur unmöglich sein, auf dem Wege des Selbstverständnisses, der Analyse unserer eigenen Existenz, festzustellen, was Gott der Vater mit uns will. Es kann uns vielmehr nicht verborgen sein, daß diese unsere eigene Existenz bis in ihre tiefsten Gründe und Kräfte durch den Willen Gottes in die radikale Krisis gestellt ist, daß sie, indem der Wille Gottes des Vaters an ihr geschieht, neu werden muß. Gott der Vater will weder unser Leben an sich noch unseren Tod an sich. Er will unser Leben, um es durch den Tod ins ewige Leben zu führen. Er will den Tod, um unser Leben durch ihn hindurch ins ewige Leben zu führen. Er will diesen Durchgang unseres Lebens durch den Tod zum ewigen Leben. Sein Reich ist diese neue Geburt.

Darum die merkwürdige Relativierung der Begriffe „Leben" und „Tod", die wir besonders bei Paulus wahrnehmen: 1. Kor. 3, 22; Röm. 8, 38; 14, 8; Phil. 1, 20. Ewiges Leben, Auferstehungsleben ist für Paulus fraglos das von Gott gewollte und von Gott zu erwartende Aufleben dieses unseres Lebens (1. Kor. 15, 53; 2. Kor. 5, 4). Aber eben das Aufleben dieses unseres Lebens jenseits des Durchgangs durch den Tod bedeutet, daß es diesseits dieser Pforte mit dem Tode zusammen auf der Waage liegen muß, gemeinsam aufgewogen durch die Hoffnung des Glaubens.

Wir fassen das zusammen, indem wir sagen: Gott der Vater, dessen Wille und Werk am Menschen diese sind, ist der **Herr unseres Daseins**. Er ist es im strengen Sinn, sofern er der Herr über Leben und Tod des Menschen ist. Alle andere Herrschaft, die nicht an dieser Todeslinie erkennbar würde, könnte nicht Herrschaft **über** unser Dasein, sondern bestenfalls eine Herrschaft **in** unserem Dasein sein. Die Herrschaft eines Gottes, der mit unserem Lebenswillen identisch wäre, wäre begrenzt durch die Herrschaft des Todes. Und die Herrschaft eines Gottes, der mit dem Tode identisch wäre, wäre nur die Grenze unseres Lebenkönnens. Beide wären nicht Herrschaft über unser **Dasein**. Denn unser Dasein ist **unser Lebenwollen und -können in seiner Begrenzung durch den Tod**, nicht nur unser Leben und auch nicht nur dessen Begrenzung durch den Tod. Sie wäre dann aber auch nicht wirkliche **Herrschaft**. Es wäre nicht der Träger einer uns wirklich überlegenen Macht, der uns da begegnete. Der wirkliche Herr unseres Daseins muß der Herr über Leben und Tod sein. Und dies eben ist Gott der Vater, wie wir ihn in der Schrift als den in Jesus Offenbarten bezeugt finden. „Der Herr des Daseins" heißt aber: der **Schöpfer**. Denn wenn Gott im Vollsinn der Begriffe der Herr unseres Daseins ist, dann heißt das: unser Dasein ist von ihm und nur von ihm gehalten über dem Abgrund des Nicht-Daseins. Es hat keine eigenständige Wirklichkeit weder in seiner Sicherheit als Leben noch in seiner Bedrohung durch den Tod. Es ist wirklich, sofern er es als ein wirkliches will und setzt. Es hat einen Urheber, von dem als solchem es schlechterdings unterschieden, auf den es aber auch schlechterdings bezogen ist — aber nicht so, daß es etwa diesem Urheber wesentlich eigentümlich wäre, ein solches wirkliches Außerhalb seiner selbst zu haben, nicht so, daß auch für ihn diese Bezogenheit eine Notwendigkeit wäre. Es hat einen Urheber, außer dem nichts notwendig ist, der zu nichts außerhalb seiner selbst notwendig bezogen ist. Es hat einen Urheber, der es aus freier Güte und nach seinem freien Willen und Plan ins Dasein ruft und im Dasein erhält, in freiem, nur durch ihn bestimmtem Gegensatz zu dem Nichts, in dem es bleiben könnte, ohne daß jenem etwas abginge. Es hat — das ist's, was wir mit dem Allen umschrieben haben — einen Schöpfer. Und der ist's, als den uns Jesus Gott den Vater zeigt. Er zeigt ihn uns gleichsam im Negativ: der, dessen Wille auf Golgatha geschieht, wo in und mit Jesus Christus unser aller Leben ans Kreuz geschlagen und gestorben ist, damit so und darin ewiges Leben offenbar werde, der ist das, was der Begriff Schöpfer bezeichnet.

Man beachte, wie Röm. 4, 17 der Gott Abrahams in einem Atemzug als der ζωοποιῶν τοὺς νεκρούς und als der καλῶν τὰ μὴ ὄντα ὡς ὄντα bezeichnet wird.

Mit dem Namen „Vater" bezeichnen wir ja den menschlich-natürlichen Urheber unserer Existenz. Aber unser menschlich-natürlicher Vater ist nicht unser Schöpfer. Er ist nicht Herr unseres Daseins, nicht einmal Herr unseres Lebens, geschweige denn unseres Todes. Indem die Schrift Gott unseren Vater nennt, nimmt sie eine Analogie auf, um sie sofort zu durchbrechen.

Also nicht an der menschlich-natürlichen Vaterschaft ist zu ermessen, was es heißt, daß Gott unser Vater ist (Jes. 63, 16). Sondern von der Vaterschaft Gottes her bekommt die menschlich-natürliche Vaterschaft das, was ihr an Sinn und Würde zukommt: Gott ist der Vater ἐξ οὗ πᾶσα πατριὰ ἐν οὐρανοῖς καὶ ἐπὶ γῆς ὀνομάζεται (Eph. 3, 15).

Gott unser Vater heißt Gott unser Schöpfer.[1] Und es dürfte nun deutlich geworden sein: gerade „in Christus", als „der Vater Jesu Christi", heißt Gott unser Schöpfer. Es ist keine allgemeine, vorher zu wissende oder eigenmächtig zu gewinnende Wahrheit, sondern es ist Offenbarungswahrheit, daß Gott unser Schöpfer ist. Nur indem das, was wir als Verhältnis von Vater und Sohn sonst kennen, durchbrochen wird durch das Wort von Christus, dem Gekreuzigten und Auferstandenen, nur indem es durch dieses Wort interpretiert wird, d. h. aber in diesem Fall: von diesem Wort her einen Sinn bekommt, den es von sich aus nicht haben kann — nur so wird sichtbar, was Schöpfung heißt. Aber so kann es sichtbar werden. Der „Vater Jesu Christi", der nach dem Zeugnis der Schrift in Jesus, seinem Knecht, offenbar wird, er hat die Eigenschaften eines „Herrn unseres Daseins". Das Zeugnis von ihm führt uns an den Ort, wo das Wunder der Schöpfung sichtbar werden kann. Es bezeugt den heiligen Gott, den Gott, der allein Gott ist, den freien Gott. — Dieses Zeugnis ist es, das wir nun an Hand der Grundsätze der Trinitätslehre zu verstehen haben.

---

[1] Vgl. zu diesem Satz Deut. 32, 6 und Jes. 64, 7.

2. DER EWIGE VATER

Der entscheidende Satz, durch den die eben gehörte Antwort auf die Frage: Wer ist Gott der Vater? zu einem Element der Erkenntnis des dreieinigen Gottes im Sinn des kirchlichen Dogmas erhoben wird, muß lauten: Gott kann als „Vater Jesu Christi" darum unser Vater sein, weil er schon zuvor, auch abgesehen davon, daß er sich uns als solcher offenbart, der ist, als der er sich offenbart: eben der Vater Jesu Christi, seines Sohnes, der als solcher selber Gott ist. Er kann es sein, **weil er in sich selber Vater ist, weil Vaterschaft eine ewige Seinsweise des göttlichen Wesens ist.** Wir haben es in dem, dessen Namen, Reich und Willen Jesus offenbart, gerade in seiner eigentümlichen Unterscheidung gegenüber diesem seinem Offenbarer, aber auch in seiner eigentümlichen Gemeinschaft mit ihm, mit Gott selber zu tun.

Wie kommen wir mit dem kirchlichen Dogma zu diesem Verständnis des biblischen Zeugnisses von Gott dem Vater? Die Antwort muß einfach lauten: wir kommen dazu, indem wir das biblische Zeugnis nun auch insofern annehmen und wortwörtlich ernst nehmen, als es den Inhalt der Offenbarung des Vaters formal schlechterdings bedingt und gebunden sein läßt durch seine Mitteilung in der Person des Offenbarers Jesus von Nazareth. Man kann ihren Inhalt nicht abstrahieren von dieser ihrer Form. Es kommt hier nicht in Frage, daß man Inhalt und Form unterscheiden und den Inhalt als göttlich-notwendig, die Form als menschlich-zufällig, jenen als das Wesen, diese als die geschichtliche Erscheinung der Offenbarung verstehen könnte. Die Form ist hier dem Inhalt wesentlich, d. h. aber: Gott als unser Vater, als der Schöpfer ist unbekannt, sofern er nicht durch Jesus bekannt ist.

Es ist besonders die johanneische Überlieferung, die diese Exklusive mit immer erneutem Nachdruck ausspricht: Joh. 1, 18; 5, 23, 37; 6, 46; 8, 19; 14, 6; 17, 25; 1. Joh. 2, 23 und 2. Joh. 9. Καθὼς γινώσκει με ὁ πατὴρ κἀγὼ γινώσκω τὸν πατέρα (Joh. 10, 15) und darum: ὁ ἑωρακὼς ἐμὲ ἑώρακεν τὸν πατέρα (Joh. 14, 9). Aber in derselben unmißverständlichen Deutlichkeit steht es schließlich auch bei den Synoptikern: Πάντα μοι παρεδόθη ἀπὸ τοῦ πατρός μου, καὶ οὐδεὶς ἐπιγινώσκει τὸν υἱὸν εἰ μὴ ὁ πατήρ, οὐδὲ τὸν πατέρα τις ἐπιγινώσκει εἰ μὴ ὁ υἱὸς καὶ ᾧ ἐὰν βούληται ὁ υἱὸς ἀποκαλύψαι (Matth. 11, 27).

Wenn diese Exklusive angenommen und ernst genommen wird, wenn man sich also jene Abstraktion zwischen Form und Inhalt verbieten läßt, dann ist die Möglichkeit abgeschnitten, den ersten Artikel des Glaubensbekenntnisses etwa als einen Artikel natürlicher Theologie aufzufassen. Die Botschaft Jesu von Gott dem Vater kann dann nicht dahin verstanden werden, als ob Jesus die bekannte Wahrheit ausgesprochen habe, daß die Welt einen Schöpfer haben muß und wirklich hat, und als ob er es dann gewagt habe, diesen Schöpfer mit dem vertraulichen menschlichen Namen „Vater" zu bezeichnen — nicht dahin, als ob er das, was alle ernsthafte Philosophie als die höchste Ursache oder als das höchste

Gut, als das *esse a se* oder als das *ens perfectissimum*, als das Universum, als den Sinngrund und Sinnabgrund, als das Unbedingte, als die Grenze, die kritische Negation oder den Ursprung namhaft gemacht hat, seinerseits gemeint und durch den der religiösen Sprache nicht unbekannten Vaternamen geweiht, christlich gedeutet und gleichsam getauft habe. Man kann dazu nur sagen: diese Größe, das vermeintliche philosophische Äquivalent des Schöpfergottes, hat mit oder ohne den aufgeklebten Vaternamen mit der Botschaft Jesu von Gott dem Vater **nichts** zu tun. Sie würde auch dann nichts damit zu tun haben, wenn sie mit dem Prinzip des Stirb und Werde! mit dem überlegenen Ursprung und Ziel der Dialektik von Lebensverlust und Lebensgewinn in Beziehung gebracht und vielleicht identifiziert würde. Eine Idee, entworfen mit dem Anspruch, die Idee Gottes zu sein, ist als solche, nicht als Idee, wohl aber wegen dieses Anspruchs, von jener in den biblischen Zeugnissen ausgesprochenen Exklusive her, ein Abgott. Auch die wahrhaftig reine, geradezu verführerisch reine Gottesidee eines Plato kann davon nicht ausgenommen werden. Wenn jene Exklusive gilt, dann hat Jesus nicht sowohl den bekannten Weltschöpfer noch einmal verkündigt und durch den ebenfalls nicht unbekannten Namen des Vaters interpretiert, sondern er hat den **unbekannten Vater, seinen Vater**, offenbart und damit, erst damit und nur damit gesagt, daß und was der Schöpfer und daß dieser als solcher unser Vater ist.

Es wird nun als Interpretation jener Anrede „Unser Vater" wichtig, daß Jesus nach Joh. 20, 17 nicht sagt: Ich gehe zu unserm Vater! sondern: ἀναβαίνω πρὸς τὸν πατέρα μου καὶ πατέρα ὑμῶν καὶ θεόν μου καὶ θεὸν ὑμῶν. Nicht κατὰ φύσιν, sondern κατὰ θεοῦ χάριν καὶ θέσει, ἀφάτῳ φιλανθρωπίᾳ, durch den Sohn und den Heiligen Geist haben wir Gott zum Vater (Cyrill v. Jerus., Kat. 7, 7—8).

Das bedeutet nun aber für die Erkenntnis Gottes des Vaters dies: **Gott ist nicht erst darum Gott der Vater, daß er der Schöpfer und also unser Vater ist.** Er ist es auch darum, und das ist das *opus ad extra*, das in Jesus offenbar wird. Aber daraus, daß er in Jesus und nur in Jesus als Schöpfer und also als unser Vater offenbar wird, geht hervor, daß er das Entsprechende schon zuvor und an sich ist, nämlich in seinem Verhältnis zu dem, durch den er offenbar wird, also in seinem Verhältnis eben zu Jesus. Ist es richtig, daß wir an dem an und durch Jesus vollstreckten Willen Gottes Väterlichkeit zu erkennen haben, und ist es weiter richtig, daß jede Abstraktion dieses Willens davon, daß er gerade an und durch Jesus vollzogen wird, durch jene Exklusive abgeschnitten ist, dann haben wir seine Väterlichkeit, abgesehen von dem, was sie für uns bedeutet, als die zuvor Jesus geltende, also als die einer Sohnschaft Jesu entsprechende zu verstehen. Es gibt dann eine Väterlichkeit Gottes in ihm selber, welche nicht erst darin ihre Wahrheit hat, daß er der Schöpfer und daß wir durch seine Gnade seine Kinder sind,

2. Der ewige Vater

sondern schon darin und primär darin, daß eine Offenbarung unserer neuen Geburt und also eine Offenbarung der Schöpfung, d. h. seiner Herrschaft über unser Dasein Ereignis sein kann. Die Möglichkeit dieses Ereignisses in Gott selber ist der mit Jesus von Nazareth identische Sohn Gottes. Im Verhältnis zu ihm, also als Vater dieses Sohnes, ist Gott zuvor in sich selber Vater.

Der Glaube an Gott den Vater muß so verkündigt werden, daß unausgesprochen sofort und ohne Verwirrung durch die Erinnerung an andere Väterlichkeiten der Glaube an den eingeborenen Sohn den Hörern eingeprägt wird. Τὸ γὰρ τοῦ πατρὸς ὄνομα ἅμα τῷ τῆς ὀνομασίας προσρήματι νοεῖν παρέχει καὶ τὸν υἱόν... Εἰ γὰρ πατήρ, πάντως ὅτι πατὴρ υἱοῦ (Cyrill v. Jerus., Kat. 7, 3—4). *Per prius paternitas dicitur in divinis secundum quod importatur respectus personae ad personam quam secundum quod importatur respectus Dei ad creaturam* (Thomas v. Aquino, S. Theol. I qu. 33 art. 3c). Gott ist Vater *secundum relationem quam habet ad personam filii* (Polanus, Syntagma theol. chr., 1609, III 4, zit. nach Heppe, Dogm. d. ev.-ref. Kirche, 1861, S. 92).

Im Blick auf diese ursprüngliche Väterlichkeit Gottes redet das Trinitätsdogma von der „Person" oder wie wir sagen: von der Seinsweise Gottes des Vaters. Nicht nur in dieser Seinsweise ist Gott Gott. Er ist es auch in der Möglichkeit — oder wir müssen gleich sagen: in den Möglichkeiten, in denen er als der in der neuen Geburt an uns Handelnde offenbar wird. Er ist es, wenn es zwischen der Offenbarung und ihrem Inhalt eine Abstraktion wirklich nicht geben soll, auch in der Seinsweise des Sohnes und des Heiligen Geistes. Aber gerade wenn dem so ist, weist uns der Inhalt der Offenbarung, sofern sie zugleich die Offenbarung der Schöpfung, der göttlichen Herrschaft über unser Dasein ist, zurück auf eine entsprechende innere Möglichkeit in Gott selber, die der Ordnung nach als die erste, ursprüngliche, in den anderen Möglichkeiten vorausgesetzte zu verstehen ist. In dieser ersten ursprünglichen Möglichkeit ist er Gott der Vater im Sinn des Trinitätsdogmas: der ewige Vater.

Πρὸ πάσης ὑποστάσεως καὶ πρὸ πάσης αἰσθήσεως, πρὸ χρόνων τε καὶ πρὸ πάντων τῶν αἰώνων τὸ πατρικὸν ἀξίωμα ἔχει ὁ θεός (Cyrill v. Jerus., Kat. 7, 5).

Man soll nicht sagen, daß der Gebrauch des Namens „Vater" hier ein übertragener, uneigentlicher, inadäquater sei. Das könnte nur dann gesagt werden, wenn das Maß der Eigentlichkeit hier und überhaupt unsere Sprache bzw. die geschaffene Wirklichkeit wäre, auf die sich unsere Sprache bezieht. Ist der Schöpfer das Maß der Eigentlichkeit des Geschaffenen und also auch unserer Sprache, dann wird gerade umgekehrt zu sagen sein: uneigentlich ist nicht nur die Verwendung des Vaternamens für das Urheberverhältnis, in welchem eine Kreatur zu der andern steht, sondern letztlich auch seine Verwendung für das Verhältnis Gottes als des Schöpfers zur Kreatur, wie wir es aus der Offenbarung der neuen Geburt abgelesen haben. Eigentlich und adäquat ist Gott allein als der, der er bei sich selber ist, also als der ewige Vater seines ewigen Sohnes Vater zu nennen. Aus der Kraft und Würde dieses allein eigentlichen Vaternamens fließt aus Gnade und für den Glauben der uneigentliche — gewiß darum nicht unwahre, aber wirklich uneigentliche — Vatername Gottes als des Schöpfers und aus diesem wieder die Benennung der innerkreatürlichen Urheberverhältnisse: dessen, was im Himmel und auf Erden Väterlichkeit heißt (Eph. 3, 15), auch diese als eine wahre aber uneigentliche, von der Kraft und Würde des innertrinitarischen Vaternamens Gottes abhängige zu verstehen.

Οὐ γὰρ ὁ θεὸς ἄνθρωπον μιμεῖται, ἀλλὰ μᾶλλον οἱ ἄνθρωποι διὰ τὸν θεόν, κυρίως καὶ μόνον ἀληθῶς ὄντα πατέρα τοῦ ἑαυτοῦ υἱοῦ, καὶ αὐτοὶ πατέρες ὠνομάσθησαν τῶν ἰδίων τέκνων (Athanasius, *Or. c. Ar.* I 23.)

Der trinitarische Vatername Gottes, Gottes ewige Väterlichkeit, bezeichnet die Seinsweise Gottes, in der er der Urheber seiner anderen Seinsweisen ist.

Fons ergo ipse et origo est totius divinitatis (Conc. Tolet. XI 675, Denz. Nr. 275). Als αὐτόθεος, ἄναρχος, ἀγέννητος, θεὸς ἐπὶ πάντων, als *a nullo originem habens, a se ipso existens, ingenitus, innascibilis, principium sine principio* bezeichnen ihn die Kirchenväter in dieser Seinsweise.

Man muß streng beachten, daß diese Urheberschaft (das unvergleichliche Urbild des Verhältnisses von Schöpfer und Geschöpf, das selber wieder das unvergleichliche Urbild aller innerkreatürlichen Urheberverhältnisse ist) sich auf das Verhältnis der göttlichen Seinsweisen untereinander bezieht, also nicht etwa dahin gedeutet werden darf, als ob zwischen dem Vater auf der einen und dem Sohn und dem Heiligen Geist auf der anderen Seite ein Über- bzw. Unterordnungsverhältnis hinsichtlich ihrer Göttlichkeit stattfinde. Das göttliche Wesen wäre nicht das göttliche Wesen, wenn es in ihm Superiorität und Inferiorität und dann wohl auch verschiedene Quanten von Göttlichkeit gäbe. Der Sohn und der Geist sind mit dem Vater eines Wesens. In dieser Einheit des göttlichen Wesens ist der Sohn vom Vater und ist der Geist vom Vater und vom Sohne, während der Vater von keinem als von sich selber ist. Will sagen: die innergöttliche Möglichkeit, kraft welcher Gott uns als Schöpfer und als unser Vater offenbar werden kann, ist keine in sich selbst begründete und ruhende Möglichkeit. Sie setzt vielmehr eine solche voraus und sie setzt ein Geschehen in Gott voraus, kraft welches sie als Möglichkeit gesetzt wird. Sie geht aus einer in sich selbst begründeten und ruhenden Möglichkeit in Gott hervor. Sie ist — Alles als innergöttliche Beziehung oder Bewegung, als *repetitio aeternitatis in aeternitate* zu verstehen! — Abbild eines Vorbildes, Ausgang aus einem Ursprung, Wort eines Erkennens, Entscheidung eines Willens. Dies: das Vorbild, der Ursprung, das Erkennen, der Wille in Gott, in welchem er sich von sich selber unterscheidet, aus welchem das Andere hervorgeht: das Abbild, der Ausgang, das Wort, die Entscheidung, kurz dies, daß er sich

2. Der ewige Vater

als der Schöpfer und als unser Vater zu einem von ihm selbst Unterschiedenen außer ihm in Beziehung setzen kann — dieses Erste in Gott selber ist der ewige Vater im Sinn des Trinitätsdogmas. Gott ist der ewige Vater, sofern er von Ewigkeit und in Ewigkeit der Vater des von Ewigkeit und in Ewigkeit mit ihm des gleichen Wesens teilhaftigen Sohnes ist. In dieser Beziehung und nicht anders ist Gott Gott — der Gott, der sich im Sohne als der Schöpfer und als unser Vater offenbart. — Aus dieser Einsicht ergeben sich nun zwei wichtige Folgerungen eben in bezug auf diese seine Offenbarung durch den Sohn.

1. Aus der Ewigkeit des Verhältnisses von Vater und Sohn, in dem auch die des Verhältnisses beider zum Heiligen Geist schon enthalten ist, folgt einmal notwendig, daß nicht nur Gott der Vater als der Schöpfer und als unser Vater und daß Gott der Vater nicht nur als der Schöpfer und als unser Vater anzusprechen ist. Wir sagten schon: der Gebrauch des Vaternamens für dieses Verhältnis und Handeln Gottes nach außen ist ein abgeleiteter und uneigentlicher. Die Offenbarung führt uns, sofern sie Offenbarung Gottes des Schöpfers und unseres Vater ist und sofern dieser ihr Inhalt nicht zu trennen ist von ihrer Form als Offenbarung in Jesus, zur Erkenntnis Gottes des ewigen Vaters. Aber eben in dieser Erkenntnis können wir ja den Vater nicht trennen vom Sohn und vom Heiligen Geist. Eben in dieser Erkenntnis muß uns also die bloß relative Bedeutung des isolierenden Weges, auf dem wir zu dieser Erkenntnis kommen, deutlich werden. Es bedeutet eine „Appropriation" (vgl. § 9, 3), wenn wir isolierend gerade Gott den Vater als Schöpfer und als unseren Vater verstehen und Gott den Vater gerade als Schöpfer und als unseren Vater. Die Dreieinigkeit bedeutet nicht das Nebeneinander von drei in drei verschiedenen Funktionen handelnden Teilen Gottes. *Opera trinitatis ad extra sunt indivisa*, wie auch das Wesen Gottes ein einiges und ungeteiltes, die *trinitas* selbst eine *individua trinitas* ist. Also ist nicht nur das im ersten Artikel des Glaubensbekenntnisses bezeichnete Subjekt Vater, allmächtig, Schöpfer Himmels und der Erden, sondern mit ihm, in der Ordnung und in dem Sinn, die jedem zukommt, auch das Subjekt des zweiten und dritten Artikels. Und wiederum ist das Subjekt des ersten Artikels nicht nur Vater, allmächtig, Schöpfer Himmels und der Erden, sondern, wiederum in der Ordnung und in dem Sinn, die ihm dabei zukommen, auch Subjekt der Versöhnung wie das des zweiten und der Erlösung wie das des dritten Artikels. Also: nicht nur der Vater ist Schöpfergott, sondern der Sohn und der Geist sind es mit ihm. Und: der Vater ist nicht nur Schöpfergott, er ist mit dem Sohn und dem Geist auch Versöhner-, auch Erlösergott. Gerade die Erkenntnis der innertrinitarischen Besonderheit des Vaternamens garantiert also die Erkenntnis der Einheit Gottes, die durch den Blick auf die Besonderheit der Offenbarung Gottes als des Schöpfers und als unseres Vaters

sofort gefährdet wäre, wenn dieser Blick nicht von jener scheinbar — aber doch nur scheinbar — so spekulativen innertrinitarischen Einsicht geleitet wäre. Weil Gott der ewige Vater ist als der Vater des Sohnes und mit ihm zusammen der Ursprung des Geistes, darum kann der in der Versöhnung und in der Erlösung handelnde, der als der Versöhner und Erlöser sich offenbarende Gott kein zweiter und dritter Gott und auch kein zweiter und dritter Teil Gottes sein, darum ist und bleibt Gott in seinem Wirken wie in seinem Wesen *unus et individuus*.

Darum verbieten sich alle theologischen Liebhabereien: die eines einseitigen Gott-Vater-Glaubens, wie er in der Aufklärung gepflegt wurde, ebensowohl wie der des sog. Christozentrismus, wie ihn der Pietismus liebte und noch liebt, wie endlich aller Unfug, der mit einer isolierten Verehrung des Geistes getrieben worden ist und getrieben werden kann. Man kann Gott nicht unseren Vater nennen, ohne den Sohn und den Geist, und man kann den Sohn nicht Heiland und den Geist nicht Tröster nennen, ohne bei beiden den Vater mitzumeinen.

Diese Erkenntnis sichert das trinitarische Dogma von dem ewigen Vater, dem Vater seines eingeborenen Sohnes.

2. Aus derselben Ewigkeit des Verhältnisses von Vater und Sohn, in welchem auch die Ewigkeit der Beziehung beider zum heiligen Geist ausgesprochen ist, folgt nun aber auch das Andere: daß die notwendige Relativierung der uns zu der Einsicht in dieses ewige Verhältnis führenden Offenbarungserkenntnis keine Entwertung oder Diskreditierung dieses Erkenntnisweges bedeuten kann. Daß das Verständnis gerade Gottes des Vaters als des Schöpfers und Gottes des Schöpfers gerade als des Vaters ein uneigentliches Verständnis ist, weil Gott in seinem Wesen und Wirken Einer ist, das heißt nicht: es ist ein unwahres, ein verbotenes und preiszugebendes Verständnis. „Uneigentlich" kann hier nur heißen: es ist an sich kein erschöpfendes, sondern ein einseitiges, der Ergänzung bedürftiges Verständnis, ein Verständnis, dem man sich nicht exklusiv hingeben, das man nicht exklusiv geltend machen kann und darf, ein Verständnis, bei dem mitgemeint sein muß, was in ihm selber als solchem nicht enthalten ist. Die „Appropriation", die wir vollziehen, wenn wir Gott den Vater und wenn wir die Schöpfung in jener Besonderheit verstehen, ist nicht nur erlaubt, sondern auch geboten, und die auf sie sich begründende Erkenntnis ist in ihrer ganzen Relativität wahre Erkenntnis. Ohne diese Appropriation zu machen, könnten wir auch nicht einsehen, daß sie „nur" eine Appropriation ist. Gerade auf dem durch sie begründeten Erkenntnisweg und nur auf ihm ist das Ziel erreichbar, von dem aus die Relativität des Weges eben als Weg erkennbar wird. Die Appropriation entspricht ja einfach der Wirklichkeit der uns in der Schrift bezeugten Offenbarung und es entspricht die Uneigentlichkeit der auf die Appropriation sich begründenden Erkenntnis der Wirklichkeit des die Offenbarung vernehmenden Glaubens, der eben kein Schauen ist. Das Trinitätsdogma, das uns vorhin an die Einheit des Wesens und

Wirkens Gottes erinnerte, will uns nicht über die Offenbarung und den Glauben hinaus, sondern in die Offenbarung und in den Glauben hinein, zu ihrem rechten Verständnis führen. Es kann sich also nicht darum handeln, daß die Appropriation gerade Gottes des Vaters für die Schöpfung bzw. der Schöpfung gerade für den Vater eine vorläufige und überwindbare Ansicht wäre, die dann in einer höheren Gnosis des einen Gottes aufzugehen und zu verschwinden hätte. Die Einheit Gottes bedeutet ja in keinem Sinn die Aufhebung seiner Dreieinigkeit. Als der, der er ist, offenbart sich Gott. Das sagt das Trinitätsdogma eben auch. Gerade die Ewigkeit des Verhältnisses von Vater, Sohn und Geist besagt, weil dieses Verhältnis Einheit und Verschiedenheit der drei Seinsweisen in sich schließt, auch das, daß Gottes Wirken nach außen ebenso real ein in seiner Einheit in sich verschiedenes, wie ein in seiner Verschiedenheit einheitliches ist. Wir haben vorhin in bezug auf die Einheit des Wirkens von Vater, Sohn und Geist nach außen die Klausel angebracht: sie wirken je in der Ordnung und in dem Sinn, die jedem dabei zukommt. Das will sagen: die Einheit ihres Wirkens ist zu verstehen als Gemeinschaft der drei Seinsweisen im Sinn der Lehre von der „Perichorese" (vgl. § 9, 3), nach der alle drei ohne Verlust oder gegenseitige Aufhebung ihrer Eigenständigkeit sich wechselseitig durchdringen, einander wechselseitig inexistieren. Nicht so also kann diese Einheit zu verstehen sein, als wäre die Wahrheit in bezug auf Gottes Wirken nach außen nun doch ein Erlöschen der Eigenständigkeit der drei Seinsweisen in einem neutralen ununterschiedenen Vierten, so daß mit dem Modalismus kein auf dieses *opus ad extra* sich beziehender Satz im Ernst von einer bestimmten Seinsweise und alle auf dieses *opus ad extra* sich beziehenden Sätze wahllos von jeder einzelnen Seinsweise ausgesagt werden könnten. Wir heben hier nur hervor, was zu unserem Thema gehört: der Vater ist nicht der Sohn und nicht der Geist. Das bleibt auch im *opus ad extra* wahr, so gewiß es eben von Ewigkeit und in Ewigkeit wahr ist. Auf diese Unterscheidung bezieht sich die Appropriation, in der wir den Schöpfer mit Gott dem Vater und Gott den Vater mit dem Schöpfer gleichsetzen. Sie ist eine bloße Appropriation, sofern sie die Wahrheit der Perichorese, des Miteinanderseins von Vater, Sohn und Geist in ihrem Wesen und Wirken nicht mitausspricht. Sie spricht aber die Wahrheit aus und vermittelt auch wahre Erkenntnis, sofern sie mit jener Gleichsetzung die Unterscheidung berührt und bezeichnet, die auch im *opus ad extra* stattfindet, die Ordnung und den Sinn, in welchen Gott als der Dreieinige das Subjekt des *opus ad extra indivisum* ist. Sie spricht die Wahrheit aus, sofern sie mit jener Hervorhebung gerade des Vaters bzw. des Schöpfers hinweist auf die Affinität zwischen der Ordnung der drei Seinsweisen Gottes auf der einen und der der drei Seiten seines Wirkens als Schöpfer, Versöhner und Erlöser auf der anderen Seite. Zwischen dem

Verhältnis des Vaters zum Sohne einerseits und dem Verhältnis des Schöpfers zum Geschöpf besteht nun einmal eine Affinität: um Urheberschaft, wenn auch in *toto coelo* verschiedenem Sinne, geht es hier wie dort. Im Blick auf diese Affinität ist es nicht nur erlaubt, sondern auch geboten, die Schöpfung als *proprium* gerade Gott dem Vater zuzuschreiben und Gott den Vater *peculiariter* gerade als Schöpfer zu verstehen. Und umgekehrt ergibt sich aus der ewigen, also auch für das *opus ad extra* gültigen Wahrheit jener Unterscheidung die Einsicht, daß gewisse Sätze über das Wirken des Sohnes und des Geistes dem Vater nicht appropriiert werden können, obwohl doch Gott der Vater nicht weniger Subjekt der Versöhnung und der Erlösung ist als der Sohn und der Geist.

Man kann von Gott dem Vater nicht sagen, daß er empfangen und geboren wurde, gelitten hat, gestorben und auferstanden ist. Man kann von ihm auch nicht sagen, daß man um sein Kommen bitten muß und daß er ausgegossen werden soll über alles Fleisch. Denn einerseits stehen alle diese Sätze in Affinität zu dem Verhältnis des Sohnes bzw. des Geistes zum Vater, nicht aber umgekehrt: ihr Inhalt kommt also *peculiariter* dem Sohn und dem Geist und nicht dem Vater zu. Andererseits beziehen sich besonders die Sätze des zweiten Artikels auf Gott den Sohn, sofern er als der Versöhner handelnd, Menschheit, also Geschöpflichkeit, angenommen hat. Sie würden also, angewandt auf Gott den Vater kollidieren mit dessen Affinität zum Wesen und Handeln Gottes als des Schöpfers. Gewiß ist in der Fleischwerdung des Wortes der Schöpfer Geschöpf geworden, und gewiß ist der Heilige Geist, um den wir bitten, der *creator spiritus*, und eine Gegenwart des Vaters auch in dem geboren werdenden, leidenden und sterbenden Sohn und in dem zu Pfingsten ausgegossenen Geist wird man darum nicht in Abrede stellen können noch dürfen. Man wird aber ebensowenig sagen dürfen: Gott der Vater ist gestorben, wie man sagen darf: Jesus von Nazareth oder der Geist von Pfingsten hat Himmel und Erde erschaffen.

Eine absolut eindeutige Grenze des Gebotenen und Verbotenen läßt sich freilich nicht ziehen. Man kann nur sagen, daß eben die Lehre von der Perichorese, mit der sich Mißbrauch treiben läßt, indem man einseitig das Ineinander der drei Seinsweisen hervorhebt, auch das andere Moment enthält, durch das man sich vor Mißbrauch warnen lassen soll, nämlich das Verständnis des Ineinanders als eines Miteinanders, die Voraussetzung der ewigen Eigenständigkeit der drei Seinsweisen in ihrer ewigen Gemeinschaft. Und man kann allerdings das mit aller Bestimmtheit sagen, daß eine Systematisierung jener Einseitigkeit, wie sie z. T. im alten Modalismus (z. B. in der Form des „Patripassianismus") vorlag, darum absolut verboten ist, weil sie die Aufhebung der Dreieinigkeit in jenes neutrale Vierte bedeuten würde. Die Ewigkeit der Vaterschaft Gottes bedeutet nicht nur die Ewigkeit der Gemeinschaft des Vaters mit dem Sohne und dem Geiste, sondern sie schützt ihn auch vor der Ineinssetzung mit dem Sohne und dem Geiste. Zu dieser Ineinssetzung darf es auch auf Grund des Satzes *opera trinitatis ad extra sunt indivisa* nicht kommen. Sie würde nicht nur gegen das Trinitätsdogma verstoßen. Sie wäre auch unvereinbar mit dem Annehmen und Ernstnehmen des biblischen Zeugnisses, das den Vater und den Sohn eins sein läßt in ihrer Verschiedenheit. Es ist also recht und notwendig, daß die Erkenntnis des Vaters als des Schöpfers und als unseres Vaters bei allem Wissen um die Einheit des Vaters mit dem Sohne und dem Geiste immer wieder eine besondere Erkenntnis ist. Nur in dieser Besonderheit ernst genommen führt sie zu jenem Wissen und gerade dieses Wissen wird uns dazu anleiten, sie immer wieder auch in ihrer Besonderheit ernst zu nehmen.

§ 11
GOTT DER SOHN

Der eine Gott offenbart sich nach der Schrift als der Versöhner, d. h. als der Herr mitten in unserer Feindschaft gegen ihn. Er ist als solcher der zu uns gekommene Sohn oder das uns gesagte Wort Gottes, weil er es als der Sohn oder das Wort Gottes des Vaters zuvor in sich selber ist.

1. GOTT ALS VERSÖHNER

Wir kehren zurück zu dem Ausgangspunkt unseres vorigen Paragraphen, wo wir eingesetzt haben mit der Frage: Wer ist der, den die Heilige Schrift den Herrn nennt, der in der Offenbarung mit dem Menschen handelt? und wo wir geantwortet haben: auf dem Höhepunkt des biblischen Zeugnisses wird gesagt (durchaus in der Meinung damit das für das ganze, also auch für das alttestamentliche biblische Zeugnis Wahre und Gültige zu sagen): Jesus von Nazareth ist dieser Herr. Wir sind dann zunächst der Linie der neutestamentlichen Botschaft gefolgt, auf der, scheinbar im Gegensatz zu dieser Aussage, Jesus von Nazareth vielmehr verstanden wird als der Knecht Gottes, der den Willen seines himmlischen Vaters verkündigt und ausrichtet. Wir haben dann aber gesehen, wie auch und gerade die Offenbarung des Vaters als deren bloßer Mittler Jesus zunächst erscheinen möchte, sich nach dem biblischen Zeugnis durchaus nicht abstrahieren läßt von diesem Mittler. Das, was Gott in Jesus offenbart, und die Art, wie er es offenbart: nämlich in Jesus, sind nach dem Neuen Testament nicht zu trennen, und unter der Voraussetzung, daß dieses Verbot ernst zu nehmen sei, haben wir den Begriff Gottes als des Vaters eben in seinem Verhältnis zu diesem seinem Offenbarungsmittler als eine ihm endgültig und wirklich zukommende Seinsweise, wir haben seine Vaterschaft als eine ewige verstehen müssen.

Wir wenden nun unsere Aufmerksamkeit wieder der dort erst berührten und dann sofort verlassenen anderen Linie des biblischen Zeugnisses zu, auf der es gerade nicht die Unterscheidung Jesu von dem Vater, sondern, ohne Leugnung dieser Unterscheidung, sofort seine Gemeinschaft, ja Einheit mit ihm hervorhebt. Den Aussagen über das Verhältnis des Vaters zum Sohne, auf die wir uns im vorigen Paragraphen bezogen haben, entsprechen aufs genaueste eine Reihe von Aussagen über das Verhältnis des Sohnes zum Vater. Von diesen Aussagen ist ja die Bildung des Trinitätsdogmas ausgegangen, und es steht von vornherein zu erwarten, daß wir ihm auch und gerade hier Folge zu leisten haben werden, wenn es die in diesen Aussagen bezeugte Einheit des Sohnes mit dem Vater, also die Gottheit Jesu Christi, als eine endgültige, eigentliche und wesentliche verstanden wissen will.

Man wird hier schon auf die freilich von allerlei Dunkelheit umgebene Anwendung des Kyrios-Namens auf Jesus hinweisen müssen. Greift hier die apostolische Sprache nach dem im hellenistischen Ägypten bekannten Titel des göttlichen Weltherrschers? Oder nach dem Titel, der in Syrien dem Kultgott im Gegensatz zu seinen Sklaven, den Kultgenossen, zukam? Oder nach dem Titel des Kaisers in der römischen Kaiserreligion? Wie dem auch sei, dieser Name rückt den durch ihn Bezeichneten schon im Blick auf das, was er außerhalb des damaligen Judentums bedeutete, weit weg von den übrigen Menschen, auf die Seite der „Gottheit" in dem mehr oder weniger ernsthaften Sinn des Begriffs, wie er in dieser religiösen Welt in Betracht kommen mochte, dorthin, wo ihm auf alle Fälle jene Kniebeugung zukommt, von der Paulus Phil. 2, 10 geredet hat. Es kann aber — und damit wird die Sache eigentlich sofort fast eindeutig — bei dem engen Zusammenhang zwischen der Urgemeinde und der palästinensischen und hellenistischen Synagoge unmöglich unbewußt und unbeabsichtigt geschehen sein, wenn man mit diesem Namen jedenfalls auch den alttestamentlichen Gottesnamen Jahve-Adonai übersetzte und also auf Jesus anwandte. In die gleiche Richtung weist uns die praktische Bedeutung des Namens Jesu als des Namens, in dem geweissagt, gelehrt, gepredigt, gebetet, getauft wird, in dem Sünden vergeben, Dämonen ausgetrieben und andere Wunder getan werden, in dem die Seinigen sich versammeln, in dem sie einander aufnehmen, an den sie glauben, den sie anrufen, in dem sie erhalten bleiben müssen, um deswillen sie freilich auch gehaßt und geschmäht werden und alles irdische Gut verlieren, ja vielleicht sogar sterben müssen, in welchem sie aber wiederum auch „abgewaschen, geheiligt, gerechtfertigt" sind (1. Kor. 6, 11), der sozusagen der Ort, der Bezirk ist, in welchem ihr ganzes Reden und Tun sich abspielen soll (Kol. 3, 17). Es ist genau die gleiche umfassende und durchgreifende Bedeutung, die (vgl. § 8, 2) im Alten Testament der Name Jahves hat: der Name Jahves ist eben der den Menschen offenbare Jahve. Wer ist dann Jesus, wenn sein Name dieselbe Bedeutung hat? Braucht es noch die ausdrückliche Erklärung des Paulus (Phil. 2, 9), daß ihm Gott den Namen geschenkt, der über alle Namen ist?

Als zweites dringlich in dieselbe Richtung weisendes allgemeines Phänomen — es ist das Verdienst von K. L. Schmidt (RGG.² Art. Jesus Christus) nachdrücklich darauf hingewiesen zu haben — ist dies zu nennen, daß die neutestamentliche Überlieferung das offenbarende Handeln Jesu dargestellt hat als ein unmöglich aufzulösendes Ineinander von Wort und Tat, und zwar von Wort und Wundertat. Τὰ περὶ Ἰησοῦ τοῦ Ναζαρηνοῦ lassen sich, abgesehen von den letzten für den Sinn und die Richtung des Ganzen entscheidenden Ereignissen seines Lebens zusammenfassen in die Worte: ἐγένετο ἀνὴρ προφήτης δυνατὸς ἐν ἔργῳ καὶ λόγῳ (Luc. 24, 19) oder: ἃ ἤρξατο ποιεῖν τε καὶ διδάσκειν (Act. 1, 1). Aber solche und ähnliche „Sammelberichte", die übrigens oft genug (z. B. Act. 2, 22; 10, 38) auch nur den Wundertäter Jesus zu kennen scheinen, sprechen nur einen Eindruck aus, dem man sich bei unbefangener Lektüre etwa des Markus-Evangeliums ohnehin unmöglich entziehen kann: daß die hier freilich auch

1. Gott als Versöhner

vorgetragene Lehre nicht ohne, sondern nur durch die Interpretation der sie ununterbrochen begleitenden Tat verstanden sein will. Es ist eine Schranke des Jesusbuches von R. Bultmann (1926), daß es an dieser doch kaum zu überhörenden Forderung der Texte vorübergeht, um „Jesus" einseitig aus seinen Worten zu konstruieren. Die ununterbrochen mitredenden Taten, die hier mitzuhören sind, sind Wundertaten. Wie sie mit dem zentralen Inhalt der Worte Jesu zusammenhängen, zeigt die Geschichte von dem Paralytischen (Mc. 2, 1—12), wo Jesus zum Entsetzen der Schriftgelehrten — sie reden sofort und von ihrem Ort aus mit Recht von Gotteslästerung — nicht nur von Sündenvergebung redet, sondern Sünde vergibt und zum Erweis seiner Vollmacht zu diesem Tatwort den Paralytischen gesund macht. Gottes sichtbar werdende Tat, die Totalität eines gnädigen Geschehens am Menschen, unterstreicht das gesprochene Wort als Gotteswort. Das ist der Sinn der Jesu (und unter Verweis auf die ihnen von Jesus übertragene Vollmacht ausdrücklich auch seinen Aposteln) zugeschriebenen Wundertaten — ein Sinn, der diese Wundergeschichten, wie man sie auch sachlich beurteilen möge, innerhalb der Fülle der Wundergeschichten jenes ganzen Zeitalters jedenfalls als etwas sehr Besonderes kennzeichnet. Ihr Besonderes liegt aber in ihrer durchgängigen und unlöslichen Verbindung mit dem Wort Jesu, eine Verbindung, die ebenso dieses Wort von einer bloßen Prophetenrede wie die Wundertaten von bloßer Thaumaturgie unterscheidet, eine Verbindung, in der das Wort und die Tat in gleicher Weise ein Oberhalb, ein Jenseits von Ethos („Geschichte"!) und Physis, eine dem ganzen Bestand der menschlichen, ja der kosmischen Wirklichkeit gegenüberstehende höhere Instanz sichtbar machen. Wer ist der, der offenbar eintretend für diese höhere Instanz, so reden, weil so handeln, so handeln, weil so reden kann?

Man könnte von den weiteren Jesus im Neuen Testament beigelegten Titeln: dem Titel des Messias-Christus, dem Titel des Menschensohns und dem Titel des Sohnes Gottes sagen: sie sind an sich zweideutig oder doch undeutlich: „Sohn Gottes" z. B. war im alten Orient eine verbreitete Bezeichnung einfach für den König. Aber der Zusammenhang der neutestamentlichen Christologie macht nun doch auch diese Titel in ganz bestimmter Weise sprechend. Der, den das Evangelium schildern will, so hebt der vierte Evangelist an, das Wort, das fleischgeworden unter uns zeltete, in seiner Herrlichkeit von uns gesehen wurde (Joh. 1, 14) — dieses Wort war nicht wie alle anderen Worte ein geschaffenes menschliches, auf sich selbst sich bloß beziehendes, bloß von Gott und über Gott redendes Wort. Es ist als Wort dort gesprochen, wo Gott ist, nämlich ἐν ἀρχῇ, *in principio* alles dessen, was ist, πρὸς τὸν θεόν: zu Gott gehörig, also selber θεός, Gott von Art (Joh. 1, 1), identisch mit dem Wort, durch das — πάντα δι' αὐτοῦ ἐγένετο — Gott alles, was ist, ins Sein und ins Dasein gerufen (Joh. 1, 3). Nicht mehr und nicht weniger als Gott selber ist da, indem dieses Wort: οὗτος, d. h. Jesus, von dem das Evangelium erzählen will, da ist als das Licht in der Finsternis, die das Licht nicht begreift (Joh. 1, 2 und 4—5). Jenes θεὸς ἦν ὁ λόγος wird dann Joh. 1, 18 (nach der richtigen Lesart) ausdrücklich wiederholt: μονογενὴς θεὸς ὁ ὢν εἰς τὸν κόλπον τοῦ πατρός, der hat den unsichtbaren Gott offenbart. Dieselbe Gleichsetzung zwischen dem gesehenen, gehörten, betasteten Gegenstand der christlichen Verkündigung und dem ὃ ἦν ἀπ' ἀρχῆς findet auch 1. Joh. 1, 1 statt. Und so sagt auch Paulus: θεὸς ἦν ἐν Χριστῷ καταλλάσσων (2. Kor. 5, 19) und: ἐν αὐτῷ κατοικεῖ πᾶν τὸ πλήρωμα τῆς θεότητος σωματικῶς (Kol. 2, 9). Die Stelle Hebr. 1, 9f., in der die Erhabenheit des Sohnes Gottes auch über die Engelwelt festgestellt wird, ist darum merkwürdig, weil dort in den zitierten Psalmworten auch die Unterscheidung zwischen dem vielleicht immer noch adjektivisch und uneigentlich zu deutenden θεός und ὁ θεός in Wegfall kommt, der Sohn ausdrücklich als ὁ θεός bezeichnet wird. Ὁ μέγας θεός kann Jesus genannt werden (Titus 2, 13), ἴσος τῷ θεῷ (Joh. 5, 18; Phil. 2, 7), ἐν μορφῇ θεοῦ ὑπάρχων (Phil. 2, 6), der ἴδιος υἱός seines Vaters (Röm. 8, 32), der υἱὸς τῆς ἀγάπης αὐτοῦ (Kol. 1, 13), der υἱὸς ὁ μονογενής (Joh. 3, 16, 18; 1. Joh. 4, 9), ὁ ἐκ τοῦ οὐρανοῦ καταβάς (Joh. 3, 13, 31). Er kann von sich sagen: ἐγὼ καὶ ὁ πατὴρ ἕν ἐσμεν (Joh. 10, 30). Er ist vom Vater gekommen (Joh. 16,

28). Er hat schon bisher gewirkt, wie sein Vater gewirkt hat (Joh. 5, 17). Er hat das Leben in sich selber, wie sein Vater das Leben in sich selber hat (Joh. 5, 26). Wer ihn sieht, der sieht den Vater (Joh. 14, 9). Er kann mit dem Vater sagen: Bevor Abraham wurde, bin ich (Joh. 8, 58) und zum Vater: Du hast mich geliebt vor Erschaffung der Welt (Joh. 17, 24). Denn vor dem Sein der Welt hatte er Herrlichkeit (Joh. 17, 5). Ὁ θρόνος σου ὁ θεὸς εἰς τὸν αἰῶνα τοῦ αἰῶνος läßt Hebr. 1, 8 Gott seinen Sohn anreden. Er ist das Alpha und das Omega, der Erste und der Letzte, die ἀρχή und das τέλος (Apoc. 22, 13, vgl. 1, 8, 17), der Seiende und der Gewesene und der Kommende ὁ παντοκράτωρ (Apoc. 1, 8), gestern und heute derselbe und in Ewigkeit (Hebr. 13, 8). Und darum ist von ihm zu sagen, wie schon der Johannesprolog hervorhebt, daß Gott durch ihn die Äonen schuf (Hebr. 1, 2), daß er das kräftige Wort ist, durch das er alle Dinge trägt (Hebr. 1, 3), daß in ihm alles geschaffen wurde, was im Himmel und auf Erden ist (Kol. 1, 16; 1. Kor. 8, 6). Er ist πάντων κύριος (Act. 10, 36). Er kann von sich selbst sagen: Alle Dinge sind mir übergeben von meinem Vater...! und darum: Kommet her zu mir Alle, die ihr mühselig und beladen seid, ich will euch erquicken (Matth. 11, 27—28). Wie denn auch der Inhalt des Petrusbekenntnisses von Matth. 16, 16: „Du bist Christus, der Sohn des lebendigen Gottes" nachher (Matth. 26, 63f.) als die Gotteslästerung erscheint, die Jesus ans Kreuz führt.

Das ist neben der im vorigen Paragraphen hervorgehobenen ersten die andere Linie der neutestamentlichen Überlieferung. Das heißt dort „Jesus der Herr", die Gottheit Jesu Christi.

Man kann den neutestamentlichen Satz von der Einheit des Sohnes mit dem Vater, also von der Gottheit Christi, unmöglich verstehen auf Grund der Voraussetzung, die ursprüngliche Ansicht und Aussage der neutestamentlichen Zeugen sei die über einen Menschen gewesen, der dann entweder als solcher zur Göttlichkeit erhoben worden sei oder als die Personifikation und das Symbol eines göttlichen unter uns erschienen sei.

Es bedeutet sofort eine Bedrohung des hier nötigen Verständnisses, wenn man das Problem der neutestamentlichen Christologie mit M. Dibelius (RGG.[2] Art. Christologie I) dahin formuliert: „wie sich das Wissen um die geschichtliche Gestalt Jesu so schnell in den Glauben an den himmlischen Gottessohn umgewandelt habe". Das fragt sich eben, ob man ein solches Wissen um eine „geschichtliche Gestalt" als das Erste, eine Verwandlung dieses Wissens in den Glauben an den himmlischen Gottessohn als das Zweite voraussetzen und dann nach geistesgeschichtlicher Art fragen kann, wie jene Umwandlung zustande gekommen sein möchte. Wir sehen keine Möglichkeit, auf diesem Wege anderswo als in einer Aporie zu endigen. — Es gibt auf der Basis dieser Fragestellung in der Hauptsache zwei modern historische Versuche die Entstehung jenes Satzes zu erklären (vgl. zu ihrer Charakterisierung K. L. Schmidt a. a. O. am Anfang und am Schluß des angeführten Artikels; aber auch schon Schleiermacher, Der chr. Gl. § 22), zwei Versuche, die merkwürdigerweise mit den beiden wichtigsten von der Kirche schließlich ausgestoßenen Seitenlinien des christologischen Denkens schon des zweiten Jahrhunderts sachlich aufs genaueste zusammentreffen.

Man kann nämlich den neutestamentlichen Satz von der Gottheit Christi erstens individualistisch verstehen: als die Apotheose eines Menschen, eines „großen Mannes", der als solcher, durch das Geheimnis seiner Persönlichkeit und seines Werkes seiner Umgebung so eindrucksvoll wurde, daß das Entstehen des enthusiastischen Eindrucks und Gedankens: „Er ist ein Gott" sich nicht vermeiden ließ. Ein solcher Mensch wäre Jesus von Nazareth gewesen, der Anfänger und Verkündiger einer seiner Zeit und mehr oder weniger auch anderen späteren Zeiten unerhörten Lebenshaltung der Kindlichkeit, der Freiheit, des Gehorsams, der Liebe und der Treue bis in den Tod,

1. Gott als Versöhner

der mehr oder weniger freiwillige oder unfreiwillige Stifter der christlichen Religion und der Gründer der christlichen Kirche. Vom begeisterten und begeisternden galiläischen Land-Rabbi, der er war und als der er ursprünglich von den Seinigen verehrt wurde, steigt er in ihren Augen empor zum Propheten vom Rang des Elia, vom politischen Messias, der er ihnen ursprünglich mindestens auch war, empor zum Sohne Davids, der als solcher auch Sohn Gottes heißen konnte, zu einem in Visionen auch nach seinem leiblichen Tode seine Gegenwart bezeugenden, in seinem „Geiste" weiterlebenden und darum wohl auch präexistenten himmlischen Wesen desselben Namens, bis die Beteuerung, im Quadrat der Entfernung von ihrem historischen Gegenstand immer hitziger werdend, sich überschlägt und die Gleichung zwischen Jesus und Gott nicht mehr unmöglich ist. Wobei die Vorstellung, daß Gott diesen Menschen Jesus zu bestimmter Stunde, bei seiner Geburt oder in seiner Taufe oder in jener Verklärung auf dem Berge, oder eben in seiner Auferstehung von den Toten zu solcher Würde eingesetzt, ihn als seinen Sohn angenommen habe, ein artiges Symbol sein konnte für das, was man im Eifer seines Christus-Enthusiasmus selber getan hatte: ein wunderbarer Mensch, den man einst als solchen gekannt hatte und den man auch eigentlich immer noch meinte, wurde im „Auge des Glaubens" zum Gott emporidealisiert, wie das auch anderen Heroen widerfahren konnte und widerfahren ist. Das ist die ebionitische bzw. die in den Spuren des Ebionitismus historisch rekonstruierte Christologie.

Man kann aber den neutestamentlichen Satz von der Gottheit Christi zweitens auch gerade umgekehrt kollektivistisch dahin deuten: es handle sich in ihm um die Personifizierung einer auch sonst sehr wohlbekannten Idee, einer allgemeinen Wahrheit: etwa der Wahrheit der Gemeinschaft von Gottheit und Menschheit, oder der Wahrheit, der Erschaffung der Welt durch Gottes Wort und Weisheit, oder der Wahrheit der Erlösung auf dem Weg des Stirb und Werde!, oder der Wahrheit des Zusammenseins von Heiligkeit und Güte, von Vergebung und Anspruch. Daß es gerade Jesus von Nazareth war, in welchem man diese Idee Erscheinung werden sah, war nun mehr oder weniger zufällig und gleichgültig, so gleichgültig, daß die konkrete Menschlichkeit seiner irdischen Existenz oder schließlich auch deren geschichtliche Wirklichkeit auch in Frage gestellt werden konnte. Als Theophanie, als Mythus, d. h. als Gestaltwerdung jener allgemeinen Wahrheit wurde er geglaubt, als der bekannte Danielische Menschensohn oder als der bekannte präexistente Logos oder als der bekannte Weltheiland, von dem ein wenig der ganze Hellenismus zu wissen meinte, oder als ein Analogon jener göttlichen Hypostasen, wie sie die Rabbinen lehrten, wenn sie von der *Memra* (dem Worte) der *Schechina* (der Herrlichkeit), dem *Metatron* (dem obersten Erzengel Gottes) redeten. Indem und sofern man nun eben gerade in Jesus von Nazareth das Symbol dieser Idee anschaute und verehrte, nannte man ihn Kyrios, Gottes Sohn und schließlich, der Dialektik dieser Gleichung wohl bewußt, Gott selber. Die Kraft des Christus-Enthusiasmus, der dieser Gleichung fähig und bedürftig war, war die Kraft der Idee, die Kraft der Anschauung von dem herniedersteigenden und manifest werdenden Gotte überhaupt, die in ihrer Beziehung gerade auf Jesus von Nazareth nur ihre besondere Kristallisation fand, wie sie denn solche Kristallisationen damals und zu andern Zeiten nachweislich auch sonst gefunden hat. Das allgemeine „Auge des Glaubens" war nun einmal auch und gerade auf ihn gefallen. Aber sie, diese Idee, meinte man und nicht den Rabbi von Nazareth, den man als solchen kennen oder auch nicht kennen konnte, ohne viel dabei zu gewinnen oder zu verlieren, den man jedenfalls nur um der Idee willen kennen wollte. Das ist die doketische bzw. die in den Spuren des Doketismus historisch rekonstruierte Christologie.

Diese beiden Auffassungen bzw. Erklärungen des Satzes von der Gottheit Christi scheinen sich mehr zu widersprechen, als dies in Wirklichkeit der Fall ist. Die erste versteht Jesus als den oder als einen in die Übergeschichte hineinragenden Gipfel der Geschichte. Die zweite versteht ihn als den in die Geschichte sich hineinsenkenden Wurzelschoß der Übergeschichte. Nach der ersten ist er die höchste Erscheinung menschlichen Lebens, nach der zweiten das vollkommenste Symbol göttlicher Gegenwart. Allzu schwierig dürfte es offenbar nicht sein, diese beiden Konzeptionen dialektisch aufeinander zu beziehen und miteinander auszusöhnen. Gemeinsam ist ihnen jedenfalls die Ansicht, daß es sich in dem neutestamentlichen Satz von der Gottheit Christi streng genommen um eine uneigentlich gemeinte und zu verstehende Redensart handle.

Die Kirche schon des zweiten Jahrhunderts hat sich den Ebionitismus ebensowohl wie den Doketismus und damit im voraus auch die entsprechenden modern-historischen Erklärungen verbeten. Und der neutestamentliche Satz von der Gottheit Christi kann in der Tat nur verstanden werden unter der Voraussetzung, daß er weder mit der Apotheose eines Menschen noch mit einer Personifizierung einer Idee Gottes oder einer göttlichen Idee etwas zu tun hat. Er entzieht sich dieser Alternative. Aber das geschieht freilich auf einer Linie, in der die Ebene, auf der sich die ebionitische und die doketische Linie schneiden, selber von einer anderen Ebene, also in einer dritten Dimension, senkrecht zu ihr und zu jenen Linien, geschnitten wird. Beharrlich auf jener Ebene mit ihren zwei Dimensionen weiterdenkend, wird man über die Dialektik von Geschichte und Übergeschichte, Übergeschichte und Geschichte, über die Vorstellung eines Christus-Enthusiasmus, in welchem aus einer geschichtlichen Gestalt ein himmlisches Wesen oder aus einem himmlischen Wesen eine geschichtliche Gestalt wird, nicht hinauskommen. Man redet dann beharrlich nicht von dem Christus des Neuen Testamentes, sondern von dem idealisierenden und mythologisierenden Menschen und von Jesus als von dem Gegenstand des Denkens dieses Menschen. Man redet dann nicht von Gottes Offenbarung. Der neutestamentliche Satz von der Gottheit Christi ist aber nur sinnvoll als Zeugnis von Gottes Offenbarung. Wer ihn anders exegesiert, kann ihn notorisch nur gegen die Meinung seiner Urheber und im Streit gegen sie exegesieren. Ebionitismus und Doketismus sind Mißverständnisse einer Dialektik, die sich im Denken und Reden der neutestamentlichen Schriftsteller abspielt und abspielen muß, so gewiß es eben Menschen — daraufhin daß es Gott gefallen hat, Menschheit anzunehmen — sind, die hier denken und reden, so gewiß also jene erste Ebene mit ihren zwei Dimensionen der Bezirk ist, in welchem sie denken und reden.[1] Aber ihr Denken und Reden auch auf dieser Ebene hat einen anderen Sinn als den, den er, vom ebionitischen und doketischen Denken her gesehen, zu haben scheint. Dieser andere Sinn ist damit gegeben, daß das Denken und Reden der neutestamentlichen Zeugen, auf der ersten Ebene sich abspielend wie alles menschliche Denken, bezogen ist auf jene senkrecht hereinfallende zweite Ebene, die identisch ist mit Gottes Offenbarung. Es ist also wohl wahr, daß auch im Denken und Reden der neutestamentlichen Zeugen deutlich erkennbar und unterscheidbar so etwas wie eine entgegengesetzte Bewegung stattfindet. Es ist wohl wahr, daß wir vor allem in den Synoptikern im Ganzen ein christologisches Denken vor uns haben, das in Jesus Gott — und vor allem im vierten Evangelium ein im Ganzen anderes christologisches Denken, das Gott in Jesus findet. Aber das Erste bedeutet nicht, daß die Synoptiker in einem bloßen Menschen, in der geschichtlichen Gestalt eines „großen Mannes", in einer eindrucksvollen Persönlichkeit, in einem Heros, auf einmal gerade Gott gefunden haben. Und das Zweite bedeutet nicht, daß Johannes eine Idee, eine allgemeine Wahrheit intellektueller, sittlicher oder religiöser Natur, auf einmal gerade in Jesus personifiziert gefunden habe. Den fatalen Ausgangspunkt des ebionitischen Denkens: die Persönlichkeit — und den fatalen Ausgangspunkt des doketischen Denkens: die Idee wird man in den neutestamentlichen Dokumenten vergeblich suchen, sondern immer nur irgendwie hinter den Dokumenten und im Widerspruch zu ihnen willkürlich konstruieren können. Sondern der Ausgangspunkt des in Jesus Gott findenden synoptischen Denkens ist die gewissen Menschen offenkundige Tatsache des göttlichen Gesandten als solchen, die eindeutige Tatsache des Mannes, der da lehrend

---

[1] Wir werden auf diese im Neuen Testament selbst vorliegende Dialektik im Zusammenhang der Lehre von der Fleischwerdung des Wortes zurückkommen.

1. Gott als Versöhner

und heilend, sterbend und auferstehend, als eine Wirklichkeit, die als göttliche nicht erst erschlossen und gedeutet und behauptet zu werden brauchte, in ihrer Mitte war, sondern die das Bekenntnis: Du bist Christus, der Sohn des lebendigen Gottes! (Matth. 16, 16) unmittelbar, nicht als synthetischen, sondern als analytischen Satz auf ihre Lippen rief. Und der Ausgangspunkt des Gott in Jesus findenden johanneischen Denkens war die gewissen Menschen offenkundige Tatsache der göttlichen Sendung, Botschaft und Offenbarung, die sie bei Jesus fanden, das Ereigniswerden von „Gnade und Wahrheit", „Auferstehung und Leben", ihr faktisch stattfindendes Gespeistwerden mit dem „Brot des Lebens" (Joh. 6, 35), ihr faktisches Getränktwerden mit jenem lebendigen Wasser (Joh. 4, 10). „Wir schauten — seine Herrlichkeit." Woraus sich wiederum, nur in umgekehrter Richtung, nicht als synthetischer sondern als analytischer Satz, das Petrusbekenntnis ergab, das hier lauten mußte: Κύριε, πρὸς τίνα ἀπελευσόμεθα; ῥήματα ζωῆς αἰωνίου ἔχεις· καὶ ἡμεῖς πεπιστεύκαμεν καὶ ἐγνώκαμεν ὅτι σὺ εἶ ὁ ἅγιος τοῦ θεοῦ (Joh. 6, 68). Je von diesen wirklichen Ausgangspunkten des neutestamentlichen Denkens aus und schon mit diesen wirklichen Ausgangspunkten ist dann beide Male auch das gemeinsame Ziel: der Satz von der Gottheit Christi, verständlich. Es war eben nicht so, daß sich hier eine geschichtliche Gestalt erst in ein himmlisches Wesen oder ein himmlisches Wesen erst in eine geschichtliche Gestalt und beide Male ein Wissen erst in ein Glauben hätte „verwandeln" müssen. Nicht wie ihr Wissen, sondern wie ihr Unglaube in Glaube verwandelt wurde, berichten uns die neutestamentlichen Zeugen, und innerhalb des Glaubens findet dann jene entgegengesetzte Bewegung ihres Denkens statt. Sie hat mit der Dialektik von Ebionitismus und Doketismus wirklich nichts zu tun. Was bedeutet denn der erste Schritt auf einem Wege, an dessen Ende ein Mensch mit Gott gleichgesetzt wird und was der erste Schritt auf dem anderen Wege, an dessen Ende Gott ein Mensch ist? Kann dies das Ende eines Weges sein, dessen Anfang es nicht schon war? Kann die entscheidende Behauptung in den entsprechenden Sätzen oder in dem entsprechenden beide Male gleichlautenden Satz verstanden werden als ein in aufsteigender oder absteigender Überlegung oder Deutung gewonnenes Denkresultat? Kann diese Behauptung etwas Anderes sein als eine geradlinig der Voraussetzung entnommene Erklärung eben dieser Voraussetzung, eine *petitio principii*, wie der Logiker hier fraglos sagen müßte? Der Sachverhalt in den neutestamentlichen Texten ist jedenfalls dieser: in Jesus wird gerade Gott gefunden, weil Jesus selbst als ein Anderer denn als Gott faktisch gar nicht zu finden ist. Und Gott wird gerade in Jesus gefunden, weil er anderswo als in Jesus faktisch nicht gefunden wird, in ihm aber faktisch gefunden wird. Dieses Faktische am Anfang der beiden Wege des neutestamentlichen Denkens ist die Offenbarung, der in einer dritten Dimension liegende Beziehungspunkt, der dieses Denken vor dem der Ebioniten und Doketen und ihrer modernen Nachfolger auszeichnet. — Man darf auf dem Hintergrund dieses in den neutestamentlichen Texten doch einfach vorliegenden Tatbestandes gewiß auch folgende Erwägung zur Geltung bringen: indem die ebionitische und die doketische Christologie voraussetzen, es sei am Ende eines aufwärts- und eines abwärtssteigenden Nachdenkens — des Nachdenkens über den Menschen Jesus als solchen und des Nachdenkens über die Gottheit in besonderer Beziehung zu dem Menschen Jesus — jeweilen einfach eine kleine oder auch große Hyperbel, mittels derer der Satz von der Gottheit Christi herausspringe bzw. verständlich zu machen sei, muten sie dem Denken der biblischen Zeugen eine Leistung zu, die diese selbst doch wohl nur als eben die Gotteslästerung hätten beurteilen können, deren nach ihrem Bericht Jesus angeklagt, aber eben fälschlich angeklagt wurde. Wenn Jesus sich bzw. wenn die älteste Kirche ihn in dem Sinn als Gottes Sohn bezeichnet hätte, wie diese beiden Konzeptionen es voraussetzen, dann wären er und seine Kirche mit Recht aus der Gemeinde des Alten Testaments ausgestoßen worden. Denn was könnte jenes Idealisieren eines Menschen oder jenes Mythologisieren einer Idee Anderes sein als charakteristisch das, was das Alte Testament unter der Errichtung und Anbetung eines Abgottes, eines jener unwürdigen und nichtigen Konkurrenten Jahves verstand. Wie wenig hätte der das Wort „Gott" im Sinn des Alten Testamentes verstanden, der meinen oder doch hyperbolisch zu meinen vorgeben könnte, daß ein Mensch wirklich zum Gott werden oder daß der wirkliche Gott in einem Menschen sein Abbild haben könne! Wenn wir die erste Generation der Zeugen Jesu als auch nur einigermaßen echte Israeliten bzw. als palästinensische Juden ansprechen dürfen, wenn wir ihnen zutrauen dürfen, daß sie den Unterschied von Gott und Mensch nicht als einen quantitativen und also zu überbrückenden, sondern als einen qualitativen verstanden haben, dann wird man es als zum vornherein unmöglich bezeichnen dürfen, daß sie so gedacht haben sollten, wie sie gedacht haben müßten, wenn sie den Satz von der Gottheit Christi im Sinn dieser beiden Konzeptionen verstanden hätten. Wenn sie als palästinensische Juden dieses Satzes überhaupt fähig waren, wenn sie sich getrauten, die gegen Jesus erhobene Anklage der Gotteslästerung nicht nur als ein grauenvolles Mißverständnis zurückzuweisen, sondern als das Ende des Alten Testamentes auszurufen, als das Ereignis, in welchem Israel, indem es nicht mehr und nicht weniger als Jahve verwarf, sein eigenes Erstgeburtsrecht endgültig preisgab — dann konnte jener Satz in ihrem Munde nicht das Ergebnis einer aufwärts oder abwärts steigenden Spekulation, es konnte dann in seiner doppelten Bewegung nur die Aussprache einer gleichsam axiomatischen Voraussetzung sein, die erläuternde Aussprache über einen ihrem Denken vorgegebenen schlechthinnigen Anfang ihres Denkens. Man kann dann die Erklärung ihres Satzes: Jesus ist der Herr! nur darin suchen, daß er es eben für sie war, und zwar war in derselben faktischen und also selbstverständlichen und undiskutierbaren Weise wie Jahve von alters her Israels Gott war. Die ganze Ratlosigkeit einer Historik, die sich einerseits nicht verhehlen kann, daß jener Satz „schon in den ältesten literarischen Zeugnissen, den Briefen des Paulus, im Wesentlichen fertig vor uns liegt", andererseits mit jener Voraussetzung nun einmal nicht rechnen will, kommt zum Vorschein in den Sätzen von Johannes Weiß: „Das Zusammentreten der bisher unzusammenhängenden Vorstellungselemente in einem solchen Mittelpunkt setzt eine Kraft der Anziehung voraus, die wir uns nicht stark genug denken können. Wie gewaltig muß die mittelbare oder unmittelbare Wirkung der Persönlichkeit Jesu auf die Seelen ihrer Anhänger gewesen sein, daß sie solches von ihm zu glauben und für diesen Glauben zu sterben bereit waren!" (RGG.[1] Art. Christologie I). Was heißt wohl „Kraft der Anziehung", was heißt „mittelbare oder unmittelbare Wirkung" in diesem Fall, angesichts dieses Effektes? Man darf fragen: ob die alte Kirche nicht, abgesehen von allem Anderen, doch vielleicht auch mehr Sinn für geschichtliche Wirklichkeit und Möglichkeit hatte, wenn sie es den Häretikern überließ, auf den Stumpengeleisen der Apotheosen- und der Hypostasen-Christologie hin und her zu fahren, sondern es für naheliegender hielt, den Sinn des neutestamentlichen Satzes von der Gottheit Christi in der ihm entsprechenden faktischen Voraussetzung zu suchen, wie sie ja das Neue Testament selbst angibt?

Darum — so meinen wir diesen neutestamentlichen Satz in Einklang mit der alten Kirche verstehen zu müssen — darum ist Jesus der Herr, weil er es von dem Gott, den er seinen Vater nennt, hat, der Herr zu sein, weil er mit diesem seinem Vater, als der Sohn dieses Vaters, als „des ewgen Vaters einig Kind" der Herr ist — ein „ist", das zwar, wenn man es nicht mit denen, die es zuerst ausgesprochen, zu bejahen in der Lage ist, auch verneint, das aber nicht abgeleitet, nicht begründet, nicht diskutiert, sondern nur als Anfang alles Denkens über ihn in einem analytischen Satz bejaht werden kann. Im Unterschied zu der Behauptung von der Vergöttlichung eines Menschen oder von der Vermenschlichung einer göttlichen Idee ist der Satz von der Gottheit Christi so zu verstehen: Christus offenbart seinen Vater. Aber dieser sein Vater ist Gott. Wer also ihn offenbart, der offenbart Gott. Wer kann aber Gott offenbaren außer Gott selber? Gerade nicht ein erhöhter Mensch und gerade nicht eine herabgekommene Idee können das tun. Beide sind ja Kreatur. Gewiß ist der den Vater offenbarende Christus auch Kreatur und sein Werk ein kreatürliches Werk. Aber wenn er nur Kreatur wäre, dann könnte er auch Gott nicht offenbaren, so gewiß die Kreatur nicht an die Stelle Gottes selber treten und an seiner Stelle wirken kann. Offenbart er Gott, so muß er selber, wie es auch mit seinem Kreatursein sich verhalte, Gott sein. Und er muß dann — denn hier gilt Entweder-Oder — ganzer wahrer Gott sein, ohne Abzug und Einschränkung, ohne Mehr oder Weniger. Er ist nicht beinahe und er ist nicht „irgendwie" Gott. Mit jeder solchen Einschränkung würde man sein Gottsein nicht nur abschwächen, sondern leugnen. Wer ihn als die Offenbarung seines Vaters bekennt, der bekennt ihn als ein diesem seinem Vater in der Gottheit Wesensgleichen.

Aber was bedeutet das für uns — denn davon müssen wir auch hier ausgehen — Jesus als die Offenbarung seines Vaters und also als seinen wahren Sohn zu bekennen? Blicken wir jetzt darauf und legen wir jetzt darauf den Nachdruck, daß Jesus als Offenbarer des Vaters, seines Willens und seines Wirkens, uns nicht nur unsern Herrn verkündigt, sondern, indem er das tut, selber unser Herr ist, daß er also als der Sohn des Vaters auch sich selber offenbart — dann bedeutet das, sofern es ein Handeln Gottes ist, was darin Ereignis wird, offenbar etwas Anderes als jenes Handeln Gottes des Schöpfers, das wir als den Inbegriff des Inhaltes der Offenbarung des Vaters verstanden. Es bedeutet nämlich über die Wirklichkeit von Gottes Herrschaft über unser Dasein hinaus: Gottes Herrschaft darin, daß er sich uns zuwendet, ja zu uns kommt, ja mit uns redet, von uns gehört sein und unsere Verantwortung veranlassen will. Es bedeutet die Wirklichkeit eines von Gott angebahnten Verkehrs zwischen ihm und uns. Gott will und wirkt nicht nur, sondern — das geschieht doch in seiner Offenbarung in Jesus — er eröffnet uns seinen Willen und sein Wirken. Er geht nicht mit uns um wie mit Staub oder Ton, obwohl wir es als seine Geschöpfe sind. Er läßt uns nicht einfach seiner Schöpfermacht unterworfen, von seiner Schöpfermacht regiert und bewegt sein, um seine Absicht an uns zu vollstrecken. Er sucht uns als solche, die sich finden lassen können. Er redet mit uns als mit solchen, die hören, verstehen, gehorchen können. Er handelt als der Schöpfer mit uns, aber als Person mit Personen, nicht als Macht über Dinge. „Eur Bruder ist das ewge Gut." Und gerade das ist ja in keiner Weise selbstverständlich, sondern das ist wunderbar, und zwar nicht nur und nicht in erster Linie als Allmachtswunder, als das Mysterium, in welchem der Satz *finitum non capax infiniti* aufgehoben wird. Das geschieht freilich auch. Aber nicht die Aufhebung dieses Satzes ist das Mysterium der Offenbarung Gottes des Sohnes, sondern die Aufhebung des anderen, viel einschneidenderen Satzes: *homo peccator non capax verbi divini.* Daß Gott mit uns einen Verkehr anbahnen kann, das ist freilich auch, aber schließlich doch nicht entscheidend dadurch in Frage gestellt, daß er unendlich ist, wir aber endlich sind, er der Herr über Leben und Tod, wir aber lebend als die vom Tode Begrenzten, er der Schöpfer, wir die aus dem Nichts ins Sein und ins Dasein Gerufenen. Wohl aber ist diese Möglichkeit Gottes entscheidend dadurch in Frage gestellt, daß wir Gottes Feinde sind. Woher wissen wir das? Gewiß nicht von uns aus. Gewiß nicht damit und darin, daß wir um die Problematik unseres Seins und Daseins als Menschen wissen, also etwa um den Widerstreit der geistigen und der natürlichen Seite unseres Existierens oder um den Widerstreit zwischen unseren theoretischen Idealen und unseren praktischen Vollbringungen oder überhaupt um die Antinomien, in denen unser Denken und unser Dasein verläuft. Daß wir Gottes Feinde sind, das folgt aus diesen an sich nicht zu bestreitenden Tatbeständen nimmermehr und könnte, wenn es ein Ausdruck dieser bekannten Tatbestände sein wollte, nur als misanthropische Übertreibung gekennzeichnet werden. Die Erkenntnis: „ich habe gesündigt und bin nicht wert dein Sohn zu heißen" (Luc. 15, 18f.) ist keine Erkenntnis einer abstrakten Anthropologie. Nur der des Vaterhauses schon wieder gedenkende Sohn weiß, daß er ein verlorener Sohn ist. Daß wir Gottes Feinde sind, wissen wir erst und nur dadurch, daß Gott jenen Verkehr mit uns tatsächlich angebahnt hat. Aber gerade unter der Voraussetzung der Tatsächlichkeit dieses Geschehens können wir dieses Geschehen selbst nur als ein wunderbares verstehen. Das Wort Gottes, dessen Offenbarung in der Schrift bezeugt wird, sagt dem Menschen, daß er ein Rebell ist, der die Gemeinschaft zwischen ihm als Geschöpf und Gott als dem Schöpfer mutwillig verlassen und sich an einen Ort gestellt hat, wo diese Gemeinschaft unmöglich ist. Es sagt ihm, daß er sein eigener Herr sein wollte und damit in den Bereich des Zornes Gottes, in den Zustand der Verwerfung durch Gott und damit der Verschlossenheit gegen Gott sich begeben hat und geraten ist. Es sagt ihm, daß seine Existenz, ihrer schöpfungsmäßigen Bestimmung zuwider, Widerspruch gegen Gott ist, Widerspruch, der das Hören auf Gott ausschließt. Es sagt ihm also seltsamerweise, daß er es, das Wort Gottes, das ihm das sagt, gar nicht hören **kann**, und zwar darum nicht hören kann, weil er es nicht hören **will**, weil die Tat seines Lebens Ungehorsam und damit faktisch, hinsichtlich des Gebrauchs, den er selbst von seinem Leben macht, Nicht-Hören ist gegenüber dem, was Gott ihm sagt. Ja noch mehr: dieser Inhalt des dem Menschen gesagten Wortes Gottes macht es auch ganz **unbegreiflich**, daß der Mensch das Wort Gottes auch nur zu hören bekommt, daß Gott sich ihm überhaupt zuwendet und ihn anredet. Seine Verschlossenheit für das, was Gott ihm sagen kann, ist ja nur ein Ausdruck des auf ihm liegenden Zornes Gottes. Muß dieser Zorn Gottes, wenn er ernstlich ist — und das Wort Gottes wird uns nichts Anderes sagen, als daß er wahrhaftig ernstlich ist — nicht vor allem und entscheidend darin bestehen, daß Gott sein Angesicht von uns abgewendet hat und also **nicht mit uns redet**, daß es ein Wort Gottes für den gefallenen Menschen auch **objektiv gar nicht gibt**? Hören wir es nun dennoch und bedeutet dies das Doppelte: daß wir es faktisch hören **können** und daß wir es faktisch zu hören **bekommen** — und nur unter dieser Voraussetzung werden wir ja uns und unsere Lage Gott gegenüber so und nicht anders beurteilen — so können wir dieses unser „dennoch Hören" doch wohl nicht als eine uns dennoch („irgendwie") verbliebene oder als eine von uns nun dennoch zu beschaffende Möglichkeit verstehen. Das könnten wir offenbar nur in grober Zerstreutheit und Vergeßlichkeit gegenüber dem, was uns durch das Wort Gottes über uns selbst und unsere Lage vor Gott gesagt ist. Gerade diese Deutung unseres „dennoch Hörens" würde ganz einfach bedeuten, daß wir noch gar nicht oder schon wieder nicht mehr gehört haben. Haben wir gehört und wieder gehört — bezieht sich unser „Selbstverständnis" wirklich auf unser Hören und nicht auf unser von diesem Hören abstrahiertes Selbst — dann können wir diese Möglichkeit unseres Hörens nur als eine uns subjektiv und objektiv schlechterdings wunderbar geschenkte Möglichkeit, als das Dennoch der Gnade, das auf unserer Seite keine Entsprechung, keine Vorbedingung hat, verstehen.

Τὸ φρόνημα τῆς σαρκὸς ἔχθρα εἰς θεόν· τῷ γὰρ νόμῳ τοῦ θεοῦ οὐχ ὑποτάσσεται, οὐδὲ γὰρ δύναται (Röm. 8, 7). Ἐχθροὶ ὄντες κατηλλάγημεν τῷ θεῷ (Röm. 5, 10). Ἐν αὐτῷ ζωὴ ἦν, καὶ ἡ ζωὴ ἦν τὸ φῶς τῶν ἀνθρώπων καὶ τὸ φῶς ἐν τῇ σκοτίᾳ φαίνει, καὶ ἡ σκοτία αὐτὸ οὐ κατέλαβεν (Joh. 1, 5). Εἰς τὰ ἴδια ἦλθεν καὶ οἱ ἴδιοι αὐτὸν οὐ παρέλαβον (Joh. 1, 11). Ὃ οἴδαμεν λαλοῦμεν καὶ ὃ ἑωράκαμεν μαρτυροῦμεν, καὶ τὴν μαρτυρίαν ἡμῶν οὐ λαμβάνετε (Joh. 3, 11). Ὃ ἑώρακεν καὶ ἤκουσεν, τοῦτο μαρτυρεῖ, καὶ τὴν μαρτυρίαν αὐτοῦ οὐδεὶς λαμβάνει (Joh. 3, 32).

So ist das Selbstverständnis gerade des wirklich Hörenden hinsichtlich der Möglichkeit seines Hörens beschaffen. Er versteht sich selbst als einen solchen, der sich selbst dieser Möglichkeit immer wieder beraubt. Er kann nur Gott als den verstehen, der ihm diese Möglichkeit gibt, und von dem aus sie Möglichkeit ist.

Wir werden von der subjektiven Seite dieser Möglichkeit, also von der Möglichkeit, daß wir **hören** können, was Gott uns sagt, im folgenden Paragraphen, in der Lehre von Gott dem **heiligen Geist**, zu reden haben. Daß Gott uns zuvor überhaupt etwas **sagen** kann, dieses angesichts seines Zornes über den sündigen Menschen erste Unbegreifliche, ist in Gottes Offenbarung das Werk des **Sohnes** oder des **Wortes Gottes**. Das Werk des Sohnes oder des Wortes ist die Gegenwart und Kundgebung Gottes, die wir angesichts dessen, daß sie in der menschlichen Finsternis und dieser Finsternis zum Trotz wunderbar Ereignis ist, nur als Offenbarung bezeichnen können. Das Wort Versöhnung ist ein anderes Wort für dieselbe Sache. Sofern Gottes Offenbarung als solche vollzieht, was nur Gott vollziehen kann, nämlich die Wiederherstellung der von uns zerstörten, ja vernichteten Gemeinschaft des Menschen mit Gott, sofern Gott im Faktum seiner Offenbarung seine Feinde als seine Freunde behandelt, ja sofern im Faktum der Offenbarung Gottes Feinde seine Freunde schon sind, ist die Offenbarung selbst die Versöhnung. Wie umgekehrt Versöhnung, die Wiederherstellung jener Gemeinschaft, die im Zorn über den Zorn triumphierende Barmherzigkeit Gottes nur die Gestalt des Mysteriums haben kann, das wir eben als Offenbarung bezeichnen.

Paulus bezeichnet Christus als den δι' οὗ νῦν (d. h. bei Paulus: in der durch die Offenbarung bezeichneten Gegenwart des *regnum gratiae*) τὴν καταλλαγὴν ἐλάβομεν (Röm. 5, 11). Dem Wohlgefallen Gottes, in ihm sein πλήρωμα wohnen zu lassen, entspricht sein Wille δι' αὐτοῦ ἀποκαταλλάξαι τὰ πάντα εἰς αὐτόν (Kol. 1, 20). Κόσμον καταλλάσσων war Gott in ihm, heißt es übereinstimmend auch 2. Kor. 5, 19. Und darum ist der apostolische Dienst die διακονία τῆς καταλλαγῆς (2. Kor. 5, 18), zur Vollstreckung kommend in der Aufforderung καταλλάγητε τῷ θεῷ (2. Kor. 5, 20). — Der Begriff Versöhnung fällt also wohl mit dem der Offenbarung, aber nicht mit dem der Erlösung (ἀπολύτρωσις, σωτηρία) zusammen. „Erlösung" dürfte im Neuen Testament das von der Offenbarung oder Versöhnung aus gesehen noch ausstehende, künftige, vollendende Handeln Gottes bezeichnen: νυνὶ δὲ ἀποκατήλλαξεν (ὑμᾶς) ἐν τῷ σώματι τῆς σαρκὸς αὐτοῦ (Kol. 1, 22). Καταλλαγέντες σωθησόμεθα (Röm. 5, 10). Vgl. zu dem eschatologischen Gebrauch von ἀπολύτρωσις: Luc. 21, 28; Röm. 8, 23; Eph. 4, 30; Hebr. 11, 35 — von σωτηρία: 1. Thess. 5, 8f.; Röm. 13, 11; Phil. 1, 19; 2, 12; Hebr. 1, 14; 9, 28. Im Unterschied dazu ist die „Versöhnung" das die Aussicht auf diese Zukunft begründende Handeln Gottes in Christus als dem μεσίτης zwischen Gott und den Menschen (1. Tim. 2, 5) oder des „neuen Bundes" (Hebr. 9, 15; 12, 24), dem Träger und Bringer der εἰρήνη, wie sie besonders bei Paulus als grundlegender Sinn der gnädigen Zuwendung Gottes zum Menschen verstanden (vgl. die Zusammenstellung von χάρις und εἰρήνη in den Grußformeln) und Eph. 2, 14—15 als ein göttliches Handeln expliziert wird.

Das Unbegreifliche der Offenbarung als solcher, der Offenbarung als der Versöhnung, die nur von Gott aus Wirklichkeit sein kann, dieses Unbegreifliche ist das Faktum des Sohnes Gottes, der in unserer Mitte, also mitten in unserer Feindschaft gegen Gott, der Herr ist. Weil die Liebe Gottes, die in diesem Faktum offenbar wird, nicht identisch sein kann mit der Liebe Gottes zu der Welt, die er schaffen wollte und erschaffen hat — zwischen dieser Welt und unserer Welt liegt ja die Sünde und der Tod — weil die in diesem Faktum offenbare Liebe Gottes vielmehr gerade seine Liebe zu der verlorenen Welt des an ihm schuldig gewordenen Menschen ist (Joh. 3, 16), zu der Welt, deren Kontinuität zu jener ursprünglichen uns völlig verborgen ist — darum können wir das Herrsein Gottes hier mit dem Herrsein Gottes dort nicht verwechseln, nicht direkt identifizieren, darum müssen wir dort (im Blick auf die Schöpfung) von einer ersten, hier (im Blick auf die Versöhnung)

1. Gott als Versöhner

von einer zweiten Seinsweise Gottes reden. So gewiß wir sagen müssen: die Versöhnung bzw. die Offenbarung ist nicht die Schöpfung oder eine Fortsetzung der Schöpfung, sondern über die Schöpfung hinaus ein unbegreiflich neues Werk Gottes, so gewiß müssen wir sagen: der Sohn ist nicht der Vater, sondern der eine Gott ist hier — in diesem Werk — nicht ohne den Vater, aber nun eben der Sohn oder das Wort des Vaters.

Es ist nicht abzusehen, wie die Verschiedenheit der Seinsweisen des Sohnes Gottes von der des Vaters — dieselbe Verschiedenheit wird dann auch von der Seinsweise des Heiligen Geistes zu behaupten sein — geleugnet werden kann, ohne den Ernst des Zornes Gottes über die Sünde und den Gegensatz zwischen dem ursprünglichen und dem gefallenen Menschen, der Welt der Schöpfung und unserer Welt der Sünde und des Todes spekulativ umzudeuten und abzuschwächen zu einer bloßen Spannung innerhalb eines uns bekannten und überschaubaren Ganzen. Unter dieser Voraussetzung wird man natürlich die Unbegreiflichkeit der Offenbarung als der göttlichen Versöhnungstat bestreiten müssen, man wird sie dann als einen zweiten oder dritten Akt innerhalb derselben uns als ein Ganzes einsichtigen Reihe der Schöpfung folgen sehen und wird es leicht haben, den Versöhnergott mit dem Schöpfergott zu identifizieren. So hat Schleiermacher die Sünde quantitativ als ein bloßes Manko, folgerichtig die Versöhnung („Erlösung") als die Krönung der Schöpfung und wiederum folgerichtig die Trinität modalistisch, d. h. die Verschiedenheit der drei Seinsweisen als eine in den Tiefen Gottes aufgehobene verstanden. Eine entsprechende Trinitätslehre müßte auch hinter der in bezug auf die Synthese von Ursprung und Abfall noch viel hemmungsloseren Gnosis von E. Hirsch (Schöpfung und Sünde, 1932) stehen. Man kann auch umgekehrt sagen: Zu solchen Katastrophen muß es in der Lehre von Schöpfung und Versöhnung kommen, wo durch keine ordentliche Trinitätslehre die nötigen Hemmungen eingeschaltet sind.

Umgekehrt ist zu sagen: Weil es sich in der Offenbarung Gottes um sein Herrsein mitten in unserer Feindschaft gegen ihn, also um das Wunder der Versöhnung handelt, darum kann dieses Werk nicht das Werk eines Übermenschen oder Halbgottes sein. Die Unerhörtheit der Liebe Gottes zu der Welt des gefallenen Menschen, die Kraft der Versöhnung wäre unterschätzt, wenn man die wahre Gottheit des Versöhners in Frage stellen wollte. Ein übermenschliches oder halbgöttliches Geschehen, ein streng genommen eben doch nicht wunderbares sondern letztlich selbstverständliches, innerkosmisches und also kreatürliches Geschehen entspricht nicht dem Ernst der Problematik, auf die es antworten sollte, entspricht nicht dem Charakter der allmächtigen Gnade, den das Geschehen tatsächlich hat, das die Heilige Schrift als das Geschehen der Versöhnung oder Offenbarung beschreibt. **Der Charakter der allmächtigen Gnade, den dieses Geschehen hat, und in dessen Lichte die Problematik, auf die es antwortet, eine Problematik von unendlichem Ernste wird, erfordert die Anerkennung, daß sein Subjekt identisch ist mit Gott im Vollsinne des Wortes.**

Gerade von hier aus: im Blick auf die Versöhnung, deren Subjekt kein Geringerer und nichts Geringeres als Gott selbst sein kann, wenn ihre Kraft und der Ernst der durch sie beantworteten Problematik eingesehen ist, wenn sie nicht als eine bloß scheinbare Versöhnung verstanden werden soll, ist die Erkenntnis der wahren Gottheit Christi von jeher mit Recht behauptet und verkündigt worden. Die sog. Clemens-Homilie (1, 1) beginnt mit der Erklärung, man müsse über Jesus Christus denken ὡς περὶ θεοῦ und interpretiert das sofort mit den Worten: ὡς κριτοῦ ζώντων καὶ νεκρῶν. Man dürfe nicht μικρὰ φρονεῖν περὶ τῆς σωτηρίας ἡμῶν. Indem man klein von Christus denke, zeige man unmittelbar, daß man auch nur eine kleine Hoffnung habe. Es gehörten zusammen und entsprächen sich notwendig das Wissen πόθεν ἐκλήθημεν καὶ ὑπὸ τίνος καὶ εἰς ὃν τόπον. Ebenso fordert Gregor von Nyssa: Wer der Wohltäter sei, das könne und müsse aus seinen Wohltaten, welcher Natur der Handelnde sei, das müsse aus dem Ereignis seines Handelns erschlossen werden: Ἀφ' ὧν γὰρ εὖ πάσχομεν, ἀπὸ τούτων εὐεργέτην ἐπιγινώσκομεν, πρὸς γὰρ τὰ γινόμενα βλέποντες, διὰ τούτων τὴν τοῦ ἐνεργοῦντος ἀναλογιζόμεθα φύσιν. Wer dem Sohn und dem Geist Geschöpflichkeit zuschreibe, und also einem Geschöpf sich unterwerfe, der stelle seine Hoffnung nicht auf Gott und täusche sich in der Meinung, als Christ in einen besseren Zustand versetzt zu sein (*Or. cat.* 14 u. 39). Eben diesen Zusammenhang hat aber auch Luther immer wieder betont: *Vincere peccatum mundi, mortem, maledictionem et iram Dei*, das sind nicht Werke einer *humana aut angelica potestas*, sondern *mera opera divinae maiestatis. Qua re cum docemus homines per Christum iustificari, Christum esse victorem peccati, mortis et aeternae maledictionis, testificamur simul eum esse natura Deum.* (Zu Gal. 1, 3, 1535, W. A. 40¹ S. 81 Z. 18; zu Gal. 1, 4 ib. S. 96 Z. 15; zu Gal. 3, 13 ib. S. 441 Z. 16, 25, 31) ... denn die sund ist alsso eyn gross ding, und yhr reynigung kost alsso viel, das eyn solch hohe person, wie Christus hie gepreysset wirt, muss selb datzu thun und durch sich selb reynigen; was sollt denn ynn solchen grossen sachen vermuegen unsser arm und nichtigess thun, die wyr creaturn, datzu sundige unnd untuchtige vordorbene creaturn sind?; das were doch eben alss wenn yhm yemand furnehm mit eynem aussgeleschten brand hymel unnd erden vorprennen. Es muss sso gross tzalung der sund hie seyn, alss gott selbs ist, der durch die sund beleydigt ist (Pred. üb. Hebr. 1, 1 f., 1522, W. A. 10¹¹ S. 161 Z. 21). Nu Got macht keinen zu einem Künig, der nicht Got ist, dann er wil den Zaume auss seiner Handt nicht lassen, will allein ein Herre sein über himel und erden, todt, hell, Teuffel und über alle Creaturen. Seyteinmal er nu den zu einem Herren macht über alles, das geschaffen ist, so muß er jhe got sein (Pred. üb. Joh. 3, 1f., 1526, W. A. 10¹², S. 296 Z. 37). Denn wo die person nicht Gott were, die fur uns sich opfferte, so hülfe und gülde fur Gott nichts, das er von eyner iungfrawen geboren und gleych tausent tödte erlitte. Aber das bringt den segen und den sieg uber alle sunde und tod, das der same Abrahams auch warer Gott ist, der sich fur uns gibt (Pred. üb. Phil. 2, 5f., 1525, W. A. 17¹¹, S. 236 Z. 25). Wir Menschen sind alle Sünder und verloren. Sollen wir nun gerecht und selig werden, so muß es durch Christum geschehen. Weil wir aber durch Christum allein gerecht und selig werden, so muß er mehr denn ein pur lauter Mensch seyn. Denn menschliche Hand und Macht vermag niemand gerecht und selig zu machen, Gott muß es selbst thun (Pred. Von der Passion, wie Chr. begraben sey, und vom 53. Cap. Jes. E. A. 3, 276). Nichts Anderes sagt die Antwort auf die Frage 17 des Heidelberger Katechismus: Darum müsse der Mittler wahrer Gott sein, „dass er auss krafft seiner Gottheyt den last des zornes Gottes, an seiner menschheyt ertragen, und uns die gerechtigkeyt und das leben erwerben und widergeben möchte".

Also als der zu uns gekommene Sohn oder als das uns gesagte Wort Gottes ist Jesus der Herr. Wir sagen damit etwas, was hinausgeht über den Satz, daß Gott der Schöpfer oder „unser Vater im Himmel" ist. Jesus offenbart den Gott, der der Schöpfer und der „unser Vater im Himmel" ist. Aber indem er das tut, indem das Unerhörte Ereignis ist: daß in ihm dieser Gott offenbar wird, offenbart er uns sich selbst, so

1. Gott als Versöhner

gewiß das Faktum der Offenbarung ein Neues bedeutet gegenüber ihrem Inhalt, so gewiß Versöhnung nicht als Vollendung der Schöpfung zu verstehen ist, sondern nur als ein Wunder in und an der gefallenen Welt. Wir hörten im vorigen Paragraphen, daß diese Offenbarung des Schöpfers und unseres Vaters im Zusammenhang des neutestamentlichen Zeugnisses nicht abstrahiert werden kann von der Person des Offenbarers. Aus dieser Einheit des Offenbarungsinhaltes und der Offenbarer-Person haben wir dort den ursprünglichen und eigentlichen Sinn der Vaterschaft Gottes verstanden: Er ist Vater, weil er der Vater dieses seines eingeborenen Sohnes ist. Aus derselben Einheit ergibt sich sofort auch die Gottessohnschaft Jesu Christi: es gibt keine abstrakte Offenbarer-Person, sondern die Offenbarer-Person ist die dem von ihr offenbarten Schöpfer untergeordnete, aber auch unlöslich zugeordnete, mit ihm seiende Person Jesus Christus, in der jene Offenbarung Wirklichkeit ist. Anders ausgedrückt: es gibt keinen Jesus an sich, der dann vielleicht auch das Prädikat eines Trägers jener Offenbarung seines Vaters bekommen könnte. Wie es denn auch keine Offenbarung des Vaters an sich gibt, die dann beispielsweise und in ausgezeichneter Gestalt auch in Jesus wahrzunehmen wäre. Sondern Jesus ist die Offenbarung des Vaters und die Offenbarung des Vaters ist Jesus. Und eben kraft dieses „ist" ist er der Sohn oder das Wort des Vaters.

Unsere Kritik der ebionitischen und der doketischen Christologie hat uns gezeigt, daß im neutestamentlichen Zeugnis die Person und die Sache wirklich diese Einheit bilden, daß das Denken der Apostel über Jesus Christus, ob es nun bei der Person oder bei der Sache einsetzte, unter allen Umständen nicht in Form eines Syllogismus verläuft, sondern mit der Erkenntnis der Gottheit Christi aufhört, weil es damit schon angefangen hat. Man kann die Einheit von Offenbarungsinhalt und Offenbarer-Person, auch von dieser Seite gesehen, nur umgehen, indem man sich dem neutestamentlichen Zeugnis entzieht, indem man das in ihm aufgerichtete Verbot und Gebot nicht beachtet.

Und nun können wir im Blick auf das über Schöpfung und Versöhnung Ausgeführte noch hinzufügen: die Gottessohnschaft Jesu Christi ergibt sich auch daraus, daß die Schöpfung (der Inhalt seiner Offenbarung des Vaters) und die Versöhnung (der Inhalt seiner Selbstoffenbarung) ganz und gar verschieden voneinander in ihrer Bedeutung für uns, auch wieder ganz und gar zusammengehören in ihrem Ursprung. Wir haben ja schon den Begriff des Schöpfers, indem wir dabei der Spur der Heiligen Schrift selbst folgen wollten, nicht anders fassen können als auf dem scheinbaren Umweg über die Erkenntnis Gottes als des Herrn über Leben und Tod, als des Gottes von Karfreitag und Ostern. Und indem wir den Begriff des Versöhners zu fassen versucht haben, mußten wir voraussetzen: es gibt eine von Gott geschaffene, wenn auch gefallene und verlorene Welt, einen von Gott geschaffenen, wenn auch faktisch in der Feindschaft gegen Gott existierenden Menschen. Nur in dem als

Versöhner durch Kreuz und Auferstehung an uns Handelnden konnten wir den Schöpfer und nur in dem trotz unserer Feindschaft der Herr unseres Daseins bleibenden Schöpfer können wir den Versöhner erkennen. Τῷ γὰρ ἐξ ἀρχῆς τὴν ζωὴν δεδωκότι μόνῳ δυνατὸν ἦν καὶ πρέπον ἅμα καὶ ἀπολομένην ἀνακαλέσασθαι (Gregor von Nyssa, Or. cat. 8).

Wir müssen sie unterscheiden, diese zwei, und wir müssen sie offenbar auch so unterscheiden, daß wir das Unterordnungsverhältnis einsehen und anerkennen, das hier stattfindet. Wir müssen also sagen: der Versöhner ist nicht der Schöpfer, und als Versöhner folgt er dem Schöpfer, vollzieht er sozusagen einen zweiten göttlichen Akt — nicht einen solchen, den wir aus dem ersten abzuleiten, dessen Folgen aus dem ersten wir zu überblicken und als notwendig einzusehen vermöchten, aber doch einen zweiten, in seiner ganzen Neuheit und Unbegreiflichkeit auf den ersten bezogenen Akt. Gott versöhnt uns mit ihm selber, er kommt zu uns, er redet mit uns — das folgt darauf, und wir müssen sogar sagen: das folgt daraus, daß er zuerst der Schöpfer ist. Wir können auch sagen: es folgt darauf und daraus, daß er „unser Vater im Himmel" ist. Wäre er nicht zuerst der Schöpfer und Vater, der der Herr unseres Daseins ist, an dem wir gesündigt haben, dessen Zorn darum auf uns liegt, dessen Zorn aber doch nur die Umkehrung seiner Liebe als Schöpfer und Vater ist, wie könnte er dann der Versöhner, der Friedestifter sein? **Dieser Ordnung von Schöpfung und Versöhnung entspricht christologisch die Ordnung von Vater und Sohn oder Vater und Wort:** Jesus Christus als der Versöhner kann dem Schöpfer, kann „unserem Vater im Himmel" nicht vorangehen. Er steht zu ihm in dem unumkehrbaren Verhältnis, daß er auf ihn und aus ihm folgt, wie der Sohn auf den Vater oder aus dem Vater, wie das Wort auf den Sprecher oder aus dem Sprecher folgt. **Aber wiederum kann diese Unterordnung und Folge keine Verschiedenheit des Seins, sondern eben nur eine Verschiedenheit der Seinsweise bedeuten. Denn es ist die Versöhnung nicht leichter begreiflich, nicht weniger göttlich als die Schöpfung.** Es ist nicht so, als ob die Versöhnung im Unterschied zur Schöpfung als ein kreatürliches Geschehen verständlich zu machen wäre. Sondern wie die Schöpfung *creatio ex nihilo* ist, so die Versöhnung Totenerweckung. Wie wir Gott dem Schöpfer das Leben verdanken, so Gott dem Versöhner das ewige Leben.

Ipse est autem creator ejus, qui salvator ejus. Non ergo debemus sic laudare creatorem, ut cogamur, imo vere convincamur dicere superfluum salvatorem (Augustin, *De nat. et grat.* 33, 39). *Creasti me, cum non essem, redemisti me cum perditus essem. Sed conditionis quidem meae et redemptionis causa sola fuit dilectio tua* (Anselm von Canterbury, *Medit.* 12). Diess zeitliche vergängliche Leben in dieser Welt haben wir durch Gott, der da ist, wie wir im ersten Artikel unsers christlichen Glaubens bekennen, allmächtiger Schöpfer Himmels und der Erden. Aber das ewige, unvergängliche Leben haben wir durch unsers Herrn Jesu Christi Leiden und Auferstehung, der da sich zur

Rechten Gottes gesetzt hat, wie wir im andern Artikel unsers christlichen Glaubens bekennen (Luther, Pred. üb. Matth. 22, 34 f., 1532, E. A. 5, 151). Wie sollte der zweite Akt weniger groß und wunderbar sein als der erste? Man könnte eher umgekehrt streiten und im zweiten, in der Versöhnung, das noch größere Wunder sehen wollen. Wie denn im Offertorium der römischen Messe Gott angeredet wird: *Deus, qui humanae substantiae dignitatem mirabiliter condidisti et mirabilius reformasti...* und in dem Kyrie-Tropus „Cuncti potens": *Plasmatis humani factor, lapsi reparator.* Aber der Streit ist gegenstandslos. *Intelligant redempti tui, non fuisse excellentius, quod initio factus est mundus, quam quod in fine saeculorum Pascha nostrum immolatus est Christus (Oratio* nach der 9. Prophetie in der Vigil der Osternacht).

Hier steht echtes Wunder neben echtem Wunder, hier kann weder hüben noch drüben ein Mehr oder Weniger an Wunder, hier kann also auch kein Mehr oder Weniger an Gottheit in Betracht kommen. Hier gilt beide Male nur Entweder-Oder. Hier ist also Sohnschaft so gut wie Vaterschaft, in und mit der damit ausgesprochenen Über- und Unterordnung der Seinsweisen als uneingeschränkt wahre Gottheit zu verstehen.

2. DER EWIGE SOHN

Wer ist der Sohn Gottes? Wir haben die vorläufige Antwort gehört: Jesus Christus als der den Vater Offenbarende und uns mit dem Vater Versöhnende ist der Sohn Gottes. Denn indem er das ist, offenbart er sich selbst als der zu uns gekommene Sohn oder als das uns gesagte Wort Gottes. Das Trinitätsdogma fügt dieser dem Offenbarungszeugnis der Schrift entnommenen Einsicht nur insofern etwas Neues hinzu, als es sie dahin interpretiert: Jesus Christus kann uns darum den Vater offenbaren und uns mit dem Vater versöhnen, weil er sich offenbart als der, der er ist. Er wird nicht erst Gottes Sohn oder Wort im Ereignis der Offenbarung. Sondern das Ereignis der Offenbarung hat darum göttliche Wahrheit und Wirklichkeit, weil in ihm das Eigentliche Gottes offenbar wird, weil Jesus Christus sich offenbart als der, der er schon zuvor ist, auch abgesehen von diesem Ereignis, auch in sich selber. Seine Sohnschaft, auf Grund derer er der Offenbarer, der Mittler, der Versöhner sein kann, ist nicht eine bloße Veranstaltung Gottes, hinter der in irgendeinem höheren, Geheimnis bleibenden Wesen Gottes keine Sohnschaft, kein Wortsein in Gott wäre, sondern vielleicht eine unaussprechliche und sprachlose Esheit, ein Göttliches, ein θεῖον anderen oder unbekannten Namens. Nein, die Offenbarung hat ewigen Gehalt und ewige Geltung. In alle Tiefen der Gottheit hinein, nicht als Vorletztes, sondern als Letztes, was von Gott zu sagen ist, ist Gott Gott der Sohn wie er Gott der Vater ist. Jesus Christus, der Sohn Gottes, ist Gott selber, wie Gott sein Vater Gott selber ist.

Wie kommt diese Interpretation des biblischen Offenbarungszeugnisses zustande? Wir können auch hier nur die sehr einfache, aber folgenschwere Antwort geben: sie kommt dadurch zustande, daß man die gleiche, unbegreifliche Göttlichkeit des Werkes der Schöpfung und des Werkes der Versöhnung und also die Einheit von Vater und Sohn, wie sie uns in diesem Zeugnis als bezeichnend für die von ihm bezeugte Offenbarung vor Augen tritt, als letztes Wort stehen und gelten läßt. Das kirchliche Dogma von der Gottheit Christi im Unterschied zu dem neutestamentlichen Satze von der Gottheit Christi sagt nichts Anderes als dies: Eben die schlichte Voraussetzung, auf der dieser neutestamentliche Satz beruht, die Voraussetzung, daß Jesus Christus darum Gottes Sohn ist, weil er es ist (nicht darum, weil er uns diesen Eindruck macht, nicht darum, weil er erfüllt, was wir von einem Gott erwarten zu dürfen meinen, sondern darum, weil er es ist!) — diese schlichte Voraussetzung ist mitzumachen. Mit ihr hat alles Denken über Jesus und das muß sofort heißen: alles Denken über Gott anzufangen und aufzuhören. Keine Reflexion kann diese Voraussetzung begründen wollen, keine Reflexion kann diese Voraussetzung in Frage stellen. Alle Reflexion kann nur von ihr ausgehen und zu ihr zurückkehren. Aus dieser Einsicht entstand das kirchliche Dogma von der Gottheit Christi und diese Einsicht spricht es aus. Denn wenn es die Gottheit Christi ausdrücklich versteht als ewige Gottheit, wenn wir sagen: der zu uns gekommene Sohn, das uns gesagte Wort, ist zuvor in sich selber Sohn oder Wort Gottes, so sagen wir damit praktisch nichts Anderes als eben: der Satz von der Gottheit Christi ist nicht als abgeleiteter, sondern als Grundsatz zu verstehen. So, sagt das Dogma, haben ihn die Apostel verstanden und so müssen wir ihn auch verstehen, wenn wir die Apostel verstehen wollen. So müssen wir also die Apostel und jenen Satz auch verstehen, wenn uns unser eigenes Verstehen nicht etwa weggeführt haben sollte von dem Verstehen der alten Kirche, die eben dieses Verständnis im Dogma ausgesprochen und niedergelegt hat. Unser eigenes Verstehen, wie wir es hier versucht haben, hat uns bis jetzt nicht vom Dogma der alten Kirche weg, sondern zu ihm hingeführt. Es hätte auch anders sein können — das Dogma hat für uns keine göttliche, sondern nur eine menschliche, pädagogische Dignität. Wir könnten von ihm abrücken; aber wir haben keinen Anlaß, dies zu tun. Wir können und wir müssen auch als Ausdruck unseres eigenen Verständnisses des Neuen Testamentes das sagen, was das Dogma sagt. Wir können den neutestamentlichen Satz von der Gottheit Christi nicht anders und nicht besser verstehen, als indem wir ihn im Einklang mit der alten Kirche nachdenken, d. h. indem wir ihm das Dogma von der ewigen Gottheit Christi unmittelbar gegenüberstellen. Das Dogma als solches steht nicht in den biblischen Texten. Das Dogma ist eine Interpretation. Aber wir können uns überzeugen, daß es eine gute, sachgemäße Interpretation dieser Texte ist. Darum schließen wir uns ihm an: die Gottheit Christi ist wahre, ewige Gottheit. Wir erkennen sie in seinem Handeln in der Offenbarung und Versöhnung. Aber nicht die Offen-

2. Der ewige Sohn

barung und Versöhnung schafft seine Gottheit, sondern seine Gottheit schafft die Offenbarung und Versöhnung. Κύριος ὢν κατὰ ἀλήθειαν, οὐκ ἐξ προκοπῆς τὸ κυριεύειν λαβών, ἀλλ' ἐκ φύσεως τὸ τῆς κυριότητος ἔχων ἀξίωμα. Καὶ οὐ καταχρηστικῶς ὡς ἡμεῖς κύριος καλούμενος ἀλλὰ τῇ ἀληθείᾳ κύριος ὤν. (Cyrill von Jerusalem, Kat. 10, 5.)

Jesus Christus ist darum der wirkliche und wirksame Offenbarer Gottes und Versöhner mit Gott, weil Gott in ihm, seinem Sohn oder Worte nicht irgend etwas, und wäre es das Größte und Bedeutungsvollste, sondern sich selbst setzt und zu erkennen gibt, genau so wie er sich von Ewigkeit und in Ewigkeit selber setzt und erkennt. Er ist der Sohn oder das Wort Gottes für uns, weil er es zuvor in sich selber ist.

Es ist eine von den vielen optischen Täuschungen des modernistischen Protestantismus, wenn er gemeint hat, dieses „zuvor in sich selber", d. h. das Bekenntnis der wahren ewigen Gottheit Christi, unter Berufung auf eine vermeintlich der alten und mittelalterlichen Kirche gegenüber veränderte Stellungnahme der Reformatoren zu dieser Sache als den Exponenten einer untheologischen, metaphysischen Spekulation deuten und diskreditieren zu sollen und zu können. — Was man aus den Äußerungen der Reformatoren in dieser Absicht anzuführen pflegt, genügt von ferne nicht zu dem Nachweis, daß sie je daran gedacht hätten, das Dogma von der Gottheit Christi anzugreifen oder auch nur anzurühren.

Es ist vor allem eine Stelle in der ersten Auflage von Melanchthons Loci (1521), die hier in Betracht kommt. In der Einleitung dieser ältesten evangelischen Dogmatik unterscheidet Melanchthon unter den *Loci theologici* solche, die *prorsus incomprehensibiles* seien und solche, die nach dem Willen Christi dem ganzen Christenvolk *compertissimi* sein müßten. Von jenen ersten sei zu sagen: *mysteria divinitatis rectius adoraverimus, quam vestigaverimus.* Denn das Letztere sei mit großer Gefahr verbunden und Gott habe seinen Sohn ins Fleisch verhüllt, *ut a contemplatione maiestatis suae ad carnis adeoque fragilitatis nostrae contemplationem invitaret.* Melanchthon kündigt also an, daß er keinen Grund sehe, viel Mühe zu wenden an jene *loci supremi de Deo, de unitate, de trinitate Dei, de mysterio creationis, de modo incarnationis.* Die Scholastiker seien über dem Erforschen dieser Dinge zu Narren und die *beneficia Christi* seien darüber verdunkelt worden. Denn die Argumente (*e philosophia*, sagt die zweite Auflage 1522), die sie hier vorgebracht hätten, seien oft würdiger gewesen eines häretischen als eines katholischen Dogmas. Lebensnotwendig seien dagegen die anderen *loci*: von der Macht der Sünde, vom Gesetz, von der Gnade. *Nam ex his proprie Christus cognoscitur, siquidem hoc est Christum cognoscere, beneficia eius cognoscere, non quod isti docent eius naturas, modos incarnationis contueri. Ni scias, in quem usum carnem induerit et cruci affixus sit Christus, quid proderit eius historiam novisse?* Wie der Arzt von den Pflanzen mehr wissen müsse als ihre Natur, nämlich ihre *vis nativa*, so müsse Christus als *salutare* erkannt werden, wie dies eben in jenen anderen *loci* an die Hand gegeben werde, von denen die Scholastiker nicht redeten. Dem Vorbild des Paulus im Römerbrief sei Folge zu leisten, wo, als ob er die *disputationes frigidae et alienae a Christo* vorausgesehen hätte, nicht von der Trinität, von der Fleischwerdung, von der *creatio activa et passiva* die Rede sei, sondern eben von der Sünde, von der Gnade, d. h. aber von den *loci, qui Christum tibi commendent, qui conscientiam confirment, qui animum adversus satanam erigant.* Es waren die Rationalisten des 18. und des beginnenden 19. Jahrhunderts (vgl. z. B. Joh. Joach. Spalding, Über die Nutzbarkeit des Predigtamtes, 1772, S. 138f.; K. G. Bretschneider, Handbuch der Dogmatik, 1. Bd. 4. Aufl. 1838, S. 553) und es waren in der neueren Zeit besonders A. Ritschl (vgl. Rechtf. u. Versöhnung[4] 3. Bd. S. 374, Theologie und Metaphysik, 1874, S. 60) und seine Schüler (vgl. z. B. M. Rade, Glaubenslehre 1. Bd., 1924, S. 53; H. Stephan, Glaubenslehre, 2. Aufl. 1928, S. 166, 240), die sich dieser Stelle meinten freuen zu dürfen. Man sollte sich doch nicht verbergen, daß diese Stelle nicht das besagt, was man in ihr gerne finden würde. Sie verrät eine vorübergehende Stimmung aber nicht eine geschichtlich bedeutsam gewordene theologische Stellungnahme auch nur Melanchthons. Auch diese Stimmung richtete sich nicht gegen den Inhalt, sondern gegen die Bedeutung des trinitarischen Dogmas in seinem Verhältnis zu den Melanchthon mehr am Herzen liegenden anderen Dogmen. Sie war auch nicht veranlaßt durch Melanchthons eigene, vielleicht kritische Beschäftigung mit dem Trinitätsdogma, sondern einerseits durch seine durch die Anregungen Luthers veranlaßte intensive Beschäftigung mit jenen anderen Dogmen, andererseits durch den Verdruß über die unkirchlich theoretische Weise, in der er die „Scholastiker", d. h. die ihm zunächst bekannten Theologen des Spätmittelalters mit der Trinitätslehre beschäftigt fand. Es war eine vorübergehende Stimmung: es bedurfte nachher nur des Auftretens der Antitrinitarier, um ihn sofort anders zu stimmen und dem Trinitätsdogma jener Äußerung zum Trotz nun doch in seinen Loci Raum zu verschaffen. Jene Stimmung ist für die reformatorische Bekenntnisbildung und theologische Schule in keiner Weise bedeutsam geworden.

Die Freunde jener Melanchthonstelle würden sich wohl, wenn ihnen Calvin etwas vertrauter wäre, auch auf diesen berufen. 1537, zur Zeit seines ersten Genfer Aufenthaltes, hat ihn der theologisch-kirchliche Abenteurer Petrus Caroli öffentlich und nicht ohne auch bei ernsthaften Leuten einiges Gehör zu finden, des Antitrinitarismus anklagen können. Die Tatbestände, auf die sich diese Anklage bezog, waren diese: Die für den Anfang der Genfer Reformation maßgebende *Confession de la foy* von 1536 (bei K. Müller, S. 111f.), deren Inhalt freilich für den damals überhaupt im Vordergrund stehenden W. Farel bezeichnender ist als für Calvin, schweigt sowohl in ihrer Gotteslehre wie in ihrer Christologie von der Trinitätslehre. Aber auch die etwas früher im selben Jahr erschienene erste Fassung der *Institutio* Calvins selber (*cap. 2 De fide*, am Anfang) gibt zwar eine durchaus korrekte und respektvolle Darstellung der Trinitätslehre: es war nicht einmal das richtig, daß Caroli Calvin vorwarf, er sei den Ausdrücken *trinitas* und *persona* aus dem Wege gegangen; man merkt aber, daß das Interesse des Verfassers an dieser Sache nicht gerade brennend ist. Noch in seiner 1545 erlassenen Verteidigungsschrift gegen Caroli schreibt Calvin selbst, die wahre Erkenntnis der Gottheit Christi bestehe darin, alles Vertrauen und alle Hoffnung auf ihn zu setzen und seinen Namen anzurufen. *Quae practica notitia certior haud dubie est qualibet otiosa speculatione. Illic enim pius animus Deum praesentissimum conspicit et paene attrectat, ubi se vivificari, illuminari, salvari, justificari et sanctificari sentit* (*Adv. P. Caroli calumnias C. R.* 7, 312f.). Darüber hinaus scheint Calvin zu jener Zeit gegen die Autorität und Authentizität der altkirchlichen Symbole allerlei Einwände gehabt zu haben (*C. R.* 5, 337; 10², 84, 86; 7, 311f.). Und Tatsache ist, daß er sich der Forderung des Caroli, diese Symbole zur Beglaubigung seiner Orthodoxie zu unterschreiben, um der „Tyrannei" solcher Forderung willen energisch entzogen hat (*C. R.* 7, 315; 10², 120f.). Der ganze Streit ist theologisch und menschlich reichlich dunkel. Soviel geht doch aus der angeführten Stelle und vor Allem aus der ersten Fassung der *Institutio* deutlich hervor: Calvin war damals, wie Melanchthon 16 Jahre früher, mit andern Dingen, nämlich wie jener: mit den Problemen der Heilszueignung und nicht mit deren objektiven Voraussetzungen beschäftigt. Man kann bei W. Farel ernstlich fragen, ob er diese letzteren nicht vielleicht wirklich zunächst aus den Augen verloren hatte und insofern wie so mancher Zeitgenosse am Anfang des Weges stand,

2. Der ewige Sohn

der zum Antitrinitarismus führen mußte. Von Calvin selbst kann man dies auch im Blick auf jene Zeit nicht sagen. Er hat vielmehr jene Voraussetzungen auch in dieser Frühzeit deutlicher vor Augen gehabt als etwa der Melanchthon jener Äußerungen von 1521. Neben dem Fehlen einer eigentlichen charakteristischen Trinitätslehre, die er geradezu auf „Arianismus" zurückführen wollte, hat ihm der wie es scheint ziemlich kopflose Caroli gerade das zum Vorwurf gemacht, daß er Christus den alttestamentlichen Namen *Jehovah* beilege. Gerade als *elogium divinitatis* meinte ja das Calvin (*C.R.* 7, 312; 10², 121; 9, 708)! Von etwas Anderem als wieder von einer etwas unwirschen (durch die mutwillige Anklage des Caroli verstärkten) Stimmung — nicht etwa gegen jene objektiven Voraussetzungen, sondern nur gegen ihre lehrhafte Formulierung durch die alte Kirche, kann man auch bei dem damaligen Calvin nicht reden. Wie weit entfernt er davon war, aus dieser Stimmung antitrinitarische Folgerungen zu ziehen, davon gibt der Ausbau seiner *Institutio* sowohl wie seine Haltung etwa im Falle Servet unzweideutiges Zeugnis.

Um was es in der ganzen Sache ging, wird deutlich bei Luther, auf den man sich in dieser Sache auch zu berufen pflegt. Seine Einsichten sind es, die entscheidend hinter jenen Äußerungen Melanchthons und indirekt wohl auch hinter denen Calvins stehen. Luther hat aus seiner Erkenntnis der Rechtfertigung des Menschen allein in Christus und also allein durch den Glauben mit Recht die Folgerung gezogen: also kann alle menschliche Theologie überhaupt nur Theologie der Offenbarung sein. So eigenmächtig und darum lebensgefährlich es ist, sich bei der Frage nach der Rechtfertigung des Menschen an dem vorgefaßten oder aus den Aussagen der Schrift willkürlich abstrahierten Begriff des göttlichen Gesetzes zu orientieren, so eigenmächtig und gefährlich ist es überhaupt, in der Theologie von einem vorgefaßten oder aus den Aussagen der Schrift willkürlich abstrahierten Begriff Gottes auszugehen. Sondern wie die Frage der Rechtfertigung im besonderen, so ist auch die ganze theologische Frage nur im Blick auf den in Christus sich selbst offenbarenden Gott zu beantworten. Schon 1519 nennt es Luther einen von ihm nun schon oft wiederholten Gedanken: dies sei der *unicus et solus modus cognoscendi Deum* (von den *doctores Sententiarum* mit ihren *absolutae divinitatis speculationes* schmählich vernachlässigt), daß *quicumque velit salubriter de Deo cogitare aut speculari, prorsus omnia postponat praeter humanitatem Christi* (Brief an Spalatin vom 12. Februar 1519, W. A. Br. 1 S. 328f.). Um dieselbe Zeit kann man Luther so polemisieren hören: *Proinde, qui vult Deum cognoscere, schalam terre infixam contueatur: cadit hic tota ratio hominum. Natura quidem docet, ut simus propensiores ad contemplanda magna quam abiecta. Hinc collige, quam inique, ne dicam impie, agant et speculantur, sua confisi industria, summa Trinitatis misteria: quo loco sedeant angeli, quid loquantur sancti, Cum tamen in carnem natus est Christus atque in carne mansurus sit. Vide autem, quid continget illis. Primo:* Wen sy myt dem kopf dur den hymmel born und sehen sich in dem himel umb, do funden sich niemantzs dan Christus leyt in der kryppen und ins weibes schosse, sso storczen sy widder herunder und brechen des halss. *Et ii sunt scriptores super primum librum sententiarum. Deinde adeo nihil consequuntur istis suis speculationibus, ut neque sibi neque aliis prodesse aut consulere possunt.* Hye sich hehr, Thoma und Philippe, hebe unden an und nicht oben (*Schol. in libr. Gen.* zu Gen. 28, W. A. 9 S. 406 Z. 11). Und noch bekannter ist die folgende Stelle: Denn das habe ich offt gesagt und sage es noch ymer, das man auch, wenn ich nu tod bin, daran gedencke und sich huete fur allen lerern, als die der Teuffel reitet und fueret, die oben am höhesten anfahen zu leren und predigen von Gott blos und abgesondert von Christo, wie man bisher ynn hohen schulen speculirt und gespilet hat mit seinen wercken droben ym himel, was er sey, dencke und thue bey sich selbs. etc. Sondern wiltu sicher faren und Gott recht treffen oder ergreiffen, das du gnade und huelffe bey jhm findest, so las dir nicht einreden, das du jhn anderswo suchest denn jnn dem Herrn Christo, noch mit andern gedancken umbgehest und dich bekömerst, odder nach einem andern werck fragest, denn wie er Christum gesand hat. An dem

Christo fahe deine kunst und studiren an, da las sie auch bleiben und hafften, Und wo dich dein eigen gedancken und vernunfft oder jemand anders fueret und weiset, so thu nur die augen zu und sprich: Ich sol und wil von keinem andern Gott wissen denn jnn meinem Herrn Christo. (Pred. üb. Joh. 17, 3, 1528, W. A. 28 S. 100 Z. 33; vgl. auch Komm. zu Gal. 1, 3, 1535, W. A. 40¹ S. 75f.; W. A. Ti. 6 S. 28). Es sollte doch nicht zu verkennen sein: diese Äußerungen Luthers treffen, sofern sie inhaltliche Polemik enthalten, nicht die Lehre von der Gottheit Christi. Und sofern sie die Gottheit Christi betreffen, enthalten sie keine inhaltliche Polemik. Luther will, das ist sein Anliegen in diesem Gedanken, die Gottheit überhaupt und die Gottheit Christi im besonderen nicht auf dem Weg einer eigenmächtigen Spekulation, sondern er will sie auf dem Weg der Erkenntnis der Offenbarung Gottes, er will sie also in der Tat auf dem Weg der Erkenntnis der *beneficia Christi* und also der *humanitas Christi*, d. h. seiner in der Schrift bezeugten menschlichen Wirklichkeit, durch welche uns seine Wohltat zukommt, erkannt wissen. Er will sie aber — und das hätte doch nie verschwiegen oder auch nur in den Hintergrund gestellt werden dürfen — erkannt wissen. Umsichtiger als der Melanchthon von 1521 versäumte Luther nicht, darauf hinzuweisen, daß es sich in jenem Traume Jakobs um ein Hinauf- und um ein Herabsteigen der Engel handele: *angeli ascendentes et descendentes*: *doctores, precones verbi Dei*. Der Weg führt zunächst von unten nach oben, von der *natura humana Christi* zur *cognitio Dei*. Aber er führt wirklich nach oben und darum dann auch wieder nach unten. *Deinde cum* Χριστός *in sic humilibus formis cognitus est, tum ascenditur et videtur, quod est Deus. Et tunc cognoscitur quod Deus benigne, misericorditer despectat* (Pred. üb. Genes. 28, 12f, 1520, W. A. 9 S. 494 Z. 17f). Also gerade die Erkenntnis der Güte Gottes hängt nun doch wieder daran, daß der Weg auch von oben nach unten führt. *Nos Christiani non* haben gnug daran, wie ein *Creator* sey zu rechen gegen der Creatur. *Sed docemus postea ex scriptura*, was Got in sich selber ist ... *quid est deus in seipso?* ... *quid* ist er bey sich selber, da er sein Gottlich wesen bey sich selbs hat? *Ibi Christiani: Is unicus dominus, rex et creator, per filium sic depinxit se, quod in deitate* so stehe ... *Non solum inspiciendus deus ab extra in operibus. Sed deus vult etiam, ut agnoscamus eum etiam ab intra.* Was ist er inwerds? (Predigt über Joh. 1, 1f., 1541, W. A. 49 S. 238 Z. 5).

Was von der ganzen Berufung auf die Reformation in dieser Sache übrigbleibt, ist schließlich nur die Tatsache, daß das brennende Problem der Reformatoren ein anderes war als das des vierten Jahrhunderts und daß sie es sich im Gedränge des Kampfes um dieses ihr Problem geleistet haben und vielleicht leisten mußten, das Problem des vierten Jahrhunderts gelegentlich mit einer etwas ungeduldigen Bewegung zur Seite und an seinen Ort zu rücken. Daß es für sie nicht an diesem Ort gestanden und daß sie es nicht als die selbstverständliche Voraussetzung ihres Problems erkannt oder jedenfalls spätestens in der Auseinandersetzung mit ihrem schon damals auftauchenden Gegner zur Linken wiedererkannt haben, hat noch niemand im Ernst behaupten können. Mag man es ihnen (so Stephan a. a. O. S. 140) als Mangel an theologischer Konsequenz auslegen, daß sie die altkirchliche Lehre nicht nur nicht angegriffen, sondern an ihrem Ort so solenn wie möglich bejaht haben, oder mag man (so A. Ritschl, Rechtfert. u. Versöhnung⁴ 1. Bd. S. 145f.) in dieser Haltung einen Ausfluß ihrer kirchenpolitischen Rücksichtnahme auf das mittelalterliche *corpus christianum* sehen, die Tatsache als solche ist am Tage und wir haben das Recht, uns an sie zu halten. Die Reformatoren haben nicht daran gedacht, die Christologie in einer Lehre von den *beneficia Christi* auf- bzw. untergehen zu lassen. Sollte es keine Verständigung darüber geben, daß es nun einmal endgültig zweierlei ist, wenn Melanchthon (*Loci* 1535, C. R. 21, 366) sagt: *scriptura docet nos de filii divinitate non tantum speculative, sed practice, hoc est, iubet, ut Christum invocemus, ut confidamus Christo* — und wenn man, wie Ritschl und die Seinen es wollten, das *speculative* einfach streicht bzw. es einfach in das *practice* umdeutet?

2. Der ewige Sohn

Der Einwand, daß es sich in dem Dogma von der Gottheit Christi um eine untheologische Spekulation handle, ist aber auch sachlich unverständig und unhaltbar und dürfte schließlich auf seine Urheber zurückfallen.

J. J. Spalding, der jene Melanchthonstelle vielleicht als Erster in diesem Sinn auszunützen versucht hat, argumentiert, prototypisch für Alles, was bis in unsere Tage hinein in dieser Richtung gesagt zu werden pflegt, folgendermaßen: „Nicht das, was der Sohn Gottes in sich, in seiner unserem Verstande undurchschaulichen Natur ist, gehöret zu unserm eigentlichen Christenthum, zu der allgemein nothwendigen und fruchtbaren Religionserkenntnis; sondern das, was er für uns ist, wozu er uns gegeben worden, was wir ihm zu danken haben, wie wir ihn annehmen und gebrauchen sollen, um zu der Glückseligkeit zu gelangen, zu welcher er uns führen will. Und wie sicher können wir dabey aller jener schweren Wörter und noch schwerern Begriffe entbehren!" (a. a. O. S. 142). „Wenn eine deutliche göttliche Erklärung da ist, daß mir nach meinen Verschuldungen noch wieder eine Umkehrung verstattet werde, und ein Zugang zu meiner Glückseligkeit offen stehe; wenn mir in dieser Erklärung gesagt wird, daß mir diess durch Jesum Christum vermittelt und zugewendet worden, so sehe ich nicht, warum mir dieser Grund meiner Beruhigung nicht zuverlässig genug seyn sollte. Eine solche allgemein erklärte Versicherung für unzulänglich zu halten, darauf nicht eher mit völliger Beruhigung trauen zu wollen, als bis ich selbst erst eingesehen, wie Gott diese Begnadigung habe möglich machen können, oder ob er auch befugt gewesen, Sünde zu vergeben, das hieße, mir eine Art von Beurtheilung über die heiligen Regierungsgesetze Gottes anmaßen, die mir unmöglich zukommen kann. Er verspricht mir Vergebung durch Christum; mehr brauche ich nicht. Was mein Erlöser zu dem Ende hat thun müssen, was er hat seyn müssen, um das thun zu können, das gehöret nicht zu meiner Religion, weder in Absicht auf meine Tugend, noch auf meine Gemütsruhe; das überlasse ich lediglich demjenigen, der mir so deutlich sein Wort über meiner Wiederaufnehmung gegeben hat. Diese Erklärung und Versicherung von dem wahrhaften Gott, daß er mir vergeben will, ist mir ungleich nöthiger zu wissen, als die Art, wie er es macht, daß er mir vergeben kann; und aus beyden etwas gleich wesentliches und wichtiges in der Religionserkenntnis zu machen, dazu würde man schwerlich hinlänglichen Grund finden können." (S. 144f.) Kurz, das Wissen um das, was das Dogma sagt, gibt den Christen „nicht den geringsten Zusatz zu ihrer Gottseligkeit und zu ihrem Trost, aber einen desto größern zur vergeblichen Belästigung ihres Verstandes" (S. 147). Bei dieser Beweisführung ist, wie es für die Aufklärungstheologie (im weitesten Sinn des Begriffs) bezeichnend ist, völlig übersehen, daß es sich im Dogma keineswegs darum handelt, die einfache und an sich genügende „Religionserkenntnis" durch eine ebenso subtile wie entbehrliche Erklärung der Möglichkeit ihres Inhaltes zu bereichern bzw. schwierig zu machen, daß es sich aber in dieser „Religionserkenntnis" allerdings — welche „Belästigung des Verstandes" das immer bedeuten möge und in welchem Sinn das immer zu meiner Religion, Tugend und Gemütsruhe „gehören" möge — um das Geheimnis des Wortes Gottes handelt, d. h. daß die Wahrheit dessen, was Christus für uns ist, die Wahrheit seiner *beneficia* nun einmal die Wahrheit des Ereignisses göttlicher Kundgebung und nicht die Wahrheit einer von diesem Ereignis zu lösenden „allgemein erklärten Versicherung" ist. Daß der wahrhafte Gott mir vergeben hat — das, und nicht bloß, daß er mir vergeben will, ist übrigens der Inhalt der hier in Betracht kommenden „Religionserkenntnis"! — das ist nicht anders als Wahrheit zu hören und zu verstehen als in dem Geheimnis des Weges Gottes aus seiner göttlichen Majestät in meine durch die Sünde zerstörte Geschöpflichkeit. Was hat die allgemeine Wahrheit, daß es eine Versöhnung gibt (als Wahrheit, die man hören und verstehen kann abgesehen von dem Geheimnis dieses Weges) mit der Wahrheit der

§ 11. *Gott der Sohn*

Gnade Gottes zu schaffen? Das Dogma von der Gottheit Christi hat es mit dieser Wahrheit zu tun, darum mit dem Geheimnis dieses Weges, darum mit dem Unterschiede zwischen dem Woher und dem Wohin dieses Weges und darum mit dem Unterschied des Sohnes Gottes an sich und für uns. An der Unterscheidung des „an sich" von dem „für uns" hängt die Anerkennung der Freiheit, der Ungeschuldetheit der Gnade Gottes, d. h. gerade dessen, was sie wirklich zur Gnade macht. Diese Anerkennung ist's, die im kirchlichen Dogma vollzogen wird, während die Aufklärungstheologie (im weitesten Sinn des Begriffs) offenbar gegen sie im Kriege liegt.

Es ist merkwürdig genug, aber es ist so: gerade das kirchliche Dogma von der ewigen wahren Gottheit Christi mit seinem „zuvor in sich selber" verneint und verbietet ein untheologisch spekulatives Verständnis des „für uns". Und gerade wer das kirchliche Dogma meint ablehnen zu müssen, tut das sicher, weil er in einem untheologisch spekulativen Verständnis des „für uns" befangen ist. In drei Punkten läßt sich das zeigen:

1. Wer davon nicht hören will, daß Christus zuvor in sich selber Gott ist, um so und daraufhin unser Gott zu werden, der macht das Letztere, sein Gottsein für uns, zu einer notwendigen Eigenschaft Gottes. Gottes Sein ist dann wesentlich gebunden und bedingt als Offenbarsein, d. h. als ein sich Verhalten Gottes zum Menschen. Der Mensch ist dann als Gott unentbehrlich gedacht. Um die Freiheit Gottes in der Tat der Offenbarung und Versöhnung, d. h. aber um den Gnadencharakter dieser Tat ist es dann geschehen. Es liegt dann in der Natur Gottes,[1] daß er uns vergeben muß. Und es liegt in der Natur des Menschen, einen Gott zu haben, von dem er Vergebung empfängt. Das und nicht das kirchliche Dogma, das eben diesen Gedanken verbietet, ist untheologische Spekulation.

2. Gerade wer sich nur an den Sohn Gottes für uns halten will, ohne dessen zu gedenken, daß er zuvor in sich selber der Sohn Gottes ist, sollte das jedenfalls nicht Glaubenserkenntnis heißen. Wenn nämlich Glaubenserkenntnis Erkenntnis eines göttlichen Handelns, einer Enthüllung des verhüllten Gottes, also eines Hervortretens, eines Weges Gottes ist, wenn Glaubenserkenntnis sich dadurch von irgendeiner anderen Erkenntnis auszeichnet, daß sie Erkenntnis des Geheimnisses der Rede Gottes ist — der Rede Gottes, die sich von einem Schweigen Gottes abhebt, die eben als Ereignis, zwischen einem *terminus a quo* und einem *terminus ad quem* Wahrheit ist und nicht sonst! Wer die *beneficia Christi* abgesehen von diesem Ereignis meint verstehen zu können, er und nicht das kirchliche Dogma, das an dieses Ereignis erinnert, treibt untheologische Spekulation.

3. Will man die Aufgabe der theologischen Besinnung darauf beschränken, Christus in seiner Offenbarung, aber eben nur in seiner Offenbarung, an sich und als solcher zu verstehen, welches wird dann das Maß und Kriterium dieses Verstehens, dieses so hoch gerühmten *beneficia Christi*

---

[1] *C'est son métier* (Voltaire).

2. Der ewige Sohn

cognoscere sein können? Offenbar wird dies ein vom Menschen Mitgebrachtes sein müssen. Dieser Maßstab kann dann entweder die uns mögliche Schätzung menschlicher Größe oder die uns mögliche Schätzung der Idee Gottes oder eines Göttlichen sein. Weil Christus nach dieser unserer Schätzungsmöglichkeit hoch zu werten ist, darum und insofern, auf Grund unseres „Werturteils" nennen wir ihn dann Gottes Sohn. Wir stehen damit wieder vor jenen beiden christologischen Typen, die wir als den ebionitischen und den doketischen kennen gelernt haben.

A. Ritschl — seine Christologie gehört nach unserer Einteilung (im Unterschied zu derjenigen der ihm folgenden religionsgeschichtlichen Schule) zweifellos unter den „doketischen" Typus — hat den Vorgang, in welchem es unter dieser Voraussetzung zur Erkenntnis der Gottheit Christi kommen kann, folgendermaßen beschrieben: „Sind die Gnade und Treue und die Herrschaft über die Welt, welche in der Handlungsweise wie in der Leidensgeduld Christi anschaulich sind, die wesentlichen, für die christliche Religion entscheidenden Attribute Gottes, so war es unter gewissen geschichtlichen Veranlassungen folgerecht, die richtige Schätzung der Vollkommenheit der Offenbarung Gottes durch Christus in dem Prädikate seiner Gottheit sicherzustellen" (Unterricht in der chr. Rel. 1875 § 24; vgl. Rechtfertigung und Versöhnung[4] 3. Bd. S. 370f.).

Sollte nicht das: dieses Deuten, Werten und Schätzen mittels eines vom Theologen selbstgewiß mitgebrachten und auf Christus angewandten Maßstabes (auch wenn es im Ergebnis und den Worten nach den Inhalt des kirchlichen Dogmas wieder zu erreichen scheint) das eigentlich untheologische Spekulieren sein? Während das kirchliche Dogma mit seinem „zuvor in sich selber" uns offenbar gerade diesen Maßstab aus den Händen schlagen will, indem es uns sagt, daß die Erkenntnis der Gottheit Christi nur Anfang und nicht Ergebnis unseres Denkens sein kann?

Kein Zweifel: das Dogma von der Gottheit Christi durchbricht das Korrelationsverhältnis zwischen göttlicher Offenbarung und menschlichem Glauben. Mit dem religionspsychologischen Zirkel, mit der Theorie von den in einer „Spannungseinheit" stehenden, uns zugänglichen zwei Wahrheitsmomenten und wie diese wohlgemeinten Erfindungen alle heißen mögen, kommt man an das, was dieses Dogma sagen will, allerdings nicht heran. Und wenn Alles, was mit diesem Instrumentarium nicht zu fassen ist, schon deshalb unerlaubte Metaphysik ist, dann allerdings ist dieses Dogma solche Metaphysik. Wir müssen aber auf Grund der genannten drei Punkte den Spieß ganz schlicht umkehren und sagen: darin besteht die wirklich unerlaubte Metaphysik, die sich die Reformatoren notorisch nicht geleistet haben: jenes uns vermeintlich zugängliche, überschauliche und verständliche Korrelationsverhältnis zu verabsolutieren, es als die Wirklichkeit zu verstehen, in der sich Gott dem Menschen und dem menschlichen Denken und Reden sozusagen ausgeliefert habe, statt zu bedenken, daß unser Stehen in diesem Verhältnis jederzeit reine Illusion und unser Denken darin, unser Reden darüber reine Ideologie sein kann, wenn beides nicht in Gott selbst begründet ist und durch Gott selbst immer wieder bestätigt wird. **Weil und sofern das wahr ist, was das Dogma sagt: daß Gottes Wort das Wort Gottes ist, darum und insofern ist auch jenes Korrelationsverhältnis wahr.** Seine Wahrheit hängt wie an einem Nagel an der Wahrheit, von der das Dogma redet. Und darum auch alle Wahrheit unseres Denkens und Redens darüber an der Erkenntnis der Wahrheit des Dogmas. Ohne sie ist es Träumerei und Geschwätz, und wenn es sich lange Theologie der Offenbarung und des Glaubens nennen würde. Darum und daraufhin, daß Christus zuvor in sich selber Gottes Sohn ist, gibt es die beiden in Spannung untereinander befindlichen Wahrheitsmomente (die **Wahrheitsmomente** des ebionitischen und des doketischen Denkens), in denen wir erkennen, daß er Gottes Sohn für uns ist, nicht umgekehrt. Eine Theologie, die nicht weiß um die Freiheit der Gnade Gottes, nicht weiß um das Geheimnis seines Weges, nicht weiß um die Furcht Gottes als den Anfang der Weisheit, wie käme sie dazu, sich Theologie der Offenbarung und des Glaubens zu nennen? Wie sollte sie Erkenntnis der *beneficia Christi* sein? Ist da nicht Alles trotzige Eigenmacht, nur um so schlimmer, weil sie sich auch noch so demütig gibt? Aber es hat keinen Sinn, hier zu schelten. Wir stehen gerade hier mit besonders schmerzlicher Deutlichkeit vor dem Riß, der mitten durch die evangelische Kirche geht. Die sich hier widersprechen, können sich weder verstehen noch überzeugen. Sie sprechen nicht nur eine andere Sprache, sondern auch aus einer anderen Erkenntnis. Sie haben nicht nur eine andere Theologie, sondern auch einen anderen Glauben. Wir können hier letztlich nur protestieren, wie wir in anderen Zusammenhängen gegen die Aufstellungen der römisch-katholischen Theologie nur protestieren können.

Das für die dogmatische Wissenschaft belangvollste Dokument des kirchlichen Dogmas von der Gottheit Christi ist der auf dieses Problem sich beziehende Teil des zweiten Artikels des sog. *Symb. Nicaeno-Constantinopolitanum.*

Das *Symb. Nic.Const.* ist ein Taufsymbol aus dem letzten Drittel des vierten Jahrhunderts, vielleicht das Taufsymbol der Kirche von Konstantinopel (oder der von Jerusalem?), in welches die entscheidenden trinitätstheologischen Bestimmungen des Konzils von Nicaea 325 aufgenommen wurden und das nach nicht eben sicherer Überlieferung die Anerkennung des Konzils von Konstantinopel 381 gefunden haben soll. Es ist seit 565 fester Bestandteil der morgenländischen, seit 1014 der abendländischen Liturgie geworden. — Wir nennen es das hier für uns belangvollste Dokument des Dogmas von der Gottheit Christi,

1. weil unter den drei von den Reformationskirchen formell rezipierten altkirchlichen Symbolen gerade seine Bestimmungen in dieser Hinsicht zugleich die schärfsten und die knappsten sind,

2. Der ewige Sohn

2. weil es, gerade in dieser Hinsicht in der Hauptsache nur das alte eigentliche Nicaenum reproduzierend, abschließend den Ertrag der altkirchlichen Diskussion über die Gottheit Christi wiedergibt,

3. weil es wegen seiner liturgischen Bedeutung in der anatolischen und in der römischkatholischen Kirche geeignet ist, über die kirchlichen Trennungen hinweg an den freilich anderweitig auch wieder ganz verborgenen ökumenischen Konsensus des christlichen Bekenntnisses zu erinnern,

4. weil es unzweideutig das sagt, was der liberale Protestantismus nicht hören mag und was gerade darum in einer evangelischen Dogmatik unbedingt geltend gemacht werden muß.

Die in Betracht kommende Stelle, mit deren kurzer Kommentierung wir die Behandlung des uns beschäftigenden Problems abschliessen, lautet:

(Πιστεύομεν . . .)
1. εἰς ἕνα κύριον Ἰησοῦν Χριστόν
2. τὸν υἱὸν τοῦ θεοῦ τὸν μονογενῆ
3. τὸν ἐκ τοῦ πατρὸς γεννηθέντα πρὸ πάντων αἰώνων
4. φῶς ἐκ φωτός, θεὸν ἀληθινὸν ἐκ θεοῦ ἀληθινοῦ, γεννηθέντα οὐ ποιηθέντα
5. ὁμοούσιον τῷ πατρί
6. δι' οὗ τὰ πάντα ἐγένετο

(Text nach *Denzinger* Nr. 86)

(*Credo* . . .)
1. *in unum Dominum Jesum Christum*
2. *filium Dei unigenitum*
3. *et ex Patre natum ante omnia saecula*
4. *Deum de Deo, lumen de lumine, Deum verum de Deo vero, genitum non factum*
5. *consubstantialem Patri*
6. *per quem omnia facta sunt*

(Text nach dem *Missale Romanum*)

1. **Wir glauben an den einen Herrn Jesus Christus.** — Der Begriff „Herr" weist uns zunächst hin auf die Bedeutung Jesu Christi für uns. Er ist uns gegenüber der Träger von Autorität und Gewalt. Er hat Anspruch auf uns und er verfügt über uns. Er befiehlt und regiert. Aber er tut das nicht zufällig und vorläufig, nicht teilweise und beschränkt wie andere Herren. Seine Herrschaft ist keine abgeleitete, keine in einer höheren Herrschaft begründete. Sie ist Herrschaft im letzten abschließenden Sinn des Begriffs. Sie ist in sich selbst begründete Herrschaft. Das sagt die Klausel „ein" Herr. Sie will sagen: der Glaubenssatz „Jesus Christus ist der Herr" ist gerade nicht nur eine Analyse der im Glauben uns offenbaren Bedeutung Jesu Christi für uns. Sondern er besagt, daß in sich selbst begründet, abgesehen von dem, was er für uns bedeutet, Jesus Christus eben das ist, was er für uns bedeutet, und daß er es für uns bedeuten **kann**, eben weil er es auch abgesehen davon zuvor in sich selber **ist**.

Wie sollte der Glaube dazu kommen, sich selbst (als das Erfassen dessen, was Jesus Christus für uns bedeutet) für die Rechtfertigung jenes Glaubenssatzes zu halten ? Gerade der Glaube wird vielmehr sich selbst nur dadurch für gerechtfertigt halten, daß Jesus Christus zuvor, allem unseren Erfassen vorangehend, in sich selber ist, als der er sich uns zu erfassen gibt. *Christus quamquam sit coelestis et sempiternae conditor civitatis, non tamen eum, quoniam ab illo condita est, Deum credidit, sed ideo potius est condenda, quia credidit . . . Roma Romulum amando esse Deum credidit, ista istum Deum esse credendo amavit* (Augustin, *De civ. Dei* XXII 6, 1).

Die Klausel „der eine" Herr rückt Jesus Christus unmittelbar zum

Vater, von dem das Bekenntnis im ersten Artikel mit Nachdruck gesagt hatte: er ist ein Gott. Wenn zwischen den Begriffen „Gott" und „Herr" keine Konkurrenz sein kann, wenn sie sich auf das eine Wesen beziehen — so auf das eine, wie sich die Aussagen über Schöpfung und Versöhnung auf das eine Wirken dieses einen Wesens beziehen, dann ist schon mit dieser Klausel das Entscheidende gesagt: Jesus Christus ist selbst dieses Wesen, nicht sein Legat und Bevollmächtigter bloß, sondern mit ihm identisch. Darum, weil er der eine Herr ist, weil er in diesem strengsten Sinne der Herr ist, darum hat seine Herrschaft für uns, in seiner Offenbarung, keinen Anfang und kein Ende, bricht sie über uns herein, mit dem unerhörten und unvergleichlichen Gefälle der ewigen Wahrheit und Wirklichkeit selber, ist sie von nirgendswoher einzusehen und abzuleiten, fängt ihre Erkenntnis an mit ihrer Anerkennung. Nur wenn er ein anderer Herr wäre, einer von den Herren innerhalb unserer Welt, könnte es anders sein. Er ist aber dieser Herr, der „Herr aller Herren" (Deut. 10, 17; 1. Tim. 6, 15). Er hat jene Bedeutung für uns, weil sie die Entsprechung ist dessen, was sein Wesen ist „zuvor in sich selber".

2. Wir glauben an Jesus Christus als an den einziggeborenen Sohn Gottes. — Der Begriff „Sohn" soll uns unter Punkt 4 beschäftigen. Die Klausel „der einziggeborene" betont zunächst die Einheit, d. h. aber die Exklusivität, die Einzigkeit der in Jesus Christus geschehenen Offenbarung und Versöhnung. Wer in ihm den Sohn Gottes glaubt, der weiß um keinen anderen Sohn Gottes neben ihm, d. h. aber um keine anderen Offenbarungen, die ihm ebenfalls Offenbarung Gottes selber wären, um keine anderen Versöhnungen, in denen er sich ebenfalls mit Gott selber versöhnt wüßte. Es gibt ja auch andere, immanente, innerhalb der geschaffenen Welt sich abspielende Offenbarungen und Versöhnungen: es gibt Offenbarungen des Geistes und Offenbarungen der Natur. Ein Mensch kann sich dem anderen offenbaren. Und der Mensch kann versöhnt werden mit seinem Schicksal, er kann sogar mit dem Tode, er kann — und das dürfte das Größte sein, sogar mit seinem Mitmenschen versöhnt werden. Aber das Alles ist nicht das Tun des Sohnes Gottes. Jedenfalls wer in Jesus Christus den Sohn Gottes glaubt, wem Gott in ihm offenbar und wer durch ihn mit Gott versöhnt wird, wird in allen jenen Offenbarungen und Versöhnungen nicht Werke von anderen Gottessöhnen erblicken. Sollten sie echte Offenbarungen und Versöhnungen sein, dann könnten sie nur identisch sein mit der Offenbarung und Versöhnung durch den Sohn Gottes. Es wäre dann Jesus Christus der in ihnen als lebend und handelnd erkannt werden müßte. Die eine Offenbarung und Versöhnung würde damit nicht zu einer unter vielen. — Aber das ist nicht Alles, was das Bekenntnis mit der Klausel von dem einziggeborenen Sohn Gottes sagen will.

2. Der ewige Sohn

Wäre dies Alles, so könnte das immer noch heißen, daß das neutestamentliche υἱὸς μονογενής zu interpretieren wäre durch das im Neuen Testament ja auch vorkommende υἱὸς ἀγαπητός. Und das könnte so gemeint sein, daß ein von Gott unterschiedenes Wesen Gegenstand des besonderen Wohlgefallens, der Bevorzugung, der Erwählung, der Adoption Gottes wäre, daß er, dieser Einzige, von Gott Sohn genannt und zu seinem Sohn, zur Würde und zu den Rechten der Sohnschaft eingesetzt wäre. Und das würde dann für uns bedeuten, daß er als solcher zu anerkennen, daß er als solcher zu glauben wäre. Es wäre dann die Exklusivität dieses Glaubens, die sog. „Absolutheit des Christentums", die dann den Inhalt des Bekenntnisses bilden würde. Aber wenn das Bekenntnis mit dem μονογενής allerdings die Einheit, die Einzigkeit der in Jesus Christus geschehenen Offenbarung bekennt, so ist das etwas sehr Anderes als die Absolutheit des Christentums. Das Bekenntnis sagt nicht, daß man im Glauben, wohl gar in einem als „Entscheidung" verstandenen Glauben eine Möglichkeit unter vielen anderen wählen, auszeichnen und behaupten könne und müsse als die absolute gegenüber den vielen anderen. Wie sollte dem Glauben eine solche Erhöhung Jesu Christi zukommen, wo doch schon der Sinn seiner Erhöhung durch seinen himmlischen Vater ein ganz anderer ist: keine Neuerung nämlich, sondern die Bestätigung eines Ursprünglichen und Eigentlichen? Die Einzigkeit Jesu Christi als des Sohnes Gottes und also die Einzigkeit der in ihm geschehenen Offenbarung und Versöhnung ist nicht ein von Gott ihm nachträglich verliehenes Prädikat. Sie ist nicht als der Inhalt eines synthetischen, sondern als der Inhalt eines analytischen Satzes zu verstehen. Μονογενής ist gerade nicht durch ἀγαπητός zu interpretieren, sondern umgekehrt: *Non ideo μονογενής dicitur, quia ἀγαπητός, sed ideo est ἀγαπητός, quia μονογενής* (Quenstedt, *Theol. did. pol.*, 1685, I *cap.* 9 *sect.* 1 *th.* 34).

Der einziggeborene Sohn ist eben nach Joh. 1, 18 der eingeborene Gott. Gott selbst, Gott in sich selber, ist in der Seinsweise des Einziggeborenen vom Vater. Darum ist dieser Einziggeborene Gegenstand der Liebe des Vaters, darum kann er Gegenstand unseres Glaubens werden. Vor aller Offenbarung und allem Glauben, vor dem, daß die Herrlichkeit dieses Einziggeborenen sich Menschen zu schauen gibt (Joh. 1, 14), ist sie Herrlichkeit Gottes selber. Und darum ist sie dann in ihrer Offenbarung „Gnade und Wahrheit". Darum kann ihre Offenbarung nur eine einzige sein. Die Einzigkeit ihrer Offenbarung und Versöhnung für uns ist die Entsprechung dessen, was Gott in seinem Wesen zuvor in sich selber ist: der Sohn des Vaters, neben dem es einen zweiten so wenig geben kann wie ein Zweiter Gott sein kann neben dem einen Gott.

3. Wir glauben an Jesus Christus als an den vom Vater vor aller Zeit Gezeugten. — Man muß auch hier davon ausgehen, daß dies von Jesus Christus als dem Offenbarer Gottes, also durchaus von dem in der Zeit an uns und für uns handelnden Gott gesagt ist. Die Aussage über Gott als solchen steht nicht abstrakt als zweite neben einer ersten über Gott als den Herrn unserer Geschichte. Sondern eben die Aussage über Gott als den Herrn unserer Geschichte wird unterstrichen durch die Aussage: Er ist Gott als solcher, keine bloße, auch nicht die höchste Analogie Gottes selber in einer von Gott unterschiedenen Wirklichkeitssphäre. Er bedeutet nicht, sondern er ist Gott selber. Die Klausel „vor aller

Zeit" schließt also die Zeit nicht aus, weder das *illic et tunc* der Offenbarung, wie sie in der Schrift bezeugt wird, noch das *hic et nunc*, in welchem sie für uns Offenbarung werden soll. Es schließt die Zeit, konkret: diese Zeit, die Zeit der Offenbarung, es schließt die Geschichte nicht aus sondern ein. Aber eben dies, daß Zeit (Zeit von unserer Zeit, Zeit und Geschichte des sündigen Geschöpfs — und das ist doch auch die Zeit und Geschichte der Offenbarung) eingeschlossen ist in ein göttliches „vor aller Zeit", eben das ist nicht selbstverständlich, eben das ist Gnade, Geheimnis, in der Furcht Gottes zu erkennende Grundlegung. Darum muß die Aussage über Gott als solchen, über Gott selbst, ausdrücklich erfolgen, auf die Gefahr des Mißverständnisses hin, als solle hier ohne Offenbarung und Glauben, als solle hier „ungeschichtlich" geredet werden, wo es doch gerade darauf ankommt, recht von Offenbarung und Glauben, recht von der Geschichte zu reden. Auch die Aussage über Gott als den Herrn unserer Geschichte ist ja an sich nicht unmißverständlich. Auch sie könnte für sich genommen ein Satz anthropologischer Metaphysik sein. Man kann und muß umgekehrt auch sie nur als eine Unterstreichung der Aussage über Gott als solchen verstehen. Gewiß ist der Satz von der Präexistenz Jesu Christi nur eine Explikation des Satzes von seiner Existenz als Offenbarer und Versöhner, als des in der Zeit an uns und für uns handelnden Gottes. Aber eben so gewiß ist der Satz von seiner Existenz nur eine Explikation des Satzes von seiner Präexistenz. Dieser, der für uns existierende Sohn Gottes, ist der Präexistierende. Aber nur dieser, der präexistierende Sohn Gottes, ist der für uns Existierende. Das Dogma von der Fleischwerdung des Sohnes Gottes wird den ersten Satz erläutern. Das Dogma von der Gottheit Christi, das uns hier beschäftigt, betont den zweiten.

Der zweite Artikel des *Nic. Const.* unterscheidet sehr deutlich zwischen diesen beiden Erkenntniskreisen. Das Dogma von der Inkarnation ist ausführlich nicht im *Nic. Const.*, sondern im *Ephesinum* von 431 und im *Chalcedonense* von 451 ausgesprochen.

„Vom Vater vor aller Zeit gezeugt" heißt: nicht in der Zeit als solcher geworden, nicht geworden in einem Ereignis innerhalb der geschaffenen Welt. Daß der Sohn Gottes Mensch wird, und daß er in seiner Menschheit als der Sohn Gottes von anderen Menschen erkannt wird, das sind Ereignisse, wenn auch schlechterdings ausgezeichnete Ereignisse in der Zeit, innerhalb der geschaffenen Welt. Aber eben diese ihre Auszeichnung stammt und kommt selbst nicht aus der Zeit. Sonst wären sie eben nur relativ ausgezeichnete Ereignisse, wie es deren auch andere gibt. Gerade weil sie göttliche Kraft haben, weil die Kraft des Diesseitigen hier die Kraft des Jenseitigen, die Kraft der Immanenz Gottes hier die Kraft seiner Transzendenz ist, muß ihr Subjekt verstanden werden als seiend vor aller Zeit, als ewiges Subjekt, so ewig wie Gott selber, selber ewig als Gott. Jesus Christus wird nicht erst Gottes Sohn, indem

2. Der ewige Sohn

er es für uns ist. Er wird es von Ewigkeit her, er wird es als ewiger Sohn des ewigen Vaters.

Das „vor aller Zeit" darf also nicht selber wieder als eine zeitliche Bestimmung verstanden werden. *Absque initio, semper ac sine fine: Pater generans, Filius nascens et Spiritus sanctus procedens*, sagt das *Conc. Later.* IV, 1215 von allen drei Seinsweisen Gottes. Zu der in diesem Zusammenhang oft zitierten Stelle Ps. 2, 7: Du bist mein Sohn, heute habe ich dich gezeugt! macht Cyrill v. Jerus. die treffende Bemerkung: Τὸ δὲ σήμερον, οὐ πρόσφατον, ἀλλ' ἀΐδιον· τὸ σήμερον ἄχρονον, πρὸ πάντων τῶν αἰώνων (*Cat.* 11, 5). *Vox „hodie" notat diem immutabilis aeternitatis* umschreibt Quenstedt (a. a. O. *th.* 15) und interpretiert darum (a. a. O. *th.* 28) den Begriff der Zeugung des Sohnes aus dem Vater hinsichtlich ihres Verhältnisses zur Zeit folgendermaßen: *Haec generatio Filii Dei non fit derivatione aut transfusione, nec actione, quae incipiat aut desinat, sed fit indesinente emanatione, cui simile nihil habetur in rerum natura. Deus Pater enim filium suum ab aeterno genuit et semper gignit, nec unquam desinet gignere. Si enim generatio filii finem haberet, haberet etiam initium et sic aeterna non esset.* Wir können und müssen also von diesem (über das uns heute treffende zeitliche Ereignis entscheidenden) göttlichen Vorher ebensowohl sagen, daß es heute stattfindet wie daß es gestern stattfand und morgen stattfinden wird. *Nec tamen propterea generatio haec dici potest imperfecta et successiva. Actus namque generationis in Patre et Filio consideratur in opere perfectus, in operatione perpetuus.* Will sagen: die Transzendenz dieses „Vorher" gegenüber aller Zeit kann darum keine Entleerung des auf dieses „Vorher" sich gründenden zeitlichen Ereignisses bedeuten, weil sie echte, ewige Transzendenz ist. Was in Gott wirklich ist, das muß, gerade weil es in Gott (nicht in der Weise geschaffener Wesen) wirklich ist, immer wieder wirklich werden. Aber eben dieses Werden (weil es dieses Werden ist!) schließt alle Ergänzungsbedürftigkeit jenes Seins aus. Dieses Werden bestätigt vielmehr nur die Vollkommenheit jenes Seins.

4. **Wir glauben an Jesus Christus als an das Licht vom Licht, den wahrhaftigen Gott vom wahrhaftigen Gott, gezeugt, nicht geschaffen.** — In dieser Klausel haben wir es mit der eigentlichen und entscheidenden trinitätstheologischen Bestimmung der Gottheit Christi zu tun. Sie sagt ein Doppeltes: Einmal, daß wir im Wirken und Wesen Gottes Licht und Licht, Gott und Gott zu unterscheiden haben, so zu unterscheiden, wie wir innerhalb der geschaffenen Welt eine Lichtquelle und einen von ihr ausgehenden Lichtschein oder ein anzündendes und ein angezündetes Licht, Vater und Sohn, den Sprecher und das gesprochene Wort zu unterscheiden haben. Sodann, daß diese Unterscheidung als Unterscheidung in Gott selbst zu verstehen ist. Also nicht so zu verstehen ist, als ob auf der einen Seite Gott, auf der anderen Seite ein Geschöpf zu finden sei, sondern so, daß auf beiden Seiten in gleicher Weise der eine Gott zu finden ist. Wir versuchen es, die beiden hier sichtbaren Reihen miteinander, in ihrer gegenseitigen Bezogenheit aufeinander, zu verstehen.

Die Aussagen über die Unterscheidung und die Einheit in Gott sind zunächst einfach Aussagen über die Offenbarung, wie sie die Kirche in der Heiligen Schrift bezeugt gefunden hat. Hier, in dieser Offenbarung, ist Gott da und Gott dort, Gott so und Gott anders, Gott der Schöpfer und Gott der Versöhner und doch nur ein und derselbe Gott. Hier ist der verborgene und der offenbare Gott und doch der verborgene Gott kein anderer als der offenbare, der offenbare kein anderer als der verborgene. Das Dogma spricht zunächst einfach diese Dialektik der Offenbarung als solche nach; es wiederholt jene Unterscheidung und jene Ineinssetzung. Aber nach der vorangehenden Klausel kann es nun keine Frage mehr sein: es soll in bezug auf die in Jesus Christus geschehene Offenbarung, zur Interpretation der Offenbarung als solcher, etwas über die Offenbarung hinaus, es soll aus der Offenbarung etwas über ein Jenseits und Oberhalb der Offenbarung gesagt werden. Es soll gesagt werden: so wie Christus in der Offenbarung ist, gerade so ist er zuvor in sich selber. Also: er ist zuvor in sich selber Licht vom Licht, wahrhaftiger Gott vom wahrhaftigen Gott, der Gezeugte Gottes, nicht sein Geschöpf. So schlechterdings ernst haben wir eben die Offenbarung zu nehmen, daß wir in ihr als dem Akt Gottes unmittelbar auch sein Sein zu erkennen haben.

Eben damit, daß es sich um die Unterscheidung und Einheit zweier Seinsweisen Gottes selber handelt, ist nun aber schon gesagt, daß wir es zwar versuchen können und müssen, diese Unterscheidung und Einheit zu bezeichnen, daß wir aber nicht erwarten dürfen, sie mit diesen Bezeichnungen zu begreifen. Wir können und müssen sie denken und aussprechen. Denn wenn wir darauf verzichten wollten, so würde das bedeuten, daß wir uns ihrer Erkenntnis entziehen würden. Ihre Erkenntnis ist uns aber mit dem biblischen Zeugnis von Gottes Offenbarung, so wie wir es verstehen zu müssen meinten, jedenfalls als Aufgabe der Dogmatik aufgegeben. Aber wir haben Anlaß, uns zu erinnern: Erkenntnis des Wortes Gottes kann nur sein Erkenntnis im Glauben und also entscheidend An-Erkenntnis, menschliche Verantwortung gegenüber der uns durch diesen Gegenstand gestellten Frage. In einem Begreifen dieses Gegenstandes, in einer Bemächtigung seiner wird sich diese unsere Verantwortung nicht vollziehen können. Er wird unserem Denken und Sprechen gegenüber Gegenstand bleiben. Unser Denken und Sprechen wird ihm nicht angemessen, sondern nur unangemessen (inadäquat) sein können. Erkenntnisgehalt wird unserem Denken und Sprechen — auch wenn wir das Dogma, ja auch wenn wir die Aussprüche der Heiligen Schrift nachdenken und nachsprechen — nur durch Gottes Gnade, nicht an sich, zu eigen sein können. Es wird an sich, immanent betrachtet, ein unzulängliches, brüchiges Denken und Sprechen sein und bleiben.

a) Verhältnismäßig am unanfechtbarsten von den drei Formeln unserer Klausel ist die mittlere: „Wahrer Gott vom wahren Gott." Mit dem ἐκ wird aufs kürzeste die Unterscheidung der zwei Seinsweisen bezeichnet: Wahrer Gott gründend in, hervorgehend aus wahrem Gott, das

2. Der ewige Sohn

ist Jesus Christus. Das ist Gott so nur in dieser Seinsweise. Die Unterscheidung der Seinsweise, in der Jesus Christus Gott ist, besteht also in der Beziehung zu einer anderen Seinsweise Gottes, einer Beziehung, die durch das ἐκ als „Gründen in", als „Hervorgehen aus" bezeichnet wird. Umgekehrt wird die Einheit beider Seinsweisen als Seinsweisen eines schlechterdings identischen Seins bezeichnet durch die Wiederholung des Substantivs θεός mit dem ebenfalls nachdrücklich wiederholten Adjektiv ἀληθινός.

Im offiziell gewordenen lateinischen Text ist die Steigerung: *Deum de Deo, lumen de lumine, Deum verum de Deo vero,* offenbar beabsichtigt. Calvin hat die Stelle im Streit mit Caroli eine *battologia* genannt, ein *carmen magis cantillando aptum quam formula confessionis, in qua syllaba una redundare absurdum est* (*Adv. P. Caroli calumnias C. R.* 7, 315f.). Man wird sie doch besser so verstehen, daß darin die Verschärfung des Gedankens von geringerer zu erhöhter Bestimmtheit sozusagen *in actu* vorgeführt werden soll.

Die Schwierigkeit auch dieser einfachsten Formel besteht darin, daß das ἐκ, sobald man es, so oder ähnlich wie eben geschehen, zu deuten versucht, unvermeidlich die Vorstellung von zwei selbständigen, in einem bestimmten Abhängigkeitsverhältnis zueinander stehenden Wesen erweckt, oder aber, wenn man eine solche Veranschaulichung unterläßt, bedeutungslos wird, so daß über einen Unterschied in dem *Deus verus* nichts mehr gesagt ist. Die bezeichnete Wahrheit liegt tatsächlich jenseits auch dieser bezeichnenden Worte. *Deus verus* und *Deus verus* stehen sich nicht als selbständige Wesen gegenüber, sie sind aber in demselben selbständigen Wesen zweierlei. Das ist's, was hier keine Sprache angemessen, sondern auch die Sprache des Dogmas nur unangemessen wiedergeben kann.

b) In der ersten Formel „Licht aus Licht" haben wir es mit einem erhöhten aber um so gefährlicheren Versuch zur Anschaulichkeit zu tun. Konkret gemeint ist wahrscheinlich zunächst das von den Kirchenvätern besonders gern verwandte Bild von Sonne und Sonnenlicht. So verhält sich Jesus Christus als die eine Seinsweise Gottes zu der ersten, in der er gründet, aus der er hervorgeht, wie sich das Sonnenlicht zur Sonne verhält.

ὧν ἀπαύγασμα τῆς δόξης αὐτοῦ lesen wir ja Hebr. 1, 3 vom Sohne Gottes. *Cum radius ex sole porrigitur ... sol erit in radio, quia solis est radius, nec separatur substantia, sed extenditur. Ita de Spiritu Spiritus, et de Deo Deus, ut lumen de lumine accensum* (Tertullian, *Apolog.* 21).

Man kann sich an dem in der Tat hohen und schönen Bildwert dieser Formel nur freuen und wird doch bekennen müssen, daß sie nicht nur das durch sie Bezeichnete als seiend im Raum und in der Zeit voraussetzt, sondern auch sehr verschiedenen physikalischen Deutungen ausgesetzt ist, von denen wahrscheinlich keine einzige das besagen würde, was hier mit ihr gesagt werden soll. In ähnliche Schwierigkeiten gerät man auch dann, wenn man das *lumen de lumine* von einem anzündenden und einem angezündeten Licht versteht. Ein *vestigium trinitatis* in der geschaffenen Welt will das Bekenntnis gewiß mit dieser Bildrede nicht angeben, also eine Aussage über den hypostatischen Charakter und über die Homousie von Licht und Licht in jener doppelten Bedeutungsmöglichkeit nicht machen. Aber eben weil es das streng genommen auch nicht kann, bleibt die Bildrede als Aussage über Jesus Christus inadäquat, bleibt der Gegenstand deutlich jenseits des Wortes.

c) Die entscheidende Formel ist natürlich die dritte: „Gezeugt, nicht geschaffen."

Sie sagt in ihrem vorwegzunehmenden negativen Teil: Jesus Christus ist als Seinsweise Gottes freilich von Gott her, aber nicht so von Gott her, wie die Geschöpfe vom höchsten Engel bis zum geringsten Sonnenstäublein von Gott her sind, nämlich durch Schöpfung, d. h. so, daß er seine Existenz als eine von der Existenz Gottes verschiedene durch den Willen und das Wort Gottes hätte. Von der menschlichen „Natur" Christi, von seiner Existenz als Mensch, in der er uns als Offenbarer Gottes und Versöhner mit Gott nach der Schrift begegnet, wird das freilich zu sagen sein, aber nicht von dem, der hier menschliche Natur annimmt, d. h. der hier als Mensch existiert,[1] um doch sein Sein und Wesen in diesem seinem Menschsein gerade nicht zu erschöpfen und gefangen sein zu lassen, um in diesem Menschsein auch ganz und gar nicht Mensch zu sein, um gerade kraft dessen, worin er nicht Mensch ist, in seinem Menschsein Offenbarer und Versöhner zu sein. Der, der hier Mensch wird, um Offenbarer und Versöhner zu werden, ist nicht geschaffen. Sonst wären Offenbarung und Versöhnung ein Geschehen innerhalb der Schöpfung und, weil die Schöpfung die Welt des gefallenen Menschen ist, ein vergebliches Geschehen. Weil der, der hier Mensch wurde, Gott ist, Gott in dieser Seinsweise, darum (und nicht sonst) ist sein Menschsein wirksam als Offenbarung und Versöhnung.

Aber nun zu der positiven Seite dieser Formel! Überraschend genug bezeichnet sie das wirkliche Werden Jesu Christi, sein ihm als Gott angemessenes ewiges Werden, sein Ursprungs- und Abhängigkeitsverhältnis als Gott in seiner bestimmten Seinsweise gerade mit einem Bild aus der Geschöpfsphäre. Und man möchte hinzufügen: mit dem für diese Sphäre wie kein anderes bezeichnenden Bild! „Gezeugt", d. h. doch wohl in eminentem Sinn: so geworden, wie alles Lebendige innerhalb der Schöpfung, auf Grund und unter Voraussetzung des göttlichen Schöpferwortes wird, geworden im Zusammenhang des Geschlechts in der doppelten Bedeutung des Wortes, geworden wie auch der Wurm wird, geworden

---

[1] „Um unsertwillen", wie das *Nic. Const.* nachher sagt.

2. Der ewige Sohn

wie der Mensch wird, in dem Vorgang, in welchem Schöpfung und Sünde in der vielleicht rätselhaftesten Weise — nicht ineinander sondern gegeneinander sind, indem sie miteinander sind. Man wird gerade über diesen Anstoß nicht hinwegsehen dürfen, um hier zu verstehen.

Thomas von Aquino versteht als das Eigentliche, das durch die Bildrede von der Zeugung ausgedrückt werde, die *processio verbi* (*S. theol.* I, qu. 27 art. 2). Dazu ist zu sagen: Gewiß müssen die *generatio* und die *processio Verbi* als Bezeichnung desselben Sachverhaltes verstanden werden. Aber nicht so, daß der eine von diesen Begriffen einfach auf den anderen zurückgeführt werden könnte. Auch die *processio Verbi* wird man als eine wichtige, aber in ihrer Weise ebenfalls inadäquate Bildrede auffassen müssen. Beide Bildreden, die vom Sohne und die vom Wort Gottes, weisen auf einen Gegenstand hin, dem sie nicht angemessen sind. Aber eben darum muß auch jede von ihnen für sich ernst genommen und darf keine von ihnen durch den Hinweis auf die andere erledigt werden.

Selbstverständlich macht schon die Naturhaftigkeit der Bildrede von der Zeugung zunächst klar, daß wir es auch hier, also in der ganzen Rede von Vater und Sohn, als Bezeichnung der beiden Seinsweisen Gottes, mit einer brüchigen und anfechtbaren Bildrede zu tun haben. Wir bezeichnen Gott mit dieser Rede, aber wir begreifen ihn nicht.

Die alte Kirche, die ja gerade diese Bildrede nicht erfunden, sondern in der Heiligen Schrift vorgefunden, und zwar als die hervorragendste Bildrede für diese Sache vorgefunden hatte, war sich über deren Inadäquatheit in keiner Weise im unklaren und hat das auch offen ausgesprochen. *Est in hoc mysterio generationis vocabulum ab omnibus imperfectionibus generationis physicae adhaerentibus purgandum* (Quenstedt a. a. O. *th.* 47). Und schon Cyrill von Jerus. fordert ausdrücklich, daß nicht nur der nächstliegende physische Sinn des Begriffs Zeugung, sondern auch der der geistigen Zeugung (etwa im Lehrer-Schüler-Verhältnis) oder der der geistlichen Zeugung (wie sie im Kinder-Gottes-Werden der Gläubigen stattfinde) hier durchaus ausgeschlossen bleiben müsse (*Cat.* 11, 9).

Aber was besagt dann die Bildrede?

Quenstedt hat an die Stelle der mit Recht abgelehnten Verständniskategorien eine zu diesem Zweck erfundene neue gesetzt, indem er (a. a. O. *th.* 47) redete von einer *generatio hyperphysica, quae fit ab aeterno, sine omni temporis successione, materia et mutatione et in sola essentiae communicatione consistit*. Aber dasselbe war doch erhellender gesagt, wenn Irenaeus erklärte: *Si quis itaque nobis dixerit: Quomodo ergo Filius prolatus a Patre est? dicimus ei, quia prolationem istam, sive generationem, sive nuncupationem, sive adapertionem aut quolibet quis nomine vocaverit generationem eius inenarrabilem exsistentem, nemo novit, non Valentinus, non Marcion, neque Saturninus, neque Basilides, neque angeli, neque archangeli, neque principes, neque potestates, nisi solus qui generavit Pater et qui natus est Filius* (*C. o. h.* II 28, 6) und wenn wiederum Cyrill von Jerus. erklärte, der Vater erzeuge den Sohn ὡς οἶδεν αὐτὸς μόνος; wir könnten von dieser Zeugung schlechterdings nur sagen, wie sie jedenfalls nicht geschah (*Cat.* 11, 11). Μὴ ἐπαισχυνθῇς ὁμολογῆσαι τὴν ἄγνοιαν, ἐπειδὴ μετ' ἀγγέλων ἀγνοεῖς (ib. 11, 13). Εἰπέ μοι πρῶτον, τίς ἐστιν ὁ γεννήσας, καὶ τότε μάνθανε ὃ ἐγέννησεν (ib. 11, 19). Auch der Begriff der *communicatio essentiae* besagt eben, wenn er streng genommen wird, etwas, was ohne Leugnung der Einheit des Wesens Gottes nicht gesagt werden kann, um dunkel oder nichtssagend zu werden, wenn er nicht streng genommen wird. Er führt nicht hinaus über die Schranke, die an anderer Stelle (a. a. O. I *cap.* 9 *sect.* 2 *qu.* 8 *font. sol.* 5) auch Quenstedt zugeben muß: *Satis est, nos hic τὸ ὂν tenere, quod scriptura docet, τὸ ποῖον vero reservare isti statui, qui mera lux erit.*

Die Bildrede von Vater und Sohn sagt gerade in ihrer völligen, unmöglich zu übersehenden Weltlichkeit und Unzulänglichkeit: **solche** — nicht dieselbe sondern eine ganz andere, eine unbegreiflich und unsagbar andere — aber solche Verschiedenheit und solche Kontinuität wie sie in der geschaffenen Welt zwischen der Person eines Vaters und der Person eines Sohnes besteht, solches Sein der ersten für die zweite und solches Sein der zweiten aus der ersten, solche Zweiheit und Einheit desselben Seins besteht zwischen der Seinsweise Gottes, in der er uns in Jesus Christus offenbar wird, und der anderen, von der er als der in Jesus Christus offenbare her ist. Dasselbe, was wir nur, verhüllt in jenes rätselhafte Miteinander von Schöpfung und Sünde, als Zeugung eines Sohnes durch einen Vater kennen, dasselbe ist — in seinem eigentlichen Wie durch dieses Bild nicht begriffen, sondern nur bezeichnet, in seinem eigentlichen Wie uns so unerforschlich wie das Wesen Gottes überhaupt — das Sichselbstsetzen Gottes, in welchem er zugleich und doch durch sich selbst unaufhebbar unterschieden, der Vater Jesu Christi und Jesus Christus der Sohn des Vaters ist. Gerade diese kräftigste Bildrede kann und will uns also nur zur Erkenntnis aufrufen, um uns keinen Augenblick bei sich selbst festzuhalten, um unseren Blick vielmehr sofort über sich selbst hinaus weiterzuleiten auf den Gegenstand, demgegenüber sie sich, ohnmächtig wie auch sie an sich es ist, verantworten möchte, weiterzuleiten zu der An-Erkenntnis, in der hier die Erkenntnis allein bestehen kann. Alle Assoziationen, die sich bei diesem Bilde sinnvollerweise einstellen mögen, sind legitim und keine ist legitim. Alles, was hier in Betracht kommen mag: die Fruchtbarkeit des Vaters, die Liebe, die es nicht zuläßt, daß er allein bleiben wollen kann, die Abhängigkeit der Existenz des Sohnes vom Vater, die Liebe, die er dem Vater mit seiner Existenz schuldig ist, die unaufhebbare, in keiner Wahl, sondern in der beiderseitigen Existenz begründete Gemeinschaft dieser zwei — das Alles mag hier **reden**, aber das Alles muß hier auch wieder **schweigen** können. Es ist ein **nichtwissendes Wissen**, das sich in dieser Bildrede ausspricht. Es soll sich selbst verstehen als ein **wissendes Nicht-Wissen**. Es soll wie alles Menschenwort — aber das wird wohl an wenig Stellen so deutlich wie hier — dem Worte, das Gott selbst von sich selbst sagt, nur **dienen**. Wir können und sollen bei dieser Bildrede, die ja schon als solche und an sich das tiefste Geheimnis des geschöpflichen Lebens bezeichnet, an Alles denken, an was hier sinnvollerweise, im Blick auf das Vater-Sohn-Verhältnis in Gott, gedacht werden kann, und dann sollen wir sagen: wir sind unnütze Knechte, wir haben nur in Bildern gedacht und geredet, wie wir es zu tun schuldig waren, aber ohne daß wir für das, was wir da gedacht und geredet haben, „Richtigkeit" in Anspruch nehmen könnten.

2. Der ewige Sohn

Die „Richtigkeit" gehört exklusiv dem, worüber, und nicht dem, was wir gedacht und geredet haben.

Daß das „Gezeugt" und das ganze Bild von Vater und Sohn an sich nichts sagen bzw. daß es hinsichtlich Gottes nicht die Wahrheit sage, folgt aus alledem durchaus nicht. Es sagt etwas Unangemessenes, aber es sagt etwas, und es sagt die Wahrheit. Wenn wir die Rede von Vater und Sohn als bildhaft bezeichnen, so ist ja wohl zu bedenken, daß sich das nur auf unsere menschliche Rede als solche, aber nicht auf ihren Gegenstand beziehen kann. Es ist also nicht so, als ob das Vater-Sohn-Verhältnis selbst eine ursprünglich und eigentlich geschöpfliche Wirklichkeit wäre, als ob Gott nun eben doch in irgend einem verborgenen Grunde seines Wesens etwas Anderes wäre als Vater und Sohn und als ob also diese Namen nur freigewählte und letztlich bedeutungslose Symbole wären, Symbole, deren ursprünglicher und eigentlicher nichtsymbolischer Gehalt in jener geschöpflichen Wirklichkeit bestünde. Sondern umgekehrt: gerade in Gott hat das Vater-Sohn-Verhältnis wie alle geschöpflichen Verhältnisse seine ursprüngliche und eigentliche Wirklichkeit. Das Geheimnis der Zeugung ist ursprünglich und eigentlich nicht ein geschöpfliches, sondern ein göttliches, man muß vielleicht geradezu sagen: das göttliche Geheimnis.

Die *generatio ipsa* ist *in divinis propriissima et longe verior et perfectior quam ullius creaturae* (Quenstedt a. a. O. qu. 8 ekth. 5).

Wir aber kennen nur das Bild dieser Wirklichkeit in seiner doppelten Unangemessenheit als geschöpfliches und als sündig-geschöpfliches Bild. Wir können nur in der Unwahrheit von der Wahrheit reden. Wir wissen nicht, was wir sagen, wenn wir Gott Vater und Sohn nennen. Wir können es ja nur so sagen, daß es in unserem Munde und in unseren Begriffen Unwahrheit ist. Uns ist die Wahrheit, die wir aussprechen, indem wir Gott Vater und Sohn nennen, verborgen und unerforschlich.

Der *modus generationis ipsae* ist *in Deo longe alius quam in nobis estque nobis incognitus et ineffabilis* (Quenstedt a. a. O.).

Wir sprechen aber, indem wir Gott so nennen, die Wahrheit, seine Wahrheit aus. In diesem Sinn sagt das „Gezeugt" genau das, was ein Glaubensbekenntnis in seiner notwendigen Distanz aber auch in seiner notwendigen Bezogenheit zu seinem Gegenstand sagen kann und soll: Es erklärt die Seinsweise Gottes in Jesus Christus als ein in Gott selbst wirkliches „Von her" und „Zu hin" als die in Gott selbst wirkliche Hervorbringung aus einem Ursprung. Das ist das eigentliche und ursprüngliche, uns als solches freilich nicht einsichtige Vater-Sohn-Verhältnis, das Vater- und Sohnsein Gottes. Und nun ist weiter zu sagen: der Nachdruck und auch die Klarheit des „Gezeugt" liegt jedenfalls auch in seiner Entgegensetzung zu dem abgewiesenen „Geschaffen". Zeugen ist weniger als schaffen, sofern jenes das Hervorbringen des Geschöpfs aus dem Geschöpf, dieses das Hervorbringen des Geschöpfs überhaupt durch den Schöpfer bezeichnet. Zeugen ist aber mehr als Schaffen, sofern es — jener geschlossene Kreis von Geschöpf und Geschöpf, wie er uns in dem, was wir als Zeugung kennen, anschaulich ist, wird nun zum Bilde — das Hervorbringen Gottes aus Gott, Schaffen dagegen bloß das Hervorbringen des Geschöpfs durch Gott bezeichnet.

Quenstedt unterscheidet folgendermaßen: *Generatio est entis similis secundum substantiam ex substantia gignentis productio. Creatio est entis dissimilis secundum substantiam ex nihilo extra essentiam creantis productio* (a. a. O. qu. 8, *font. sol.* 16).

In dieser Eminenz der Hervorbringung aus Gott in Gott gegenüber der Hervorbringung durch Gott, in der Eminenz der Freiheit, in der Gott seine eigene, gegenüber der Freiheit, in der er eine von ihm unterschiedene Wirklichkeit setzt, in der Eminenz der Liebe, in der er sich selber Gegenstand ist gegenüber der Liebe, deren Gegenstand ein durch seinen Willen in Unterschiedenheit von ihm Existierendes ist — in dieser Eminenz liegt der Sinngehalt des „Gezeugt nicht geschaffen".

Von hier aus wird ein scholastischer Streitsatz verständlich, der zur Erläuterung der Absicht des Dogmas an dieser Stelle bedeutungsvoll ist. (J. Kuhn, Kath. Dogmatik 2. Bd., 1857, S. 464 nennt ihn geradezu „die höchste dogmatische Bestimmung, gleichsam die Spitze, in welche der nizänische Glaube ausläuft".) Johannes Damascenus (Ekdosis I, 8) hat — in den Spuren des Athanasius (*Or. c. Ar.* 2, 29) — unterschieden: die Zeugung als ἔργον φύσεως, die Schöpfung als ἔργον θελήσεως Gottes. Thomas von Aquino (*S. theol.* I qu. 41 *art.* 2) hat dies dann im Anschluß an Hilarius (*Lib. de Synod. can.* 24f.) dahin erklärt, daß die Zeugung des Sohnes gewiß als ein göttlicher Willensakt zu verstehen sei, aber nur als der Willensakt, in welchem *Deus vult se esse Deum*: als der Willensakt, in welchem Gott, selbstverständlich in Freiheit, sich selber will und kraft dieses seines Willens sich selber ist. In diesem Sinn, ja sogar identisch mit diesem Sich selber sein Gottes ist auch die Zeugung des Sohnes ein ἔργον θελήσεως, weil θέλησις und φύσις dann eines und dasselbe sind. Die Zeugung des Sohnes ist aber kein Willensakt Gottes, sofern im Begriff des Willens die Freiheit so oder anders zu wollen, ausgedrückt sein soll. Diese Freiheit hat Gott hinsichtlich der Schöpfung — Gott ist frei, sie zu wollen oder nicht zu wollen — und darum ist die Schöpfung ein ἔργον θελήσεως. Er hat diese Freiheit aber nicht hinsichtlich seines Gottseins. Gott kann nicht nicht Gott sein. So kann er auch — und das sagt dasselbe — nicht nicht Vater und also nicht ohne den Sohn sein. Seine Freiheit, seine Aseität hinsichtlich seiner selbst besteht in der Freiheit, in der er als durch sich selber bestimmt, Gott, und das heißt Vater des Sohnes zu sein. Eine Freiheit, dies nicht sein zu können, wäre eine Aufhebung seiner Freiheit. Also ist die Zeugung des Sohnes ein ἔργον φύσεως. Sie könnte nicht nicht geschehen, so gewiß Gott nicht nicht Gott sein könnte, während die Schöpfung ein ἔργον θελήσεως ist in dem Sinn, daß sie auch nicht geschehen könnte, ohne daß Gott darum weniger Gott wäre. Zusammenfassend formuliert Quenstedt: *Filius Dei est obiectum volitum et amatum ipsius voluntatis divinae, non tamen per illam productus.* Der Vater zeugt den Sohn *volens*, aber nicht *quia voluit* (a. a. O. qu. 8 *font. sol.* 13). Er zeugt ihn nicht *necessitate coactionis*, wohl aber *necessitate immutabilitatis* (Hollaz, *Ex. Theol. acroam.*, 1706, I 2, 37).

Es ist an dieser Stelle am Platz, ergänzend eine Erinnerung einzuschalten, die im *Nic. Const.* fehlt. Die Bildrede vom Vater und vom Sohn, auf deren

2. Der ewige Sohn

ausdrückliche Interpretation sich das *Nic. Const.* beschränkt hat, ist nicht die einzige, an der wir uns den Begriff der Gottheit Christi klarzumachen haben. Neben ihr steht im Neuen Testament selbst und in der Sprache der Kirche die andere: Jesus Christus ist das Wort Gottes. So ist er nach dieser Bildrede als eine zweite Seinsweise Gottes von einer ersten verschieden und wiederum im Wesen eins mit ihr, wie das Wort, das Jemand spricht, ein von ihm selbst Verschiedenes und als sein Wort nun doch im Wesen nichts Anderes als er selber ist. Wir sagen dasselbe, wenn wir sagen: der „Sohn Gottes" und das „Wort Gottes".[1] Man darf vielleicht sagen, daß das erste Bild sachnäher ist, wenn wir das Handeln Gottes in Jesus Christus inhaltlich als Versöhnung, das zweite, wenn wir es formal als Offenbarung verstehen. Auch der Satz von der Gottheit Jesu Christi als des Wortes Gottes bezieht sich jedenfalls zunächst schlicht auf das in der Schrift bezeugte Handeln Gottes an uns in Jesus Christus. Auch unter diesem Bild verstehen wir also zunächst einfach die *beneficia Christi*: das uns gesagte Wort Gottes in seiner Wahrheit und Wirklichkeit kann (wie der bei uns für Gott und bei Gott für uns eintretende Sohn) nichts Anderes, nicht weniger als Gott selber sein.

Wenn Gott redet, dann sind *Nus* und *Logos* gleicher Wahrheit und Würde teilhaftig. *Deus totus existens mens et totus existens logos, quod cogitat, hoc et loquitur et quod loquitur, hoc et cogitat* (Irenäus, *C. o. h.* II 13, 8 und 28, 5). *Non enim se ipsum integre perfecteque dixisset, si aliquid minus aut amplius esset in eius Verbo quam in ipso* (Augustin, *De trin.* XV, 14). *Etenim non potest aliud quam quod es aut aliquid maius vel minus te esse in verbo, quo teipsum dicis, quoniam verbum tuum sic est verum quomodo tu es verax* (Anselm v. Canterbury, *Prosl.* 23). „Da Moses spricht ‚Am anfang schuff Gott hymel und erden' etc. ist noch kein Person sonderlich genennet odder ausgedrückt, Aber so bald saget er weiter ‚Und Gott sprach: es werde liecht', drückt er aus, das bey Gott ein wort war, ehe denn das liecht ist worden, Nu kund dasselbe wort, das Gott da redet, nicht der ding etwas sein, die da geschaffen wurden, widder hymel noch erden, syntemal Gott eben durch das sprechen, das er thet, hymel und erden sampt dem liecht und allen anderen Creaturen machet, also das er nichts mehr zum schaffen than hat denn sein wort, darumb mus es vor allen Creaturen gewesen sein. Ist es denn zuvor gewesen, ehe sich zeit und die Creaturen anfiengen, so mus es ewig sein und ein ander und höher wesen denn alle Creaturen, Daraus denn folget, das es Gott sey" (Luther, Pred. üb. Gen. 1, 1, 1527, W. A. 24 S. 29 Z. 4).

Als nichts Anderes denn Gott begegnet uns Jesus Christus, das Wort Gottes, aber anders: in einer anderen Seinsweise gegenüber Gott, sofern Gott das Wort spricht, sofern das Wort von ihm ausgeht.

Wenn aber Gott redet und das Wort gefellet, so ist er nicht allein, so kan er auch das wort nicht selbs personlich sein, das er redet, Darumb, weil das wort auch Gott ist, mus es ein ander Person sein, Also sind die zwo Person ausgedrückt: der vater, der das wort spricht und das wesen von yhm selbs hat, der son, der das wort ist und vom vater kömpt und ewig bey ihm ist (Luther a. a. O. Z. 14, vgl. W. A. 10 I S. 183 Z. 13).

Dieselbe Offenbarung nötigt uns also, Gott und sein Wort zu trennen und sie in eins zu setzen.

---
[1] *Verbum suum qui est Filius eius* (Irenäus, *C. o. h.* II 30, 9).

> Wer kan hie aus diessen wortten Mosi nit begreyffen, wie ynn der gottheyt mussen tzwo personen seyn unnd doch nur eyn gottheyt? er wollt denn die helle schrifft leugnen. Widderumb, wer ist sso scharfsynnig, der hie widerreden mag? Er muss das wort lassen ettwas anderss seyn denn gott, seynen sprecher, und muss doch bekennen, es sey tzuuor allen creaturn gewessen und die creatur dadurch gemacht; sso muss erss gewisslich lassen auch Gott seyn, denn ausser der creaturn ist nichts denn got. So muss er auch bekennen, das nur eyn gott sey. Und allso tzwingt und schleusst diesse schrifft, das diesse tzwo personen seyen eyn volkomlicher gott, und eyn igliche ist der ware, eynige volkomener, naturlicher gott, der alle ding geschaffen hatt, und das der sprecher seyn wessen nit von dem wort, ssondern das wortt von dem sprecher seyn wessen habe, doch alliss ewiglich und ynn ewickeyt ausser allen creaturn (Luther, Pred. üb. Joh. 1, 1 f., 1522, W. A. 10 I S. 184 Z. 6).

Diese in der Offenbarung selbst unentrinnbar uns vorgelegte Verschiedenheit und Einheit in Gott anerkennt und unterstreicht das Dogma, wenn es Jesus Christus, das Wort Gottes, versteht als **ewiges Wort**. Das Wort Gottes, in welchem er sich uns zu erkennen gibt, ist kein anderes als das, in dem er sich selbst erkennt. Darum und so ist es Gottes eigenes Wort, das Wort der Wahrheit an uns in seiner Offenbarung. Nach der damals vorangegangenen dogmengeschichtlichen Entwicklung kann es keine Frage sein, daß das *Nic. Const.*, wenn es vom Sohne Gottes redet, in allen Teilen mitverstanden wissen will: das Wort Gottes. Das Wort ist der eine Herr. Das Wort ist vom Vater gesprochen vor aller Zeit. Das Wort ist Licht vom Licht, wahrhaftiger Gott vom wahrhaftigen Gott. Das Wort ist von Gott gesprochen, nicht geschaffen. Dem Satze: „Jesus Christus ist der ewige Sohn des ewigen Vaters" ist also gegenüberzustellen der Satz: Er ist das ewige Wort des von Ewigkeit her sprechenden bzw. der ewige Gedanke des von Ewigkeit her denkenden Vaters, das Wort, in welchem Gott sich selbst denkt, bzw. sich selbst bei sich selbst ausspricht.

Jesus Christus ist Gottes ewige *emanatio intelligibilis utpote verbi intelligibilis a dicente, quod manet in ipso* (Thomas von Aquino, S. theol. I, qu. 27 art. 1).

Als dieses Wort, das Gott ewig bei sich selber denkt bzw. spricht, dessen Inhalt also nichts Anderes sein kann als Gott selber — ist Jesus Christus als zweite Seinsweise Gottes Gott selber.

Wir werden uns doch auch hier nicht verbergen dürfen: auch diese Rede ist in unserem Munde und in unseren Begriffen eine unangemessene Rede. Wir wissen nicht, was wir sagen, wenn wir Jesus Christus das ewige Wort Gottes nennen. Wir kennen ja kein solches Wort, das, von einem Sprecher verschieden, nun doch das ganze Wesen des Sprechers enthalten und wiedergeben würde, keinen *Logos* mit adäquatem *Nus*gehalt und keinen *Nus*, der sich in einem *Logos* erschöpfend aussprechen könnte, kein Denken oder Reden, das den Gegensatz von Erkennen und Sein in synthetischer Überwindung hinter sich ließe. Kurz: wir kennen kein wahres Wort. Und darum kennen wir auch nicht das wahre Wort über das wahre Wort, das Wort Gottes! Wieder müssen wir sagen,

2. Der ewige Sohn

was wir über das Vater-Sohn-Verhältnis gesagt haben: das wahre Wort ist für uns, die in der doppelt verhüllten Sphäre der Geschöpflichkeit und der Sündigkeit Denkenden und Redenden, streng und exklusiv das in Gott verborgene, ewige Wort, Jesus Christus selber. Es ist nicht etwa so, daß unser kreatürliches Denken und Reden im Verhältnis zu der solchen kreatürlichen Logos hervorbringenden kreatürlichen Vernunft an sich Gleichnisfähigkeit hätte, die uns zu dem Anspruch berechtigte, die Wahrheit zu denken und zu sagen, wenn wir Jesus Christus das Wort Gottes nennen. Sondern es bedarf der Offenbarung und des Glaubens, es bedarf des zusammenhängenden gnädigen Ereignisses der Fleischwerdung des ewigen Wortes und der Ausgießung des Heiligen Geistes, um das, was wir als Wort kennen, zu solcher Gleichnisfähigkeit je und je zu erwecken und zu erheben, damit es Wahrheit werde, wenn wir Jesus Christus das Wort Gottes nennen.

Nu mussen wyr das hertz und vorstentniss weytt auffthun, das wyr solch wort nit achten wie eyniss menschen geringe vorgencklich wortt, ssondernn alss gross der ist, der do spricht, sso gross mussen wyr auch seyn wort achten. Es ist eyn wortt, das er ynn sich selb spricht, unnd ynn yhm bleybt, nymer von yhm gesundert wirt. Drumb nach des Apostels gedancken mussen wyr also dencken, wie gott mit yhm selb tzu sich selb rede unnd eyn wort von sich selb lass ynn yhm selb, aber dasselb wortt sey nit eyn lediger wind odder schall, ssondern bring mit sich das gantz wesen gotlicher natur, und wie droben ynn der Epistel vom scheyn unnd bild gesagt ist, das die gottliche natur also gepildet wirt, das sie yns bilde gantz mit folget unnd sie das bild selbs wirt und ist, unnd die klarheytt auch also den scheyn auslessit, das sie ynn den scheyn wessenlich geht. Dermassen alhie auch gott seyn wortt also von sich spricht, das seyn gantz gottheyt dem wort folget unnd naturlich ym wort bleybt und wessenlich ist. Sihe, da sehen wyr, woher der Apostel seyne rede hatt, das er Christum nennet eyn bild gottlichs wesens unnd eyn scheyn gottlicher ehren, Nemlich auss dissem text Mosi, der do leret, das gott von sich spricht eyn wortt, wilchs mag nit anderss seyn denn eyn bild, das yhn tzeichent. Sintemal eyn iglich wort ist eyn tzeychen, das ettwas bedeute. Aber hie ist das bedewt wirt, naturlich ym tzeychen odder ym wort, wilchs ann andernn tzeychen nit ist; drumb nennet er es recht eyn wessenlich bild odder tzeychen seyner natur. (Luther a. a. O. S. 186 Z. 9.)

Eben wegen der Unangemessenheit auch dieser Bildrede würde es nicht ratsam sein, den Begriff der Gottheit Christi nun etwa gerade auf den einen Nenner des Bildes „Wort" bringen zu wollen.

Mindestens eine starke Neigung dazu scheint bei Thomas von Aquino in dieser Richtung vorzuliegen — vgl. S. theol. I außer *qu.* 27 *art.* 2 auch *qu.* 34 —, und zwar nicht etwa auf Grund einer besonderen Schätzung des „Wortes" als des Inbegriffs der Offenbarung, der Schrift oder der kirchlichen Verkündigung, sondern auf Grund seiner Anthropologie, d. h. auf Grund seiner Schätzung gerade des Erkenntnisvorgangs als der *similitudo supremarum creaturarum* (*qu.* 27, *art.* 1). Dazu ist zu sagen: Die *emanatio verbi manentis in dicente* ist nicht darum gleichnisfähig, weil ihr eine solche *similitudo* immanent wäre, sondern darum, weil sie im Ereignis der Offenbarung und des Glaubens zur *similitudo*, zum Gleichnis und damit auch zur Gleichnisfähigkeit erweckt und erhoben wird. Dasselbe ist selbstverständlich gegen die früher besprochene Lehre Augustins von dem *vestigium* bzw. von der *imago trinitatis* in den drei Seelenkräften der *memoria*, des *intellectus* und des *amor* zu sagen. Es gibt keine *analogia entis*, es gibt nur eine *analogia fidei*. Es ist aber lehrreich zu sehen, wie gerade Augustin den Vorzug, den auf Grund seiner Theorie auch er dem Begriff des „Wortes" gibt: *Eo quippe filius quo verbum*, dann doch wieder umkehrt: *et eo verbum quo filius* (*De trin.* VII 2). Er weiß nämlich sehr wohl, daß mit „Sohn" etwas von Jesus Christus gesagt ist, was mit „Wort" nicht gesagt werden kann, was zu dem, was wir als „Wort" kennen, immer hinzugedacht werden muß: die Kontinuität, die Wesensgleichheit zwischen dem Sprecher und dem Gesprochenen. Er muß also die Bilder miteinander verbinden: *Verbo quod genuit dicens est, non verbo, quod profertur et sonat et transit, sed ... Verbo aequali sibi quo semper et immutabiliter dicit seipsum* (ib.VII 1). *Seipsum dicens genuit Verbum sibi aequale per omnia ... Et ideo Verbum hoc vere veritas est* (*ib.* XV 14). Und auch Thomas von Aquino versäumt doch nicht zuzugeben, es bedürfe verschiedener *nomina*, um die Vollkommenheit des göttlichen Ursprungs Christi auszusprechen: *Filius, splendor, imago, verbum. Non autem potuit unum nomen inveniri, per quod omnia ista* (nämlich Alles, was je mit dem einen oder anderen dieser Namen bezeichnet werden soll) *designarentur* (*S. theol.* I qu. 34 art. 2 ad 3). F. Diekamps *Conclusio theologica*: „Die Zeugung des Sohnes aus dem Vater ist eine intellektuelle" (Kath. Dogm. 1. Bd., 6. Aufl. 1930, S. 329 f.) dürfte doch als eine unerlaubte Systematisierung auch der Ansicht des Thomas bezeichnet werden. Vgl. dazu die vorsichtigere Haltung von B. Bartmann, Lehrb. d. Dogm. 1. Bd., 4. Aufl. 1928, S. 198 f., besonders auch die dort S. 200 gegebenen Nachweisungen zu Thomas.

Gerade in einem seiner Grenzen bewußten Gebrauch aller Bildreden, auch der Bildrede vom „Wort", werden wir um so zuversichtlicher sein dürfen im Blick auf das Ereignis der Offenbarung und des Glaubens jedesmal in unserer menschlichen Unwahrheit die göttliche Wahrheit zu sagen: *peccatores iusti*!

5. Wir glauben Jesus Christus als „einen Wesens mit dem Vater". — Die Aufnahme gerade dieser Klausel in das ursprüngliche Nicaenum bedeutete historisch eine kühne, in verschiedenster Hinsicht fragwürdige, aber schließlich geschichtlich und sachlich gerechtfertigte Antizipation.

Es war kirchlich betrachtet mehr als bedenklich, daß Konstantin I. es wagen durfte, dem Konzil von 325 dieses ὁμοούσιος förmlich zu befehlen und daß sich die Majorität dieses Konzils entgegen ihrer wohlerwogenen gegenteiligen Überzeugung diese kaiserliche Theologie befehlen ließ: menschlich moralisch kann man mit seiner Sympathie nicht auf Seiten der so zum Siege geführten orthodoxen Minorität und noch weniger auf seiten der angeblich um des Friedens willen nachgebenden eusebianischen Mittelpartei stehen, sondern eigentlich nur auf seiten des fatalen Arius und seiner wenigen Freunde, die sich lieber absetzen und exilieren ließen, als daß sie ihren Widerspruch aufgegeben hätten. (Entsprechender Unfug zu ungunsten des nicaenischen Glaubens hat sich 355 zu Mailand zugetragen!) Der Sinn und die Absicht, mit der das ὁμοούσιος durchgesetzt wurde, war aber auch alles Andere eher als eindeutig: es war vor und noch lange nach Nicaea durchaus nicht durchsichtig, ob man sich mit dem (laut Irenäus, *C.o.h.* I 5, 1 übrigens auch der valentinianischen Gnosis vertrauten!) Begriff der Homousie nicht dem Sabellianismus oder auch einem Tritheismus verschreibe. Man konnte im dritten und vierten Jahrhundert tatsächlich mit guten Gründen Gegner dieser Formel sein: sie ist noch 269 von einem Konzil in Antiochien in berechtigter Abwehr des Paulus von Samosata ausdrücklich verworfen worden! Und gerade die Theologengruppe, die die Lehre von der ewigen Gottheit Christi schließlich zum Sieg geführt hat, die so-

2. Der ewige Sohn 461

genannten Jungnicaener, haben sie nur in ganz bestimmter Interpretation: im Sinn der Wesensgleichheit bei Unterscheidung der Personen schließlich gutgeheißen. Es war begreiflich, daß gerade die Dogmatisierung des vorher verhältnismäßig wenig erörterten ὁμοούσιος erst recht das Zeichen zu einem Kampf dagegen und dafür wurde, einem Kampf, der die ganze Zeit zwischen 325 und 381 beschäftigte, und in dem die Kirche auf großen Umwegen und unter zahlreichen Rückschlägen nachträglich verstehen lernen mußte, was sie 325 *hominum confusione et Dei providentia* gemeint und beschlossen hatte. Man kann wohl fragen, ob jene zur Zeit des konstantinopolitanischen Konzils maßgebenden Theologen, die Kappadozier vor allem, von sich aus diese Formel gebildet haben würden. Auch das dem Arianismus gegenüber widerstandsfähigere Abendland, das in gewissen Augenblicken die Rettung des nicaenischen Glaubens gewesen ist, hat das ὁμοούσιος schließlich nicht hervorgebracht, sondern als vollendete Tatsache akzeptiert.

Man kann es tatsächlich nur nachträglich unter rückhaltloser Anerkennung der Problematik seines Aufkommens verstehen und anerkennen. Aber nachträglich kann und muß man es anerkennen. Und zwar geschichtlich: weil es sich faktisch neben dem ἀληθινὸν θεόν und neben dem γεννηθέντα οὐ ποιηθέντα, aber für das damalige Denken noch unzweideutiger als diese beiden Bestimmungen, als die Formel erwiesen hat, an der sich der Widerspruch der Arianer endgültig als solcher offenbaren und dann auch brechen mußte. — Hilarius *(De Syn. c.* 83) schrieb einmal nicht ohne Humor: *Homousia si cui displicet, placeat necesse est, quod ab Arianis sit negatum* — und sachlich: weil das, was die Kirche positiv meinte (sie mußte sich freilich mühsam genug durchschlagen zur Erkenntnis dessen, was sie meinte, und bei der Dogmatisierung von 325 war sie noch weit von dieser Erkenntnis!) im Zusammenhang mit den andern Formeln des Symbols jedenfalls auch und gerade in dieser für uns Nachfahren klar genug zum Ausdruck gekommen ist.

„Einen Wesens", d. h. identischen Wesens, das bedeutet das Dogma gewordene ὁμοούσιος, *consubstantialis.*

So ist es von Athanasius, dem in der ganzen Sache virtuell führenden Mann der Kirche, verstanden worden: ἀνάγκη γὰρ ... τὴν ταυτότητα πρὸς τὸν ἑαυτοῦ πατέρα σώζειν *(De decr. nic. syn.* 23), ἵνα μὴ μόνον ὅμοιον τὸν υἱόν, ἀλλὰ ταὐτόν τῇ ὁμοιώσει ἐκ τοῦ πατρὸς εἶναι σημαίνωσιν *(ib.* 20), ἔχων ἐκ τοῦ πατρὸς τὴν ταυτότητα *(Or. c. Ar.* I 22) u. ö. Und so ist es dann im Abendlande entscheidend für die weitere Entwicklung von Augustin verstanden worden. „In einerlei Wesen", so haben auch Luther und die Verfasser des Konkordienbuches die Formel übersetzt.

Die Deutung: „Gleichen Wesens" ist in dieser Deutung eingeschlossen: wenn der Sohn mit dem Vater einen Wesens ist, so ist er auch gleichen Wesens mit ihm. Wogegen „gleichen Wesens" nicht notwendig auch „einen Wesens" bedeutet, sondern polytheistisch verstanden werden könnte.

Die Jungnicaener, für die die Deutung: Wesensgleichheit die beherrschende war, haben damit das bei Athanasius weniger betonte Problem des Unterschieds und der Selbständigkeit der Personen auszeichnen wollen. Von da aus ist der Polytheismus zur dauernden Gefahr der morgenländischen Theologie geworden. Umgekehrt wird man zugeben müssen, daß die Voranstellung der Wesenseinheit den Modalismus zur dauernden Gefahr der abendländischen Theologie gemacht hat. Man darf aber sagen: aus dem ganzen Zusammenhang des Bekenntnisses, in welchem das ὁμοούσιος ja allein verständlich ist, wird es deutlich genug, daß Wesenseinheit nicht ohne die (auch im Begriff selbst ja inexplizit ausgesprochene) Wesensgleichheit zu denken, mit andern Worten, daß der Unterschied der Seinsweisen nicht zu vergessen und ihre Selbständigkeit nicht preiszugeben ist. Wogegen das Umgekehrte nicht stattfindet, die Sicherung gegen den Polytheismus nicht ebenso nahe liegt. Aus diesem Grunde entscheiden wir uns für die ταυτότης des Athanasius bzw. für die augustinisch-abendländische Interpretation des ὁμοούσιος.

„Einen Wesens" bedeutet erstens selbstverständlich die Abwehr des arianischen Verständnisses Jesu Christi als eines Gott zwar ähnlichen, aber weil bloß ähnlichen endlich und zuletzt doch von ihm unterschiedenen „Halbgottes von unten", eines Übermenschen: es unterstreicht und verschärft das γεννηθέντα οὐ ποιηθέντα, es stellt Jesus Christus aller, auch der höchsten Kreatur gegenüber auf die Seite des Schöpfers.

„Einen Wesens" bedeutet aber zweitens auch die Abwehr der von Origenes her so geläufigen Anschauung von Jesus Christus als einer unteren Stufe, einer geringeren Quantität innerhalb der Gottheit selber, eines „Halbgottes von oben": es unterstreicht und verschärft das ἀληθινὸν θεόν.

„Einen Wesens" macht also Front gegen die beiden Seiten, die wir im Blick auf die Situation im zweiten Jahrhundert als die ebionitische und die doketische bezeichnet haben.

„Einen Wesens" bedeutet aber drittens auch die Abwehr einer Differenzierung oder Vervielfältigung des Wesens Gottes durch den Unterschied der Seinsweisen, d. h. aber die Abwehr des Polytheismus. Es nötigt dazu, die „Personen" wirklich als Seinsweisen, d. h. nicht als zwei Subjekte, sondern als zweimal (in unaufhebbarer Zweimaligkeit freilich, das ergibt sich aus dem Zusammenhang des Symbols!) dasselbe Subjekt, als Zwei, die nur in ihren gegenseitigen Beziehungen und nicht an sich, nicht in ihrem Wesen Zwei sind, zu verstehen. Ὁμοούσιος τῷ πατρί heißt: Ich und der Vater sind eins — Ich und der Vater, nur in dieser Unterscheidung gilt das „eins" — aber „eins", nur in dieser Einheit gibt es das Ich und den Vater.

Auch von diesem berühmtesten und, technisch betrachtet, zentralsten Begriff des Dogmas ist zu sagen, was wir von allen Formeln der vorangehenden Klauseln gesagt haben: wir begreifen von ferne nicht den Gegenstand, demgegenüber wir uns mit diesem Begriff zu verantworten suchen. Gerade wenn man den Begriff der Homousie nicht polytheistisch, aber auch nicht modalistisch versteht, gerade wenn man ihn, einerseits mit Athanasius und Augustin versteht als Wesensidentität, aber auch, das Anliegen der Jungnicaener aufnehmend, reden läßt von zwei unterschiedenen gleichen Seinsweisen des einen Wesens, gerade dann redet er offenkundig von einem Wesen, von dem wir keinerlei Anschauung haben, gerade dann wird er zu einem Begriff von der Art, die man in der Philosophie als „leere Begriffe" zu bezeichnen pflegt. Unterscheidung in der Einheit, Einheit in der Unterscheidung haben wir nun oft genug als den Sinn der ganzen Trinitätstheologie geltend gemacht. Es ist gerade angesichts des Begriffs der Homousie, der beides zugleich besagen will, am Platz, daß wir uns eingestehen: wir kennen letztlich nur Einheiten ohne Unterscheidung, Unterscheidungen ohne Einheit. An dieser Schranke unseres Denkens und Sprechens scheitern alle Bilder: das Bild von Vater und Sohn, das Bild von Sprecher und Wort, das Bild von Licht und Licht, das Bild — auch das ist ja ein Bild — von Urbild und Abbild. Da ist nirgends das eine Wesen in wirklich zwei Seinsweisen oder da sind nirgends zwei Seinsweisen wirklich eines Wesens, sondern da ist immer entweder ein Wesen in nur scheinbar, nur vorübergehend zwei Seinsweisen. Oder da sind zwei Seinsweisen, denen eben auch zwei Wesen entsprechen — je nachdem man die Bilder deutet, und alle diese Bilder können doppelt gedeutet werden. **Das wirklich eine Wesen in wirklich zwei Seinsweisen ist Gott selber und Gott allein.** Er selber, er allein ist ja auch Vater und Sohn, Sprecher und Wort, Licht und Licht, Urbild und Abbild. Von ihm her empfängt die geschaffene, die sündige Kreatur, die Wahrheit ihrer Verhältnisse durch seine Offenbarung. Ihn muß sie erkennen, nicht eigenständig und eigenmächtig, sondern durch seine Offenbarung im Glauben — um ihre eigene Wahrheit zu erkennen. Der Begriff der Homousie ist **kein** Versuch eigenständiger, eigenmächtiger, sogenannter natürlicher Gotteserkenntnis. Er will der Erkenntnis Gottes durch seine Offenbarung im Glauben **dienen**. Wir haben uns die geschichtliche und sachliche Fragwürdigkeit gerade dieses Begriffs nicht verheimlicht. Wir können und wollen uns also nicht verhehlen, daß er an sich betrachtet der Erkenntnis Gottes sehr **schlecht** dient. Die Philosophen und die philosophierenden Theologen haben von jeher leichtes Spiel mit ihm gehabt. Aber wenn nun auf seine immanente Güte oder Ungüte so viel gar nicht ankäme? Wenn er nun gerade in seiner offenkundigen Zerbrochenheit das notwendige, damals im vierten Jahrhundert notwendig aufzurichtende und seither immer wieder und heute den neuen Arianern zum Trotz erst recht aufrechtzuerhaltende Zeichen wäre, nicht das Zeichen einer verwegenen spekulativen Intuition der Kirche, wohl aber das Zeichen einer unerhörten, der Kirche in der Heiligen Schrift widerfahrenden Begegnung? Was verfinge dann Alles, was gegen ihn zu sagen ist? Hätte sie nicht das Alles zu wissen und dann doch ihn zu anerkennen als das Dogma, das die Kirche, nachdem sie es einmal erkannt, nicht mehr fahren lassen kann? Weil er in seiner ganzen Torheit immer noch wahrer ist als alle Weisheit, die sich im Widerspruch zu ihm zu Worte gemeldet hat! Wir haben keinen Anlaß, es anders anzusehen. Wir täuschen uns nicht darüber, daß wir nicht wissen, was wir sagen, wenn wir diesen Begriff in den Mund nehmen. Aber noch weniger können wir uns darüber täuschen, daß uns alle Linien unserer Erwägungen über die Gottheit Christi an den Punkt geführt haben, wo wir dem Dogma recht geben müssen: Jesus Christus ist ὁμοούσιος τῷ πατρί, *consubstantialis Patri*.

Es ist am Platze, gerade hier noch einmal Luther das Wort zu geben, der an Hand des Gegensatzes und der Einheit von Urbild und Abbild auch das Entscheidende gesagt hat, was zu dem Begriff der Homousie zu sagen ist: Also wird mit diesen worten gewaltiglich geleret, das Christus mit dem Vater ein einiger warhafftiger Gott ist, aller ding jm gleich, on unterscheid, ausgenomen, das er vom Vater und nicht der Vater von jm ist, gleich wie der glantz von der klarheit Göttlichs wesens, und nicht die klarheit Gottlichs wesens vom glantz ist. — Also auch, da er spricht: Er ist das Ebenbilde seines wesens, zeuget auch gewaltiglich, das Christus müsse rechter natürlicher Gott sein und doch darumb nicht viel, sondern ein einiger Gott ist. Man heisst itzt Controfect, wenn ein bilde eben und gleich gemacht ist dem, des bilde es ist. Aber es feilet allen bilden, das sie nicht haben noch sind dasselbe einig wesen oder natur des abgebildeten, sondern sind einer andern natur oder wesens. Als wenn ein Maler, Schnitzer oder Steinmetze einen König oder Fürsten bildet auff ein tuch, holtz oder stein, so eben und ehnlich als er jmer kan, das auch alle augen müssen sagen: Sihe, das ist der oder dieser König, Fürst oder mensch etc. Solchs ist wohl ein Ebenbild oder controfekt, Aber es ist nicht das wesen oder natur des Königes, Fürsten oder menschen etc., Sondern ein schlecht Bilde, figur oder gestalt desselben, und hat ein ander wesen, Denn sein natur oder wesen ist stein, holtz, tuch oder papir, und wers ansihet oder angreifft, der sihet noch greifft nicht das wesen, natur oder substantz des menschen, Und spricht jederman: das ist ein hültzern, steinern, tüchern bilde. Es ist aber nicht das lebendige, wesentliche menschern Bilde .... Aber hie ist Christus das Ebenbilde des Vaters also, das er ist seines Gottlichen wesens Bilde, und nicht aus einem andern natur gemacht, Sondern ist (wo mans reden solt) ein Göttern Bilde, das da aus Gott ist und die Gottheit jnn sich oder an sich hat, wie ein Crucifix ein hültzern Bilde Christi heißt, aus holtz gemacht, Und alle menschen und Engele sind auch gemacht zum Bilde Gottes, Sie sind aber nicht seines Wesens oder natur bilde, noch aus seiner Götlichen natur gemacht oder entstanden, Christus aber ist aus seiner Gotlichen natur entstanden von ewigkeit, sein wesentlich Bilde, *substantialis imago, non artificialis aut facta vel creata*, das seine Göttliche natur gantz und gar in sich hat und selbs auch ist, nicht aus etwas anders gemacht noch geschaffen gleich wie das Göttlich wesen selbs nicht ist aus etwas anders gemacht noch geschaffen. Denn wo er nicht die gantze Gottheit des Vaters jnn sich hette und völliger Gott were, so kundte er nicht seines wesens Bilde sein noch heißen, weil der Vater noch etwas hette, darin der Sohn jm nicht gleich oder ehnlich were, also würde er zu letzt dem Vater gantz unehnlich und gar nichts sein Ebenbilde nach dem wesen. Denn das Göttlich wesen ist das aller einigst wesen, unzerteilich, das es mus gantz und gar sein, wo es ist oder mus nichts sein (Luther, Die drei Symbola oder Bekenntnis des Glaubens Christi, 1538, W. A. 50 S. 276 Z. 30 u. S. 277 Z. 19).

6. Wir glauben Jesus Christus als den, „durch welchen Alles geschaffen wurde".

Wir haben es mit einem fast wörtlichen Zitat von Joh. 1, 3 zu tun: πάντα δι' αὐτοῦ ἐγένετο καὶ χωρὶς αὐτοῦ ἐγένετο οὐδὲ ἕν ὃ γέγονεν heißt es dort sogar noch ausdrücklicher als im Symbol selber. Entsprechend Joh. 1, 10: ὁ κόσμος δι' αὐτοῦ ἐγένετο, 1. Kor. 8, 6: δι' οὗ τὰ πάντα, Kol. 1, 15 f.: er ist πρωτότοκος πάσης κτίσεως ὅτι ἐν αὐτῷ ἐκτίσθη τὰ πάντα ... τὰ πάντα δι' αὐτοῦ καὶ εἰς αὐτὸν ἔκτισται, Hebr. 1, 2: δι' οὗ καὶ ἐποίησεν τοὺς αἰῶνας.

Man kann sich fragen, ob dieser Satz im Zusammenhang des Symbols noch zu den Bestimmungen über die Gottheit Christi gehören soll oder ob er nicht vielmehr als Aussage über sein Werk als Mittler schon der Schöpfung den Übergang bildet zu den nachfolgenden Formeln über

2. Der ewige Sohn 465

die Inkarnation und das Versöhnungswerk. Die syntaktische Form scheint doch in andere Richtung zu weisen. Aber selbst wenn dem so wäre — der Inhalt dieses Satzes ist jedenfalls auch streng trinitätstheologisch zu verstehen und bedeutet, so verstanden: auch der Sohn Gottes hat Anteil an dem Werk, das im ersten Artikel des Symbols Gott dem Vater zugeschrieben wurde, an dem Werk der Schöpfung. So verstanden ist er eine indirekte, aber um so ausdrucksvollere Bestätigung des ὁμοούσιος und damit aller vorangehenden Klauseln. Nimmt der Sohn teil an dem, was als das besondere Werk des Vaters bezeichnet wurde, wirkt er mit dem Vater im Werk der Schöpfung, dann heißt das, jedenfalls im Sinn des Athanasius und der im vierten Jahrhundert schließlich siegreich gewordenen Theologie: Er ist mit ihm eines Wesens. Damit „durch ihn" Alles geschaffen werden, damit er Mittler der Schöpfung sein konnte, dazu mußte er selber Gott von Art sein.

Die Abweisung des arianischen Verständnisses von Joh. 1, 3 u. Par. ist im Symbol nicht ausdrücklich ausgesprochen. Nach Arius ist der Sohn das selber geschöpfliche Instrument des göttlichen Schöpfers. Das ist durch das ὁμοούσιος und durch das γεννηθείς οὐ ποιηθείς unter allen Umständen ausgeschlossen. Unsere Klausel interpretiert also das ὁμοούσιος nur insofern, als ihre eigene Interpretation durch den Zusammenhang des Symbols gesichert ist.

Wieder haben wir hier des Satzes: *opera trinitatis ad extra sunt indivisa* zu gedenken. Er besagt an unserer Stelle: Es bedeutet eine Appropriation, wenn dem Sohn (wie es in der Fortsetzung im Symbol geschieht) gerade die Offenbarung und Versöhnung zugeschrieben wird. Diese Appropriation ist richtig und notwendig, weil in der Offenbarung selbst begründet. Aber eben die Offenbarung kann nicht recht verstanden werden, wenn wir nicht fortfahren: wie diese Appropriation nicht ausschließen kann, daß auch der Vater Subjekt dieses Geschehens ist (sofern in und mit dem Sohne auch der Vater in der Offenbarung und Versöhnung gegenwärtig ist und handelt), so kann sie auch nicht ausschließen, daß der Sohn auch Subjekt des Geschehens ist, von dem der erste Artikel redet, also Subjekt der Schöpfung. Wir folgen Joh. 1 und folgen den früher zitierten Ausführungen Luthers zu Gen. 1 und Joh. 1, wenn wir interpretieren: Jesus Christus ist das Wort, durch welches Gott die Welt aus dem Nichts geschaffen hat. Eben als dieses Wort des Vaters ist er im Unterschied zu allem durch ihn Geschaffenen dem Vater gleich, wahrer Gott von Ewigkeit.

Wo hat Gott die Welt geschaffen? fragt sich Augustin. Im Himmel? Auf der Erde? In der Luft? Im Wasser? Im Weltall? Aber sie alle sind ja selbst geschaffen! Hat er sie geschaffen aus einem Seienden, das er dazu zuvor in die Hand genommen hätte? Aber *unde tibi hoc quod tu non feceras, unde aliquid faceres? Quid enim est, nisi quia tu es? Ergo dixisti et facta sunt atque in verbo tuo fecisti ea (Conf.* XI 5, 7). *Eo sempiterne dicuntur omnia (ib.* XI 7, 9). Also: *Fecit omnia per verbum suum et verbum eius ipse Christus, in quo requiescunt angeli et omnes caelestes mundissimi spiritus in sancto silentio* (*De cat. rud.* 17, 28). *Constat ... summam substantiam prius in se quasi dixisse cunctam creaturam quam eam secundum eandem et per eandem suam intimam locutionem conderet* (Anselm v. Canterbury, *Monol.* 11). *Cum ipse summus spiritus dicit se ipsum, dicit omnia, quae facta sunt ... Semper in ipso sunt, non quod sunt in se ipsis sed quod est idem ipse* (*ib.* 34). Im selben Sinn hat Thomas v. Aquino die Frage: *Utrum in nomine verbi importetur respectus ad creaturam*? bejaht. *Deus enim cognoscendo se, cognoscit omnem creaturam.* Uno actu erkennt Gott sich selbst und Alles, was außer ihm ist; und so ist sein Wort nicht nur das Ebenbild des Vaters, sondern auch das Urbild der Welt (*S. theol.* I *qu.* 34 *art.* 3). Ebenso Luther: *Filius enim in se habet exemplar non solum maiestatis divinae, sed etiam exemplar omnium rerum creatarum* (Comm. zu Gen. 1, 20f., 1535f., W. A. 42 S. 37 Z. 30). Auch die Leibeswärme, in der eine Henne ihre Eier ausbrütet, ist nach Luther *ex verbo divino, quia, si absque verbo esset, calor ille esset inutilis et inefficax* (zu Gen. 1, 22, ib. S. 40 Z. 9). Es ist demgegenüber doch etwas kümmerlich und humorlos, wenn K. G. Bretschneider, Handb. d. Dogm., 1. Bd. 4. Aufl. 1838, S. 659) versichert ... wir müßten „die ganze Vorstellung von der Weltschöpfung durch den Sohn als eine nicht der Religion, sondern der Johanneischen und Paulinischen Theologie angehörende ansehen", und wenn, auch hier in den Spuren des alten Rationalismus, A. Ritschl zu den bewußten neutestamentlichen Stellen bemerken zu müssen meint: „Diese Kombination führt auf den Boden der eigentlichen (!) Theologie hinüber und hat keine direkte und praktische Bedeutung für den religiösen Glauben an Jesus Christus" (Unterricht i. d. chr. Rel., 1875 § 24). Man kann und muß angesichts jener Bibelstellen und angesichts ihrer Auslegung durch die alte Kirche gewiß warnen vor der (bei Augustin und auch bei Anselm nicht einwandfrei ausgeschlossenen) Konsequenz, als sei die Schöpfung der Welt Gott so wesensnotwendig wie die Zeugung des Sohnes, als entspringe sie keiner *nova voluntas* (so sagt es Augustin, *Conf.* XII 15, 18), als sei die Existenz der Welt in Gottes Wort notwendig eingeschlossen (so könnte es nach den angeführten Anselm-Worten vielleicht aussehen), als sei also die Welt ein Wesensprädikat Gottes. Man kann aber unmöglich den Gedanken als solchen als ein unnötiges Theologumen verdächtigen.

Der Gedanke hat ja nicht nur die abstrakt trinitätstheologische Bedeutung, klarzumachen, daß das Wirken und also auch das Wesen des Vaters und des Sohnes eines und dasselbe sind. Sondern indem er das tut, beleuchtet und erklärt er noch einmal, wer und was Jesus Christus ist in seiner Offenbarung: nicht ein Fremder, dem wir als einem Fremden deutend und wählend nach unserem eigenen Denken und Ermessen gegenübertreten könnten, auch nicht ein Halbfremder, den wir nach unserer anderweitigen Kenntnis des Gottes, der ihn gesandt hat, zu beurteilen hätten. Sondern „Er kam in sein Eigentum" (Joh. 1, 11), in die Welt, zu uns, die er selbst geschaffen, die von Haus aus die Seinen sind und er der Ihrige. Das Wort, das wir in der Offenbarung hören, das Wort, durch das wir aufgerufen werden zu der unverdienten und von uns aus unmöglichen Gemeinschaft Gottes mit den Sündern — dieses Wort ist kein anderes als das, durch das wir, die wir es hören dürfen, mit der ganzen von Gott unterschiedenen Wirklichkeit ins Dasein gerufen sind, ohne das wir weder Sünder noch Gerechte, ohne das wir überhaupt nicht wären. Eben der, der uns in der Offenbarung aus unserer Feindschaft gegen ihn zu sich, aus dem Tode ins Leben ruft, eben der gibt sich, indem er das tut, auch als der zu erkennen, der uns zuvor aus dem Nichts ins Sein ge-

2. Der ewige Sohn

rufen — ins Sein als die begnadigten Sünder, aber ins Sein als die begnadigten Sünder. Wir können das Wort der Rechtfertigung und Heiligung nicht hören, ohne daß es uns zur Erinnerung würde: eben durch dieses Wort, nicht anderswie und nicht anderswoher sind wir auch, wir die durch dieses Wort Gerechtfertigten und Geheiligten. Eben dieses Wort ist der Grund unseres Seins jenseits unseres Seins, eben kraft seiner überlegenen Existenz ist, ob wir es hören oder nicht hören, ob wir ihm gehorsam oder ungehorsam sind, unsere Existenz Wirklichkeit. Eben dieses Wort erging an uns, ehe wir kamen oder nicht kamen, indem wir kommen oder nicht kommen. Unser Kommen oder Nichtkommen selbst ist nur darum möglich, weil eben dieses Wort wirklich ist. Derselbe Jesus Christus, durch den sich Gott uns als seinen Feinden verbindet, derselbe hat sich uns schon verbunden als denen, die ihm gehören, weil er allein uns gerufen hat aus dem Nichts, weil er allein uns hält über dem Nichts. Und an dieser unserer ersten Verbindung mit ihm, wie sie uns in der zweiten und durch die zweite, durch seine Offenbarung offenbar wird, ist das gemessen, was diese zweite selber für uns zu bedeuten hat. Das heißt Sünder sein, wie es uns als unser Sein in der Offenbarung Jesu Christi aufgedeckt wird: daß wir uns von dem sondern, ohne den wir auch in dieser Sonderung gar nicht wären — sondern von dem gesondert wir eigentlich gar nicht sein können. Sünder sein heißt: an einen Ort getreten sein, wo unsere Existenz schlechterdings unbegreiflich wird, weil sie dort eigentlich nur noch Sturz in das Nichts sein könnte, wo unsere Existenz nur noch als Ereignis einer unbegreiflichen Güte verständlich — oder eben unverständlich sein kann. Und das heißt Gnade erlangen, wie es uns als unser Sein wiederum in der Offenbarung Jesu Christi aufgedeckt wird: daß der, ohne den wir nicht wären und von dem wir uns nun doch gesondert haben, uns nicht nur trotz unserer Sonderung von ihm nicht in das Nichts fallen läßt, aus dem er uns gerufen, sondern uns, indem er uns als Sünder anspricht und in Anspruch nimmt, über die Existenz hinaus nicht weniger als sich selbst, die Gemeinschaft und den Umgang mit sich selber schenkt. Was bedeutet das? Das bedeutet: Jesus Christus das Wort Gottes in seiner Offenbarung braucht nicht erst irgendwoher zu bekommen, sondern es hat schon zuvor in sich selbst die Vollmacht, uns anzusprechen und uns in Anspruch zu nehmen. Es ist keine Frage, ob wir uns ihm gegenüber verantworten wollen, sondern wir sind ihm verantwortlich, und unser ganzes Sein ist, so oder so, Verantwortung ihm gegenüber. Wir haben keine Möglichkeit, uns ihm gegenüber zu berufen und zurückzuziehen auf ein Eigenes, wo wir zunächst einmal bei uns selbst wären, wo er uns noch nichts oder nichts mehr anginge, auf ein sozusagen neutrales Menschsein, wo es uns vorläufig überlassen wäre, uns unter das Gericht und die Gnade, die er uns ansagt zu stellen oder auch nicht zu stellen, von wo aus wir uns gemächlich mit ihm auseinandersetzen könnten. Wir wissen ja gar nicht anders von unserem Menschsein als eben durch dasselbe Wort, das uns Gericht und Gnade ansagt. Eben damit sagt es uns, daß es selber der Grund unseres Menschseins ist: auf diesem Grund sind wir Menschen, nicht anders. Es geht uns an, weil es uns immer schon angeht, bevor es uns angeht. Es ist die Hand, die uns schon hält, indem sie uns faßt. Es ist der Regierungsakt des Königs, der schon zuvor König war und der zu diesem Akte die Macht und das Recht hat. Es umgibt uns von allen Seiten (Ps. 139, 5). Es ist das Wort, das Gewalt hat, das Wort des Herrn. Und darin eben ist es das Wort des Herrn: daß es das Wort des Versöhners ist, der auch der Schöpfer ist.

Wir endigten bei unserer Frage nach der neutestamentlichen Lehre von der Gottheit Christi bei der Tautologie: Jesus Christus ist für die Menschen des Neuen Testamentes darum der Herr, weil er der Herr ist. Wir können diese Tautologie nicht beseitigen, aber wir können sie jetzt so umschreiben: Er ist für sie der Versöhnergott, indem er der Schöpfergott ist. Sein Gericht und seine Gnade gehen sie an, indem er ihre Existenz angeht. Man muß es ja freilich sofort auch umgekehrt sagen: er geht ihre Existenz an, indem er sie angeht mit seinem Gericht und mit seiner Gnade. Die Meinung kann also nicht die sein, als hätten sie in ihrer Existenz, in ihrem geschöpflichen Menschsein einen ihnen zuvor gegebenen Maßstab, auf Grund der Anwendung dieses Maßstabs ließen sie sich nun sein Gericht und seine Gnade gefallen und daraufhin glaubten sie ihn als dem Herrn und als Gottessohn. Vielmehr ist ihnen durch sein Gericht und seine Gnade der Ausweg, der Fluchtweg in ein solch zuvor gegebenes und gesichertes Menschsein gerade versperrt, jeder eigene Maßstab entwunden und jedes eigene Messen verleidet. Dort und nur dort haben sie sich selbst, ihr Sein und also auch die Möglichkeit eigenen Urteils gefunden, wo sein Zorn und seine Güte sie getroffen haben. Aber dort haben sie ihr Sein und damit die Möglichkeit eines eigenen Urteils gefunden. Sie sind, indem sie die von ihm Beurteilten sind. Und als die von ihm Beurteilten urteilen sie nun, urteilen sie auch über ihn. Darum und so urteilen sie über ihn: Er ist Gottes Sohn. Sie sagen damit: Er ist unser Versöhner, indem er unser Schöpfer ist. Sie könnten ebensogut das Urteil: „Wir sind" aufgeben wie das Urteil: „Er ist Gottes Sohn." Beides ist für sie darum nicht zu trennen, weil sie um sich selbst, um ihre Existenz, um ihre Geschöpflichkeit, um den Schöpfer nicht aus einer anderen Quelle wissen als um ihre Versöhnung, weil für sie also keine Distanz in Betracht kommt zwischen einem bekannten Schöpfergott und Jesus Christus als einem vielleicht zu Gott in irgendeiner Beziehung stehenden Erlöser und Heiland. Sondern indem sie durch Jesus Christus um ihre Versöhnung wissen, wissen sie um sich selbst, ihre Existenz, ihre Geschöpflichkeit, den Schöpfer. So ist ihnen der Boden unter den Füßen weggezogen, auf dem sie stehen müßten, um zu fragen, zu untersuchen, dahinter zu kommen, ob Jesus Christus der Herr und Gottes Sohn sei. So können sie mit dieser Erkenntnis, mit diesem Bekenntnis nur anfangen. Man muß schon wieder abstrahieren zwischen Schöpfer und Versöhner, man muß aus dem, was den Menschen des Neuen Testamentes ein Wort war, schon wieder zwei Worte machen, um aus dem Neuen Testament ebionitische oder doketische Christologie herauszulesen.

In diesem Sinn also beleuchtet und erklärt unser Satz: wer und was Jesus Christus ist in seiner Offenbarung. Er sagt von ihm, daß er in seiner Offenbarung die unmittelbare Gewalt des Schöpfers hat über die Menschen. Aber indem man das anerkennt, wird man seine Gewalt als Schöpfer nicht etwa beschränken auf seine Offenbarung.

2. Der ewige Sohn

Schon im zweiten Jahrhundert liebte man es, dem δι' οὗ τὰ πάντα die Entdeckung gegenüberzustellen, die Kirche sei das erste Geschöpf Gottes, früher geschaffen als Sonne und Mond καὶ διὰ ταύτην ὁ κόσμος κατηρτίσθη (Hermae Pastor, Vis. II 4, 1; Clem. Hom. 14, 1). Und im zwanzigsten Jahrhundert hat R. Seeberg jenen biblischen Gedanken dahin interpretiert: „Wenn Gott die Welt mit der Bestimmung, daß in ihr Kirche werde, schuf, so ist der Wille Gottes — und das ist eben Christus — schon bei der Schöpfung und Gestaltung der Welt wirksam gewesen..." Sofern die natürliche Welt „der Boden einer geistigen, geschichtlichen Welt werden sollte, ist der göttliche Wille, daß eine Geschichte sei, die zur Kirche führt ... schon bei der schöpferischen Gestaltung der Welt so wirksam gewesen, daß die natürliche Möglichkeit für den Bestand und den Zusammenhang einer geistigen Welt hergestellt wurde" (Chr. Dogmatik 1. Bd., 1924, S. 463 f). Auch wenn wir davon absehen wollen, daß „Kirche" doch wohl noch etwas Anderes sein dürfte als „geistige, geschichtliche Welt" — so bleibt zu sagen: Gewiß ist Jesus Christus als der, durch den Gott Alles schuf, auch die κεφαλὴ τοῦ σώματος, τῆς ἐκκλησίας (Kol. 1, 18). Als jener kann er dieses sein und wird er es. Aber nicht als dieses ist er jener: nicht als Haupt der Kirche, also nicht erst und nicht nur in seiner Offenbarung ist er der, durch den Gott Alles schuf. Gewiß ist er darum in seiner Offenbarung so gewaltig, weil er schon der Schöpfer ist. Aber nicht erst darin und nicht nur darum ist er der Schöpfer, weil er in seiner Offenbarung so gewaltig ist. Wenn man sich hier Umkehrungen erlaubt, wenn man sich nicht damit begnügt, den Schöpfer in der Offenbarung wiederzuerkennen, sondern dazu fortschreitet, die Schöpfung als solche aus der Offenbarung abzuleiten und zu begründen, dann ist das eine ebenso unerlaubte Spekulation, wie der früher besprochene Versuch, die Offenbarung als *creatio continuata* zu verstehen. Wer die Kirche bzw. die Offenbarung schon der Schöpfung bzw. dem Schöpferwillen Gottes als solchen zuschreibt, der vergißt oder unterschlägt, daß Kirche bzw. Offenbarung nur Ereignis werden kann als Antwort auf die Sünde des Menschen, oder er muß es auf sich nehmen, auch die Sünde des Menschen in die Schöpfung einzubeziehen. Und auch die freie Güte Gottes, die diese Antwort gibt, muß er dann vergessen haben oder zu einem notwendigen Glied eines dialektischen Prozesses machen. Diese spekulative Synthese der Werke Gottes wird dann, wie es bei Seeberg so unvermeidlich geschieht wie bei Schleiermacher, in der Aufhebung des Unterschieds der göttlichen Personen, in einer modalistischen Trinitätslehre ihren passenden Ausdruck finden. Sonst kann man nicht sagen, daß die Welt um der Kirche, um der Offenbarung willen geschaffen wurde und daß diese Absicht der Sinn der Teilnahme des Sohnes Gottes an der Schöpfung sei. Um einen anderen Preis als den jener Konsequenzen sind solche Synthesen nun einmal nicht zu haben. Wer diesen Preis nicht zahlen will — und wir haben Gründe, ihn nicht zahlen zu wollen — der wird auf solche Synthesen verzichten müssen.

Die Wahrheit der Erkenntnis, daß Christus in seiner Offenbarung die Gewalt des Schöpfers hat, hängt daran, daß sie die Anerkenntnis eines Faktums und nicht eine eigenmächtige Kombination ist. Wo diese Gewalt erfahren wird, da gibt es ja gerade nichts zu kombinieren, da sind Schöpfung und Offenbarung nicht zwei nebeneinander zu haltende, miteinander zu vergleichende und zueinander in Beziehung zu setzende Wahrheiten, sondern die eine Wirklichkeit Jesu Christi als des Offenbarers mit der Gewalt des Schöpfers. Und diese Gewalt des Schöpfers kann dann nicht als eine speziell nur auf die Offenbarung bezogene und beschränkte gedacht werden.

Augustin hat darum recht, wenn er auch die Engel, und Luther hat darum recht, wenn er auch die brütende Henne durch das Wort geschaffen sein läßt.

Schöpfung heißt dann eben Gottheit in ihrer Ursprünglichkeit oberhalb und jenseits aller Kreatürlichkeit. Das — wir müssen also doch wieder auf die Trinitätstheologie zurückblicken — ist es, was das Symbol mit dem δι' οὗ τὰ πάντα sagen will. Durch das δι' οὗ unterscheidet es den Sohn ganz vom Vater. Durch das τὰ πάντα schließt es ihn auch hier ganz mit ihm zusammen. Gerade so ist es das erste und letzte Wort des Dogmas, das erste und letzte Wort darüber, wer und was Jesus Christus „zuvor in sich selber" ist — gerade so doch auch nur das erste und letzte Wort der Rechenschaft über die Wirklichkeit der Offenbarung, wie sie im Spiegel des Zeugnisses der Heiligen Schrift nicht zu verkennen ist.

§ 12
GOTT DER HEILIGE GEIST

Der eine Gott offenbart sich nach der Schrift als der Erlöser, d. h. als der Herr, der uns frei macht. Er ist als solcher der Heilige Geist, durch dessen Empfang wir Kinder Gottes werden, weil er es als der Geist der Liebe Gottes des Vaters und Gottes des Sohnes zuvor in sich selber ist.

1. GOTT DER ERLÖSER

Wir setzen nun ein drittes Mal ein bei dem neutestamentlichen Zeugnis: Jesus ist der Herr! Nun aber mit der Frage: Wie kommen Menschen dazu, das zu sagen? Wir setzen jetzt voraus: Sie glauben, darum reden sie. Sie sind mit dem, was sie da sagen, ernst zu nehmen. Sie sind dabei zu behaften. Will sagen: sie sagen es nicht als Ergebnis einer eigenmächtigen Überlegung, sondern in Anerkennung einer Tatsache. Sie sagen es nicht, indem sie dem Manne ein Amt oder dem Amt einen Mann geben wollen, sondern daraufhin, daß der Mann das Amt hat und vollstreckt. Sie sagen es nicht als Ziel, sondern als Anfang ihres Denkens über ihn. Sie sagen es, weil er der Herr ist. Sie sagen also nicht, daß er ein Halbgott von oben oder von unten, die Inkarnation einer göttlichen Idee oder ein Übermensch — sie sagen, daß er Gott ist. Eben auf Grund dieser Voraussetzung stoßen wir notwendig auf die Frage: Wie kommen sie dazu, das zu sagen? Wie kommen sie zu diesem Anfang ihres Denkens über ihn? Wie geht das zu, daß sie durch den Sohn den Vater, durch den Vater den Sohn glauben? Wie kommt dieser Inhalt in dieses Gefäß? Wie kommt dieses Prädikat: dieser Glaube — zu diesem Subjekt: dem Subjekt Mensch? Wie kann dieser Glaube irgend jemandes Ding sein? Können denn Menschen glauben? Wenn Glauben das heißt: dem Herrn begegnen, der Gott ist, so begegnen wie die neutestamentlichen Zeugen

1. Gott der Erlöser

Jesu begegneten, also in harter Gegenständlichkeit, in der Welt, die die Welt des Menschen ist, in der Alles problematisch ist, Alles erst zu prüfen und gewiß nichts mit dem Ergebnis zu prüfen ist, daß es mit Gott identisch sei — und nun doch gerade so begegnen, daß gar nichts problematisch ist, gar nichts erst auf dem Weg der Prüfung zu finden, sondern so, daß die Begegnung mit ihm als solche die Begegnung mit Gott ist? Das heißt Offenbarung im Neuen Testament. Aber gehört nicht auch im Neuen Testament der Mensch, dem solches widerfährt, zur Offenbarung? Und wie kann einem Menschen solches widerfahren? Möchte man nicht sagen, daß der ganze Begriff der Offenbarung an dieser Stelle problematisch wird, wenn die Voraussetzung die ist, daß der Glaube an die Offenbarung in jener schlechterdings unproblematischen Erkenntnis Gottes in Christus besteht? — Es verhält sich nicht so, als ob für das Neue Testament an dieser Stelle etwa keine neue Frage, neuer Antwort bedürftig, bestünde.

Auch und gerade im Neuen Testament ist die Möglichkeit des Glaubens nicht etwa schon mit der Tatsache gegeben, daß Jesus als die Offenbarung des Vaters bzw. als der, der er ist: als der Sohn oder das Wort Gottes auf dem Plane ist. Noch immer und erst recht ist ihm gegenüber auch der Mensch der, der er ist. Wie kommt er dazu, hier zu sehen und zu hören? Wenn der erste Johannesbrief anfängt mit der Erklärung: Wir bezeugen und verkündigen euch ὃ ἀκηκόαμεν, ὃ ἑωράκαμεν τοῖς ὀφθαλμοῖς ἡμῶν, ὃ ἐθεασάμεθα καὶ αἱ χεῖρες ἡμῶν ἐψηλάφησαν (1. Joh. 1, 1 f.), so ist das der Hinweis auf eine Wirklichkeit, deren Möglichkeit im Neuen Testament keineswegs selbstverständlich ist. Οὐχ ὅτι ἀφ' ἑαυτῶν ἱκανοί ἐσμεν λογίσασθαί τι ὡς ἐξ ἑαυτῶν (2. Kor. 3, 5). „Wer Ohren hat zu hören, der höre!" sagt der synoptische Jesus von seiner Verkündigung (Mc. 4, 9). „Fleisch und Blut hat dir das nicht offenbart", antwortet er dem Petrus auf sein Bekenntnis (Matth. 16, 17). Angesichts des fleischgewordenen Wortes, mitten in der Offenbarung, scheint es so etwas wie einen Aufschub, eine Problematik, eine Bedingtheit der Offenbarung zu geben. Wird die Offenbarung, gerade diese, die wirkliche Offenbarung, denn auch zu ihrem Ziel kommen? Wird sie den Menschen erreichen? Wird sie ihm offenbar werden? Allein an dem guten oder schlechten Willen des Menschen scheint das nicht zu liegen. Denn wenn dieses Offenbarwerden stattfindet, wenn hörende Ohren da sind, dann heißt es: Euch ist es gegeben, das Geheimnis des Reiches Gottes zu wissen. Ἐκείνοις δὲ τοῖς ἔξω ἐν παραβολαῖς τὰ πάντα γίνεται. Sie sollen sehend sehen und nicht einsehen, hörend hören und nicht vernehmen, so daß sie nicht umkehren und ihnen nicht vergeben werden kann (Mc. 4, 11—12). Kraft höchster sachlicher Notwendigkeit muß es so sein, wo jenes Gegebensein nicht stattfindet.

Offenbarwerden muß als etwas Besonderes, als eine besondere Tat des Vaters oder des Sohnes oder beider zum Gegebensein der Offenbarung des Vaters im Sohne hinzukommen.

Der Vater muß es dem Menschen offenbaren (Matth. 16, 17), der Vater muß ihn ziehen (Joh. 6, 44), der Vater muß es ihm geben (Joh. 6, 65), der Mensch muß dem Sohn vom Vater gegeben werden (Joh. 10, 29), er muß es vom Vater hören und lernen (Joh. 6, 45). Es kann aber auch heißen, daß es das fleischgewordene Wort Gottes selber ist, das denen, die es annehmen, die ἐξουσία gibt, Kinder Gottes zu sein und als solche an seinen Namen zu glauben, welche also als solche nicht kraft ihrer ersten natürlichen, sondern kraft einer zweiten göttlichen Zeugung und Geburt sind, was sie sind

(Joh. 1, 12—13; 3, 3). Und es kann auch die Rede sein von einem vom Trone Gottes und des Lammes leuchtend wie Kristall ausgehenden Strom lebendigen Wassers (Apoc. 22, 1). Das ist dieses hinzukommende Besondere des Offenbarwerdens in der Offenbarung. Der Reichtum der Gnade ist nicht nur da für uns in Jesus Christus, sondern: ἐπερίσσευσεν εἰς ἡμᾶς ἐν πάσῃ σοφίᾳ καὶ φρονήσει γνωρίσας ἡμῖν τὸ μυστήριον τοῦ θελήματος αὐτοῦ (Eph. 1, 8, 9.)

Dieses besondere Moment in der Offenbarung ist nun unzweifelhaft identisch mit dem, was das Neue Testament eben als die subjektive Seite im Ereignis der Offenbarung in der Regel den Heiligen Geist nennt.

Jesus hauchte sie an, heißt es Joh. 20, 22 von den Jüngern, indem er zu ihnen sprach: λάβετε πνεῦμα ἅγιον und durch dieses λαμβάνειν werden sie (sachlich ganz übereinstimmend mit Act. 2), was sie sind, seine Apostel, seine Gesandten. Das πνεῦμα ist das Lebendigmachende (Joh. 6, 63; 2. Kor. 3, 6). „Keiner kann Jesus Kyrios nennen, es sei denn im heiligen πνεῦμα (1. Kor. 12, 3). Dadurch, daß wir das πνεῦμα, das aus Gott ist, empfangen haben, wissen wir die uns geschehenen Gnadentaten Gottes als solche (1. Kor. 2, 13). Versiegelt mit dem heiligen πνεῦμα der Verheißung hörtet ihr das Wort der Wahrheit, das Evangelium eurer Errettung und kamt ihr zum Glauben (Eph. 1, 13). Gott muß uns geben das πνεῦμα der Weisheit und der Offenbarung zur Erkenntnis seiner selbst (Eph. 1, 17). Wenn aber Jemand nicht geboren ist aus Wasser und πνεῦμα kann er nicht in das Reich Gottes eingehen (Joh. 3, 6). Εἰ δέ τις πνεῦμα Χριστοῦ οὐκ ἔχει, οὗτος οὐκ ἔστιν αὐτοῦ (Röm. 8, 9). Darum wird es Act. 19, 2f. das auffallendste Kennzeichen derer, die nur auf den Namen des Johannes, nicht aber auf den Namen Jesus getauft sind, genannt, daß sie vom heiligen πνεῦμα nichts wissen.

Πνεῦμα θεοῦ oder Χριστοῦ ist wie υἱὸς θεοῦ eine Bildrede. Πνεῦμα heißt nach Joh. 3, 8, Act. 2, 2 Wind, wie er, von hier kommend, geheimnisvoll nach dort geht, und wohl noch präziser nach 2. Thess. 2, 8; Joh. 20, 22 Hauch, wie er aus dem Munde eines Lebewesens geht und ein anderes Lebewesen erreichen kann: unsichtbar und ohne Aufhebung der räumlichen Entfernung zwischen beiden. Dieses kleine und aufhebbare Paradoxon wird im Neuen und schon im Alten Testament zum Gleichnis des großen, unaufhebbaren Paradoxons der göttlichen Offenbarung. Daß Gott dem Menschen sein πνεῦμα gibt bzw. daß der Mensch dieses πνεῦμα empfängt, das besagt jetzt: daß Gott zum Menschen kommt, sich für den Menschen und den Menschen für sich erschließt, sich dem Menschen zu erfahren gibt, den Menschen zum Glauben erweckt, ihn erleuchtet und ausrüstet zum Propheten oder Apostel, sich eine Gemeinde des Glaubens und der Verkündigung schafft, der er mit seiner Verheißung sein Heil mitteilt, in der er die Menschen an sich bindet und für sich in Anspruch nimmt, kurzum, in der er der Ihrige wird und sie zu den Seinigen macht. Als dieses Unvergleichliche ist das πνεῦμα: τὸ πνεῦμα τὸ ἅγιον. Heilig, weil es so nur Gottes πνεῦμα ist. Und weil sein Sinn die Heiligung, d. h. die Aussonderung, die Verhaftung, die Aneignung, die Auszeichnung der Menschen ist, die es empfangen, die Auszeichnung, durch die sie werden, was sie an sich und von sich aus weder sein noch werden können: zu Gott Gehörige, mit Gott in realer Gemeinschaft Stehende, vor Gott und mit Gott Lebende. Man wird als Prototyp für alle biblischen Anwendungen der Rede vom göttlichen πνεῦμα die Stelle Gen. 2, 7 betrachten dürfen, wo es von Gott heißt, daß er dem Menschen ins Angesicht gehaucht habe den Hauch des Lebens und daß der Mensch so, erst so, lebendig geworden sei: *et inspiravit in faciem eius spiraculum vitae et factus est homo anima vivens* (Vulg.).

Gottes Geist, der Heilige Geist, ist im Alten und Neuen Testament allgemein gesagt: Gott selbst, sofern er in unbegreiflich wirklicher Weise, ohne darum weniger Gott zu sein, dem Geschöpf gegenwärtig sein und kraft dieser seiner Gegenwart die Beziehung des Geschöpfs zu

1. Gott der Erlöser

ihm selbst realisieren und kraft dieser Beziehung zu ihm selbst dem Geschöpf Leben verleihen kann. Das Geschöpf bedarf ja des Schöpfers um zu leben. Es bedarf also der Beziehung zu ihm. Diese Beziehung kann es' aber nicht schaffen. Gott schafft sie durch seine eigene Gegenwart im Geschöpf, also als die Beziehung seiner selbst zu sich selbst. Gott in seiner Freiheit, dem Geschöpf gegenwärtig zu sein und also diese Beziehung zu schaffen und damit das Leben des Geschöpfs zu sein, das ist der Geist Gottes. Und Gottes Geist, der Heilige Geist, speziell in der Offenbarung, ist Gott selbst, sofern er nicht nur zum Menschen kommen, sondern im Menschen sein und so den Menschen für sich selbst öffnen, bereit und fähig machen und so seine Offenbarung an ihm vollstrecken kann. Der Mensch bedarf der Offenbarung, so gewiß er ohne sie verloren ist. Er bedarf also dessen, daß ihm die Offenbarung offenbar, d. h. daß er für die Offenbarung offen werde. Eben das ist aber keine Möglichkeit des Menschen. Es kann nur Gottes eigene Wirklichkeit sein, wenn das geschieht, und es kann also nur in Gottes eigener Möglichkeit beruhen, daß es geschehen kann. Es ist Gottes Wirklichkeit, indem Gott selbst den Menschen nicht nur von außen, nicht nur von oben, sondern auch von innen, von unten her, subjektiv gegenwärtig wird. Es ist also Wirklichkeit, indem Gott nicht nur zum Menschen kommt, sondern vom Menschen aus sich selber begegnet. Gottes Freiheit, dem Menschen so gegenwärtig zu sein und also diese Begegnung herbeizuführen, das ist der Geist Gottes, der Heilige Geist in Gottes Offenbarung.

Das Werk des Heiligen Geistes besteht darin, *nos aptare Deo* (Irenaeus, *C. o. h.* III 17, 2). Er ist der *doctor veritatis* (Tertullian, *De praescr.* 28). Er ist der *digitus Dei, per quem sanctificemur* (Augustin, *De spir. et lit.* 16, 28). *Intelligo spiritum Dei, dum in cordibus nostris habitat, efficere, ut Christi virtutem sentiamus. Nam ut Christi beneficia mente concipiamus, hoc fit Spiritus sancti illuminatione: eius persuasione fit, ut cordibus nostris obsignentur. Denique, solus ipse dat illis in nobis locum. Regenerat nos, facitque ut simus novae creaturae. Proinde, quaecunque nobis offeruntur in Christo dona, ea Spiritus virtute recipimus* (Calvin, *Catech. Genev.* 1545, bei K. Müller S. 125 Z. 16). Er ist der *applicator, illuminator, sanctificator* (*Syn. pur. Theol.*, Leiden 1624, *Disp.* 9, 21).

Der heilige Geist ist nicht identisch mit Jesus Christus, mit dem Sohn oder Wort Gottes.

Auch in dem Satz 2. Kor. 3, 17: ὁ δὲ κύριος τὸ πνεῦμα handelt es sich nicht um eine Identifizierung Jesu Christi mit dem Geist, sondern um die Aussage: Dem Geist eignet die κυριότης, die Gottheit des Herrn, von dem in v. 16 die Rede war. Wo dieser Geist ist, der der Herr ist, der Gott ist, da ist Freiheit, lautet die Fortsetzung, nämlich Freiheit von jener Verdeckung des Herzens, wie sie die Lesung des Mose im Gottesdienst der Juden noch immer unfruchtbar macht: Freiheit, zu sehen und zu hören. Und v. 18: in uns spiegelt sich — unser Angesicht ist aufgedeckt — die Herrlichkeit des Herrn, und so werden wir in sein Bild verwandelt, aus seiner Herrlichkeit zu eigener Herrlichkeit — nämlich ἀπὸ κυρίου, πνεύματος, durch den Herrn, der der Geist ist. Es ist nicht nur durch den sonstigen Sprachgebrauch, sondern auch durch den Sinn und Zusammenhang dieser Stelle selbst geboten, den Geist auch hier nicht mit Jesus Christus zu identifizieren. An die anderen Stellen, wo der Geist deutlich (so 1. Kor.

474 § 12. *Gott der heilige Geist*

12, 4f.; 2. Kor. 13, 13; 1. Petr. 1, 2 u. a.) neben dem Vater und Christus oder (so 1. Kor. 6, 11) neben Christus allein genannt wird, soll hier nur erinnert sein.

Diese Nicht-Identität zwischen Christus und dem Heiligen Geist erscheint im Zusammenhang des neutestamentlichen Zeugnisses so notwendig als möglich begründet. Heiligen Geist gibt es nämlich nur jenseits des Todes und der Auferstehung Jesu Christi bzw. in Form von Erkenntnis des Gekreuzigten und Auferstandenen, d. h. also unter Voraussetzung des Abschlusses und der Vollendung der objektiven Offenbarung. Wir sahen ja früher: in seinem Durchgang durch den Tod ins Leben ist er die Offenbarung des Vaters. Die ihn glauben und bekennen, die glauben und bekennen ihn als den erhöhten Herrn. Darum stehen der Geist, in welchem sie glauben und bekennen, und der, der dieses Glaubens und Bekenntnisses Gegenstand ist, sich sozusagen auf zwei verschiedenen Ebenen gegenüber. Darum ist das, was von da drüben, von dem Erhöhten her, zu uns herüberkommt, herabfällt, der Geist.

Dieses „Herabfallen" des Heiligen Geistes ist eine Vorstellung besonders der Apostelgeschichte (vgl. Act. 2, 2; 10, 44; 11, 15). Darum kann jenes „Nehmet hin den Heiligen Geist!" (Joh. 20, 22) nur ein Wort des auferstandenen Christus sein. Darum wird Act. 2 die Ausgießung des Heiligen Geistes als ein zu dem vollendeten Kerygma von Leben, Sterben und Auferstehen Jesu hinzutretendes Werk dessen, von dem dieses Kerygma redet, geschildert. Darum die eigentümliche aber sicher für das Verständnis des ganzen Neuen Testamentes bedeutsame Lehre des Johannesevangeliums: Jesus ist (im Unterschied zu Johannes dem Täufer) ὁ βαπτίζων ἐν πνεύματι ἁγίῳ (Joh. 1, 33). Ströme lebendigen Wassers sollen von dem Leibe dessen ausgehen, der an ihn glaubt, heißt es in der schwierigen Stelle Joh. 7, 38f. mit dem Hinzufügen: das habe Jesus gesagt von dem Geist, den die an ihn Glaubenden empfangen sollten, und mit der wichtigen Erklärung: οὔπω γὰρ ἦν πνεῦμα, ὅτι Ἰησοῦς οὐδέπω ἐδοξάσθη. Joh. 14, 16 erscheint dann der Geist als (wiederum zukünftige) Gabe des Vaters an die Jünger, die Gabe, um die Jesus den Vater für jene bitten will. Der Vater wird ihn senden in seinem, Jesu, Namen (Joh. 14, 26). Wogegen Joh. 15, 26 er selber, Jesus, ihn, den vom Vater Ausgehenden, (ὁ παρὰ τοῦ πατρὸς ἐκπορεύεται) vom Vater senden wird. Dazu muß Jesus aber nach Joh. 16, 7 seinerseits erst von den Jüngern weggehen: συμφέρει ὑμῖν ἵνα ἐγὼ ἀπέλθω. ἐὰν γὰρ μὴ ἀπέλθω, ὁ παράκλητος οὐ μὴ ἔλθῃ πρὸς ὑμᾶς. ἐὰν δὲ πορευθῶ, πέμψω αὐτὸν πρὸς ὑμᾶς. Joh. 16, 13 ist dann endlich einfach allgemein von seinem Kommen die Rede. Es ist offenbar die Erfüllung dieser wiederholten Zusage, was wir Joh. 20, 22 vor uns haben.

Die Anschauung des Neuen Testamentes ist bei dem Allen schwerlich die, daß es erst chronologisch hinter Karfreitag und Ostern Menschen gegeben habe, die den Heiligen Geist empfangen haben. Was wäre dann gemeint, wenn so und so oft Jüngern und Nichtjüngern auch vor Karfreitag und Ostern allen Ernstes Glauben zugeschrieben wird? Was bedeutete dann jene Antwort Jesu auf das Petrusbekenntnis Matth. 16, 17? Die Verklärungsgeschichte Mc. 9, 2f. u. Par. zeigt, daß jedenfalls die Synoptiker mit der Möglichkeit von Antizipationen des Abschlusses und der Vollendung der Offenbarung, von Offenbarungen des erhöhten Christus, schon chronologisch vor dessen Erscheinung gerechnet haben. Und man kann wohl fragen, ob nicht auch die sämtlichen Wundertaten Jesu sozusagen als rückwärts fallende Strahlen der Herrlichkeit des Auferstandenen zu verstehen sind, ja ob nicht schließlich das ganze Leben Jesu in dieser retrospektiven Beleuchtung betrachtet sein will. Aber auch bei Johannes, wo der chronologische Schematismus bewußter und strenger durchgeführt scheint, ist das zeitliche Ver-

1. Gott der Erlöser

hältnis zwischen dem als Mensch mit den Jüngern Lebenden und dem erhöhten Christus und also auch zwischen dem verheißenen und dem gegebenen Geist sicher komplizierter als es auf den ersten Blick aussieht. Wie will man gleich Joh. 2, 11 verstehen, wenn das Zukünftige nicht auch hier als Zukünftiges doch auch schon gegenwärtig gedacht ist? Auch Joh. 20, 22, auch die Pfingstgeschichte Act. 2 sind doch wohl zu verstehen als das ausdrückliche und solenne Zeugnis von einem Geschehen, das chronologisch weder vorwärts noch rückwärts gerade auf Pfingsten beschränkt war.

Wir müssen nun sofort hinzufügen: Indem der Geist das von Christus als dem Erhöhten verschiedene Moment der Offenbarung ist: die Offenbarung, sofern sie an uns und in uns Ereignis wird, ist er doch restlos zu verstehen als der Geist des Christus, des Sohnes, des Wortes Gottes. Also gerade nicht etwa als eine Offenbarung selbständigen Inhaltes, nicht als eine neue über Christus, über das Wort hinausgehende Belehrung, Erleuchtung und Bewegung des Menschen, sondern schlechterdings als die Belehrung, Erleuchtung, Bewegung des Menschen eben durch das Wort für das Wort.

Der Heilige Geist wird zwar an verhältnismäßig wenig Stellen ausdrücklich der „Geist Christi" genannt (Gal. 4, 6; Röm. 8, 9; Phil. 1, 19; 1. Petr. 1, 11). In der Regel heißt er einfach der „Geist Gottes", was dann an einer Reihe von Stellen als der „Geist des Vaters" verstanden werden muß. Aber irgendeine Inkongruenz zwischen Christus und dem Geist dürfte sich nirgends nachweisen lassen, sondern wieder dürfte das Johannesevangelium den Sinn des ganzen Neuen Testamentes wiedergeben, wenn es Jesus vom Geist sagen läßt: ἐκεῖνος μαρτυρήσει περὶ ἐμοῦ (Joh. 15, 26), οὐ γὰρ λαλήσει ἀφ' ἑαυτοῦ ἀλλ' ὅσα ἀκούει λαλήσει καὶ τὰ ἐρχόμενα ἀναγγελεῖ ὑμῖν. ἐκεῖνος ἐμὲ δοξάσει, ὅτι ἐκ τοῦ ἐμοῦ λήμψεται καὶ ἀναγγελεῖ ὑμῖν (Joh. 16, 13 f.).

Man kann die Aussagen über die Bedeutung und Wirkung des Heiligen Geistes in dem Geschehen, das im Neuen Testament Offenbarung heißt, in drei Gruppen bringen.

1. Der Geist verbürgt dem Menschen das, was dieser sich selber nicht verbürgen kann: seine persönliche Teilnahme an der Offenbarung. Die Tat des Heiligen Geistes in der Offenbarung ist das durch Gott selbst für uns, aber nun nicht nur zu uns, sondern in uns gesprochene Ja zu Gottes Wort. Dieses von Gott gesprochene Ja ist der Grund der Zuversicht, in der ein Mensch die Offenbarung verstehen darf als ihn angehend. Dieses Ja ist das Geheimnis des Glaubens, das Geheimnis der Erkenntnis des Wortes Gottes, aber auch das Geheimnis des Gott wohlgefälligen willigen Gehorsams. „Im Heiligen Geist" gibt es das alles beim Menschen: Glaube, Erkenntnis, Gehorsam.

Ἐν τούτῳ γινώσκομεν ὅτι ἐν αὐτῷ μένομεν καὶ αὐτὸς ἐν ἡμῖν, ὅτι ἐκ τοῦ πνεύματος αὐτοῦ δέδωκεν ἡμῖν (1. Joh. 4, 13). Es ist vor allem die spezifisch paulinische Anschauung vom Heiligen Geist, die hier zu beachten ist. Der Geist „wohnt in uns" (Röm. 8, 9, 11), und so ist er die ἀπαρχή (Röm. 8, 23) oder der ἀρραβών (2. Kor. 1, 22; 5, 5; Eph. 1, 14), gleichsam das vorausgeworfene Licht des uns von Gott zukommenden Heils. Wer des Heiligen Geistes teilhaftig ist, der hat „geschmeckt" das „gute Wort Gottes und die Kräfte der künftigen Welt" (Hebr. 6, 5 f.). Mit Christus oder mit dem

Worte zusammen bezeugt der Heilige Geist unserem Geiste, daß wir Gottes Kinder sind: αὐτὸ τὸ πνεῦμα συμμαρτυρεῖ τῷ πνεύματι ἡμῶν (Röm. 8, 16). Darum offenbart uns Gott διὰ τοῦ πνεύματος, was er uns offenbaren will: weil der Geist „Alles erforscht", auch τὰ βάθη τοῦ θεοῦ, und weil er, der Geist, das für uns in uns tut (1. Kor. 2, 10). Er „kommt unserer Schwachheit zuvor" (συναντιλαμβάνεται); wir wissen nicht, was rechtes Beten ist, er aber tritt für uns ein (ὑπερεντυγχάνει) mit seinen von uns nicht nachzusprechenden (ἀλαλήτοις) Seufzern, und so und daraufhin: weil hier, ganz abgesehen von unsrem Schwach- oder Starksein, Beten- oder Nichtbetenkönnen, aber in uns etwas Gottgemäßes (κατὰ θεόν) geschieht, hört und erhört Gott unser Gebet (Röm. 8, 26f.). Durch den Heiligen Geist ist die Liebe Gottes (oder: die Liebe zu Gott) ausgegossen in unsere Herzen (Röm. 5, 5). Kurz: weil und sofern er den Heiligen Geist empfängt, ist der Mensch ein Tempel Gottes (1. Kor. 3, 16; 6, 19; 2. Kor. 6, 16), weil und sofern er den Heiligen Geist empfangen hat, darf man ihm auf den Kopf zusagen: das Wort ist dir nahe, in deinem Munde und in deinem Herzen (Röm. 10, 8). Die bei Paulus so häufige Formel ἐν πνεύματι bezeichnet das Denken, Handeln, Reden des Menschen als ein in der Teilnahme an Gottes Offenbarung sich ereignendes. Es ist genau das subjektive Korrelat zu dem denselben Sachverhalt objektiv bezeichnenden ἐν Χριστῷ.

2. Der Geist gibt dem Menschen die Belehrung und Leitung, die er sich selbst nicht geben kann. Hier wird deutlich, was ja auch in dem eben Gesagten zu bedenken ist: der Geist ist nicht und wird nicht identisch mit uns selbst.

Als Begriff der paulinischen Anthropologie sagt πνεῦμα nicht etwa, daß der Heilige Geist ganz oder teilweise, ursprünglich oder nachträglich, zum Wesen des Menschen gehöre, sondern es bezeichnet bestenfalls den Ort (jenseits von σῶμα und ψυχή), wo das Empfangen des Heiligen Geistes Wirklichkeit werden kann (1. Thess. 5, 23).

Er bleibt der schlechthin Andere, Überlegene. Wir können nur darauf achten, welches sein Ja ist zum Worte Gottes, wir können dieses sein Ja nur nachsprechen. Als unser Lehrer und Führer ist er in uns, nicht als eine Kraft, deren Herren wir werden könnten. Er bleibt selber der Herr.

Hierher dürfte in der Hauptsache die johanneische Lehre vom Parakleten gehören. Der Begriff erinnert an den dem Paulus so wichtigen Begriff der Paraklese. Dieser bezeichnet die (deutsch nicht wiederzugebende) Einheit des vom Apostel sozusagen aufzunehmenden und weiterzugebenden „Mahnens" und „Tröstens", das Gott den Seinigen widerfahren läßt (vgl. z. B. 2. Kor. 1, 3 f.). Das ist's, was Jesus nach dem Johannesevangelium als das besondere Werk des Heiligen Geistes in Aussicht stellt. Der Geist als der Paraklet ist der „Geist der Wahrheit" (Joh. 14, 17; 15, 26; 16, 13). Ἐκεῖνος ὑμᾶς διδάξει πάντα καὶ ὑπομνήσει ὑμᾶς πάντα ἃ εἶπον ὑμῖν ἐγώ (Joh. 14, 26). Ὁδηγήσει ὑμᾶς εἰς τὴν ἀλήθειαν πᾶσαν (Joh. 16, 13). Identisch mit dem Parakleten und also mit dem Heiligen Geist ist wohl auch das, was im 1. Johannesbrief (aber auch 2. Kor. 1, 21) das Chrisma genannt wird, von dem es ebenfalls heißt: Ἔχετε ἀπὸ τοῦ ἁγίου καὶ οἴδατε πάντες (1. Joh. 2, 20). „Ihr habt nicht nötig, daß Jemand euch belehre, sondern wie sein Chrisma euch belehrt in allen Dingen, so ist es in Wahrheit und ohne Lüge"(ib. 2, 27). Hierher gehört aber auch, daß Paulus dem Geist ein ἄγειν bzw. den Glaubenden ein ἄγεσθαι durch den Geist zuschreibt (Gal. 5, 18; Röm. 8, 14), wozu die merkwürdig direkten Weisungen zu vergleichen sind, in denen dieses ἄγειν besonders nach der Apostelgeschichte (vgl. z. B. Act. 8, 29; 10, 19; 13, 2; 16, 6 u. ö.) konkret werden kann.

1. Gott der Erlöser

Auf dieser ganzen Linie ist der Geist offenbar weniger die Wirklichkeit, in der Gott uns seiner selbst versichert als umgekehrt die Wirklichkeit, in der er sich unserer versichert, in der er in unmittelbarer Gegenwärtigkeit seinen Herrschaftsanspruch auf uns geltend macht und durchführt.

3. Exegetisch sehr dunkel und sachlich sicher geradezu zentral wichtig ist dies, daß der Geist die große, die einzige Möglichkeit ist, kraft welcher Menschen so von Christus reden können, daß ihr Reden Zeugnis, daß also die Offenbarung Gottes in Christus durch ihr Reden aufs neue aktuell wird. Hat jenes Eintreten Gottes für sich bei uns in dem doppelten Sinne, in dem wir es uns eben veranschaulicht haben, als Wirkung des Heiligen Geistes eine selbständige Bedeutung neben dem, daß der Mensch durch den Heiligen Geist ein wirklicher Sprecher und Verkündiger wirklichen Zeugnisses und so des wirklichen Wortes Gottes werden soll und kann? Zielt die neutestamentliche Lehre vom Heiligen Geist nicht über alles das, was der Geist für den Glaubenden in seinem persönlichen Verhältnis zu Gott bedeuten kann, hinaus auf das hin, was im Glaubenden und durch den Glaubenden in der Kraft des Geistes für Gott, d. h. im Dienste Gottes geschehen soll? Ist nicht das Verhältnis von Geist und Kirche bzw. das Verhältnis zwischen dem Geist und dem zu vollstreckenden Willen des Herrn der Kirche das beherrschende und alle übrigen bestimmende?

Eine Pfingstpredigt ist jedenfalls keine Auslegung von Act. 2, 1—14, wenn sie nicht beachtet und zur Geltung bringt: die Ausgießung des Heiligen Geistes, von der in diesem Texte die Rede ist, besteht höchst konkret darin, daß sich zerteilende „Zungen" sichtbar werden und daß die Jünger auf die „es" sich niederließ „in andern Zungen" zu reden beginnen: καθὼς τὸ πνεῦμα ἐδίδου ἀποφθέγγεσθαι αὐτοῖς. (Wiederholungen dieses Geschehens werden Act. 10, 46 und 19, 6 erwähnt.) Und die zweite Wirkung dieses Pfingstwunders besteht darin, daß die anwesenden Angehörigen aller möglichen fernen und nahen Völker γενομένης τῆς φωνῆς ταύτης die Jünger in ihren eigenen Sprachen aussprechen hören τὰ μεγαλεῖα τοῦ θεοῦ (Act. 2, 7 f.). Von diesem Reden der Jünger und von diesem Hören der Parther, Meder und Elamiter usw. müßte eine Pfingstpredigt reden, die Auslegung von Act. 2, 1 f. sein wollte: auch der Nachdruck der Act. 2, 14 f. folgenden Petrusrede, sofern sie nicht in der Darlegung des Kerygmas selber besteht, liegt schlechterdings darin, daß das Geschehene erklärt wird als die Erfüllung der Joel-Weissagung von der Ausgießung des Geistes über alles Fleisch, die darin bestehen wird, daß Menschen — Männer und Frauen wird auffallend stark betont — eben „weissagen" werden. Das ist's, was zu Pfingsten erfüllt ist. Es gibt jetzt dem Herrn Jesus gegenüber, gewiß ihm schlechterdings untergeordnet, aber als ein von ihm selbst unterschiedenes Moment der Wirklichkeit seiner Offenbarung: einen Apostolat, zum Zeugnis von ihm beauftragte, bevollmächtigte und befähigte Menschen, deren menschliches Wort von allerlei Volk als Verkündigung der „großen Taten Gottes" vernommen werden kann. Das schafft der Heilige Geist. Die schwere exegetische Frage an dieser Stelle besteht darin, wie sich diese Gabe der „Zungen" von Pfingsten zu dem verhält, was 1. Kor. 12 und 14 unter demselben Namen als eine besondere Gabe einzelner Glieder der christlichen Gemeinde von Paulus sehr ernst genommen und geschätzt, aber auch sehr zurückhaltend, ja kritisch besprochen wird. Wir haben dieser Frage hier nicht nachzugehen. Sicher ist, daß das, was Paulus dort unter diesem Namen kennt, die zentrale Bedeutung für ihn selbst und nach seiner Einsicht auch für die Gemeinde n i c h t hat, wie das, was Act. 2 berichtet wird. Aber ebenso sicher ist, daß das, was dem Bericht von Act. 2 zentrale Bedeutung gibt, die Beauftragung, Bevollmächtigung und Ausrüstung des Apostolates auch für ihn — und zwar auch für ihn als Werk des Heiligen Geistes — die Voraussetzung seiner Tätigkeit und Botschaft ist. Πρὸς φωτισμὸν τῆς γνώσεως τῆς δόξης τοῦ θεοῦ ἐν προσώπῳ Χριστοῦ ließ Gott es in unseren Herzen hell werden wie am ersten Schöpfungstag (2 Kor. 4, 6). „Ihr werdet die Kraft des auf euch herabkommenden Heiligen Geistes empfangen und werdet m e i n e Z e u g e n sein", sagt Act. 1, 8 der Auferstandene zu seinen Jüngern. Dieselbe Zusammenstellung von πνεῦμα und μαρτυρεῖν finden wir Joh. 16, 26: Der Geist wird euch zeugen von mir und auch ihr werdet zeugen! Wiederum lautet ein Jesuswort: Die Jünger sollten nicht sorgen, was sie in der Stunde der Anfechtung zu ihrer Verantwortung sagen sollten: was ihnen dann gegeben werde, d a s sollten sie sagen. Οὐ γάρ ἐστε ὑμεῖς οἱ λαλοῦντες ἀλλὰ τὸ πνεῦμα τὸ ἅγιον (Mc. 13, 11 u. Par., Luc. 12, 12 in der Abwandlung: der Heilige Geist διδάξει ὑμᾶς ... ἃ δεῖ εἰπεῖν).

Der Heilige Geist ist die Befähigung zum Sprechen von Christus; er ist die Ausrüstung des Propheten und des Apostels, er ist die Berufung der Kirche zum Dienst des Wortes. Sofern Alles, worin diese Befähigung, Ausrüstung und Berufung besteht — davon war unter Punkt 1 und 2 die Rede — auf dieses Ziel hingerichtet ist, sofern es keine Privatsache, sondern nur eine Sache der K i r c h e oder vielmehr: des H e r r n der Kirche sein kann, wenn es Einzelne gibt, denen der Geist verbürgt, daß Gottes Offenbarung sie angeht, Einzelne, die der Geist treibt — insofern wird man diese an dritter Stelle genannte Wirkung des Geistes die entscheidende nennen dürfen. Fragen wir nach dem „Sinn" des Geistes (τὸ φρόνημα τοῦ πνεύματος Röm. 8, 27) so werden wir antworten müssen: er besteht darin, daß er die Gabe des Sprechens von den „großen Taten Gottes" ist. Fragen wir aber, was das heißt, diese Gabe zu empfangen und zu besitzen, dann werden wir die Antwort doch immer wieder aus den beiden ersten Bestimmungen unseres Begriffs ablesen müssen.

Im Leitsatz ist das Wesen und das Werk des Heiligen Geistes in der Offenbarung umschrieben mit den beiden auf biblische Aussagen anspielenden Wendungen: Er ist der „Herr, der uns frei macht" und: „durch dessen Empfang wir Kinder Gottes werden". Man darf nämlich gerade diese beiden Wendungen als Zusammenfassung dessen in Anspruch nehmen, was wir dem Zeugnis der Heiligen Schrift vom Wesen des Geistes als Moment der Offenbarung Gottes in Jesus Christus zu entnehmen haben.

Der Begriff F r e i h e i t sagt zunächst formal: es handelt sich, wenn die Schrift vom Heiligen Geist als Moment der Offenbarung redet, um ein Können, ein Vermögen, eine Fähigkeit, die dem Menschen als dem Adressaten der Offenbarung beigelegt wird, die ihn zum wirklichen E m p f ä n g e r der Offenbarung macht. Das ist ja das Problem, vor das

1. Gott der Erlöser

wir uns gestellt sahen: wie kann der Mensch glauben? Wie wird der *homo peccator capax verbi divini*? Die Antwort des Neuen Testamentes lautet: es ist der Heilige Geist, der ihn dazu und zu dem Dienst, in den er damit gestellt ist, frei macht.

Christus hat uns zur „Freiheit befreit", lesen wir Gal. 5, 1. Der Begriff steht dort und er steht auf der ganzen Linie zweifellos im Gegensatz zu dem Begriff der in Christus überwundenen Knechtschaft. Diese Knechtschaft besteht zunächst — aber doch nur zunächst — in dem Gebundensein der Menschen an ein menschlich mißverstandenes und mißbrauchtes Gottesgesetz, an ein Gesetz, dem der Mensch göttliche Autorität zuschreibt und dem gerecht zu werden er sich bemüht, obwohl er doch tatsächlich die Stimme des gebietenden Gottes in ihm nicht erkennt, obwohl er weit davon entfernt ist, es sich zur wirklichen Offenbarung dienen zu lassen. Aber das Wesen und der Fluch dieser Knechtschaft liegt tiefer: weil der Mensch so gebunden ist, darum ist er unfähig, unfrei, wirkliche Offenbarung zu vernehmen. Man muß es wohl auch umgekehrt sagen: weil er unfrei ist für wirkliche Offenbarung, darum ist er so gebunden. Jedenfalls: er steht, scheinbar, aber auch nur scheinbar an Gott glaubend, auf ihn hörend und beflissen ihm zu dienen, dem lebendigen Gott ohnmächtig gegenüber, nämlich ohnmächtig, ihn wie er ist zu erkennen und ihm so wie er es haben will zu gehorchen. Die Freiheit, zu der uns Christus befreit, kann also nicht etwa nur in der Freiheit von jener Bindung, sie muß auch und sie muß entscheidend in der Freiheit von jenem Nichtkönnen, von jener Ohnmacht bestehen, in der Freiheit für die wirkliche Offenbarung Gottes. Das bestätigt uns ein Blick auf den wichtigen Zusammenhang Joh. 8, 30—59: Die Juden meinen als Abrahams Volk frei zu sein (v. 33). Jesus streitet es ihnen ab: „Wer Sünde tut, der ist der Sünde Knecht" (v. 34), also unfrei. Warum und inwiefern? „Wenn euch der Sohn frei machte, dann würdet ihr recht frei sein" (v. 36). Aber eben das ist unmöglich! Das ist ihre Sünde, daß das Wort Jesu keine Stätte bei ihnen findet (οὐ χωρεῖ ἐν ὑμῖν, v. 37), daß sie es nicht hören können (οὐ δύνασθε ἀκούειν v. 43). „Wer aus Gott ist, der hört die Worte Gottes; darum hört ihr nicht aus Gott seid" (v. 47). Unmöglich kann also die Freiheit, zu der der Sohn (v. 36), zu der die Wahrheit (v. 32) frei macht, bloß die Negation der (in diesem Zusammenhang kaum erwähnten) falschen Bindung bedeuten. So verstanden würde die Freiheit wohl sofort als „Vorwand, dem Fleisch seinen Lauf zu lassen" (Gal. 5, 13), als „Decke der Bosheit" (1. Petr. 2, 16) dienen müssen. So verstanden wäre sie offenbar nichts Anderes als neue Unfreiheit. Die wirklich Freien sind vielmehr frei als Knechte Gottes (1. Petr. 2, 16). Es ist nicht ausgeschlossen, daß das Paradoxon 1. Kor. 7, 22: von dem christlichen Sklaven, der auf Grund seiner Berufung ein Freigelassener des Herrn und von dem christlichen Freigeborenen, der ebenfalls auf Grund seiner Berufung ein Sklave Christi ist, neben seinem nächsten Sinn auch in diese Richtung weist. Sicher ist, daß die Freiheit, die nach 2. Kor. 3, 17 da ist, wo der Herr, der Geist ist, exklusiv die Freiheit bezeichnet, sich im Unterschied zu den Juden, denen das Angesicht Gottes, obwohl und indem sie die heiligen Texte lesen, verborgen bleibt, zum Herrn, zu Gott, zu bekehren. Und ebenso eindeutig ist das „Gesetz der Freiheit", von dem Jac. 1, 25; 2, 12 die Rede ist, die dem Gesetz der Juden gerade entgegengesetzte aber eben positiv entgegengesetzte Ordnung, unter der der Mensch steht, der nicht nur ein Hörer, sondern ein Täter — und das heißt bei Jakobus kein vergeßlicher, kein bloß vermeintlicher, sondern ein wirklicher, ein in der Tat seines Lebens, ein in seiner Existenz beanspruchter Hörer des Wortes Gottes ist. Wer dessen fähig ist, ein solcher Täter, d. h. ein solcher wirklicher Hörer des Wortes zu sein, der ist frei im neutestamentlichen Sinn dieses Begriffs. Es handelt sich nicht um irgendeine Freiheit, um irgendein So- oder auch Anderskönnen. Es handelt sich — entsprechend jener Freiheit Gottes selbst: seiner Freiheit, sich selbst, Gott zu sein — um die Freiheit des Menschen für Gott, um die „herrliche

Freiheit der Kinder Gottes" (Röm. 8, 21), die *analogia fidei* jener göttlichen Freiheit, die allein wirklich Freiheit zu heißen verdient. Das ist die formale Zusammenfassung der Wirkung des Geistes in Gottes Offenbarung: seine Wirkung besteht in der Freiheit, nämlich in der Freiheit, einen Herrn, diesen Herrn, Gott, zum Herrn zu haben.

Demgegenüber sagt nun der Begriff der Gotteskindschaft inhaltlich: es handelt sich, wenn die Schrift vom Heiligen Geist als Moment der Offenbarung redet, um ein Sein desjenigen Menschen, dem jenes Können, jene Freiheit, eigen ist. Solche Menschen sind das, was sie können. Sie können das, was sie sind. So und darum sind sie wirkliche Empfänger der Offenbarung, können sie glauben. Nochmals: wie wird der *homo peccator capax verbi divini?* Die zweite (die erste umfassende) Antwort muß jetzt lauten: er wird es nicht zuerst, um es dann zu sein, sondern er ist es, und so, auf Grund dieses Seins, wird er es. Er ist Gottes Kind. Als solches ist er frei, kann er glauben. Und er ist Gottes Kind, indem er den Heiligen Geist empfängt. Man kann und muß es auch umgekehrt sagen: er empfängt den Heiligen Geist, indem er Gottes Kind ist. Jedenfalls: in diesem Empfangen des Heiligen Geistes ist er, was er an sich und von sich aus nicht sein kann: einer, der zu Gott gehört, wie ein Kind zu seinem Vater, einer, der Gott kennt, wie ein Kind seinen Vater kennt, einer, für den Gott da ist, wie ein Vater für sein Kind da ist. Das ist die zweite, die sachliche Zusammenfassung der Wirkungen des Heiligen Geistes in Gottes Offenbarung.

Die Freiheit für Gott, so wiederholen wir zunächst in Anknüpfung an unsere formale Bestimmung des Sachverhaltes, ist die Freiheit der Kinder Gottes (Röm. 8, 21). Selbstverständlich kann der neutestamentliche Begriff der Gotteskindschaft in keinem Sinn konkurrieren mit dem Begriff der Gottessohnschaft Jesu Christi. Er ist vielmehr von diesem schlechterdings abhängig. Die Kirchenväter haben unterschieden: Jesus Christus ist *Filius Dei natura*, die Glaubenden sind *filii Dei adoptione*. Sie können es darum *adoptione* sein, weil Jesus Christus es *natura* ist. Weil der Versöhner der Sohn Gottes ist, darum besteht die Versöhnung, die Offenbarung, für ihre Empfänger darin, daß auch sie, in dem unaufhebbaren Unterschied der Begnadigten von dem, der sie begnadigt, Söhne Gottes sind, daß Gott auch für sie da ist, wie ein Vater für sein Kind da ist. „Der Mensch kann sich nichts nehmen, es werde ihm denn gegeben vom Himmel herab" (Joh. 3, 27). Das gilt nicht für die Gottessohnschaft Jesu Christi, das gilt aber für die Gotteskindschaft der an ihn Glaubenden. „Durch den Glauben, in Christus Jesus, seid ihr Söhne Gottes, daraufhin, daß ihr auf Christus getauft seid und (als solche) Christus angezogen habt" (Gal. 3, 26f.). Der Mensch muß, um Gottes Kind zu sein, berufen sein zu der κοινωνία τοῦ υἱοῦ αὐτοῦ Ἰησοῦ Χριστοῦ (1. Kor. 1, 9). Er muß „gezeugt werden durch das Wort der Wahrheit" (Jac. 1, 18) und es ist „die gute Gabe", die ihm schlechterdings „von oben" zukommt, wenn das Ereignis wird (Jac. 1, 17). Es ist geradezu eine „Geburt von oben" (Joh. 3, 3), von seiner natürlichen Geburt absolut verschieden, beruhend auf der ἐξουσία, die der Logos selbst ihm geben muß, kraft welcher er Gottes Kind ist. Aber das Alles bedeutet keine Einschränkung, sondern vielmehr eine Unterstreichung der immer wieder auftauchenden Indikative, in denen das Neue Testament von den Glaubenden sagt: sie sind (Röm. 8, 14), wir sind (Röm. 8, 16), wir heißen und sind (1. Joh. 3, 1), wir sind jetzt (1. Joh. 3, 2), ihr seid (Gal. 4, 6), ja sogar: ihr Alle seid (Gal. 3, 26) — Söhne, Kinder Gottes und darum nicht

1. Gott der Erlöser

Knechte (Gal. 4, 7), die nur zeitweilig zum Hause gehören (Joh. 8, 35), sondern Erben (Röm. 8, 17; Gal. 4, 7), nicht Ismael sondern Isaak (Gal. 4, 30f.), nicht „Gäste und Fremdlinge" sondern „Mitbürger der Heiligen und Gottes Hausgenossen" (Eph. 2, 19). Ein solches Kind Gottes sein und den Heiligen Geist empfangen, das ist eins und dasselbe. Der Heilige Geist ist τὸ πνεῦμα τοῦ υἱοῦ (Gal. 4, 6) und darum das πνεῦμα υἱοθεσίας (Röm. 8, 15).

Worin zeigt er sich als solcher? Paulus nennt an entscheidender Stelle nur Eines, in dem für ihn offenbar Alles enthalten ist: im Heiligen Geist und also als Kinder Gottes schreien wir, κράζομεν: Ἀββά, ὁ πατήρ (Röm. 8, 15; Gal. 4, 6). Es ist merkwürdiger- aber sicher nicht zufälligerweise derselbe Ruf, den die evangelische Geschichte (Mc. 14, 36) dem betenden Jesus in Gethsemane in den Mund legt. So also, in dieser Gestalt, ist der Sohn Gottes der Prototyp der Sohnschaft der Glaubenden. Diesen Christus haben die Kinder Gottes „angezogen". Dieses Kind, der sündige Mensch, kann diesem Vater, dem heiligen Gott, nicht anderswo als Kind dem Vater begegnen als dort, wo der eingeborene Sohn Gottes seine Sünde getragen und hinweggetragen hat. Daß der Mensch mit dem Sohne Gottes dorthin gestellt ist, darin besteht zwar nicht seine Versöhnung — die Versöhnung besteht in dem, was der Sohn Gottes für uns getan und gelitten hat — aber darin wird die Versöhnung an ihm vollstreckt, darin besteht seine Teilnahme an der in Christus geschehenen Versöhnung. Das heißt den Heiligen Geist haben. Den Heiligen Geist haben heißt: mit Christus in jene Wende vom Tode zum Leben gestellt sein. Die Gestalt eines wirklichen Empfängers der Offenbarung Gottes, die Gestalt, die seinem Denken, Wollen und Reden das Gesetz gibt, wird also immer die Gestalt des Todes Christi sein (Röm. 6, 5; Phil. 3, 10). Und so wird auch seine Freiheit, sein Können, sein Vermögen für Gott, nicht anders zu verstehen sein, denn als Kraft der Auferstehung Christi, nicht als eine ihm eigene und immanente, sondern als eine ihm von Gott her zukommende, eine ebenso unverfügbare wie uneinsichtige, eine nur als faktisch, und zwar nur als Faktum Gottes zu verstehende Freiheit. In diesem Faktum versichert uns Gott seiner und versichert er sich unserer und lehrt er uns, was wir sagen sollen als seine Zeugen. Alle Aussagen über den Heiligen Geist können sich ebensowohl wie alle Aussagen über den Sohn Gottes nur auf dieses göttliche Faktum beziehen. Von ihm aus sind sie wie im Neuen Testament selbst so auch für uns verständlich oder nicht verständlich.

Man vergleiche zu dem hier Ausgeführten die Äußerungen Luthers zu Gal. 4, 6f. (W. A. 40[1] S. 579—597): Er nennt das „Abba Vater!" den Schrei des Heiligen Geistes in unseren Herzen mitten in der schwersten, der völligen Ohnmacht und Verzweiflung dieses unseres Herzens angesichts seiner radikalen Sündigkeit, angesichts seines Zweifelns auch an Gottes Huld, angesichts der Anklage des Teufels: *Tu es peccator!* angesichts des Zornes Gottes, der uns mit ewiger Verdammnis bedroht, in der Anfechtung, in der es keine Erfahrung von der Gegenwart und Hilfe Christi gibt, wo vielmehr auch Christus uns zu zürnen scheint, wo man sich nur an das *nudum verbum* hängen kann. Da ertönt jener Schrei, dringt durch die Wolken, erfüllt Himmel und Erde, ertönt so laut, daß die Engel, indem sie ihn hören, meinen, vorher überhaupt noch nie etwas gehört zu haben, also daß Gott selbst in der ganzen Welt nichts Anderes hört als eben diesen Ton. Und doch ist er *quantum ad sensum nostrum attinet* ein geringfügiger Seufzer, in welchem wir selbst diesen Schrei des Geistes gar nicht hören. Sondern was wir erfahren, das ist die Versuchung, was wir hören, sind die Stimmen, und was wir sehen, ist das Angesicht der Hölle. Wollten wir uns jetzt unserer Erfahrung anvertrauen, dann könnten wir uns nur verloren geben. Da und so ist — das verstehen freilich die nicht, die *speculative tantum* vom Heiligen Geist reden wie die Papisten und die Schwärmer — Christus allmächtig, regierend und triumphierend in uns. Das Wort, nein jenes unscheinbare Seufzerlein (*gemitulus*) jener *affectus*, in dem wir nur noch trotz Allem und ohne irgendeinen Erfahrungsgrund dafür zu haben: Vater! sagen können, dieses Wort wird jetzt so beredsam wie kein

§ 12. *Gott der heilige Geist*

Cicero oder Virgil. Merkwürdig genug: gerade an dieser Stelle (a. a. O. S. 586 Z. 13 bzw. 29) holt Luther zum stärksten Schlag aus gegen den *pestilens error* der katholischen Lehre, daß es im Diesseits keine wirkliche und unerschütterliche Gewißheit der Gnade Gottes gebe. Wann und wo gibt es solche Gewißheit? Sicher nicht im Blick auf uns selbst, aber im Blick auf die *promissio et veritas Dei, quae fallere non potest. Aversis oculis a lege, operibus, sensu et conscientia* wird diese Gewißheit Ereignis als Ergreifen der göttlichen Verheißung. Die Verheißung bringt uns diese Gewißheit, sofern sie uns die Möglichkeit eben jenes Schreiens Abba Vater! bringt, das in unserem Munde und Herzen das Kleinste, vor Gott das Größte, das Eine ist als Schreien seines eigenen Geistes in uns. *Tum certo definitum est in coelo, quod non sit amplius servitus sed mera libertas, adoptio et filiatio. Quis parit eam? Iste gemitus.* Das geschieht aber, indem ich Gottes Verheißung annehme. Und daß ich Gottes Verheißung annehme, *hoc fit, cum isto gemitu clamo et respondeo corde filiali isti voci: Pater. Ibi tum conveniunt pater et filius* (S. 593 Z. 18). Aber: *quanta magnitudo et gloria huius doni sit, humana mens ne quidem concipere potest in hac vita, multo minus eloqui. Interim in aenigmate cernimus hoc, Habemus istum gemitulum et exiguam fidem, quae solo auditu et sono vocis promittentis Christi nititur. Ideo quoad sensum nostrum res ista centrum, in se autem maxima et infinita sphera est. Sic Christianus habet rem in se maximam et infinitam, in suo autem conspectu et sensu minimam et finitissimam, Ideo istam rem metiri debemus non humana ratione et sensu, sed alio circulo, scilicet promissione dei, Qui ut infinitus est, ita et promissio ipsius infinita est, utcunque interim in has angustias et, ut ita dicam, in verbum centrale inclusa sit. Videmus igitur iam centrum, olim videbimus etiam circumferentiam* (S. 596, Z. 16).

In dem bisher Gesagten ist nun bereits ausgesprochen: der Heilige Geist ist nach dem Zeugnis der Schrift nicht weniger und nichts Anderes als **Gott selber** — unterschieden von dem, den Jesus seinen Vater nennt, unterschieden auch von Jesus selber, aber nicht weniger als der Vater und nicht weniger als Jesus Gott selber, ganz Gott.

Wir erinnern uns nochmals an 2. Kor. 3, 17: ὁ κύριος τὸ πνεῦμα, der Herr ist der Geist. Wir denken an das berühmte: πνεῦμα ὁ θεός, Gott ist Geist (Joh. 4, 24). In beiden Stellen ist die Umkehrung: der Geist ist der Herr, der Geist ist Gott zwar nicht in den betreffenden Zusammenhängen, wohl aber als Konsequenz aus dem, was gesagt wird, nicht nur erlaubt, sondern geboten. Dieselbe Gleichung ist vorausgesetzt Act. 5, 3f., wo dem Ananias vorgeworfen wird, gegen den Heiligen Geist gelogen zu haben und wo es unmittelbar darauf heißt: οὐκ ἐψεύσω ἀνθρώποις ἀλλὰ τῷ θεῷ; wie es denn auch unmöglich nach Mc. 3, 28f. — was auch darunter verstanden sein möge — eine Lästerung des Heiligen Geistes geben könnte, die den Menschen einer unvergebbaren, ewigen Sünde schuldig macht, wenn der Geist weniger, wenn er etwas Anderes als Gott selbst wäre.

Daß nicht nur diese und ähnliche Stellen, sondern daß die ganze neutestamentliche Lehre vom **Wirken** des Geistes die **Gottheit** seines Wesens impliziert, das kann eigentlich nur dann bestritten werden, wenn man zuvor wegexegesiert hat, daß die neutestamentliche Gemeinde mit dem Ἰησοῦς Κύριος ihren Glauben an Jesus Christus als an Gott selber bekannt habe. Ist der Christus des Neuen Testamentes ein Halbgott von oben oder von unten, dann wird freilich der Glaube an ihn zu einer menschlichen Möglichkeit. Dann kann man ihn, wie außerordentlich er als Phänomen immerhin sein mag, erklären als zustande gekommen auf Grund

1. Gott der Erlöser

gewisser verfügbarer und einsichtiger Gründe und Voraussetzungen. Dann bedarf es der Gottheit des Heiligen Geistes, der diesen Glauben schafft, in der Tat auch nicht. Dann kann der Name „Heiliger Geist" gut und gerne ein bloßer Name für eine besonders tiefe, ernste und lebendige Wahrheitsüberzeugung oder Gewissenserfahrung sein und kann dann auch wohl bei der Beschreibung dessen, was den Glauben nach dem Neuen Testament begründet, ruhig überhaupt verschwiegen werden.

Man kann dann das Erlebnis und die Reflexion der zum Glauben kommenden heidnischen Zeitgenossen der Urgemeinde etwa mit Karl Holl so beschreiben: „Dieser Gottesgedanke Jesu (gemeint ist der Gedanke des zuerst und grundlegend vergebenden und dann und daraufhin erst fordernden Gottes), der allem natürlichen religiösen Empfinden so schroff zuwiderlief, besaß doch seine verborgene, seine unwiderstehliche Kraft. Er bohrte sich tiefer ein als jeder andere Gottesbegriff. Denn er redete zum Gewissen. War es nicht überzeugend, daß der zu Gott emporstrebte, seinen Maßstab nicht an menschlicher Anständigkeit oder Heldenhaftigkeit, sondern am Unbedingten, an Gottes eigenem sittlichen Wesen, an dessen Güte nehmen müßte? Aber wer es ernsthaft damit versuchte, dem zerging, ohne daß er es wollte, der Unterschied zwischen Gerechten und Ungerechten, zwischen Reinen und Unreinen. Der feierliche Eingangsspruch der Mysterien: ‚wer wohl und gerecht gelebt hat' wurde zur Oberflächlichkeit. Dafür empfing das γνῶθι σεαυτόν jetzt seine volle Schärfe.... Aus der Tiefe solcher Selbstbesinnung erwuchs dann ein Verständnis für den Gottesgedanken Jesu. War es nicht wirklich so, daß der Gott, von dessen Gaben der Mensch doch lebte, immer den Menschen mit verzeihender Güte trug? Nur daß der Mensch sich dessen nicht bewußt geworden war. Und war der Gott, der das Herz des Menschen suchte, der auch den Verlorenen wiederzugewinnen wußte, in solcher Liebe nicht größer, heiliger, machtvoller als alle Götter des hohen Olymp? So fügte sich Alles zu einem geschlossenen Sinn zusammen. Wer ihn faßte, hatte das Gefühl, als ob er aus einem Traum erwacht wäre; die Kühnheit, das Unerhörte, oder wie man heute mit dem abgehetzten Schlagwort sagt: das ‚Irrationale' der Predigt Jesu allein hätte es nicht getan. Was bloß irrational ist, übt höchstens die beschränkte und vorübergehende Anziehung des kraftvoll Eigenwilligen. Aber daß das Irrationale hier einen einleuchtenden Sinn ergab, daß das, was dem gesunden Menschenverstand vor den Kopf stieß, den Nachdenklichen sich als die Offenbarung einer tieferen, einer überzeugenden Wahrheit über Gott und den Menschen bekundete — dies ist das Sieghafte im Christentum gewesen." (Urchristentum u. Religionsgesch. Ges.Aufs. z. KGesch. 2. Bd., 1928, S. 18.) — Man vergleiche diese als Exegese des Neuen Testamentes sich gebende Analyse Holls mit Röm. 8, 16f., Gal. 4, 6f. und der Lutherschen Erklärung dazu. Daß hier und dort mit verschiedenen Worten dasselbe gesagt sei, das wird man ja gewiß nicht behaupten wollen. Nein, hier ist offenbar genau an die Stelle des Heiligen Geistes das Unterscheidungs- und Urteilsvermögen des Menschen getreten, vermittels dessen sich ihm der Gottesgedanke Jesu „einbohren" kann wie jeder andere Gottesbegriff, wenn er es auch tiefer tut als jeder andere — kraft dessen er sich, wie aus einem Traum erwachend, in tiefer Selbstbesinnung dessen bewußt werden kann, wessen er sich bis jetzt nicht bewußt gewesen war, kraft dessen er das ihm zunächst Anstößige nun doch als einleuchtend sinnvoll feststellen, kraft dessen er sich mit einem Wort von der in Jesu Gottesgedanken ausgesprochenen „Wahrheit über Gott und den Menschen" überzeugen kann. Hier wird nicht mit dem unendlichen Zirkel der göttlichen Verheißung, sondern durchaus *humana ratione et sensu* gemessen. Hier besteht „das Sieghafte im Christentum" nicht darin, daß Christus in der Ohnmacht des Menschen mächtig ist, nicht in dem Zentrum ohne sichtbare und erfahrbare Peripherie, sondern darin, daß Christus oder vielmehr Jesu „Gottesgedanke" einen dem Menschen oder wenigstens den „Nachdenklichen" einleuchtenden „geschlossenen Sinn" hat. Hier braucht das Wort „Heiliger Geist" nicht zu fallen und erst recht die Lehre von der Gottheit des Geistes gewiß nicht vertreten zu werden. Offenbar darum muß das Neue Testament hier so gelesen werden, weil es auch dort, wo es von Christus redet, so verstanden ist, als rede es von dem Träger eines besonderen, den Menschen zwar nicht bewußten, aber eigentlich einsichtigen Gottesgedankens, dem Träger der tiefen überzeugenden Wahrheit, daß das Verhältnis von Vergebung und Forderung dem gesunden Menschenverstand (d. h. der oberflächlichen griechischen Selbsterkenntnis!) zuwider gerade das Umgekehrte sei als üblicherweise angenommen.

Wenn wir jetzt voraussetzen dürfen, daß dies keine haltbare Exegese der neutestamentlichen Christologie ist, dann ist auch die Umdeutung der neutestamentlichen Geistlehre in eine Lehre von einer ganz tiefen, ganz gewissenhaften Wahrheitsüberzeugung nicht haltbar. Denn wenn es bei den Menschen des Neuen Testamentes so steht, daß die Göttlichkeit Jesu Christi ihnen nicht auf Grund ihres Erkennens und Wählens, sondern auf Grund ihres Erkannt- und Erwähltwerdens (nicht als Ergebnis sondern als Anfang ihres Denkens über ihn) einsichtig wurde, dann kann der Glaube oder der Grund des Glaubens dieser Menschen nicht als ein ihnen selbst leider verborgenes Vermögen, das Entstehen des Glaubens formal nicht als das Erwachen aus einem Traum und inhaltlich nicht als eine Erinnerung daran, wie es im Grunde immer schon war, verstanden werden. Dann gibt es keine religionsgeschichtliche Kategorie des Glaubens, dann kann auch das Gewissen nicht als δός μοι ποῦ στῶ zur Erklärung der Möglichkeit des Glaubens herangezogen werden. Dann ist der Glaube, die neutestamentliche πίστις vielmehr zu verstehen als eine Möglichkeit aus einer Seinsweise Gottes, aus einer Seinsweise, die mit dem im Neuen Testament als Vater und Sohn Bezeichneten auf einer Ebene, in wesensmäßiger Einheit steht.

Im Glauben ist eine „Salbung" oder „Versiegelung" vorausgesetzt, die mit der „gesalbten" oder „versiegelten" Kreatur keine Ähnlichkeit haben kann (Athanasius, *Ep. ad Serap.* I 23; III 3.) Wäre dieses Vorausgesetzte, der Heilige Geist, ein Geschöpf, dann könnte er uns keine μετουσία θεοῦ vermitteln. Wir würden dann, selber Geschöpf, wiederum bloß mit einem Geschöpf zu tun haben, der θεῖα φύσις ferne bleiben. Ist es aber wahr, daß wir durch den Heiligen Geist jener μετουσία gewürdigt werden, müßte man dann nicht rasen, wenn man seine Gottheit leugnen wollte? (*ib.* I 24.) Man kann gegen die hier verwendete Begrifflichkeit gewiß Bedenken haben. Aber kann man deshalb im Zweifel sein, daß hier, im Unterschied zu dem vorhin angeführten modernistisch protestantischen Theologen die richtige Exegese der neutestamentlichen Geistlehre vorliegt? Blicken wir zurück auf die Ergebnisse unserer Analyse der neutestamentlichen Geistlehre, d. h. auf die Prädikate, die wir dem Geist und seinem Wirken in der Offenbarung zugeschrieben gesehen haben, was kann man dann Anderes sagen als: *Spiritus vox hic a creaturae notione plane submovenda est?* (*Syn. pur. Theol.*, Leiden 1624, Disp. 9, 2.)

Das bedeutet nun aber auch, daß die Kreatur, der der Heilige Geist in der Offenbarung mitgeteilt wird, dadurch keineswegs ihr Wesen und ihre Art als Kreatur verliert, um etwa selber Heiliger Geist zu werden.

1. Gott der Erlöser

Auch im Empfang des Heiligen Geistes bleibt der Mensch Mensch, der Sünder Sünder. Und auch in der Ausgießung des Heiligen Geistes bleibt Gott Gott. Die Sätze über die Wirkungen des Heiligen Geistes sind Sätze, deren Subjekt Gott ist und nicht der Mensch, und unter keinen Umständen dürfen sie in Sätze über den Menschen umgedeutet werden. Sie reden von der Beziehung Gottes zum Menschen, zu seinem Wissen, Wollen und Fühlen, zu seinem Erleben und Erfahren, zu seinem Herzen und Gewissen, zu seiner ganzen seelisch-leiblichen Existenz, sie können aber nicht umgekehrt und als Sätze über die Existenz des Menschen verstanden werden. Daß Gott der Heilige Geist der Erlöser ist, der uns frei macht, das ist ein Satz der Erkenntnis und des Lobpreises Gottes. Wir selbst sind laut dieses Satzes: Erlöste, Befreite, Kinder Gottes im Glauben, in dem Glauben, den wir eben mit diesem Satz bekennen, d. h. aber in der Tat Gottes, von der dieser Satz redet. Dieses unser Sein ist also eingeschlossen in die Tat Gottes. Wir können, indem wir diesen Glauben an den Heiligen Geist bekennen, nicht sozusagen zurückblicken und unser in der Tat Gottes eingeschlossenes Sein als erlöste, befreite Kinder Gottes abstrakt betrachten und feststellen wollen. Wir können wohl stark und gewiß sein im Glauben — das ist eben die Tat Gottes, die wir hier bekennen, das Werk des Heiligen Geistes, daß wir das sind — wir können aber nicht an der Betrachtung unserer selbst als der Starken und Gewissen uns noch einmal besonders stärken und vergewissern wollen. Den Heiligen Geist haben heißt Gott und gerade nicht sein eigenes Haben Gottes seine Zuversicht sein lassen. Es liegt im Wesen der Offenbarung und Versöhnung Gottes in der Zeit, es liegt im Wesen des *regnum gratiae*, daß das zweierlei ist: „Gott haben" und unser „Haben Gottes", daß unsere Erlösung kein solches Verhältnis ist, das wir zu überschauen, d. h. das wir nach beiden Seiten, von Gott her und von uns aus zu verstehen vermöchten. Paradox genug: wir können es nur von Gott aus verstehen, d. h. wir können es nur im Glauben als von Gott her gesetzt verstehen. Das ist der Glaube, daß wir es als von dorther gesetzt, und zwar erfüllt und vollstreckt verstehen. Aber eben nicht als von uns her erfüllt und vollstreckt, nicht so, daß wir zugleich uns selbst anschaulich wären in dem Sein, das dieser Erfüllung und Vollstreckung von Gott her entspricht, also in unserem Erlöstsein oder Seligsein oder ewigen Lebendigsein. Wenn wir es auch so verstehen könnten, dann hieße das ja, daß alle Not des Glaubens hinter uns läge. Er müßte dann kein „Dennoch!" mehr sein. Er müßte nicht mehr Gehorsam und Wagnis sein. Er müßte überhaupt nicht mehr Glaube sein. Er wäre Schauen. Denn das hieße doch Schauen, wenn wir überschauen, zusammenschauen könnten, wie das, was von Gott her wahr ist, auch von uns aus wahr ist. Das wäre mehr als Gottes Offenbarung und Versöhnung in der Zeit, das wäre unser Sein mit ihm in der Ewigkeit, im *regnum gloriae*. Wenn wir diesen Unterschied nicht aufheben, dieses Jenseits von Offenbarung und Glauben nicht vorwegnehmen können, dann muß das heißen: wir können die Erlösung, sofern damit mehr als die Tat Gottes, sofern damit unser eigenes Sein behauptet sein soll, nur als zukünftige, d. h. als von Gott her auf uns zukommende verstehen. Wir haben sie im Glauben.

Aber daß wir sie im Glauben haben, das heißt, daß wir sie als Verheißung haben. Wir glauben, daß wir erlöst, befreit, Kinder Gottes sind, d. h. wir nehmen die im Wort Gottes in Jesus Christus ergehende Zusage als solche an, obwohl und indem wir sie in bezug auf unsere Gegenwart im Geringsten nicht verstehen, im Geringsten nicht erfüllt und vollstreckt sehen; wir nehmen sie an, weil sie von einem Tun Gottes an uns redet, obwohl und indem wir nur unsere leeren Hände sehen, die wir dabei Gott entgegenstrecken. Wir glauben unser künftiges Sein, wir glauben an ein ewiges Leben mitten im Tal des Todes. So, in dieser Künftigkeit, haben und besitzen wir es. Die Gewißheit, in der wir um dieses Haben wissen, ist eben Glaubensgewißheit, und Glaubensgewißheit heißt konkret: Hoffnungsgewißheit.

Ἐλπιζομένων ὑπόστασις, πραγμάτων ἔλεγχος οὐ βλεπομένων (Hebr. 11, 1). Darum wird der, wie wir sahen, so wichtige Begriff der Gotteskindschaft besonders von Paulus gern mit dem Begriff des zwar noch nicht angetretenen, aber rechtmäßig in Aussicht stehenden und als solches gewissen Erbes (κληρονομία) erläutert (Röm. 8, 17; Gal. 3, 29; 4, 7; Tit. 3, 7, aber auch Jac. 2, 5). Darum heißt es Gal. 5, 5, daß wir im Geist aus dem Glauben die erhoffte (gerade so in Jesus Christus gegenwärtige!) Gerechtigkeit erwarten (ἐλπίδα δικαιοσύνης ἀπεκδεχόμεθα), darum 2. Kor. 5, 7, daß wir im Glauben wandeln und nicht im Schauen, darum an der nicht genug zu beachtenden Stelle Röm. 8, 23f., daß wir, dieselben (man bemerke das doppelte καὶ αὐτοί), die wir die ἀπαρχὴ τοῦ πνεύματος haben, mit der ganzen Kreatur seufzen in der Erwartung der Sohnschaft, sofern unter Sohnschaft verstanden sein soll die Erfüllung und Vollstreckung der Verheißung, die ἀπολύτρωσις τοῦ σώματος. Τῇ γὰρ ἐλπίδι ἐσώθημεν· ἐλπὶς δὲ βλεπομένη οὐκ ἔστιν ἐλπίς· ὃ γὰρ βλέπει τις, τί καὶ ἐλπίζει; εἰ δὲ ὃ οὐ βλέπομεν ἐλπίζομεν, δι' ὑπομονῆς ἀπεκδεχόμεθα. Gott hat euch wiedergeboren. Wie? Durch die Auferstehung Jesu Christi von den Toten! Wozu? Zu einer lebendigen Hoffnung, nämlich zu dem unvergänglichen, unbefleckten, unverwelklichen Erbe, das euch im Himmel aufbewahrt ist (1. Petr. 1, 3f.). Wir heißen und sind Kinder Gottes, wir sind es jetzt ... und es ist noch nicht erschienen, was wir sein werden. Wir wissen, daß wenn er erscheinen wird, werden wir ihm gleich sein (1. Joh. 3, 1f.). Euer Leben (d. h. eure Errettung) ist verborgen mit Christus in Gott. Wenn Christus, unser Leben, erscheinen wird, dann werdet auch ihr mit ihm in Herrlichkeit erscheinen (Kol. 3, 3f.). Darum ist Abraham der Vater aller Glaubenden: weil er nicht ansah seinen erstorbenen Leib noch den der Sarah, sondern gab Gott die Ehre in der Gewißheit: Was er verheißt, das kann er auch tun! (Röm. 4, 19f.) Darum heißt der Heilige Geist selber πνεῦμα τῆς ἐπαγγελίας (Eph. 1, 13), darum sein Amt an uns unsere Versiegelung εἰς ἡμέραν ἀπολυτρώσεως (Eph. 4, 30, vgl. 1, 14).

Alles, was von dem den Heiligen Geist empfangenden, vom Heiligen Geist getriebenen und erfüllten Menschen zu sagen ist, ist im Sinn des Neuen Testamentes eine eschatologische Aussage. Eschatologisch heißt nicht: uneigentlich, unwirklich gemeint, sondern: bezogen auf das

1. Gott der Erlöser

ἔσχατον, d. h. auf das von uns aus gesehen, für unser Erfahren und Denken noch Ausstehende, auf die ewige Wirklichkeit der göttlichen Erfüllung und Vollstreckung. Gerade und nur eschatologische Aussagen, d. h. Aussagen, die sich auf diese ewige Wirklichkeit beziehen, können als Aussagen über zeitliche Verhältnisse beanspruchen, wirklich und eigentlich gemeint zu sein. Oder wie sollte der Mensch etwas Wirklicheres und Eigentlicheres meinen können als Wahrheit eben in dieser Beziehung?

Das Neue Testament redet eschatologisch, wenn es vom Berufensein, Versöhntsein, Gerechtfertigt-, Geheiligt- und Erlöstsein des Menschen redet. Gerade so redet es wirklich und eigentlich. Man muß verstehen, daß Gott das Maß aller Wirklichkeit und Eigentlichkeit ist, verstehen, daß die Ewigkeit zuerst ist und dann die Zeit und darum die Zukunft zuerst ist und dann die Gegenwart, so gewiß der Schöpfer zuerst ist und dann das Geschöpf. Wer das versteht, der wird hier nicht Anstoß nehmen.

Nicht eschatologisch, d. h. ohne solche Beziehung auf ein Anderes, Jenseitiges, Zukünftiges, kann man nur von Gott selbst, hier: vom Heiligen Geist und seinem Werk als solchem reden. Man kann freilich sagen, daß auch unser Reden von Gott selbst und seinem Werk insofern eschatologisch ist, als unsere Gedanken und Worte als solche ja allesamt diesen Gegenstand nicht erfassen, sondern nur über sich selbst hinaus auf ihn hinweisen können. Aber eben das, auf was da hingewiesen wird, wenn von Gott, seinem Wesen und Werk geredet wird, hat dann selbst keinen Rand und keine Grenze, ist nicht bezogen auf ein ἔσχατον, ist selber das ἔσχατον. Das ist's, was wir vom Menschen, den wir kennen, auch und gerade im Glauben nicht sagen können. Er lebt nicht ewiges Leben. Das ist und bleibt Gottes, des Heiligen Geistes, Prädikat.

Er herrscht über jedes Geschöpf, wird aber nicht beherrscht; er vergöttlicht, wird aber nicht vergöttlicht. Er erfüllt, wird aber nicht erfüllt; er läßt teilnehmen, hat aber nicht teil; er heiligt, wird aber nicht geheiligt (Joh. Damasc., *Ekdos.* I 8).

Von uns aber ist zu sagen: so schenkt sich uns Gott in seiner Offenbarung, daß wir reich in ihm, arm in uns selber sind und bleiben, ja erst recht werden. Beides wird unsere Erfahrung: daß wir reich sind in Gott und daß wir dann und so erst recht arm werden in uns selber. Aber nicht in dem, was wir erfahren, haben wir nun den göttlichen, den geistlichen Reichtum, die göttliche, die geistliche Armut. Was wir erfahren, was sich da quantitativ und qualitativ bei uns verändert, erweitert, entwickelt, auf und nieder, vielleicht auch gradlinig oder in Spiralen vorwärts bewegt, was Gegenstand von Anthropologie, Psychologie, Biographie des gläubigen Menschen werden kann, das ist als menschliches Zeichen dessen, daß Gott sich uns durch seine Offenbarung im Glauben geschenkt hat, zwar gewiß nicht gering zu achten. Es müßte mit merkwürdigen Dingen zugehen, wenn solche Zeichen gar nicht sichtbar werden sollten. Aber auch da wird gelten: „Was sichtbar ist, das ist zeitlich, was aber unsichtbar ist, das ist ewig" (2.Kor. 4, 18). Der Mensch bleibt der Mensch, der sich selbst und andere täuschen kann; das Zeichen bleibt das Zeichen, das wieder vergehen und fallen kann; der Heilige Geist aber bleibt der Heilige Geist, ganz und gar der Geist der Verheißung. Auch und gerade das Kind Gottes im Sinne des Neuen Testamentes wird keinen Augenblick und in keiner Hinsicht aufhören zu bekennen: „Ich glaube, daß ich nicht aus eigener Vernunft noch Kraft an Jesum Christum meinen Herrn glauben oder zu ihm kommen kann!" Gott bleibt der Herr, auch und gerade indem er selbst als seine eigene Gabe in unser Herz kommt, auch und gerade indem er uns „erfüllt". Es tritt kein Anderer für uns ein bei ihm als er selbst. Es tritt auch kein Anderer für ihn ein bei uns als wieder er selbst. Es redet kein Anderer aus uns, indem er durch uns redet, als noch einmal er selbst. „In deinem Lichte sehen wir das Licht" (Ps. 36, 10). So verlangt es die Gottheit des Heiligen Geistes. So verlangt es gerade die Wesentlichkeit, die Direktheit des Werks des Heiligen Geistes. Man greift nicht nach einem Mehr, sondern nach einem Weniger und schließlich nach dem Nichts, wenn man vorbei an dem Unterpfand, das mit Gott selbst identisch ist, nach einem in sich unzweideutigen Erfahren und Erleben, nach einer Garantie der Garantie sozusagen, greifen zu müssen meint, um sich daraufhin zur Gewißheit des Glaubens zu entschließen. Als ob eine Gewißheit, zu der man sich erst entschließen muß, die Gewißheit des Glaubens sein könnte. „Wenn ich nur dich habe, so frage ich nichts nach Himmel und Erde", und weiter: „Wenn mir gleich Leib und Seele verschmachtet, so bist du doch Gott allezeit meines Herzens Trost und mein Teil" (Ps. 73, 25f.). So denkt und redet man ἐν πνεύματι. Während man, nach einem Anderen, nach sich selbst greifend, in sich selbst Trost und Bestätigung suchend, ja nur verrät, daß man noch lange nicht oder schon lange nicht mehr ἐν πνεύματι denkt und redet. Gott in uns können wir nur begreifen, indem wir uns in Gott begreifen. Wie wir freilich uns in Gott nur begreifen können, indem wir Gott in uns begreifen! Gerade ἐν πνεύματι kann und wird man sich so oder so nur von sich selbst zu Gott hin kehren, zu Gott beten, nicht aber Gott betrachten und über Gott verfügen wollen. Wiederum aber betet nur der, der Alles bei Gott sucht. Und wieder sucht nur der Alles bei Gott, der bei sich selber nichts sucht.

Μακρόθεν ἑστώς, seine Augen nicht aufschlagen mögend zum Himmel: Gott sei mir Sünder gnädig! betet der Zöllner im Tempel. Und dieser ging gerechtfertigt hinab in sein Haus (Lc. 18, 10f.). Ist Jesus zu Simon ins Schiff getreten oder nicht? Hat er sein Schiff mit Segen gefüllt oder nicht? Was aber hat Simon dazu zu sagen? „Gehe hinaus von mir, denn ich bin ein sündiger Mensch!" (Lc. 5, 1f.) Es gilt zu verstehen, daß ... alles, was nicht Christus ist, gantz unrein und verdampt ist mit der geburt und allem leben, Und keine reinigkeit noch heiligkeit jnn uns noch aus uns komet, Sondern außer und uber uns und weit von uns, ja uber alle unser synne, witz und verstand, allein jnn dem Christo durch den glauben gefunden und erlangt wird (Luther, Pred. zu Torgau, 1533, W.A. 37 S. 57 Z. 32). So denkt und redet man ἐν πνεύματι.

Was wir Gott darzubringen, zu opfern haben, um recht zu beten, das ist unser Selbst eben in dieser Anspruchslosigkeit.

Wir haben zu opfern: einen „geängstigten Geist", ein „geängstet und zerschlagen Herz" (Ps. 51, 19), ein Herz, das weiß, daß es als neues Herz — einen Geist, der weiß, daß er als neuer, gewisser Geist von Gott in uns geschaffen werden und daß eben darum gebetet werden muß (Ps. 51, 12).

An dieser Anspruchslosigkeit hängt die Richtigkeit, die Erhörlichkeit alles Gebetes.

Röm. 8 ist nicht denkbar ohne Röm. 7 (und zwar mit Einschluß von Röm. 7, 24) und zwar so, daß Röm. 7 nicht als ein Rückblick auf eine Vergangenheit, sondern als Feststellung über die Gegenwart und über alle zeitliche Zukunft auch und gerade des christlichen Menschen verstanden wird. Das *Veni creator Spiritus!* ist wahr und erhörlich, wenn es beharrlich Flehen ist, wenn kein präsentisches oder perfektisches *venit* alles zerstörend dahintersteht. Gerade weil in Gott und von Gott her lauter *venit* die Wahrheit ist!

Daß der Glaube einen unbeweglichen Grund hat, daß es Glaubensgewißheit gibt durch Gottes Offenbarung, das hängt daran, daß dieser Grund nicht nur am Anfang, sondern auch in der Mitte und am Ende in Gott gesucht wird und nirgends sonst, nicht in uns selber. Gnade ist auch der empfangene Heilige Geist, wir selbst aber sind Sünder, das ist wahr. Wer es anders sagt, der weiß nicht um die Gottheit des Heiligen Geistes in Gottes Offenbarung.

2. DER EWIGE GEIST

Der Heilige Geist wird nicht erst Heiliger Geist, Gottes Geist im Ereignis der Offenbarung. Sondern das Ereignis der Offenbarung hat auch nach seiner subjektiven Seite Klarheit und Wirklichkeit, weil auch der Heilige Geist, das subjektive Moment in diesem Ereignis, das Eigentliche Gottes selbst ist. Was er in der Offenbarung ist, das ist er zuvor in sich selber. Und was er zuvor in sich selber ist, das ist er in der Offenbarung. In alle Tiefen der Gottheit hinein, als Letztes, was von ihm zu sagen ist, ist Gott Gott der Geist, wie er Gott der Vater und Gott der Sohn ist. Der zu Pfingsten ausgegossene Geist ist der Herr, Gott selber, wie der Vater, wie Jesus Christus der Herr, Gott selber ist. — Noch einmal können wir auf die Frage, wie diese Aussage zustande kommt, nur die Antwort geben: es bedarf zum Zustandekommen dieser Aussage keiner besonderen dialektischen Überhöhung, es bedarf vielmehr nur des Stehen- und Geltenlassens, es bedarf nur des Ernstnehmens der biblischen Aussagen selber. Laut dieser Aussagen ist das Werk des Heiligen Geistes in der Offenbarung ein Werk, das nur Gott selbst zugeschrieben werden kann und das darum auch ausdrücklich Gott zugeschrieben wird. Das Dogma vom Heiligen Geist, dem wir uns nun zuwenden, sagt darüber hinaus nichts Neues. Das Dogma erfindet auch hier nichts, es findet nur, was im Neuen Testament zu finden freilich nicht selbstverständlich war und ist, worauf im Neuen Testament nur mehr oder weniger deutlich hingewiesen wird. Es steht also nicht selbst in der Schrift, sondern es ist Exegese der Schrift. Es redet nicht von einer anderen Gottheit des Heiligen Geistes als von der, in der er sich uns nach der Schrift offenbart. Es stellt aber fest: eben diese Gottheit ist wahre, eigentliche, ewige Gottheit. Der Geist ist heilig in uns, weil er es zuvor in sich selber ist.

Die Lehre von der Gottheit und von der Selbständigkeit der göttlichen Seinsweise des Geistes ist in der Kirche erheblich später als die entsprechende Lehre vom Sohn allgemein verstanden und anerkannt worden. In der uralten Dreigliederung des Symbols kann man sie freilich von Anfang an sich ankündigen sehen. Aber die Väter des zweiten und noch des dritten Jahrhunderts haben sich im Ganzen darauf beschränkt, von den Wirkungen und Gaben des Heiligen Geistes zu reden, wobei einerseits die subordinatianische Ansicht, er sei ein Geschöpf bzw. eine geschöpfliche Kraft, andererseits die modalistische Ansicht, er sei mit dem Sohn oder Logos identisch, öfters gestreift, jedenfalls nirgends geradezu ausgeschlossen wurde. Relativ klar und unzweideutig ist das, was sich dann später nach beiden Seiten durchgesetzt hat, in jener Zeit nur von Tertullian (in seiner Schrift gegen Praxeas) vertreten worden, vielleicht nicht ohne Zusammenhang mit seiner montanistischen Schätzung gerade des Geistes. Noch das Nicaenum mit seinem ὁμοούσιος für den Sohn begnügt sich wie die älteren Symbolformen, den Heiligen Geist als Gegenstand des Glaubens zu nennen, ohne dem Arianismus auch an dieser Stelle entgegenzutreten. Es war Athanasius, der dann (in seinem gegen Macedonius von Konstantinopel gerichteten Briefe an Serapion) auch hier die Zusammenhänge gesehen und das entscheidende Wort gesprochen hat. Ihm folgten (nicht ohne Zögern) die Jungnicaener und das Konzil von 381. Die ganz scharfe, den Bestimmungen des *Nic. Const.* über den Sohn eindeutig entsprechende Formulierung hat das Dogma erst im 5. Jahrhundert (*Symb. Quicumque*) erhalten. Den Abschluß der Lehre wird man doch erst in der 1014 endgültig vollzogenen Aufnahme des *filioque* in das Credo der abendländischen Liturgie und in dem (mit) durch die Ablehnung dieses Zusatzes bedingten Schisma der Ostkirche zu erblicken haben.

Es ist zutiefst in der Sache begründet, daß die christliche Erkenntnis hinsichtlich des Heiligen Geistes sich in der Kirche so schwer und so langsam durchgesetzt hat. Daß der Heilige Geist der Herr, ganz und gar Gott, das göttliche Subjekt ist im selben Sinn wie der Vater Jesu Christi, im selben Sinn wie Jesus Christus selber, das ist ja sicher die noch härtere und einschneidendere Zumutung — nicht nur und gar nicht am meisten für das formale Denken — sondern gegenüber dem, was der Mensch nun einmal auch und gerade im Verhältnis zu Gott von sich selber denken möchte. Um ihn selber, um sein Dabeisein bei Gottes Offenbarung, geht es ja in dem Problem des Geistes innerhalb des Offenbarungsbegriffes. Mag der Mensch sich sagen lassen, daß der Ursprung der Offenbarung, der Vater, ganz und gar Gott ist und vielleicht auch das, daß auch der Offenbarer, der Sohn, ganz und gar Gott ist, um eben so Gottes Offenbarer sein zu können, immer noch bleibt die Frage offen: Sollte Gott gesagt haben, daß auch sein, des Menschen eigenes Dabeisein bei der Offenbarung, die Wirklichkeit seiner Begegnung mit dem Offenbarer, nicht sein, des

2. Der ewige Geist

Menschen, sondern noch einmal ganz und gar Gottes eigenes Werk sei? Wäre der Geist, der Mittler der Offenbarung zum Subjekt hin, eine Kreatur oder eine kreatürliche Kraft, dann wäre behauptet und gerettet, daß der Mensch kraft seines Dabeiseins neben Gott und Gott gegenüber, in seiner Weise auch Herr ist in der Offenbarung. Denn unser Verhältnis zu Kreaturen und kreatürlichen Kräften ist nun einmal auch in den für uns ungünstigsten Fällen ein wechselseitiges, ein Zusammenwirken von Freiheit und Notwendigkeit, ein Verhältnis zwischen Pol und Gegenpol. Auch der Modalismus in bezug auf den Geist: die Identifizierung des Geistes mit Christus würde bedeuten: der Mensch steht der Offenbarung gegenüber als einem Objekt. Indem sie seiner mächtig wird, muß und kann er nun auch ihrer mächtig werden. Auch als Empfänger der Fülle der Gnade könnte dann der Mensch seinen Glauben noch immer als „drastisches Organ" verstehen.[1] Durch die Lehre von der Gottheit und von der Selbständigkeit der göttlichen Seinsweise des Geistes wird der Mensch sozusagen innerhalb seines eigenen Hauses in Frage gestellt. Es wird nun erst klar, daß sein Dabeisein in der Offenbarung nicht das Dabeisein eines Partners und Gegenspielers sein kann, daß ihm aus seinem Dabeisein keinerlei Ansprüche und Privilegien Gott gegenüber erwachsen, daß es nur ein faktisches, unbegreifliches, wunderbares Dabeisein sein kann, faktisch daraufhin, daß Gott dabei ist, wie wir schon sagten: nicht nur objektiv, sondern auch subjektiv, nicht nur von oben, sondern auch von unten, nicht nur von außen, sondern auch von innen. Das Dogma vom Heiligen Geist bedeutet die Erkenntnis, daß der Mensch bei Gottes Offenbarung in jeder Hinsicht nur so dabei sein kann, wie der Knecht beim Tun seines Herrn dabei ist, also nachfolgend, gehorchend, nachahmend, dienend, und daß sich dieses Verhältnis — anders als in jedem menschlichen Herr-Knecht-Verhältnis — in keiner Weise und an keiner Stelle umkehrt. Diese durchgeführte Erkenntnis von der Unbedingtheit, d. h. von der Unumkehrbarkeit der Herrschaft Gottes in seiner Offenbarung ist es, was das Dogma vom Heiligen Geist schwierig macht — gewiß auch intellektuell schwierig, aber sicher nur darum auch intellektuell schwierig, weil der Mensch gerade das, was damit gesagt ist, nun einmal nicht wahrhaben will.

Es ist folgerichtig, daß gerade diese Lehre die letzte Etappe in der Entwicklung des trinitarischen Dogmas bilden mußte. Sie mußte erreicht sein, bevor die Lehre von der Gnade, die dann das besondere Thema der Kirche des Abendlandes geworden ist, zum Problem werden, bevor der Kampf und Sieg Augustins gegen Pelagius Ereignis werden konnte. Aber auch die Reformation mit ihrer Lehre von der Rechtfertigung allein im Glauben ist nur auf dem Hintergrunde gerade dieses Dogmas verständlich. Seine wirkliche und ganze Tragweite ist freilich im Katholizismus (auch bei Augustin!) nie und auch im nachreformatorischen Protestantismus nur sehr teilweise verstanden worden. Der modernistische Protestantismus vollends ist weithin ganz einfach eine Rück-

---

[1] So A. Ritschl, Rechtf. u. Vers.⁴ 1. Bd., 1900, S. 157.

kehr zu jenen vornicaenischen Unklarheiten und Zweideutigkeiten hinsichtlich des Geistes gewesen.

Wir wenden uns nun zur näheren Darlegung des Dogmas auch hier dem Symb. Nicaeno-Constantinopolitanum zu.

Die in Betracht kommende Stelle aus dem dritten Artikel des Symbols lautet:

(Πιστεύομεν . . .)
1. εἰς τὸ πνεῦμα τὸ ἅγιον, τὸ κύριον
2. τὸ ζωοποιοῦν
3. τὸ ἐκ τοῦ πατρὸς ἐκπορευόμενον
4. τὸ σὺν πατρὶ καὶ υἱῷ συνπροσκυνούμενον καὶ συνδοξαζόμενον.

(Credo . . .)
1. *in Spiritum sanctum Dominum*
2. *et vivificantem*
3. *qui ex Patre Filioque procedit*
4. *qui cum Patre et Filio simul adoratur et conglorificatur.*

1. Wir glauben an den **Heiligen Geist, den Herrn**. Der griechische Grundtext gebraucht hier κύριον adjektivisch. Das bedeutet keine Einschränkung der Aussage, wie sie in dem lateinischen *Dominus* und in dem deutschen „Herr" vorliegt. *Dominus*, Herr, ist ja der Geist so wenig wie der Vater und der Sohn als einer neben zwei anderen Herren, sondern in unzertrennlicher Einheit mit ihnen. Das ist es, was hier zunächst, zurückverweisend auf das ἕνα κύριον im zweiten Artikel gesagt werden soll: der Heilige Geist ist mit dem Vater und dem Sohne Träger der in keiner höheren Herrschaft gegründeten Herrschaft Gottes. Er ist mit dem Vater und dem Sohne das eine souveräne göttliche Subjekt, das Subjekt, das keiner Verfügung und keiner Einsicht durch ein anderes untersteht, das sein Sein und sein Dasein aus sich selber hat. Aber die adjektivische Verwendung von κύριος zusammen mit der von uns bisher noch nicht gewürdigten Tatsache, daß πνεῦμα ja selbst (was im Lateinischen und Deutschen ebenfalls nicht sichtbar wird) ein **Neutrum** ist, muß uns nun doch sofort aufmerksam machen auf die besondere Weise, in der gerade der Heilige Geist das Alles ist. Beides weist uns darauf hin: er ist es in einer neutralen Weise, neutral im Sinne von **unterschieden**, nämlich unterschieden von Vater und Sohn, deren Seinsweise je eine gegenseitige ist, neutral aber auch im Sinne von bezogen, nämlich **bezogen** auf Vater und Sohn, deren Gegenseitigkeit ja kein Gegeneinander, sondern ein Zueinander, Auseinander und Miteinander ist. Dieses Miteinander des Vaters und des Sohnes ist der Heilige Geist. Das Besondere der göttlichen Seinsweise des Heiligen Geistes besteht also, paradox genug, darin, daß er das **Gemeinsame** ist zwischen der Seinsweise Gottes des Vaters und der Gottes des Sohnes. Nicht das, was ihnen gemeinsam ist, sofern sie der eine Gott sind, sondern das, was ihnen gemeinsam ist, sofern sie der **Vater** und der **Sohn** sind.

Spiritus sanctus commune aliquid est Patris et Filii (Augustin, *De trin.* VI 5, 7). Er steht „in der Mitte zwischen dem Gezeugten und dem Ungezeugten" (Johannes

2. Der ewige Geist

Damasc., *Ekdos.* I 13). *Nomen Spiritus sancti non est alienum a Patre et Filio, quia uterque est et spiritus et sanctus* (Anselm von Canterbury, *Ep. de incarn.* 2).

Gerade der Heilige Geist könnte also, selbst wenn das bei Vater und Sohn möglich wäre, auf keinen Fall als dritte „Person" (im modernen Sinn des Begriffs) verstanden werden. Gerade der Heilige Geist ist in besonders deutlicher Weise, was auch Vater und Sohn sind: nicht ein drittes geistiges Subjekt, ein drittes Ich, ein dritter Herr neben zwei anderen, sondern eine dritte Seinsweise des einen göttlichen Subjektes oder Herrn.

Es ist in dieser Hinsicht bemerkenswert, daß die Kirche es verboten hat, den Heiligen Geist in Menschengestalt darzustellen (Bartmann, Lehrb. d. Dogm.[7] 1. Bd., 1928, S. 194).

Er ist das Gemeinsame, besser gesagt: er ist die Gemeinschaft, er ist der Akt des Gemeinsamseins des Vaters und des Sohnes. Er ist der Akt, in welchem der Vater der Vater des Sohnes oder der Sprecher des Wortes und der Sohn der Sohn des Vaters, das Wort des Sprechers ist.

Er ist *communio quaedam consubstantialis* (Augustin, *De trin.* XV 27, 50); er ist das *vinculum pacis* (Eph. 4, 3), der *amor*, die *caritas*, das gegenseitige *donum* zwischen Vater und Sohn, so hat man besonders in der Nachfolge Augustins gerne gesagt. Er ist also jene Liebe, in der Gott (sich selbst, d. h. als Vater und Sohn je sich selbst und) als Vater den Sohn, als Sohn den Vater liebt. *Si charitas qua Pater diligit Filium et Patrem diligit Filius, ineffabiliter communionem demonstrat amborum, quid convenientius quam ut ille dicatur charitas proprie, qui Spiritus est communis ambobus* (Augustin, *De trin.* XV, 19, 37). Er ist insofern — die Bildlichkeit dieser Wendung braucht nicht betont zu werden — das Ergebnis ihrer gemeinsamen „Hauchung", *spiratio*. *Amborum sacrum spiramen, nexus amorque*, wie es in dem Kyrie-Tropus „Cuncti potens" heißt (L. Eisenhofer. Handbuch der kath. Liturgik, Bd. 2, 1933, S. 89).

Inwiefern ist dieser Akt als eine besondere göttliche Seinsweise zu verstehen? Als besondere göttliche Seinsweise ist er offenbar darum zu verstehen, weil dieses gemeinsame Sein und Wirken des Vaters und des Sohnes neben dem je des Vaters und des Sohnes eine besondere, von jenem unterschiedene Weise göttlichen Seins ist. Als eine göttliche Seinsweise ist er offenbar darum zu verstehen, weil Gott in diesem Akt seines Gottseins als Vater und Sohn, in dieser seiner gegenseitigen Liebe nichts Anderes und nicht weniger sein und wirken kann als ein sich selbst Gleiches. Es kann ja kein höheres Prinzip geben, aus welchem und in welchem Vater und Sohn sich erst zusammenfinden müssen, sie können sich nur in ihrem eigenen Prinzip zusammenfinden. Dieses Prinzip ist aber die Hauchung des Heiligen Geistes bzw. der Heilige Geist selber. Wiederum ist das Werk dieser Liebe nicht etwa die geschaffene Welt, ist sie doch die gegenseitige Liebe des Vaters und des Sohnes; ihr Werk muß also ein ihnen Gleiches sein, und dieses Gleiche ist eben der Heilige Geist.

Vater und Sohn sind *non participatione, sed essentia sua, neque dono superioris alicuius, sed suo proprio servantes unitatem Spiritus in vinculo pacis* (Augustin, *De trin.* VI 5, 7). *Nam ideo amor non est impar tibi aut Filio tuo, quia tantum amas te et illum et ille te et seipsum, quantus es tu et ille, nec est aliud a te et ab illo* (Anselm von Canterbury, *Prosl.* 23). *Si nulla umquam creatura, id est si nihil umquam aliud esset quam summus spiritus Pater et Filius: nihilominus seipsos et invicem Pater et Filius diligerent. Consequitur igitur hunc amorem non esse aliud quam quod est Pater et Filius, quod est summa essentia (Monol.* 53).

Gott ist also, und insofern ist er Gott der Heilige Geist „zuvor in sich selber" Akt der Gemeinschaft, der Mitteilung, Liebe, Gabe. Darum und so und von da aus ist er es in seiner Offenbarung. Nicht umgekehrt! Wir erkennen ihn so in seiner Offenbarung. Er ist es aber nicht, weil er es in seiner Offenbarung ist, sondern weil er es zuvor in sich selber ist, ist er es auch in seiner Offenbarung.

Er ist in seiner Offenbarung der *donator doni*, weil er in sich selbst, als Geist des Vaters und des Sohnes das *donum donatoris* ist (Augustin, *De trin.* V 11). *Donum vero dicitur non ex eo tantum, quod donetur, sed ex proprietate, quam habuit ab aeterno. Unde et ab aeterno fuit donum. Sempiterne enim donum fuit, non quia daretur, sed quia processit a Patre et Filio ... temporaliter autem donatum est* (Petrus Lombardus, *Sent.* I dist. 18 D). *Donum non dicitur ex eo quod actu datur, sed in quantum habet aptitudinem ut possit dari. Unde ab aeterno divina persona dicitur donum, licet ex tempore detur* (Thomas von Aquino, *S. th.* I qu. 38 art. 1 ad 4). *Amor habet rationem primi doni, per quod omnia dona gratuita donantur. Unde cum Spiritus sanctus procedat ut amor ... procedit in ratione doni primi (ib.* art. 2 c).

Darum, sagt das Dogma mit seinem τὸ κύριον, darum ist der Heilige Geist der in der Offenbarung als Erlöser an uns handelnde Herr, der uns wirklich frei, wirklich zu Kindern Gottes macht, der seiner Kirche wirklich die Sprache gibt, das Wort Gottes zu reden: weil er in diesem seinem Werk an uns nichts Anderes zeitlich tut, als was er ewig in Gott tut, weil diese seine Seinsweise in Gottes Offenbarung zugleich eine Seinsweise des verborgenen Wesens Gottes ist, so daß es wirklich das verborgene Wesen Gottes selbst und also der Herr im uneingeschränktesten Sinne des Begriffs ist, der — in seiner ganzen Unerforschlichkeit — auch in dieser Hinsicht in der Offenbarung offenbar wird.

2. Wir glauben an den Heiligen Geist, den Lebenschaffenden. Auch dieser Satz lehrt die Gottheit des Heiligen Geistes. Er tut es, entsprechend dem *per quem omnia facta sunt* im zweiten Artikel, durch den Hinweis darauf, daß der Heilige Geist mit dem Vater (und dem Sohne) Subjekt der Schöpfung ist. Er ist nicht nur Erlöser, so gewiß die Erlösung in unauflöslicher Korrelation zur Versöhnung steht, so gewiß die Versöhnung in der Erlösung zur Vollstreckung kommt. Er ist also mit dem Sohn und als der Geist des Sohnes auch der Versöhner. Und wie in der Versöhnung und als deren Voraussetzung Gott der Vater offenbar wird durch den Sohn, d. h. Gott der Schöpfer und das Werk der Schöpfung als geschehen durch dasselbe Wort, das in Jesus Christus Fleisch geworden ist — so nun auch der Heilige Geist als der auch in der Schöpfung in seiner Weise Mitwirkende.

Wir haben das ζωοποιοῦν, das uns an die schon zitierten neutestamentlichen Stellen Joh. 6, 63; 2. Kor. 3, 6 erinnert, zunächst sicher soteriologisch zu verstehen. Aber

2. Der ewige Geist

hinter diesen Stellen selbst steht ja wieder die Erinnerung an die der *ruach* und der *neschamah* im Alten Testament zugeschriebene Bedeutung für das *regnum naturae*, an Gen. 2, 7, wo Adam zwar nicht wie nach 1. Kor. 15, 45 Christus der zweite Adam, selber zum πνεῦμα ζωοποιοῦν, wohl aber durch den „lebendigen Odem" Gottes zu einem „lebendigen Wesen" wird. Und von da aus kommen wir sofort zu jenem „Geist", der nach Gen. 1, 2 über dem „Ozean" der noch nicht gestalteten, noch von keinem Leben erfüllten und gestalteten Schöpfung schwebte („brütete"), durch den nach Ps. 33, 6 das „Heer des Himmels" gemacht ist, der nach Gen. 7, 15 in allem Fleisch ist, der nach Ps. 139, 7 an keinem Ort, wo der Mensch hingehen könnte, nicht ist, zu jenem „Odem" in aller Kreatur, der sie nach Ps. 150, 6 zum Lob des Herrn verpflichtet, weil es nach Ps. 104, 29f. sein, des Herrn Odem ist, durch den sie geschaffen ist und ohne den sie sofort vergehen müßte.

Wir haben bereits am Anfang unseres Paragraphen dieser allgemeinen und ordnungsmäßig ersten Bedeutung des Begriffs Geist gedacht. Erkenntnismäßig kann sie nur die zweite sein. Denn wie wir nur durch Offenbarung (und also durch den Geist in der soteriologischen Bedeutung des Begriffs) uns selbst und Alles, was ist, überhaupt als Schöpfung Gottes erkennen, so auch im Besonderen ihre Schöpfung durch das Wort und durch den Geist (nun in jener ersten allgemeinen Bedeutung des Begriffs). Diese allgemeine Bedeutung des Geistes, seine Bedeutung als Schöpfergeist, dürfte aber darin bestehen, daß die Kreatur nicht nur nach dem durch das Wort vollstreckten Willen des Vaters da ist in ihrer von der Existenz Gottes verschiedenen eigenen Existenz, sondern solcher eigenen Existenz nun auch in sich und von sich aus fähig wird und fähig bleibt, wie sie ja auch objektiv durch das Wort Gottes in ihrer Existenz erhalten bleiben muß. Der Heilige Geist ist Schöpfergott mit dem Vater und dem Sohne, sofern Gott als Schöpfer nicht nur Existenz, sondern Leben schafft. Man wird nicht umhin können, unter diesem Gesichtspunkt von **einer in der Offenbarung vorausgesetzten, ersten, allgemeinen, auf die schöpfungsmäßige Existenz des Menschen und der Welt als solche bezogenen Gegenwart und Wirkung des Heiligen Geistes** zu reden. Sie kann so wenig wie das *per quem omnia facta sunt* im zweiten Artikel, so wenig wie das Dogma von der Schöpfung überhaupt, Gegenstand einer allgemeinen, der Erkenntnis der Offenbarung vorausgehenden selbständigen Erkenntnis sein. Sie kann also auch nicht etwa Gegenstand einer natürlichen Theologie werden. Sie kann nur auf Grund der Offenbarung und im Glauben erkannt und bekannt werden. Aber auf Grund der Offenbarung und des Glaubens muß sie — schon als notwendige Konsequenz der Gottheit des Heiligen Geistes, schon mit Rücksicht auf den Satz *opera trinitatis ad extra sunt indivisa*, aber auch wegen ihres bedeutungsvollen Inhaltes, bekannt werden.

Ἡ δὲ τοῦ ἁγίου πνεύματος μεγαλωσύνη ἀδιάλυτος, ἀπέραντος καὶ πανταχοῦ καὶ διὰ πάντων καὶ ἐν πᾶσιν ἀεί ἐστιν, πληροῦσα μὲν τὸν κόσμον καὶ συνέχουσα κατὰ τὴν θεότητα, ἀχώρητος δὲ κατὰ τὴν δύναμιν, καὶ μετροῦσα μέν, οὐ μετρουμένη δέ (Didymus v. Alexandrien, *De trin.* II 6, 2). *Spiritui sancto . . . attribuitur quod dominando gubernet et vivificet quae sunt creata a Patre per Filium.* Er ist die *bonitas* und also das Ziel und also das *primum movens* der Schöpfung (Thomas von Aquino, *S. theol.* I *qu.* 45 art. 6 *ad* 2). Darum betet die römische Kirche im *Offertorium* der Vigil vor Pfingsten, deutlich daran erinnernd, daß der Heilige Geist in der Taufe auch der Heilige Geist in der Schöpfung ist, nach Ps. 104, 30: *Emitte Spiritum tuum et creabuntur et renovabis faciem terrae.* Und im *Introitus* des Pfingstsonntags: *Spiritus Domini replevit orbem terrarum, allelujah: et hoc quod continet omnia scientiam habet vocis.* Und in dem bekannten Pfingsthymnus:

> *Veni creator spiritus,*
> *mentes tuorum visita,*
> *imple superna gratia*
> *quae tu creasti pectora.*

Und in der *Oratio* des Quatembersamstags in der Pfingstwoche: *Mentibus nostris ... spiritum sanctum infunde cuius et sapientia conditi sumus et providentia gubernamur.* Aber auch Luther weiß von einem *duplex Spiritus quem Deus donat hominibus: animans et sanctificans.* Von dem *Spiritus animans* sind z. B. alle *homines ingeniosi, prudentes, eruditi, fortes, magnanimi* getrieben. *Soli autem christiani ac pii habent Spiritum sanctum sanctificantem* (W. A. Ti. 5 S. 367 Z. 12). Und Calvin hat den Heiligen Geist sogar bei der allgemeinen Definition der drei Seinsweisen Gottes beschreiben können als Gottes *virtus per omnia quidem diffusa, quae tamen perpetuo in ipso resideat* (*Cat. Genev.*, 1545, bei K. Müller, S. 118 Z. 28). Gen. 1, 2 verstand er dahin: sowohl das zunächst als Chaos *(inordinata moles, massa indisposita)* geschaffene Dasein der Dinge als auch ihr Sosein, ihre Gestalt *(pulcher ac distinctus ordo)* sei, um nicht nur geschaffen zu werden, sondern zu sein, um Bestand zu haben einer *arcana Dei inspiratio,* eines ihnen von Gott zukommenden *vigor* bedürftig gewesen (Komm. zu Gen. 1, 2, 1544, *C. R.* 23, 16). Und gerade Calvin hat diesen Gedanken als einen gewichtigen Ausdruck der Lehre von der Gottheit des heiligen Geistes verstanden: *ille enim est, qui ubique diffusus omnia sustinet, vegetat et vivificat in coelo et in terra. Iam hoc ipso creaturarum numero eximitur, quod nullis circumscribitur finibus; sed suum in omnia vigorem transfundendo essentiam, vitam et motionem illis inspirare, id vero plane divinum est* (*Instit.* I 13, 14). Wiederum lehrt J. Gerhard: *Quemadmodum in prima creatione Spiritus sanctus aquas fovendo iisque incubando fuit efficax, ita in rerum creatarum conservatione idem cum Patre et Filio efficaciter agit:* in der Frühlingszeit *qua cuncta revirescere ac frondescere incipiunt, postquam per hiemem fuerunt emortua,* aber auch im Werden jedes neuen Individuums, in welchem sich dessen Art erneuert (*Loci,* 1610, *L.* III 10, 132). Und Paul Gerhardt in dem Pfingstlied „Zeuch ein zu deinen Toren":

> Du Herr, hast selbst in Händen
> die ganze weite Welt,
> kannst Menschenherzen wenden,
> wie es dir wohlgefällt;
> so gieb doch deine Gnad
> . . . .

3. Wir glauben an den Heiligen Geist, den vom Vater und vom Sohne ausgehenden.

Diese Klausel entspricht dem *genitum non factum* im zweiten Artikel. Sie soll also zunächst die Negation aussprechen: der Heilige Geist ist kein Geschöpf. Von keinem Geschöpf ist zu sagen, daß es von Gott „aus-

2. Der ewige Geist

gegangen", d. h. daß es eine Emanation des göttlichen Wesens sei. Die Schöpfung der Welt und des Menschen ist kein „Ausgang", keine Emanation aus Gott, sondern die Begründung einer von Gott unterschiedenen Wirklichkeit eigenen, nicht göttlichen Wesens. Was von Gott „ausgeht", das kann wiederum nur Gott sein. Und weil das Wesen Gottes nicht teilbar sein kann, kann ein von Gott Ausgehendes — und als solches bezeichnet das Dogma den Heiligen Geist — nicht ein aus Gott Hinausgehendes, also gerade nicht eine Emanation im üblichen Sinne des Begriffs, sondern nur eine Seinsweise des einen in sich selbst bleibenden und gleichen Wesens Gottes sein, in diesem Fall offenbar: ausgehend nicht von dem einen Wesen Gottes als solchem, sondern von einer anderen oder von den anderen Seinsweisen dieses Wesens. Die Klausel ist also zunächst die Umschreibung der Gottheit des Heiligen Geistes, nun nicht im Blick auf das den drei Seinsweisen gemeinsame *opus ad extra*, sondern im Blick auf seine Wirklichkeit als eine göttliche Seinsweise, d. h. auf seine Wirklichkeit in seinem Verhältnis (Relation) zu den anderen göttlichen Seinsweisen. Diese Wirklichkeit ist eine solche, die ihn kennzeichnet als göttlichen Wesens mit dem Vater und dem Sohne. Das ist das Eine, was gesagt ist mit dem *qui procedit*.

Processionis vox accipienda est ... juxta actionem Dei ad intra ... id est qua ita agit Deus in essentia sua, ut reflexus in seipsum, divinae essentiae communione relationem realem constituat (*Syn. Theol. pur.*, Leiden 1624, *Disp.* 9, 10).

Das Andere ist eine Abgrenzung gegenüber dem Sohn oder Wort Gottes. Das Wirken des Heiligen Geistes in der Offenbarung ist ja gegenüber dem des Sohnes oder Wortes Gottes ein anderes. Nie und nirgends getrennt von diesem und nur *per appropriationem* von diesem zu unterscheiden, ist es doch nie und nirgends mit diesem zu verwechseln. Gerade wenn man sich enthalten will und muß, über die Offenbarung hinauszudenken, wird man das objektive Moment des Wortes und das subjektive Moment des Geistes in der Offenbarung wohl im Wesen, nicht aber als Seinsweisen Gottes in eins zusammenzudenken unternehmen, sondern anerkennen, daß der Heilige Geist wie in seiner Offenbarung so auch zuvor in sich selbst, nicht nur Gott, sondern in Gott selbständig ist wie der Vater und wie der Sohn. Wiederum gibt es aber keine besondere, zweite Offenbarung des Geistes neben der des Sohnes und also nicht zwei Söhne oder Worte Gottes, sondern in der einen Offenbarung vertritt der Sohn oder das Wort das Moment der Zueignung Gottes an den Menschen, der Geist das Moment der Aneignung Gottes durch den Menschen. Entsprechend muß aber offenbar, wenn wir mit unserem Denken den Boden der Offenbarung nicht verlassen wollen, ein Unterschied anerkannt werden in der Wirklichkeit dessen, was der Sohn und was der Geist zuvor in sich selber sind. Das *qui procedit* hat also in zweiter Linie den Sinn, die göttliche Seinsweise des Geistes von

§ 12. *Gott der heilige Geist*

der durch das *genitus* bezeichneten des Sohnes (und damit implizit auch von der des Vaters) zu unterscheiden.

Daß der Pastor Hermae (*Sim.* V 5, 2; 6, 5.f.; IX 1) den Heiligen Geist den Sohn Gottes nennt, ist eine vereinzelte Wunderlichkeit. Die Notwendigkeit der Unterscheidung des Geistes nicht nur von der Kreatur, sondern auch vom Sohn oder Wort Gottes folgt innerhalb des Dogmas selbst schon aus dem *unigenitus* des zweiten Artikels. Beide Unterscheidungen sind zusammengefaßt in dem Satz des Gregor von Nazianz: ὃ καθ' ὅσον μὲν ἐκεῖθεν ἐκπορεύεται, οὐ κτίσμα · καθ' ὅσον δὲ οὐ γεννητόν, οὐχ υἱός. (*Or.* 31, 8) und dem Satz des *Symb. Quicumque: Spiritus sanctus a Patre et Filio, non factus nec creatus nec genitus, sed procedens.*

Aber was heißt hier „Ausgang", *processio*, ἐκπόρευσις? Es ist kein Zufall und keine Nachlässigkeit, daß der Begriff ein solcher ist, der an sich auch auf den Ursprung des Sohnes aus dem Vater angewendet werden könnte, daß er also das Spezielle des Ursprungs gerade des Heiligen Geistes gerade nicht bezeichnet, sondern eigentlich und streng genommen nur besagt: daß der Heilige Geist neben der Erzeugung des Sohnes oder dem Sprechen des Wortes diesen seinen eigenen, „irgendwie" andersartigen „Ausgang" in Gott habe. Man kann die Eigenart dieses Ausgangs gegenüber dem ersten mit dem Begriff der „Hauchung", *spiratio*, bezeichnen, aber genau genommen doch bloß bezeichnen. Denn wie unterscheidet sich Hauchung von Zeugung, wenn doch mit beiden in gleicher Unbedingtheit die ewige Genesis einer ewigen Seinsweise Gottes bezeichnet sein soll? Müßte nicht jede denkbare und angebbare Unterscheidung dazu führen, daß entweder die Gottheit oder die Selbständigkeit der göttlichen Seinsweise des Heiligen Geistes doch wieder geleugnet würde? Die Schwierigkeit, vor der wir hier stehen, ist in der Tat unüberwindlich.

Distinguere inter illam generationem et hanc processionem nescio, non valeo, non sufficio (Augustin, *C. Maxim.* II 14, 1). Dieselbe Erklärung hat auch Joh. Damascenus (*Ekdos.* I 8) abgegeben, und sie ist auch später oft wiederholt worden. *Quo modo a generatione differat, explicabit nullus* (M. Leydecker *De veritate rel. reform.*, 1688, S. 28, zit. nach H. Heppe, Dogm. der ev. ref. Kirche, 1861, S. 94). Manchmal geradezu mit der Warnung: *istud discrimen tutius ignoratur quam inquiritur* (so F. Turrettini, *Inst. Theol. el.*, I 1679, L. III qu. 30, 3). Und zu einer kirchlichen Definition des näheren Sinnes der *processio* ist es aus guten Gründen nie gekommen.

Die Empfindung, die man hier unwillkürlich hat: es möchte die Aporie, vor der wir hier stehen, eine mehr als zufällige und eine über diese besondere Frage hinausgehende Bedeutung haben, ist richtig. Warum können wir den Unterschied zwischen der Zeugung des Sohnes und der Hauchung des Geistes **nicht angeben**, obwohl wir ihn doch — nochmals wohlverstanden: gerade wenn wir mit unserem Denken den Boden der Offenbarung nicht verlassen, gerade wenn wir den offenbaren Gott als den ewigen verstehen wollen — **behaupten müssen**? Offenbar wird in dem Augenblick, wo wir das, was wir die *spiratio Spiritus* nennen, um es zu bestimmen, messen möchten an dem, was wir die *generatio Filii* heißen, sichtbar und wirksam, was wir ja bei der Erörterung jener *generatio* deut-

2. Der ewige Geist

lich festgestellt haben: daß auch jene *generatio* oder *loquutio* ein Versuch ist, auszusprechen, was der Mensch nicht wesentlich aussprechen, was er mit seiner Sprache nicht erreichen kann. Wie wird der Sohn Gottes gezeugt? Wie sein Wort gesprochen? Wir wissen es nicht: weder wenn wir von der ewigen noch wenn wir von der zeitlichen Wirklichkeit sprechen, die mit diesen Bildern — beides sind ja nur Bilder! — bezeichnet sein kann. Unsere Erkenntnis kann nur Anerkenntnis des Faktums sein. Darum sind wir jetzt in Verlegenheit, wo wir, um zu erfahren, was *spiratio* ist, *spiratio* mit *generatio* vergleichen möchten.

Augustin hat (a. a. O.) sein bestimmtes *nescio* begründet, und zwar gerade damit begründet: ... *quia et illa (generatio) et ista (processio) est ineffabilis*. Im vorletzten Kapitel seines Werkes über die Trinität (*De trin.* XV, 27, 50) ist er dann freilich noch einmal auf die Frage zurückgekommen und scheint nun, wenigstens andeutend, doch eine positive Antwort darauf geben zu können. Er gibt nämlich an Hand seiner bekannten Lehre von der *imago trinitatis* in der menschlichen Seele zu erwägen, ob sich die Genesis des Geistes zu der des Sohnes nicht so verhalten möchte, wie in der Seele der Wille oder die Liebe zur Erkenntnis. Der Wille gehe aus der Erkenntnis hervor, ohne doch ein Bild der Erkenntnis zu sein (*voluntatem de cogitatione procedere — nemo enim vult, quod omnino quid vel quale sit nescit — non tamen esse cogitationis imaginem*). So der Geist aus dem Sohne! Diese Andeutung ist dann von Thomas v. Aquino (*S. theol.* I qu. 27, *art. 3 und 4*) in breiter Ausführung aufgenommen worden. Der Ausgang des Heiligen Geistes sei die *processio secundum rationem voluntatis*, die sich von der *processio secundum rationem intellectus* dadurch unterscheide, daß sie aus dieser hervorgehe und sich auf diese, sie voraussetzend, beziehe. *Ideo quod procedit in divinis per modum amoris, non procedit ut genitum, vel ut filius, sed magis procedit ut spiritus (art. 4 c)*. Die moderne katholische Dogmatik scheint (vgl. z. B. F. Diekamp, Kath. Dogm.⁶ 1. Bd., 1930, S. 345 f.) diese Erklärung für eine wirkliche Beantwortung der Frage zu halten und macht darum von dem augustinischen *nescio* keinen Gebrauch mehr. Demgegenüber darf man daran erinnern, daß Augustin im Unterschied zu Thomas nicht versäumt hat, im Anschluß an jene Andeutung darauf hinzuweisen, daß dem Licht, das von jener *imago trinitatis*, die wir selbst sind, auf diese Frage falle, nun doch immer noch unsere durch unsere *iniquitas* verursachte, nur durch Gott selbst zu heilende *infirmitas* gegenüberstehe, und so wolle er sein Buch lieber *precatione quam disputatione* schließen. Wir haben die ganze Theorie von der *imago trinitatis* nicht aufnehmen können und werden darum sagen müssen, daß wir die Frage hinsichtlich des Geistes auch durch sie nicht für beantwortet halten können. Das Verständnis der *generatio* als Erkenntnis bzw. des Sohnes als Wort Gottes ist, wie wir sahen, ein wahres und bedeutsames, aber ein inadäquates Verständnis, dessen eigentliche Tragweite uns, indem wir zu verstehen meinen und, so gut wir können, wirklich verstehen, verborgen bleibt. Und darum kann uns auch die sich darauf beziehende Erklärung des Heiligen Geistes als des aus der Erkenntnis hervorgehenden Willens auf keinen Fall weiterhelfen als zu einer weiteren und nun doch etwas eigenmächtig gebildeten Analogie. Vielmehr wird uns die in jenem ersten Augustinwort zugestandene Unmöglichkeit, jenen Unterschied anzugeben, wenn wir es vergessen haben sollten. daran erinnern müssen, daß die *processio* des Geistes und des Sohnes wohl zu bezeichnen, aber nicht zu begreifen ist.

Das bedeutet nun aber nicht mehr und nicht weniger als: wir können das Wie der göttlichen „Ausgänge" und also der göttlichen Seinsweisen nicht feststellen. Wir können den Vater, den Sohn und den Heiligen Geist nicht definieren, d. h. wir können sie nicht gegeneinander abgrenzen. Wir können nur feststellen, daß in der Offenbarung drei sich selbst gegeneinander Abgrenzende auf dem Plane sind, und wir müssen, wenn wir nicht über die Offenbarung hinausdenken wollen, dabei bleiben, daß diese drei sich selbst gegenseitig Abgrenzenden auch zuvor in Gott selber Wirklichkeit sind. Wir können das Daß der göttlichen Ausgänge und Seinsweisen feststellen. Alle vermeintlichen Feststellungen unsererseits über das Wie dieser Abgrenzung dürften sich als undurchführbar erweisen. In unseren Händen erweisen sich auch die uns durch die Heilige Schrift nahegelegten Begriffe als unvermögend das zu fassen, was sie fassen sollten. Was gesagt werden müßte, will offenbar Gott, wollen offenbar jene drei in der Offenbarung sich selbst gegenseitig Abgrenzenden in dem einen Gott, definitiv und exklusiv selber sagen, ohne daß es zu einem Nachsagen unsererseits kommen könnte, oder eben nur zu einem solchen Nachsagen, bei dem wir uns unseres Unvermögens bewußt bleiben müssen, in welchem wir auf die Wahrheit Gottes jenseits der gänzlich fragwürdigen Wahrheit unserer Gedanken und Worte angewiesen bleiben. Das *ignoramus*, zu dem wir uns in bezug auf den notwendig zu behauptenden Unterschied von Zeugung und Hauchung bekennen müssen, ist also das *ignoramus*, zu dem wir uns in bezug auf die ganze Trinitätslehre, d. h. aber in bezug auf das Geheimnis der Offenbarung, in bezug auf das Geheimnis Gottes überhaupt bekennen müssen. Könnten wir jenen Unterschied definieren, dann könnten wir den Sohn und den Geist und dann auch den Vater und damit Gott selbst definieren. Denn eben Gott selbst ist ja der Vater, der Sohn und der Geist. Nur wenn sie nicht Gott wären, könnte hier eine Definition gelingen, eine solche Definition die mehr wäre als eine Umschreibung dessen, daß Gott selbst in seiner Offenbarung auf dem Plane ist. Was aber auf dem Plane ist in Gottes Offenbarung, das ist ja der Vater, der Sohn und der Geist. Eine gelungene Definition dieser Drei könnte also nur unter der Voraussetzung stattfinden, daß der Vater, der Sohn und der Geist nicht Gott wären. Also: gerade um deswillen, was die Trinitätslehre zu sagen hat: daß der Vater, der Sohn und der Geist Gott sind, darf sie gerade an dieser Stelle nicht mehr sagen wollen, darf sie gerade an dieser Stelle nicht in eine Definition auslaufen. Das ist's, was die allgemeine trinitätstheologische Bedeutung des *qui procedit* sein dürfte.

Τίς οὖν ἡ ἐκπόρευσις; Εἰπὲ σὺ τὴν ἀγεννησίαν τοῦ πατρός, κἀγὼ τὴν γέννησιν τοῦ υἱοῦ φυσιολογήσω καὶ τὴν ἐκπόρευσιν τοῦ πνεύματος, καὶ παραπληκτίσωμεν ἄμφω εἰς θεοῦ μυστήρια παρακύπτοντες (Gregor von Nazianz, *Or.* 31, 8).

Der „Ausgang" des Heiligen Geistes ist aber nach dem lateinischen Text des Symbols, dem wir uns hier anschließen (*ex Patre Filioque*): sein Ausgang vom Vater und vom Sohne.

Das Symbol, das im Urtext nur ἐκ τοῦ πατρός hat, steht, das ist hier vor allem zu bemerken, noch nicht in dem hier entstandenen berühmten Streit. Es sagt nach Joh. 15, 26: „aus dem Vater", ohne damit zu sagen: „nicht aus dem Sohne". Es konnte das nicht sagen, einmal darum nicht, weil es zu jener Zeit auch unter den griechischen Theologen keinen Widerspruch gegen den sachlichen Gehalt jenes Zusatzes gab. Ebenso vorbehaltlos, wie es in diesem Zusatz geschieht, konnte z. B. Epiphanius sagen: Πατὴρ ἦν ἀεί, καὶ τὸ πνεῦμα ἐκ πατρὸς καὶ υἱοῦ πνέει (*Ancoratus* 75) oder Ephraem: der Vater ist der Erzeuger, der Sohn der aus dem Schoß des Vaters Erzeugte, der Heilige Geist der vom Vater und vom Sohn Ausgehende (*Hymnus de defunctis et trinitate* 11), und noch im fünften Jahrhundert Cyrill von Alexandrien: Τὸ πνεῦμα τὸ ἅγιον . . . πρόεισι δὲ καὶ ἐκ πατρὸς καὶ υἱοῦ (*Thes. de trin.* 34). Das Symbol konnte aber das *Filioque* auch darum nicht ausschließen wollen, weil nicht abzusehen ist, welcher Häresie gegenüber es dies hätte tun wollen. Die Gegner, gegen die die Klausel sich richtet, sind wieder die die Gottheit des Heiligen Geistes leugnenden Mazedonianer, die freilich den Ausgang des Geistes auch vom Sohne behaupteten, aber im arianischen Sinn: als den Ausgang eines Geschöpfs von einem anderen Geschöpf. Mit der Ausschließung des ἐκ τοῦ υἱοῦ würde das Symbol offenbar in schreiendem Widerspruch zu seinem zweiten Artikel zugegeben haben, daß mit dem ἐκ τοῦ υἱοῦ weniger gesagt sei als mit dem ἐκ τοῦ πατρός. Eben in diesem Gegensatz gegen die Pneumatomachen mußte und konnte das Symbol das *Filioque* aber auch nicht ausdrücklich lehren. Es wollte, zurückblickend auf das γεννηθέντα ἐκ τοῦ πατρός im zweiten Artikel, den Ursprung des Geistes in bezug auf die Konsubstantialität mit dem Vater mit dem Ursprung des Sohnes parallel stellen. Mit dem ἐκ τοῦ πατρός und nur mit ihm (das ἐκ τοῦ υἱοῦ bekannten ja die Gegner in ihrer arianischen Weise ebenfalls) war das ausgesprochen. Man wird also sagen müssen: es besteht kein notwendiger Grund — der eben angeführte faktische Grund ist eben kein notwendiger — weshalb das *Filioque* nicht in dem ursprünglichen Symbol gestanden haben könnte.

Daß das *Nic. Const.* im Abendland den sakrosankten Charakter noch jahrhundertelang nicht hatte und ihn auch nachher in dem Maße nie bekommen hat, wie er ihm im Osten schon sehr früh beigelegt wurde, das war die formale Möglichkeit — und daß im Abendland die Trinitätslehre Augustins sich immer allgemeiner als Ausdruck gemeinsamer Erkenntnis durchsetzte, das war der positive Grund, weshalb man hier da und dort (soviel man weiß zuerst am Anfang des 6. Jahrhunderts in Spanien) das *Filioque* zunächst in den liturgischen Gebrauch des Credo aufnahm. Die Billigung dieser Übung durch den römischen Stuhl hat volle fünfhundert Jahre auf sich warten lassen. Fast gleichzeitig mit einem Streit zwischen den fränkischen und den griechischen Mönchen in Jerusalem (808) wegen des von den ersteren in der Messe gesungenen *Filioque*, in welchem Papst Leo III. die Rechtgläubigkeit des beanstandeten Zusatzes in Schutz nahm, hat derselbe Papst auf einer Synode zu Rom (810) die Einschaltung in das Symbol als solche mißbilligt und (809) Karl dem Großen, der mit einer Synode zu Aachen dafür eintrat, den Wunsch ausgesprochen, es möchte in dessen Hofkapelle das *Filioque* nicht mehr gesungen werden. Die allgemeine Strömung des Denkens im Abendlande war und blieb doch eine andere. Aber erst der allmählich deutlicher werdende Widerspruch der Ostkirche gegen die in dem Zusatz enthaltene Lehre als solche, d. h. erst die im Symbol selbst noch nicht enthaltene und vom Symbol aus nicht zu erklärende Negation in der Sache, führte dazu, daß das *Filioque* offiziell gestattet wurde. Das Credo, das 1014 anerkannter Bestandteil der römischen Messe wurde, enthielt das *Filioque*. So ist es abendländisch-kirchliches Dogma geworden. Auch in den Unionsverhandlungen der späteren Jahrhunderte haben sich aber die Päpste (so noch ausdrücklich Benedikt XIV. in der Bulle *Etsi pastoralis* 1742) auf den Standpunkt gestellt, daß der Zusatz zum liturgischen Text den Griechen gegenüber nicht als *conditio sine qua non* zur Beseitigung des Schismas zu behandeln sei, sondern eben nur das Bekenntnis zu der in dem Zusatz ausgesprochenen Wahrheit. Die Reformation war auch trinitätstheologisch stark genug an Augustin orientiert, um sich selbstverständlich und ohne weiteres auf den Boden des allgemeinen abendländischen Bekenntnisses zu stellen, und so ist der Zusatz implizit oder explizit auch Bestandteil der evangelischen Bekenntnisschriften geworden. Man konnte zwar innerhalb der altprotestantischen Theologie gelegentlich (so J. Coccejus, *S. Theol.*, 1662, 12, 8) urteilen, es sei ein Fehler gewesen, daß die römische Kirche das noch von Leo III. feierlich in seiner alten Form bestätigte Symbol dann doch verändert habe — die Sache ist in der Tat nicht gerade ein glänzender Beleg für die römisch-katholische Theorie von der Sicherheit der in den Händen des Papstes vereinigten Lehrgewalt der Kirche — man konnte (so Quenstedt, *Theol. did. pol.*, 1685, I *c.* 9 *sect.* 2 *qu.* 12 *object. dial.* 16) erklären, daß die rechtgläubige Entscheidung in dieser Sache *non ad fidem simplicem, sed ad peritiam theologicam* gehöre und nur von Niemandem geradezu geleugnet werden dürfe; man konnte sogar noch weitherziger (so F. Turrettini, *Inst. theol. el.*, I 1679, *L.* III *qu.* 31, 6) ausdrücklich erklären, die griechische Ansicht von der Sache sei nicht als Häresie zu beurteilen, nur eben die abendländische als die bessere — man war doch bei Lutheranern und Reformierten völlig einig darin, daß man sich sachlich der einst so merkwürdig (an Konzil und Papst vorbei) gefallenen Entscheidung anzuschliessen habe.

Scharf und ernstlich gekämpft wurde in der ganzen Sache eigentlich immer nur von Seiten des Ostens, während der Westen sich in der Hauptsache auf die Defensive beschränkte. (Vgl. dazu die Formel des *Conc. Lugd.* II 1274, Denz. Nr. 460: *Damnamus et reprobamus qui negare praesumpserint, aeternaliter Spiritum Sanctum ex Patre et Filio procedere.*) Wobei doch zu bemerken ist: Scharf empfunden und ausgesprochen wird der Gegensatz auch von Seiten des Ostens genau genommen erst seit den Zeiten des noch in ganz anderer Hinsicht am Schisma interessierten Photius (9. Jahrh.) und genau genommen immer vor allem unter dem Gesichtspunkt der formalen Beschwerde darüber, wie illegitim und lieblos das Abendland bei dieser Veränderung des Symbols vorgegangen sei. (Vgl. dazu die beweglichen Klagen von A. St. Chomjakow in: Östl. Christentum. Dokumente, herausgegeben von H. Ehrenberg, 1. Bd. S. 156f.) Was die theologische Deutung des Gegensatzes jedenfalls in der modernen russischen Orthodoxie betrifft, so steht neben dem wohl nicht restlos ernst zu nehmenden Zeitgenossen L. P. Karsavin, der das *Filioque* in dunklen Worten für die Lehre von der unbefleckten Empfängnis und von der päpstlichen Unfehlbarkeit ebenso wie für den Kantianismus, den Fortschrittsglauben und viele andere Übel der abendländischen Kultur verantwortlich macht (Östl. Christentum, 2. Bd. S. 356f.), zur Zeit der Unionsverhandlungen zwischen Orthodoxen und Altkatholiken der Archimandrit Sylvester in Kiew, der sich immerhin begnügte, historisch-dogmatisch herauszuarbeiten, daß das *Filioque* in jedem möglichen Sinn nur von dem *opus trinitatis ad extra*, nicht aber von dem inneren Leben Gottes ausgesagt werden könnte (Antwort auf die in dem altkath. Schema enthaltene Bemerkung von dem Heiligen Geiste, 1875), aber doch auch der ungleich besonnenere V. Bolotow in Petersburg, der das augustinische *Filioque* freilich als eine zu Unrecht zum Dogma erhobene Privatmeinung hinstellte, der aber doch jene These von Sylvester für nichtdurchführbar hielt, vielmehr darauf hinwies, daß eben auch die Negation des *Filioque* nicht im Symbol stehe und schließlich zu dem Ergebnis kam, daß die ganze Frage die Ursache der Trennung nicht gewesen sei und ein *impedimentum dirimens* für die Interkommunion zwischen Orthodoxen und Altkatholiken nicht bilden könne (Thesen über das „*Filioque*", *Revue intern. de théol.*, 1898, S. 681f.). Dieser letzte Standpunkt soll es sein, an den man sich als an den heute in der östlichen Orthodoxie maßgebenden zu halten hat.

Wir haben Gründe, uns der abendländischen Tradition hinsichtlich des *Filioque* anzuschließen, und da die kirchliche Trennung des Westens vom Osten nun einmal Ereignis ist und (ob zu Recht oder Unrecht, ist eine Frage für sich) auch unter diesem Zeichen steht, haben wir Anlaß, uns darüber Rechenschaft abzulegen.

Es ist nicht weniger als der ganze Ansatz unseres hier versuchten Ver-

2. Der ewige Geist

ständnisses der Lehre vom Heiligen Geist und von der Trinität überhaupt, der uns zunächst grundsätzlich auf diese Seite führt. Auch die Anhänger der morgenländischen Lehre bestreiten nicht, daß der Heilige Geist im *opus ad extra*, also in der Offenbarung (und von da aus rückwärts gesehen in der Schöpfung) als der Geist des Vaters und des Sohnes zu verstehen ist. Wir sind nun aber durchweg der Regel gefolgt — und halten diese Regel für grundlegend — daß die Aussagen über die Wirklichkeit der göttlichen Seinsweisen „zuvor in sich selber" inhaltlich keine anderen sein können als diejenigen, die über ihre Wirklichkeit eben in der Offenbarung zu machen sind. Unsere sämtlichen Sätze über die sogenannte immanente Trinität ergaben sich uns sehr einfach als Bestätigungen und Unterstreichungen oder sachlich: als die unentbehrlichen Vordersätze über die ökonomische Trinität. Sie konnten und wollten nichts Anderes sagen als: es hat zu bleiben bei der Unterschiedenheit und Einheit der Seinsweisen in Gott, wie sie uns nach dem Zeugnis der Schrift in der Wirklichkeit Gottes in seiner Offenbarung begegnen. Die Wirklichkeit Gottes in seiner Offenbarung ist nicht einzuklammern mit einem „nur", als ob irgendwo hinter seiner Offenbarung eine andere Wirklichkeit Gottes stünde, sondern eben die uns in der Offenbarung begegnende Wirklichkeit Gottes ist seine Wirklichkeit in allen Tiefen der Ewigkeit. So ernst haben wir sie gerade in seiner Offenbarung zu nehmen. Angewandt auf die besondere Lehre vom Heiligen Geist heißt das: Er ist nicht nur der Geist des Vaters und des Sohnes in seinem Wirken nach außen und auf uns, sondern er ist in alle Ewigkeit — keine Grenze und kein Vorbehalt ist hier möglich — kein Anderer als der Geist des Vaters und des Sohnes. „Und des Sohnes", will sagen: es besteht nicht nur für uns, sondern es besteht in Gott selbst keine Möglichkeit einer Öffnung und Bereitschaft und Fähigkeit des Menschen für Gott — das ist ja das Werk des Heiligen Geistes in der Offenbarung — es wäre denn von dem her, von dem Vater her, der sich in seinem Wort, in Jesus Christus offenbart — und zugleich und ebenso notwendig: eben von dem her, der sein Wort ist, von dem Sohn, von Jesus Christus her, der den Vater offenbart. Jesus Christus als Geber des Heiligen Geistes ist nicht ohne den Vater, von dem er, Jesus Christus, her ist. Aber der Vater als Geber des Heiligen Geistes ist auch nicht ohne Jesus Christus, zu dem hin er selber der Vater ist. Die morgenländische Lehre bestreitet nicht, daß dem in der Offenbarung so ist. Sie liest aber ihre Aussagen über das Sein Gottes „zuvor in sich selber" nicht aus der Offenbarung ab, sie bleibt nicht bei der Ordnung der göttlichen Seinsweisen stehen, die nach ihrem eigenen Zugeständnis im Bereich der Offenbarung gültig ist, sondern sie greift über die Offenbarung hinaus, um zu einem ganz anderen Bild von Gott „zuvor in sich selber" zu kommen. Wir müssen hier schon, ganz abgesehen von dem Ergebnis, Einspruch erheben. Woher nimmt man das Recht,

§ 12. *Gott der heilige Geist*

Bibelstellen wie Joh. 15, 26, die vom Ausgang des Geistes vom Vater reden, zu isolieren gegenüber den vielen anderen, die ihn ebenso deutlich als den Geist des Sohnes bezeichnen? Liegt es nicht viel näher, solche entgegengesetzten Aussagen in der gegenseitigen **Ergänzung** zu verstehen, die ja zugestandenermaßen in der Wirklichkeit der **Offenbarung** stattfindet, und den so ersichtlich werdenden Sachverhalt dann auch als den für alle Ewigkeit gültigen als Sachverhalt im Wesen Gottes **selbst** anzuerkennen? Uns ist also die morgenländische Leugnung des *Filioque* schon darum, schon formal verdächtig, weil sie offenkundig eine einzelne Bibelstellen isoliert exegesierende Spekulation ist, weil sie zu der Wirklichkeit Gottes in seiner Offenbarung und für den Glauben keine Beziehung hat.

Dieser formale Schaden hat aber sofort sachliche Bedeutung. Das *Filioque* ist der Ausdruck der Erkenntnis der Gemeinschaft zwischen **Vater und Sohn**: der Heilige Geist ist die Liebe, die das Wesen der Beziehung zwischen diesen beiden Seinsweisen Gottes ist. Und die Erkenntnis dieser Gemeinschaft ist nichts Anderes als die Erkenntnis des Grundes und der Bestätigung der Gemeinschaft zwischen **Gott und Mensch** als einer göttlichen, ewigen Wahrheit, wie sie in der Offenbarung durch den Heiligen Geist geschaffen wird. In der **innergöttlichen**, zweiseitigen, vom Vater und vom Sohn ausgehenden Gemeinschaft des Geistes ist es begründet, daß es in der **Offenbarung** eine Gemeinschaft gibt, in der nicht nur Gott für den Menschen, sondern wirklich — das ist doch das *donum Spiritus sancti* — auch der Mensch für Gott da ist. Wie umgekehrt eben in dieser zwischen Gott und Mensch durch den Heiligen Geist geschaffenen Gemeinschaft in der Offenbarung, jene Gemeinschaft in Gott selbst, jene ewige Liebe Gottes erkennbar wird, erkennbar als das alle Vernunft übersteigende Geheimnis der Möglichkeit solcher Offenbarungswirklichkeit, erkennbar als der eine Gott in der Seinsweise des Heiligen Geistes.

Missio haec temporalis (Spiritus sancti) praesupponit aeternum illum Spiritus sancti (aeque a Filio atque Patre) processum estque eius declaratio et manifestatio (Quenstedt, *Theol. did. pol.*, 1685 I *cap.* 9, *sect.* 2 *qu.* 12 beb. 3).

Dieser ganze Einblick und Ausblick geht bei der Leugnung des immanenten *Filioque* verloren. Ist der Geist nur in der Offenbarung und für den Glauben auch der Geist des Sohnes, ist er in Ewigkeit, und das heißt doch wohl: in seiner eigentlichen und ursprünglichen Wirklichkeit, nur der Geist des Vaters, dann ist die Gemeinschaft des Geistes zwischen Gott und Mensch ohne objektiven Gehalt und Grund. Sie steht, mag sie immer offenbart und geglaubt sein, als bloß zeitliche Wahrheit ohne ewigen Grund sozusagen auf sich selber. Was dann auch von der Gemeinschaft zwischen Gott und Mensch zu sagen sein mag: ihr fehlt dann jedenfalls die Verbürgung in der Gemeinschaft zwischen Gott dem Vater

2. Der ewige Geist

und Gott dem Sohn als ewiger Gehalt ihrer zeitlichen Wirklichkeit. Sollte das nicht eine Entleerung der Offenbarung bedeuten?

Noch schlimmer würde sich Alles darstellen, wenn die Leugnung des *Filioque* nun doch etwa nicht bloß auf die immanente Trinität sich beschränken, sondern auch in der Interpretation der Offenbarung selbst sich geltend machen, wenn also der Heilige Geist auch in seinem *opus ad extra* einseitig oder doch überbetont als der Geist des Vaters verstanden werden sollte. Man wird hier sehr vorsichtig sein müssen, weil das ja eben theoretisch bestritten wird. Man wird aber doch nicht umhin können zu fragen, ob es, wenn jene Leugnung, wenn das exklusive *ex Patre* als ewige Wahrheit gilt, vermeidlich sein kann, einmal: daß die Beziehung des Menschen zu Gott entscheidend unter dem Gesichtspunkt Schöpfer und Geschöpf verstanden wird und dann einen mehr oder weniger ausgeprägt naturalistischen, unethischen Charakter bekommt, sodann: daß diese Beziehung nach Beiseitestellung des Offenbarungsmittlers, des Sohnes oder Wortes als des Grundes, von dem sie her ist, die Art einer unmittelbaren, direkten Beziehung, eines mystischen Einswerdens mit dem *principium et fons Deitatis* annehmen wird.

Wenn die eigentümlich hemmungslose, alle Grenzen von Philosophie und Theologie, von Vernunft und Offenbarung, von Schrift, Tradition und unmittelbarer Erleuchtung, von Geist und Natur, von *Pistis* und *Gnosis* (aber auch den Unterschied zwischen ökonomischer und immanenter Trinität!) verwischende Denk- und Redeweise der russischen Theologen und Religionsphilosophen, wie sie uns etwa in den Ehrenbergschen Dokumenten entgegentrat, nichts mit dem fehlenden *Filioque* zu tun haben sollte, so würde man jedenfalls von einem merkwürdigen Zusammentreffen dieses Fehlens mit eben solchen Erscheinungen reden müssen, die als Folgen oder als notwendige Parallelerscheinungen dieses Fehlens nur zu leicht verständlich wären.

Aber wie dem auch sei: wir können in der morgenländischen Fassung des Verhältnisses zwischen den göttlichen Seinsweisen ihre Wirklichkeit, wie wir sie aus der göttlichen Offenbarung nach dem Zeugnis der Schrift zu kennen meinen, nicht wiedererkennen.

Auch nicht in der Fassung, in der sie das ἐκ τοῦ υἱοῦ zwar ausschließt, ein διὰ τοῦ υἱοῦ aber als mögliche Interpretation des ἐκ τοῦ πατρός zugeben will. Denn auch dieses διὰ τοῦ υἱοῦ führt nicht und soll nach der Absicht der orientalischen Theologie nicht führen zu dem, worauf uns Alles anzukommen scheint: auf den Gedanken der vollen konsubstantialen Gemeinschaft zwischen Vater und Sohn als dem Wesen des Geistes, urbildlich entsprechend der Gemeinschaft zwischen Gott als dem Vater und dem Menschen als seinem Kinde, deren Schaffung das Werk des Heiligen Geistes in der Offenbarung ist.

Das διὰ τοῦ υἱοῦ, *per filium* hat den Sprachgebrauch der meisten griechischen und lateinischen Väter vor dem Schisma für sich. Es kann ja auch unmöglich bestritten werden, daß der Ausgang des Geistes vom Sohne, sofern der Sohn selbst der Sohn des Vaters ist, letztlich auf den Vater zurückzuführen ist. Aber das haben auch die Lateiner nicht bestritten. Augustin selbst hat unzweideutig erklärt: *principaliter* geht der Geist vom Vater aus, vom Vater hat es der Sohn, *ut et de illo procedat Spiritus sanctus* (*De trin.* XV 26, 47, vgl. 17, 29; *In Joann. tract.* 99, 8). Aber die morgenländische Lehre seit dem Schisma und auch die ältere morgenländische Lehre, sofern sie nachträglich schismatisch interpretiert wird, sagt mehr als dies: sie versteht das ἐκ τοῦ πατρός im Sinn von ἐκ μόνου τοῦ πατρός, sie versteht also das διὰ τοῦ υἱοῦ nicht als Bezeichnung des unter Voraussetzung der Zeugung des Sohnes nun doch unmittelbaren Ausgangs des Geistes auch aus diesem, sondern als die Fortpflanzung oder Weitertragung oder Prolongatur des Ausgangs des Geistes vom Vater. Sie fand sich klassisch repräsentiert in dem Bilde des Gregor von Nyssa von den drei Fackeln, deren zweite an der ersten, deren dritte an der zweiten entzündet wird (*De Spir. s.* 3). Sie drückt sich (nach Bolotow a. a. O. S. 692) aus in dem andern Bilde, wonach der Vater dem Munde, der Sohn dem Wort, der Geist aber dem dem Worte Laut gebenden Atem zu vergleichen ist: sofern der Atem um des Wortes willen ausgeatmet wird, sofern das Aussprechen des Wortes das Atmen unvermeidlich mit sich führt, ist das Wort das logische Prius des Atmens und insofern gilt das διὰ τοῦ υἱοῦ. Sofern aber das Wort nicht den Atem hervorbringt, der Atem nicht vom Worte kommt, sondern vom Munde, gilt das ἐκ τοῦ πατρός, nicht aber das ἐκ τοῦ υἱοῦ. Kein ἐκπορεύεσθαι, sagt ein ebenfalls gern angeführtes Wort des Athanasius (*Ad Serap.* I 20), soll der sekundäre Ursprung des Geistes vom Logos sein, sondern nur ein ἐκλάμπειν παρὰ τοῦ λόγου τοῦ ἐκ πατρός. Zeugung und Hauchung erscheinen also nach diesem Verständnis des διὰ τοῦ υἱοῦ „als eine in gerader Linie fortlaufende Bewegung, in der die zweite aus der ersten hervorgeht" (M. J. Scheeben, Handbuch der kath. Dogmatik, Neudr. 1925, 1. Bd. S. 820). Der Sohn ist ein Mittelprinzip, der Vater allein αἰτία, Prinzip im strengen Sinn des Wortes.

In dieser Interpretation muß offenbar auch das an sich selbstverständliche διὰ τοῦ υἱοῦ abgelehnt werden. Und ihr gegenüber muß das Festhalten des Abendlandes an dem ἐκ τοῦ υἱοῦ verständlich und notwendig erscheinen. Wenn das so verstandene διὰ τοῦ υἱοῦ den eigentlichen Ursprung des Geistes auch aus dem Sohn wirklich ausschließt, so heißt das, daß es zwischen Sohn und Geist keine *relatio originis* gibt, d. h. aber daß der Geist nur uneigentlich der Geist des Sohnes genannt werden kann, gerade nicht so, wie der Sohn der Sohn des Vaters heißt. Aber auch Vater und Sohn haben dann, wenn nicht auch der Sohn eigentlicher Ursprung des Geistes ist, nicht Alles gemeinsam, sondern ihre Ursprünglichkeit in bezug auf den Geist fällt dann auseinander in eine primäre und eine bloß sekundäre. Aber auch die Einheit Gottes des Vaters dürfte in Frage gestellt sein, wenn er nicht schon als Vater des Sohnes implizit auch der Ursprung des Geistes ist, sondern der Ursprung des Geistes an ihm als eine zweite Funktion neben seiner Vaterschaft erscheint. Endlich und vor allem: der Geist verliert bei dieser Konzeption seine Mittelstellung zwischen Vater und Sohn, und Vater und Sohn verlieren den gegenseitigen Zusammenhang im Geiste.

Mag sein, daß ein unüberwundener Rest von origenistischem Subordinatianismus mit als die Fehlerquelle der orientalischen Auffassung anzusprechen ist. Es ist doch vor allem die Einheit der Trinität, die wir auf der ganzen Linie für durch die Leugnung des *Filioque* gefährdet halten müssen. Wir haben an anderer Stelle gesehen, daß der Tritheismus immer die besondere Gefahr der östlichen Theologie gewesen ist, und wir können uns auch angesichts der unter Leugnung des *Filioque* konstruierten Trinität des Eindrucks nicht erwehren, daß hier die *trinitas in unitate* gegenüber der *unitas in trinitate* in bedrohlichster Weise übertont wird. Um dieser *unitas* willen hat sich das *Filioque* Augustin aufgedrängt und hat es sich im Abendland durchgesetzt. Den entscheidenden Grund, uns diesem Anliegen anzuschließen, finden wir darin, daß wir nur in dieser *unitas*, aber nicht in dem seltsamen Nebeneinander des Vaters und des Sohnes hinsichtlich des Geistes, wie es in der orientalischen Lehre sichtbar wird, die Entsprechung dessen finden, was wir als das Werk des Heiligen Geistes in der Offenbarung kennen. Gilt die Regel, daß Gott in seiner Ewigkeit kein anderer ist als der, der sich uns in seiner Offenbarung erschließt, dann ist der Heilige Geist dort wie hier der Geist der Liebe des Vaters und des Sohnes und also *procedens ex Patre Filioque*.

Der positive Sinn der abendländischen Fassung des Dogmas ist nach dem Gesagten so zusammenzufassen:

Indem Gott von Ewigkeit in sich selbst Vater ist, bringt er von Ewigkeit sich selber hervor als den Sohn. Indem er von Ewigkeit der Sohn ist, geht er von Ewigkeit hervor aus sich selber als dem Vater. Eben in diesem ewigen Sichselberhervorbringen und Aussichselberhervorgehen setzt er sich selber ein drittes Mal: als der Heilige Geist, d. h. als die ihn in sich selbst einigende Liebe. Indem er der Vater ist, der den Sohn hervorbringt, bringt er hervor den Geist der Liebe; denn indem er den Sohn hervorbringt, verneint Gott schon in sich selbst, schon von Ewigkeit her, schon in seiner schlechthinnigen Einfachheit: das Einsamsein, das Sichselbstgenügen, das Aufsichselberstehen. Auch und gerade in sich selbst, von Ewigkeit her, in seiner schlechthinnigen Einfachheit ist Gott zum Andern hin, will er nicht ohne den Andern sein, will er sich selbst nur haben, indem er sich mit dem Andern, ja in dem Andern hat. So ist er der Vater des Sohnes, daß er mit dem Sohne den Geist, die Liebe, hervorbringt und so in sich selber der Geist, die Liebe, ist. Wohlverstanden: nicht um einem Gesetz der Liebe zu genügen, nicht weil die Liebe die Wirklichkeit wäre, der auch Gott zu gehorchen hätte, muß er der Vater des Sohnes sein. Der Sohn ist das Erste, der Geist ist das Zweite in Gott, will sagen: indem er der Vater des Sohnes ist, als Vater den Sohn hervorbringt, bringt er den Geist hervor und also die Negation des Einsamseins, das Gesetz und die Wirklichkeit der Liebe. Daraufhin ist die Liebe Gott, höchstes Gesetz und letzte Wirklichkeit, daß Gott die Liebe ist, nicht umgekehrt. Und darum ist Gott die Liebe, darum geht die Liebe aus ihm hervor als seine Liebe, als der Geist, der er selber ist, weil er sich selbst setzt als Vater und also sich selbst als Sohn. Daraufhin: in dem Sohn seiner Liebe, d. h. in dem Sohn, in und mit welchem er sich selbst hervorbringt als die Liebe, bringt er dann auch im *opus ad extra* hervor: in der Schöpfung die von ihm selbst unterschiedene kreatürliche Wirklichkeit und in der Offenbarung die Versöhnung und den Frieden der von ihm abgefallenen Kreatur. Die Liebe, die uns in der Versöhnung und von da aus rückwärts gesehen, in der Schöpfung begegnet, ist darum und darin wirkliche Liebe, höchstes Gesetz und letzte Wirklichkeit, weil Gott zuvor in sich selbst Liebe ist: nicht bloß ein höchstes Prinzip des Zusammenhangs von Sonderung und Gemeinschaft, sondern Liebe, die das Andere, den Anderen auch in der Gemeinschaft will und bejaht, sucht und findet in seiner Sonderung, um auch in der Sonderung die Gemeinschaft mit ihm zu wollen und zu bejahen, zu suchen und zu finden. Weil Gott zuvor in sich selbst Liebe ist, darum ist und gilt die Liebe als die Gotteswirklichkeit im Werk der Offenbarung und im Werk der Schöpfung. Er ist aber zuvor in sich selbst Liebe, indem er sich selbst setzt als der Vater des Sohnes. Das ist die Erklärung und der Beweis des *qui procedit ex Patre*.

Eben weil wir es so erklären und beweisen, müssen wir nun aber fortfahren: auch indem Gott der Sohn ist, der aus dem Vater hervorgeht, bringt er den Geist, bringt er die Liebe hervor. Auch in dieser Seinsweise negiert er in seiner schlechthinnigen Einfachheit die Einsamkeit, ist er zu dem Andern hin, will er nicht ohne den Andern sein, von dem er her ist. Wie könnte er anders der Sohn sein denn als der Sohn des Vaters? Wie sollte Gott weniger darin der Ursprung der Liebe sein, daß er Sohn, als darin, daß er Vater ist? Verschieden als Vater und Sohn ist Gott eben darin einig, daß sein Verschiedensein ja das des Vaters und des Sohnes ist, also nochmals: nicht das Verschiedensein, wie es auch in einem höchsten Prinzip der Sonderung und Gemeinschaft vorkommen könnte, kein liebloses Verschiedensein, sondern jenes Verschiedensein, das in der Gemeinschaft die Sonderung und in der Sonderung die Gemeinschaft bejaht. Wie sollte also die Hauchung des Geistes weniger wesentlich, weniger eigentlich und ursprünglich dem Sohn als dem Vater eigen sein? Und wir müssen im Blick auf das *opus ad extra* weiterfragen: wenn es wahr ist, daß Gott sich uns durch seinen eingeborenen Sohn offenbart, wenn es weiter wahr ist, daß Gottes eingeborener Sohn nicht weniger und nichts Anderes ist als Gott der Vater, wenn es weiter wahr ist, daß Gottes Offenbarung jedenfalls auch die Offenbarung seiner Liebe ist, wenn Offenbarung nicht Offenbarung wäre ohne Ausgießung und Mitteilung des Geistes, durch den der Mensch Gottes Kind wird, sollte dann dieser Geist nicht unmittelbar auch der Geist des Sohnes sein? Ist der Sohn hier bloß mittelbar, bloß abgeleitet der Schenker des Geistes, der Offenbarer der Liebe? Ist er es aber hier unmittelbar und direkt, wie kann er es dann sein, wenn er es doch in Wirklichkeit, in der Wirklichkeit Gottes zuvor in sich selber nicht ist? Ist die Liebe hier, und ist sie von hier aus gesehen schon in der Schöpfung Gottes Wirklichkeit im Sohn und durch den Sohn, so haben wir keinen Grund und keine Erlaubnis, über das, was hier gilt, hinaus zu denken, dann ist sie die Liebe des Sohnes auch zuvor in ihm selber, auch in Ewigkeit. Als Sohn des Vaters ist dann auch er *spirator Spiritus*. Gewiß: als Sohn des Vaters. Insofern gilt das *per Filium*. Aber *per Filium* kann nun nicht heißen *per causam instrumentalem*. Dieser Sohn dieses Vaters ist und hat Alles das, was sein Vater ist und hat. Er ist und hat es als Sohn. Aber er ist und hat es. So ist er auch der *spirator Spiritus*. So hat er auch die Möglichkeit es zu sein. So erklären und beweisen wir das *qui procedit ex Patre Filioque*.

Die Frage könnte an dieser Stelle auftauchen, ob nicht entsprechend dem Ausgang des Geistes vom Vater und vom Sohne auch ein Ausgang des Sohnes vom Vater und vom Geiste behauptet werden müsse. Man könnte dafür einerseits exegetisch geltend

2. Der ewige Geist

machen, das Werk des Heiligen Geistes erscheine doch in der Offenbarung in mehr als einer Hinsicht als ein schöpferisches oder gar als ein erzeugendes. Vor allem die den Einblick und Eingang in das Reich Gottes bedingende Geburt aus dem Geist Joh. 3, 5f. könnte hier angeführt werden. Sind, so könnte man fragen, die Kinder Gottes Geistgezeugte, ist dann nicht auch von dem Sohne Gottes etwas Entsprechendes zu sagen? Und ist nicht faktisch von dem Sohne Gottes in der Offenbarung Entsprechendes gesagt? Erscheint nicht in der Geschichte von der Taufe Jesu am Jordan (Mc. 1, 9f. u. Par.) seine Gottessohnschaft als begründet durch den auf ihn herniedersteigenden Geist? Ist nicht auch Röm. 1, 3 davon die Rede, daß Jesus Christus zum Sohne Gottes in Kraft bestellt wurde κατὰ πνεῦμα ἁγιωσύνης ἐξ ἀναστάσεως νεκρῶν? Und was sollen wir erst sagen zu Luc. 1, 35, wo es in der Weissagung des Engels von der bevorstehenden Empfängnis der Jungfrau Maria heißt: πνεῦμα ἅγιον ἐπελεύσεται ἐπί σέ, καὶ δύναμις ὑψίστου ἐπισκιάσει σοι, διὸ καὶ τὸ γεννώμενον ἅγιον κληθήσεται υἱὸς θεοῦ, und zu Matth. 1, 18, wo es ebenfalls von Maria heißt: εὑρέθη ἐν γαστρὶ ἔχουσα ἐκ πνεύματος ἁγίου, und zu Matth. 1, 20, wo wir lesen: τὸ γὰρ ἐν αὐτῇ γεννηθὲν ἐκ πνεύματός ἐστιν ἁγίου? Wenden wir unsere Regel auch hier an, daß die dogmatischen Aussagen über die immanente Trinität inhaltlich abgelesen werden können und müssen aus den Bestimmungen über die Seinsweisen Gottes in der Offenbarung, sind wir dann nicht genötigt, ein Ursprungsverhältnis, das dann weder Zeugung noch Hauchung, sondern ein Drittes wäre, auch zwischen dem Geist und dem Sohne anzunehmen? Und man könnte sagen wollen, daß dann erst der Kreislauf der gegenseitigen Beziehungen, in denen Gott Einer in drei Seinsweisen ist, ein vollständiger und in sich geschlossener sei und daß schon deshalb ein solcher Ursprung des Sohnes aus dem Vater und dem Geiste zu postulieren sei.

Dieses zweite, systematische Argument darf nun sofort ausgeschaltet werden: Müßte der Kreislauf, die Perichorese, zwischen den drei Seinsweisen Gottes wirklich ein Kreislauf von gegenseitigen Ursprüngen und müßte er als solcher vollständig sein, dann müßte ja zuerst auch ein Ursprung des Vaters aus dem Sohne und aus dem Geiste entdeckt werden. Die Perichorese, die allerdings eine vollständige und gegenseitige ist, ist aber nicht eine solche der Ursprünge als solcher, sondern eine solche der Seinsweisen als der Seinsweisen des einen Gottes. Sie ist eine weitere Umschreibung der Homousie des Vaters, des Sohnes und des Geistes, hat aber mit Zeugung und Hauchung an sich nichts zu tun, bedarf also auch keiner Ergänzungen in dieser Richtung, so daß jenes Postulat nicht einmal als formal legitim begründet bezeichnet werden kann.

Schwieriger ist es, den ersten, exegetischen Einwand zu beseitigen. Man muß dazu auf der ganzen Linie dies beachten: das Werk des Heiligen Geistes in bezug auf den Sohn in der Offenbarung, von dem in allen jenen Stellen die Rede ist, ist gerade nicht ein solches, das mit der ewigen Zeugung des Sohnes durch den Vater oder mit der ewigen Hauchung des Geistes durch Vater und Sohn als kommensurabel bezeichnet werden könnte, so daß daraus eine weitere ewige Ursprungsbeziehung abgelesen werden könnte und müßte. Zu dieser Kommensurabilität fehlt durchweg dies: die Zeugung und die Hauchung sind Hervorbringungen aus dem Wesen Gottes des Vaters bzw. des Vaters und des Sohnes, aber nicht Hervorbringungen aus einem anderen Wesen. Die in den genannten Stellen beschriebenen Hervorbringungen des Heiligen Geistes dagegen sind durchweg Hervorbringungen aus einem als seiend vorausgesetzten anderen Wesen. Sehr deutlich läßt sich dies an Joh. 3 zeigen: die Geburt aus dem Geist ist eben eine neue Geburt, eine Wiedergeburt, und der durch den Geist zum Kinde Gottes zu gebärende Mensch ist schon da, indem ihm dies widerfährt. Er wird durch den Geist zum Kinde Gottes geboren. Man kann aber offenbar nicht sagen, daß das Kind Gottes, das dieser Mensch wird, durch den Geist geschaffen oder erzeugt wird. Es ist, was es ist, in der Gemeinschaft mit Jesus Christus, dem ewigen Sohne Gottes. Ebenso steht es mit der sicher als eine Parallele zu der Geschichte von der Jungfrauengeburt aufzufassenden Geschichte von der Jordantaufe. Dieser Mensch Jesus von Nazareth, nicht der

Sohn Gottes, wird durch das Herabkommen des Geistes zum Sohne Gottes. Wiederum ist jene Bestellung Jesu Christi zum Sohne Gottes durch den Heiligen Geist Röm. 1 ausdrücklich auf die Auferstehung bezogen. Der ὁρισμός ist die Erhöhung und Offenbarung des Gekreuzigten und Gestorbenen zur Herrlichkeit des Sohnes Gottes. Er bezeichnet die Teilnahme des vorher nach seiner Menschheit bezeichneten Jesus Christus an der Majestät des ewigen Sohnes. Dieser Sohn Gottes als solcher hat sein Sein nicht aus diesem ὁρισμός, nicht aus dem Heiligen Geist. Sondern aus dem Heiligen Geist hat es der nach seiner Menschheit bezeichnete Jesus Christus, dieser Sohn Gottes zu sein. Genau so steht es nun aber auch mit den hier in Betracht kommenden Jungfrauengeburtsstellen. Nicht darin kann ja die Fleischwerdung des Wortes Gottes aus Maria bestehen, daß jetzt und hier erst der Sohn Gottes entstehen würde, sondern darin besteht sie, daß der Sohn Gottes jetzt und hier dieses Andere an sich nimmt, was in Maria zuvor schon existiert, nämlich das Fleisch, die Menschheit, die menschliche Natur, das Menschsein. Und nun besagt speziell das Dogma von der Jungfrauengeburt auf keinen Fall, daß der Heilige Geist der Vater des Menschen Jesus sei und also in der Menschwerdung des Sohnes Gottes auch der Vater des Sohnes Gottes werde. Sondern es besagt, daß der Mensch Jesus keinen Vater hat (genau so wie er als Sohn Gottes keine Mutter hat). Was dem Heiligen Geist in der Geburt Christi zugeschrieben wird, das ist jene Annahme des Menschseins in der Jungfrau Maria zur Einheit mit Gott in der Seinsweise des Logos. Daß dies möglich ist, daß dieses Andere, dieses Menschsein, dieses Fleisch für Gott, für die Gemeinschaft, ja Einheit mit Gott da ist, daß das Fleisch Wort sein kann, indem das Wort Fleisch wird, das ist das Werk des Heiligen Geistes in der Geburt Christi. Dieses Werk des Geistes ist prototypisch für das Werk des Geistes im Werden der Kinder Gottes: ebenso werden wir ja, aber nun nicht direkt, sondern indirekt, *per adoptionem*, im Glauben an Christus, was wir von Natur nicht sind: Kinder Gottes. Jenes Werk des Geistes ist aber nicht ektypisch für ein Werk des Geistes am Sohne Gottes selbst. Was der Sohn dem Geiste „verdankt" in der Offenbarung, das ist sein Menschsein, das ist die Möglichkeit, daß das Fleisch für ihn da sein und also er, das Wort, Fleisch werden kann. Wie sollte daraus abzulesen sein, daß er ihm sein ewiges Sohnsein verdanke? Er ist ewiger Sohn aus dem Wesen des ewigen Vaters, das auch das seinige ist und also nicht durch Annahme eines anderen Wesens. Was für das Verständnis der ewigen Trinität aus diesen Stellen abzulesen ist, das hat also nichts mit einem Ursprung in Gott zu tun, das dürfte vielmehr die Bestätigung des schon Gesagten sein: wie der Heilige Geist in der Offenbarung Gott und Mensch, Schöpfer und Geschöpf, den Heiligen und die Sünder verbindet, so daß sie Vater und Kind werden, so ist er in sich selber die Gemeinschaft, die Liebe, die den Vater mit dem Sohn, den Sohn mit dem Vater verbindet.

Mit dieser Erklärung und diesem Beweis haben wir nun aber schon das Letzte gesagt, was zur Interpretation der abendländischen Auffassung immer gesagt worden ist und notwendig gesagt werden muß: das *ex Patre Filioque* bezeichnet nicht einen doppelten, sondern es bezeichnet einen gemeinsamen Ursprung des Geistes vom Vater und vom Sohne. Daß der Vater der Vater, daß der Sohn der Sohn ist, hervorbringend der erste, hervorgebracht der zweite, das ist ihr nicht Gemeinsames, darin sind sie unterschiedene Seinsweisen Gottes. Daß es aber zwischen ihnen und von ihnen her, als Gottes dritte Seinsweise, der Geist, die Liebe ist, das haben sie gemeinsam. Diese dritte Seinsweise kann nicht aus der ersten allein und nicht aus der zweiten allein und auch nicht aus einem Zusammenwirken beider folgen, sondern nur aus ihrem einen Sein als

2. Der ewige Geist

Gott der Vater und Gott der Sohn, die ja eben nicht zwei entweder für sich oder zusammenwirkende „Personen" sind, sondern zwei Seinsweisen des einen Seins Gottes. Also: das eine Gottsein des Vaters und des Sohnes oder: der Vater und der Sohn in ihrem einen Gottsein sind der Ursprung des Geistes. Was zwischen ihnen ist, was sie verbindet, ist darum keine bloße Beziehung, erschöpft sich darum nicht etwa in der Wahrheit ihres Nebeneinander und Miteinander, ist darum als eine selbständige göttliche Seinsweise ihnen gegenüber das aktive Zueinander und Ineinander der Liebe, weil diese zwei, Vater und Sohn, eines Wesens und zwar göttlichen Wesens sind, weil Vaterschaft und Sohnschaft Gottes als solche in diesem aktiven Zueinander und Ineinander aufeinander bezogen sein müssen. Daß der Vater und der Sohn der eine Gott sind, das ist der Grund, daß sie nicht nur verbunden, sondern im Geist, in der Liebe verbunden sind, daß also Gott die Liebe und daß die Liebe Gott ist.

Tertius enim est Spiritus a Deo et Filio (Tertullian, Adv. Prax. 8). In der Offenbarung ist es wahr, so sagt Augustin, daß *Spiritus et Dei est qui dedit, et noster qui accepimus,* ist es wahr, daß der Geist Gottes auch der Geist des Elia oder der Geist des Mose, also der Geist eines Menschen heißen kann. Diese wunderbare Wahrheit hat in Gott selbst ihren Grund darin, daß Vater und Sohn (wenn auch der Sohn vom Vater her, der es also *principaliter* ist) *principium* des Heiligen Geistes sind: *Non dua principia, sed sicut Pater et Filius unus deus et ad creaturam relative unus creator et unus dominus, sic relative ad Spiritum sanctum unum principium (De trin.* XV 14, 15). Diese Einheit des Ursprungs des Geistes wurde zum Dogma erhoben im *Conc. Lugd.* II 1274: *Non tanquam ex duobus principiis, sed tanquam ex uno principio, non duabus spirationibus, sed unica spiratione procedit* (Denz. Nr. 460). Und das *Conc. Florent.* hat 1439 in Aufnahme jener früher zitierten augustinischen Auslegung des *per Filium* hinzugefügt: *Quoniam omnia quae Patris sunt, Pater ipse unigenito Filio suo gignendo dedit praeter esse Patrem, hoc ipsum quod Spiritus sanctus procedit ex Filio, ipse Filius a Patre aeternaliter habet a quo etiam aeternaliter genitus est.* In diesem Sinn sei das *Filioque* dem Symbol *veritatis declarandae gratia et imminente necessitate* beigefügt worden (Denz. Nr. 691).

4. Wir glauben an den Heiligen Geist, „der mit dem Vater und dem Sohne zugleich angebetet und verehrt wird". Auch diese letzte hier in Betracht zu ziehende Klausel des Symbols definiert die Gottheit des Heiligen Geistes. Sie greift gewissermaßen zurück auf die erste: wie der Vater, wie der Sohn der eine Herr ist, so auch der Geist, hieß es dort, und nun: wie der eine Herr als der Vater und als der Sohn anzubeten und zu verehren ist, so auch als der Geist. Man beachte, wie im lateinischen Text durch das hinzugefügte *simul* der tritheistische Schein, der bei dem bloßen *cum* nicht ganz vermieden wäre und vielleicht auch in den beiden griechischen Komposita nicht ganz vermieden ist, ausgeschlossen wird. „Mit" darf hier nicht heißen: „neben" — die göttlichen Seinsweisen sind ja nicht nebeneinander — sondern: „zugleich mit" oder „in und mit", aber wiederum nicht so, daß der Geist eine bloße Eigenschaft oder Beziehung des Vaters oder des Sohnes wäre, sondern so, daß

es ebensowohl vom Vater oder vom Sohne oder von beiden heißen könnte, aaß sie zugleich mit dem Heiligen Geist anzubeten und zu verehren seien. Also: „gleichwie" der Vater und der Sohn.

Darum in der römischen Messe, aber auch in der evangelischen Liturgie das *Gloria Patri et Filio et Spiritui sancto*. Darum in Luthers Trinitatislied:

Wir glauben an den heil'gen Geist,
Gott mit Vater und dem Sohne ...

Darum in M. Rinckarts „Nun danket alle Gott" Str. 3:

Lob, Ehr und Preis sei Gott
dem Vater und dem Sohne
und dem, der beiden gleich
im höchsten Himmelsthrone ...

Es ist offenbar die Gottheit des Geistes, wie sie nun auch vom Menschen her gesehen feststehen soll, was hier hervorgehoben werden soll. Man könnte fragen: warum wird das gerade mit diesem Hinweis sozusagen liturgischen Charakters hervorgehoben? Warum heißt es nicht: der mit dem Vater und dem Sohne zu glauben oder zu lieben ist? Man wird, welches auch die historische Erklärung sein möge, jedenfalls sagen müssen, daß der Hinweis gerade in dieser Form faktisch eine **doppelte Sicherung** bedeutet. Durch die Bezeichnung als Gegenstand der Anbetung (Proskynese) und Verehrung wird das abstrakt betrachtet neutrische πνεῦμα einbezogen in die durch die Bezeichnungen πατήρ und υἱός gewährleistete **Personalität Gottes**. Nicht an sich (das gilt auch vom Vater und vom Sohn nicht), wohl aber als identisch mit dem einen Gott ist auch der Geist kein Neutrum, kein Es, sondern ein Er, der große, ursprüngliche, unvergleichliche Er, über den der Mensch keine Macht, sondern der alle Macht über ihn hat. Und durch die Bezeichnung als Gegenstand der Anbetung und Verehrung wird der Geist, der ja gerade in der Offenbarung der Geist Gottes und des Menschen *(Spiritus Dei et noster)*, die Vollstreckung der Gemeinschaft zwischen Gott und Mensch ist, dem Bereich des Menschen auch wieder nachdrücklich entzogen. Daß er in uns wohnt, daß es ein Sein des Menschen „im Geiste" gibt, das soll uns keinen Augenblick darüber täuschen, daß der nicht nur quantitative, sondern qualitative **Unterschied von Gott und Mensch** auch und gerade in der Offenbarung nicht aufgehoben, sondern eben in der Offenbarung aufgerichtet ist, damit unter Voraussetzung dieses Unterschiedes Gott und der Mensch Gemeinschaft hätten. Nur das ist (im Unterschied zu allen geschaffenen Geistern) der Heilige Geist, der dem Menschen transzendent ist, bleibt und immer wieder wird, indem er ihm immanent ist. Anbetung und Verehrung heißt: Zuwendung unter Voraussetzung und Beachtung der Distanz, nicht irgendeiner Distanz, nicht der kahlen, mathematischen Distanz des Endlichen gegenüber dem Unendlichen, sondern der Distanz des Menschen als Geschöpf gegen-

2. Der ewige Geist　　　　　　　　　　　　　　　　　513

über Gott als dem Schöpfer, des Menschen als Sünder gegenüber Gott als dem Richter, des Menschen als Begnadigten gegenüber Gott als dem frei und grundlos Barmherzigen. Darum Proskynese, darum Ehre sei Gott in der Höhe! Nirgends könnte offenbar die Verwechslung des Glaubenden mit dem Geglaubten, des Liebenden mit dem Geliebten so nahe liegen wie gerade in bezug auf diese dritte Seinsweise Gottes in seiner Offenbarung. „Anzubeten und zu verehren gleich wie der Vater und der Sohn", damit sollte die Verwechslung abgeschnitten sein. Diese Gabe, das *donum Spiritus sancti* läßt sich von ihrem Geber nicht abstrahieren. Der Geber aber ist Gott. Wir können die Gabe nur haben, indem wir Gott haben und so, wie wir Gott haben. Auf die Bedeutsamkeit gerade dieser Klausel für die ganze Lehre von den Wirkungen des Geistes, insbesondere für die ganze Lehre vom Glauben soll hier nur noch einmal hingewiesen sein. Man sollte meinen: ein Blinder müßte hier sehen, daß das Dabeisein des Menschen bei Gottes Offenbarung, das *Deus in nobis*, wenn es gehaltvoll ausgesagt sein soll, nur vom göttlichen Subjekt, dem als solchem unaufhebbaren Subjekt her verstanden werden kann. Zu einer selbständigen Anthropologie kann auch und gerade die Lehre von der *gratia Spiritus sancti applicatrix* nicht führen. Rechtfertigung und Heiligung sind Taten jenes göttlichen Subjektes, auch und gerade indem dieses sich uns zu eigen gibt. Es gibt sich uns zu eigen als der *Spiritus sanctus, qui cum Patre et Filio simul adoratur et conglorificatur*. So wird es unser Heil und nicht anders. Wir haben diese Klausel ständig vor Augen gehabt bei Allem, was über die Aneignung der Gnade und des Heils in unseren bisherigen Zusammenhängen zu sagen war, und wir werden sie auch in Zukunft im Auge behalten müssen. So dürfen wir es unterlassen, sie an dieser Stelle noch einmal besonders zu unterstreichen.

Man kann eine Erörterung der Dreieinigkeit Gottes nicht besser abschliessen, als dies Augustin am Schlusse seines Werkes über diesen Gegenstand (*De trin.* XV 28, 51) getan hat. Er erklärt dort noch einmal in schlichten Worten, er glaube an Gott Vater, Sohn und Heiligen Geist, weil Gott sich in der Schrift so offenbart habe. Die „Wahrheit" hätte sich nicht so ausgesprochen, *nisi trinitas esses. Ad hanc regulam fidei dirigens intentionem meam, quantum potui, quantum me posse dedisti, quaesivi te, et desideravi intellectu videre quod credidi et multum disputavi et laboravi*. Und nun sieht er sich veranlaßt zu beten: *Libera me, Deus, a multiloquio quod patior intus in anima mea, misera in conspectu tuo et confugiente ad misericordiam tuam*. Er weiß ja um die Gefährdetheit seines Redens nicht nur, sondern auch seines Denkens. Er betet darum, daß er nicht einschlafen und verharren möchte bei dem, was er bloß in menschlicher Vielrednerei gedacht und gesagt habe. Er weiß, daß Gott selbst allein die Vollendung dessen sein kann, was der Mensch über ihn denkt und redet. R. Seeberg (Lehrb. d. Dogmengesch., 2. Bd., 1923, S. 163) entnimmt diesen Worten Augustins, ihm sei am Ende bei der „Fülle der Gesichte" selbst bange geworden. Nun, das könnte wohl sein. Es gibt Theologien, deren Urhebern am Ende keineswegs bange zu werden braucht, weil ihnen die „Fülle der Gesichte" aus guten Gründen erspart geblieben ist.

Augustin war nicht in dieser glücklichen Lage. Er hatte sich in Gefahr begeben, die „Fülle der Gesichte" war in der Tat über ihn gekommen. In dieser Gefahr kann man umkommen. Und ein Theologe, der sich in Gefahr begibt, kann nicht nur selbst umkommen, sondern auch Andere ins Verderben bringen. Darum lautet Augustins letzte Bitte und zugleich das letzte Wort seines Buches: *Domine Deus une, Deus Trinitas, quaecumque dixi in his libris de tuo, agnoscant et tui: si qua de meo, et tu ignosce, et tui. Amen.*

ÜBERSETZUNG DER FREMDSPRACHLICHEN ZITATE

(ohne Bibeltexte), besorgt von Magdalene und Hinrich Stoevesandt

S. 316 Z. 38 … Erkenntnisprinzip …

S. 317 Z. 16 ff. Wie sollte denn der menschliche Geist mit seinem Maß das unermeßliche Wesen Gottes fassen …? Ja, fürwahr, wie sollte er auf eigenem Wege dahin gelangen, die Substanz Gottes zu erforschen …? Deshalb wollen wir die Erkenntnis Gottes gern ihm selbst überlassen. Denn zuletzt ist er selbst doch, wie Hilarius sagt, der einzige vollgültige Zeuge seiner selbst, der nicht anders als durch sich selbst erkannt ist. Wir werden [ihm diese Erkenntnis] aber [dann] überlassen, wenn wir ihn so auffassen, wie er selbst sich uns offenbart, und über ihn an keiner anderen Stelle Kunde suchen als in seinem Wort.

S. 318 Z. 10 ff. … Unterschieden in drei Personen, …, daß nur der bloße und leere Name Gottes ohne den wahren Gott [selbst] in unserem Gehirn herumflattert [Übers. nach O. Weber].

Z. 12 ff. Weil von Gott so zu denken ist, wie er sich offenbart hat, so glauben, erkennen, bekennen und rufen wir an drei Personen, den Vater, den Sohn und den Heiligen Geist … Von der höchsten und vorzüglichsten Sache ist mit Bescheidenheit und Gottesfurcht zu handeln, und mit aufmerksamsten und andächtigen Ohren ist zuzuhören, wo man nach der Einheit der Dreieinigkeit, des Vaters, des Sohnes und des Heiligen Geistes sucht. Denn nirgendwo ist Irren gefährlicher, Suchen beschwerlicher, Finden fruchtbarer.

Z. 17 f. Weiß man nichts vom Geheimnis der Dreieinigkeit oder leugnet man es, so weiß man nichts von der gesamten Ökonomie des Heils oder leugnet sie.

Z. 19 f. Gott kann nicht Gott sein, ohne drei unterschiedene Existenzweisen oder Personen zu haben.

Z. 21 ff. Die, die nicht die Erwähnung dreier Personen zu der Beschreibung Gottes hinzufügen, halten mit dieser Beschreibung an einem Punkt inne, wo sie noch schlechterdings unsachgemäß und unvollständig ist, da ohne diese Personen in der Schwebe bleibt, wer der wahre Gott ist.

Z. 35 ff. Mit dem Bekenntnis der Dreieinigkeit Gottes steht und fällt das ganze Christentum, die ganze besondere Offenbarung. Es ist der Kern des christlichen Glaubens, die Wurzel aller

Dogmen, die Substanz des neuen Bundes. Von diesem religiösen, christlichen Interesse aus hat denn auch die Entwicklung der kirchlichen Trinitätslehre ihren Anfang genommen. Es ging ihr wahrhaftig nicht um eine metaphysische Lehre oder eine philosophische Spekulation, sondern um das Herz und das Wesen der christlichen Religion selbst. So sehr wird das empfunden, daß alle, die noch auf den Namen eines Christen Wert legen, irgendeine Art Trinität anerkennen und vertreten. In jedem christlichen Bekenntnis und in jeder christlichen Dogmatik ist die tiefste Frage die, wie Gott einer und doch zugleich dreifaltig sein kann. Und je nachdem, wie diese Frage beantwortet wird, kommt in allen Stücken der Lehre die christliche Wahrheit weniger gut oder besser zu ihrem Recht. In der Trinitätslehre schlägt das Herz der ganzen Offenbarung Gottes zur Erlösung der Menschheit.

S. 320 Z. 7 f.   Das Geheimnis der Trinität kann weder mit dem Licht der Natur gefunden noch mit dem Licht der Gnade noch mit dem Licht der Glorie von irgendeinem Geschöpf begriffen werden.

Z. 9 ff.   Die Erhabenheit ist so groß, daß sie über Verstand, Vernunft und alles Begreifen hinausgeht: Deshalb kann oder darf sie mit Verstandeskraft – sei es a priori, sei es a posteriori – weder bestürmt noch erstürmt werden.

Z. 42   ...Gott, der in Person redet.

S. 325 Z. 42 f.   ...auch die Worte selbst (d.h. die Worte der Heiligen Schrift) mit ebensovielen Silben und Buchstaben auszudrücken.

Z. 45   ...zu *erklären,* was in der Schrift bezeugt und verbürgt ist.

S. 326 Z. 1 ff.   Wenn es nötig wäre, von Gott wörtlich nur das zu sagen, was in der heiligen Schrift von Gott steht, dann würde daraus folgen, daß niemals jemand in einer anderen Sprache von Gott reden könnte als in jener, in der die Schrift des Alten oder Neuen Testamentes ursprünglich überliefert ist. Dazu aber, neue Begriffe zu finden, die den alten Gottesglauben bezeichnen, dazu hat die Notwendigkeit, mit den Ketzern zu disputieren, gezwungen.

Z. 15 f.   Denn Gott hat der Kirche nicht grundlos die Gabe der Prophetie zur Schriftauslegung verliehen, die gänzlich unnütz wäre, wenn es ein Unrecht wäre, die in der Schrift überlieferte Sache in anderen Worten auszudrücken.

Anhang: *Übersetzung der fremdsprachlichen Zitate* 3

Z. 20 ...eine uneigentliche Redeweise...

Z. 23 ff. Mögen sie [scil. die Begriffe] doch nur begraben sein – wenn nur bei allen der Glaube feststeht, der Vater, der Sohn und der Geist seien *ein* Gott, und doch sei der Sohn nicht der Vater oder der Geist der Sohn...

Z. 27 f. Das Trinitätsdogma ist nicht nur eine Überlieferung der Kirche, sondern eine in der heiligen Schrift ausgedrückte Lehre.

S. 328 Z. 23 f. Da es sich für uns *ziemt*, in dem einen Wesen Gottes den Vater zu betrachten...dann auch den Sohn...[und] zuletzt den Heiligen Geist.

Z. 26 f. Denn er *macht*, daß er ein einziger ist, in der Weise *kund*, daß er uns *aufgibt*, ihn unterschieden in drei Personen zu betrachten.

S. 331 Z. 4 f. Der eine wird gehört, aber weder wird er gesehen noch steigt er hernieder. Der andere wird nicht gehört, aber er steigt in sichtbarer Gestalt hernieder. Der dritte steigt hernieder und steigt vor aller Augen getauft aus dem Fluß empor.

S. 332 Z. 30 ff. Denn in dem Namen «*Christus*» klingt mit: der, der *gesalbt hat*, und der selbst, der *gesalbt ist*, und die *Salbung* selbst, mit der er gesalbt ist. Und zwar gesalbt hat der *Vater*, gesalbt aber ist der *Sohn* im *Geist*, der die Salbung ist.

S. 348 Z. 30 ...Das Individuum ist unaussprechlich...

S. 353 Z. 25 ff. Wir müssen also, wenn wir den Schöpfer betrachten, der durch die geschaffenen Dinge erkannt ist [Röm. 1, 20], die Trinität erkennen, von der im Geschöpf eine Spur sichtbar wird in dem Maße, in dem es dessen würdig ist. Denn in jener Trinität ist der absolute Ursprung aller Dinge und die vollendetste Schönheit und das seligste Glück. Wer das auch nur stückweise, auch nur durch einen Spiegel und in Rätseln sieht [1. Kor. 13, 12], der freue sich in der Erkenntnis Gottes, ehre ihn als Gott und sage Dank! Wer es aber nicht sieht, der strebe durch Frömmigkeit danach, es zu sehen. [Übers. z.T. nach M. Schmaus, BKV II/13/11, S. 230]

S. 355 Z. 32 f. In allen Geschöpfen kann man entdecken und wahrnehmen, daß diese Dreieinigkeit [darin] ausgedrückt ist.

S. 356 Z. 29 ff. ...Nachdenken, Meditation, Betrachtung oder: Glaube, Vernunft, Betrachtung oder: Reinigungs-, Erleuchtungs- und Beschauungsweg...

S. 357 Z. 13 f.	das Liebende, das Geliebte, die Liebe.
Z. 15 ff.	Ohne daß sich irgendeine trügerische Vorspiegelung der Phantasie oder ihrer Gebilde geltend machen könnte, ist mir zweifelsfrei gewiß, daß ich *bin* und daß ich das *weiß* und es *liebe* ... Wie aber, wenn du dich täuschest? Wenn ich mich nämlich täusche, dann *bin* ich. Denn wer nicht ist, kann sich jedenfalls nicht täuschen... Folglich aber täusche ich mich auch darin nicht, daß ich um dieses mein *Bewußtsein* weiß. Und indem ich diese beiden Tatsachen *liebe*..., füge ich ... ihnen etwas Drittes hinzu. [Übers. nach A. Schröder, BKV 16, S. 184 f.]
S. 358 Z. 8 f.	...nicht Gott aus der Schöpfung, sondern die Schöpfung aus Gott...
Z. 11 f.	Wenn er in diesen Dingen etwas gefunden und das ausgesprochen hat, dann soll er noch nicht meinen, jenes gefunden zu haben, was unveränderlich darüber steht.
Z. 13 ff.	Denn man kann bzw. konnte durch die Betrachtung der Geschöpfe keine ausreichende Kenntnis der Trinität haben ohne – durch Lehre oder Inspiration vermittelte – Offenbarung... Doch werden wir durch die geschaffenen Dinge im Glauben an das Unsichtbare unterstützt.
Z. 16 f.	...Ähnlichkeit...Unähnlichkeiten.
Z. 17 f.	Die Dreieinigkeit vorausgesetzt, sind Gründe dieser Art nicht unangemessen; jedoch nicht in der Weise, daß durch diese Gründe die Dreieinigkeit der Personen hinreichend bewiesen würde.
S. 359 Z. 43	...Einheit in der Dreiheit, Dreiheit in der Einheit...
S. 360 Z. 9	... sein, wissen, wollen...
Z. 21/23	...Spuren der Trinität im Geschöpf...Spuren des Geschöpfes in der Trinität...
S. 362 Z. 5	In den Worten stimmen sie mit uns überein, in der Erklärung und Bedeutung dieser Worte stimmen sie nicht mit uns überein.
Z. 25	...der Streit über den freien Willen...
Z. 26 ff.	So nämlich sagen sie: Gott ist frei; wenn also der Mensch nach dem Bilde Gottes geschaffen ist, ist auch er hinsichtlich seiner Erinnerung, seines Geistes und seines Willens frei... So ist

Anhang: *Übersetzung der fremdsprachlichen Zitate*

hieraus die gefährliche Sentenz entstanden, mit der sie aussagen, Gott regiere die Menschen so, daß er sie auf eigenen Antrieb handeln lasse.

Z. 35 f. So wie der Mensch notwendigerweise vernunftbegabt ist, ...so sind in Gottes Wesen notwendigerweise drei Personen.

S. 363 Z. 17 Es ist keine wahre und vollkommene Ähnlichkeit mit der Trinität in den Geschöpfen zu finden.

S. 368 Z. 26 f. ...Alleinherrschaft,... die erhabenste Verkündigung der Kirche Gottes...

Z. 31 ...von einzelnen Namen...

Z. 33 f. In der Weise kommt dieser heiligen Trinität ein einziger natürlicher Name zu, daß er in den drei Personen nicht mehrfältig sein kann.

Z. 34 f. Im Namen, nicht in den Namen des Vaters, des Sohnes und des Heiligen Geistes...

Z. 40 ff. Du hast dort nicht [stehen]: Ich glaube an den Größeren und an den Geringeren und an den Geringsten; sondern durch ein und dieselbe bindende Aussage deiner Stimme bist du gehalten, gleichermaßen an den Sohn zu glauben, wie du an den Vater glaubst, gleichermaßen an den Heiligen Geist zu glauben, wie du an den Sohn glaubst.

Z. 43 ff. Wenn uns Christus hieß, uns auf den Namen des Vaters, des Sohnes des Heiligen Geistes taufen zu lassen, worauf will er damit hinaus als darauf, daß man mit *einem* Glauben an den Vater, den Sohn und den Heiligen Geist glauben solle? Was ist das aber anderes, als daß er klar bezeugt, der Vater, der Sohn und der Geist seien *ein* Gott?

S. 369 Z. 3 ff. Also der Vater ist Gott, der Sohn ist Gott, der Heilige Geist ist Gott; und sind doch nicht drei Götter, sondern es ist ein Gott. Also der Vater ist der Herr, der Sohn ist der Herr, der Heilige Geist ist der Herr; und sind doch nicht drei Herrn, sondern es ist ein Herr. [BSLK, S. 29]

Z. 14 f. ...die Washeit, durch die Gott das ist, was er ist.

Z. 25 f.	Gott ist die Dreieinigkeit... nicht dreifach, sondern dreifältig.
Z. 26	Alles, was in Gott ist, ist der eine und einzige Gott selbst.
Z. 39 f.	Wir unterscheiden die Personen, nicht zertrennen wir die Gottheit.
Z. 40 f.	Denen, denen ein einziges Sein in der Natur der Gottheit zukommt, denen kommt in der Unterscheidung der Personen eine besondere Eigenheit zu.
Z. 42	Wiederholung der Ewigkeit in der Ewigkeit
S. 369 Z. 44–S. 370 Z. 1	Sooft auch die Ewigkeit in der Ewigkeit wiederholt wird, so ist es doch nichts als die eine und selbe Ewigkeit.
S. 370 Z. 1 ff.	Diese Unterscheidung tut der vollen Einheit Gottes keinen Abbruch...; denn unter jeder einzelnen Hypostase (Person) wird die ganze (göttliche) Natur verstanden [Übers. nach O. Weber].
Z. 3 ff.	Denn das Wesen Gottes selbst ist in höchstem Maße einzig, ungeteilt und eins, und daher kann keinesfalls auf die drei Personen wie auf Individuen ein Gattungsbegriff angewendet werden.
S. 372 Z. 6 f.	Es gab eine Zeit, wo es nicht existierte, und es existierte nicht, bevor es entstand...
Z. 7	...andersartig und ungleich...
Z. 7 f.	...erschaffener Sohn Gottes...
Z. 38 f.	...Offenbarungsweise...Seinsweise...
S. 373 Z. 9 f.	Unter diesen drei Personen ist keine die erste, keine die letzte, keine die größeste, keine die kleineste; sondern alle drei Personen sind miteinander gleich ewig, gleich groß [BSLK, S. 29].
Z. 10 f.	Keiner übertrifft den anderen an Ewigkeit, überragt ihn an Größe oder ist ihm an Macht überlegen.
Z. 33	Die ausdrückliche Hervorhebung der Gemeinschaft [in Gen. 1, 26] hat die Möglichkeit eines Verständnisses im Sinne der Einzelheit und Einsamkeit aufgehoben.
Z. 40 f.	Diese heilige Trinität, die der eine und wahre Gott ist, enträt weder der Zahl, noch wird sie von der Zahl erfaßt.

Anhang: *Übersetzung der fremdsprachlichen Zitate*

Z. 42	Auf Gott angewandt, bezeichnen sie (die Zahlbegriffe) jene Dinge, von denen sie ausgesagt werden,...
S. 373 Z. 44– S. 374 Z. 1	Was diese [Bezeichnungen] dort bedeuten, das wollen wir unter Anleitung dessen selbst, von dem wir reden, genau zu verstehen uns aufgegeben sein lassen.
S. 374 Z. 6 ff.	Das Verständnis des *Gesagten* ist aus den [jeweiligen] *Anlässen*, aus denen es gesagt ist, zu entnehmen, denn *nicht ist der Rede die Sache, sondern der Sache die Rede untergeordnet.*
Z. 22 f.	Laß dich nicht mit fortreißen von den Juden, die arglistig sagen: «Es ist nur ein einziger Gott», sondern zugleich mit deinem Wissen darum, daß Gott ein einziger ist, erkenne, daß auch ein eingeborener Sohn Gottes existiert.
Z. 24	Wir bekennen: Nicht so ist Gott ein einziger, als wäre er einsam.
S. 375 Z. 23	...eine *Rede*-Notwendigkeit oder -Gewohnheit...
Z. 29	Was sind die drei?
Z. 31 f.	...weil die überragende Erhabenheit der Göttlichkeit die Möglichkeiten der üblichen Ausdrucksweise übersteigt. Denn größer ist der Wahrheitsgehalt des Denkens über Gott als des Redens über ihn und größer der seines Seins als der des Denkens über ihn.
Z. 41 ff.	...nicht, damit jenes gesagt werde, sondern damit nicht gänzlich darüber geschwiegen werde. Denn die Erhabenheit der unaussprechlichen Sache vermag nicht mit diesem Wort erklärt zu werden.
Z. 47 ff.	...von der unaussprechlichen Mehrzahl...von den *drei ich weiß nicht was*...Denn obwohl ich von der Dreieinigkeit sprechen kann im Blick auf den Vater, den Sohn und den Geist beider, welche drei sind, kann ich nicht mit einem einzigen Namen aussprechen, inwiefern sie drei sind.
S. 375 Z. 50– S. 376 Z. 2	...daß alle Personen, die in der Mehrzahl sind, in der Weise getrennt voneinander existieren, daß es notwendigerweise ebensoviele Wesen wie Personen sind.
S. 376 Z. 3	...aus Mangel an einem eigentlich angemessenen Begriff...
Z. 8 f.	Person ist die [jeweilige] Einzelsubstanz der vernunftbegabten Natur.

Z. 23 f.	…das Vollkommenste in der ganzen Natur…
Z. 34	…immateriell, reiner Akt (= reine Wirklichkeit).
Z. 44 f.	…*Dinge, die in der* (nämlich in der einen) *göttlichen Natur existieren.*
Z. 52 f.	Nach der Bedeutung dieses Begriffes «Person» *im allgemeinen* und nach der Bedeutung der *göttlichen* Person zu fragen, ist zweierlei.
S. 377 Z. 11 ff.	Die alten Lehrer haben diesen Begriff «Personen» gebraucht und gesagt, in Gott seien drei Personen: Keineswegs so, wie wir in unserer gewöhnlichen Sprache sagen, wenn wir drei Menschen, drei Personen bezeichnen, oder gar wie im Papsttum, wo man sich erdreistet, drei Männlein zu malen – und schon hat man die Trinität. Aber – so meint Calvin weiter – dieser Begriff «Personen» dient in dieser Sache dazu, die Eigenheiten auszudrücken, die im Wesen Gottes sind.
Z. 16 f.	Von einem großen, vielmehr unendlichen Unterschied…
Z. 42 f.	Eine Person ist ein lebendiges, individuelles, erkennendes, nicht mitteilbares, nicht von etwas anderem abhängiges Existierendes…
Z. 44 f.	Drei wahrhaftig Existierende…unterschieden voneinander oder einzeln erkennend.
S. 379 Z. 45	…Existenzweise im Wesen Gottes…
S. 380 Z. 3	…angemessener…
Z. 4 f.	…das Wesen Gottes zusammen mit einer bestimmten Seinsweise…
Z. 5 f.	…das göttliche Wesen in einer gewissen spezifischen Existenzweise…
Z. 7	…das gemeinsame göttliche Wesen samt der [je] eigenen Existenzweise…
Z. 44 f.	…(was) in [je] eigener Weise existiert.
S. 381 Z. 4 f.	…eine Existenzweise in Gottes Wesen, die…durch ihre *nicht mitteilbare Eigenheit* unterschieden wird.
Z. 6 f.	…nicht ein Teil oder eine Eigenschaft in etwas anderem…
Z. 7	…nicht von etwas anderem abhängig…

Anhang: *Übersetzung der fremdsprachlichen Zitate*

Z. 9 ... *letztlich* und *unmittelbar durch sich selbst* existierend.

Z. 21 ... die göttliche Natur zusammen mit dem, was jeder [Person] als Eigenheit zukommt [Übers. nach O. Weber].

S. 382 Z. 32 Die Werke der Trinität nach außen hin sind ungetrennt.

S. 384 Z. 3 ff. ... Ursprung (nämlich Ursprung des Handelns), Weisheit (nämlich Ökonomie im Handeln), Kraft (nämlich Wirksamkeit der Handlung).

Z. 40 f. So bewirkt die Anknüpfung des Vaters im Sohne und des Sohnes im Parakleten [nach Joh. 16, 14] drei, die unter sich zusammenhängen, *je einen aus dem anderen.*

Z. 44 f. Denn mit diesen Namen (Vater, Sohn und Geist) wird das bezeichnet, womit sie sich *auf einander beziehen.*

S. 385 Z. 1 ... welche eine *gegenseitige Beziehung* besagen.

Z. 1 f. Nicht wird jeder von ihnen [in Beziehung] auf sich selbst, sondern [in Beziehung] *auf einander* und *einer auf den anderen* werden sie so genannt.

Z. 3 f. In Gott ist alles ein Einziges, wo nicht die Gegenüberstellung [in der Form] einer Beziehung dem entgegentritt.

Z. 6 f. Es ist die Eigenheit des einen, daß er aus dem anderen ist, und die Eigenheit des anderen, daß der andere aus ihm ist.

Z. 9 f. ... eine Beziehung als ein in der göttlichen Natur existierendes Ding.

Z. 11 ff. Person nenne ich eine Existenzweise in Gottes Wesen, die, *bezogen auf die anderen,* durch ihre nicht mitteilbare Eigenheit unterschieden wird.

S. 386 Z. 1 ff. ... das Hauchen... Die Hauchung kommt sowohl der Person des Vaters als auch der Person des Sohnes zu, da sie ja keinen beziehungsmäßigen Gegensatz, weder zum Vatersein noch zum Sohnsein, besagt.

Z. 5 f. Das Vatersein *ist* die Person des Vaters, das Sohnsein die Person des Sohnes und der Ausgang die Person der ausgehenden Heiligen Geistes.

Z. 19 f. s. zu S. 376 Z. 44 f.

Z. 39 f. s. zu S. 369 Z. 42

Z. 45	s. zu S. 375 Z. 29
S. 387 Z. 32 f.	... denn nicht ist der Rede die Sache, sondern der Sache die Rede untergeordnet (vgl. S. 374 Z. 7 f.).
S. 389 Z. 28 ff.	Aus *einem* [sind] alle, nämlich auf Grund der Einheit der Substanz, und nichtsdestoweniger wird das Geheimnis der Ökonomie gewahrt, die die Einheit in eine Dreieinigkeit gliedert, indem sie den Vater, den Sohn und den Geist als drei unterscheidet – als *drei* aber nicht der Beschaffenheit, sondern der *Stufenfolge,* nicht der Substanz, sondern der *Form,* nicht der Macht, sondern [deren] *Erscheinungsweise* nach – ; [sie sind] aber von *einer Substanz* und einer *Beschaffenheit* und einer *Macht,* weil Gott *einer* ist, aus dem sowohl diese Stufenfolgen als auch die Formen als auch die Erscheinungsweisen im Namen des Vaters, des Sohnes und des Heiligen Geistes bestimmt werden.
Z. 36 ff.	Ich vermag nicht, *einen* zu denken, ohne sofort von den dreien umstrahlt zu werden; und ich kann die drei nicht scheiden, ohne sofort auf den einen zurückzukommen [Übers. von O. Weber].
S. 389 Z. 44 – S. 390 Z. 1	Heiliger Herr, allmächtiger Vater, ewiger Gott! Der du mit deinem eingeborenen Sohn und dem Heiligen Geist ein einziger Gott, ein einziger Herr bist: Nicht in der Einzahl einer einzigen Person, sondern in der Dreieinigkeit einer einzigen Substanz: Denn was wir, wenn du es offenbarst, von deiner Herrlichkeit glauben, das denken wir ohne irgendeinen Unterschied [auch] von deinem Sohn, [auch] vom Heiligen Geist. Auf daß im Bekenntnis der wahren und ewigen Gottheit *sowohl* die Eigenheit in den Personen *als auch* die Einheit in der Essenz *als auch* die Gleichheit in der Majestät angebetet werde.
S. 390 Z. 31 ff.	Denn weder wird der Vater ohne den Sohn erkannt, noch wird ohne den Vater der Sohn gefunden. Ja die *Beziehung* selbst, [die in dieser] Personenbezeichnung [ausgedrückt ist], verbietet es, die Personen zu trennen, die sie auch dann, wenn sie sie nicht zugleich nennt, zugleich zum Ausdruck bringt. Niemand aber kann einen dieser Namen hören, ohne gezwungen zu sein, auch den anderen darunter zu verstehen.
Z. 35 ff.	Wegen der natürlichen *Einheit* ist der ganze Vater im Sohn und im Heiligen Geist und ebenso der ganze Heilige Geist im

Anhang: *Übersetzung der fremdsprachlichen Zitate*

	Vater und im Sohn. Keiner von diesen ist außerhalb irgendeines anderen von ihnen.
Z. 38 ff.	Denn der ganze Vater ist im Sohn und im gemeinsamen Geist und der Sohn im Vater und in demselben Geist und derselbe Geist im Vater und im Sohn...In so großer Gleichheit also umschließen sie einander und sind gegenseitig ineinander, daß [damit] bewiesen wird, daß keiner von ihnen einen anderen verläßt oder ohne ihn ist.
S. 391 Z. 9	s. zu S. 359 Z. 43
S. 393 Z. 25 f.	...Mißbrauch hebt den [rechten] Gebrauch nicht auf...
Z. 34 ff.	Deshalb nämlich werden gewisse Dinge unter dem Namen des Vaters oder des Sohnes oder des Heiligen Geistes ausgesagt, damit das Bekenntnis der Gläubigen in der Frage der Dreieinigkeit nicht fehlgehe. Da diese nämlich unteilbar ist, würde man sie nie als die Dreieinigkeit erkennen, wenn sie immer indifferenziert zur Sprache käme. Trefflich zieht also gerade die Schwierigkeit, dafür Worte zu finden, unser Herz zur Erkenntnis, und durch unser Unvermögen kommt uns die göttliche Unterweisung zu Hilfe. [Übers. in Anlehnung an Th. Steeger, BKV 55, S. 220]
Z. 39 f.	...Einheit...Gleichheit...Verknüpfung...
Z. 40 f.	...Macht...Weisheit...Güte...
S. 394 Z. 10 f.	s. zu S. 384 Z. 3 ff.
Z. 13 ff.	Appropriieren heißt nichts anderes als das Gemeinsame zu dem [jeweils] Eigenen ziehen,...nicht...deshalb, weil es der einen Person mehr als einer anderen zukäme..., sondern deshalb, weil das, was [an sich] gemeinsam ist, eine größere Ähnlichkeit hat mit dem, was das Eigene der einen Person ist, als mit dem Eigenen einer anderen.
S. 395 Z. 28	s. zu S. 382 Z. 32
Z. 29 f.	Wie sie unteilbar sind, so handeln sie [auch] unteilbar.
Z. 30 f.	In Beziehung auf das Geschöpf sind Vater, Sohn und Heiliger Geist ein einziger Ursprung, so wie sie [auch] *ein* Schöpfer und *ein* Herr sind.
Z. 32 f.	Eine Handlung kann nicht getrennt sein, wo die [handelnde] Natur nicht nur [in sich] gleich, sondern sogar untrennbar ist.

Z. 35	Der Vater, der Sohn und der Heilige Geist sind nicht dre Ursprünge des Geschöpfs, sondern *ein* Ursprung.
S. 406 Z. 43	Der Sohn eröffnet die Erkenntnis des Vaters durch sein Offenbarung.
Z. 44 f.	...auf daß wir in seinen Worten nicht so sehr ihn als [vielmeh den Vater betrachten...auf daß wir mit so auf Christus gericl teten Augen geradewegs zum Vater geleitet und hingezoge werden.
S. 412 Z. 25 f.	Nicht nach der Natur, sondern nach Gottes Gnade und durc [seine] Setzung, aus unaussprechlicher Menschenliebe...
S. 413 Z. 9 ff.	Denn der Name Vater läßt schon, sobald dieses Wort au gesprochen wird, auch an den Sohn denken...Denn ist ein Vater, dann jedenfalls Vater eines Sohnes. [Übers. von Ph. Häu ser, BKV 41, S. 122]
Z. 11 ff.	In bezug auf Gott wendet man [den Begriff] «Vaterschaft ursprünglicher auf die Beziehung der einen Person zu anderen als auf die Beziehung Gottes zum Geschöpf an.
Z. 14	...gemäß der Beziehung, die er zur Person des Sohnes hat.
Z. 30 f.	Vor jeder Substanz und vor jedem Empfinden, vor der Zeit un vor aller Ewigkeit hat Gott die Würde, Vater zu sein [Über nach Ph. Häuser, BKV 13, S. 51].
S. 414 Z. 9 ff.	Denn nicht ahmt Gott den Menschen nach, vielmehr wurde die Menschen wegen Gott, der im eigentlichen Sinne un allein wahrhaft Vater seines Sohnes ist, selbst Väter ihrer eige nen Kinder genannt [Übers. von A. Stegmann, BKV 13, S. 51
Z. 15	Also ist er Quelle und Ursprung der ganzen Gottheit.
Z. 16 f.	Als Selbst-Gott, als Anfangslosen, nicht Gezeugten, als Go über allem, als von niemandem seinen Ursprung Habende1 von sich selbst aus Existierenden, Ungezeugten, als einen, de nicht geboren werden kann, als Ursprung ohne Ursprung..
Z. 38	s. zu S. 369 Z. 42
S. 415 Z. 27 f.	s. zu S. 382 Z. 32
S. 427 Z. 43	Das Endliche kann das Unendliche nicht fassen.
S. 428 Z. 3	Der sündige Mensch kann das Wort Gottes nicht fassen.

Anhang: *Übersetzung der fremdsprachlichen Zitate*

S. 432 Z. 3 ff. ... als über Gott ... als über den Richter der Lebendigen und der Toten. Man dürfe nicht klein von unserer Erlösung denken.

Z. 7 f. ... woher wir gerufen worden seien und von wem und an welchen Ort.

Z. 10 ff. Denn aus den Wohltaten, die wir empfangen, aus denen erkennen wir den Wohltäter; indem wir nämlich auf das, was uns geschieht, blicken, ziehen wir daraus einen Schluß auf die Natur dessen, der es wirkt.

Z. 16 ff. Die Sünde der Welt, den Tod, den Fluch und den Zorn Gottes zu überwinden, das sind nicht Werke einer menschlichen oder angelischen Macht, sondern reine Werke der göttlichen Majestät. Deshalb, wenn wir lehren, die Menschen würden durch Christus gerechtfertigt, Christus sei der Überwinder der Sünde, des Todes und des ewigen Fluches, so bezeugen wir zugleich, daß er von Natur aus Gott ist.

S. 434 Z. 4 f. Denn nur für jenen, der ursprünglich das Leben verliehen hatte, war es möglich und geziemend, das verlorene Leben wiederzuerschaffen [Übers. von K. Weiß, BKV 56, S. 27].

Z. 37 f. Sein Schöpfer aber ist derselbe, der sein Versöhner ist. Also dürfen wir den Schöpfer nicht so loben, daß wir uns zwingen, ja sogar überzeugen lassen, den Versöhner überflüssig zu nennen.

Z. 39 f. Du hast mich erschaffen, als ich nicht war, du hast mich erlöst, als ich verloren war. Aber die Ursache eben meiner Erschaffung und meiner Erlösung war deine Liebe allein.

S. 435 Z. 5 f. Gott, du hast den Menschen in seiner Würde wunderbar erschaffen und noch wunderbarer erneuert... [Übers. von A. Schott/P. Biehlmeyer, Meßbuch, S. 537]

Z. 7 ff. Laß deine Erlösten erkennen, daß im Urbeginn die Weltschöpfung nicht erhabener war als am Ende der Zeiten die Opferung unseres Osterlammes Jesus Christus [Übers. von A. Schott/P. Biehlmeyer, Meßbuch, S. 502].

S. 437 Z. 3 ff. Er ist Herr in Wahrheit. Nicht ist er erst im Laufe der Zeit Herr geworden, sondern die Würde, Herr zu sein, ist ihm von Natur aus eigen. Und er wird nicht im uneigentlichen Sinne wie wir Herr genannt, sondern er ist Herr in Wahrheit. [Übers. nach Ph. Häuser, BKV 41, S. 148]

Z. 24 ff.	…unterscheidet Melanchthon unter den theologischen Themenbereichen solche, die ganz und gar unfaßbar seien, und solche, die…dem ganzen Christenvolke genau vertraut sein müßten.
Z. 26 f.	Wir täten besser daran, die Geheimnisse der Gottheit anzubeten, als sie zu erforschen.
Z. 28 f.	…um uns von der Betrachtung seiner Majestät zur Betrachtung des Fleisches und damit zu der unserer Hinfälligkeit hinzuführen.
Z. 30 f.	…an jene höchsten Themen: über Gott, über die Einheit, über die Dreieinigkeit Gottes, über das Geheimnis der Schöpfung, über die Art und Weise der Fleischwerdung.
Z. 32	…die Wohltaten Christi…
Z. 36 ff.	Denn an diesen Dingen wird Christus im eigentlichen Sinne erkannt, wenn denn *Christus erkennen heißt, seine Wohltaten erkennen,* [und] nicht, was jene lehren, seine Natur, die Art und Weise seiner Fleischwerdung betrachten. Wenn du nicht wüßtest, um welches Gebrauches willen Christus Fleisch angezogen hat und ans Kreuz geschlagen worden ist, was wäre es nütze, seine Geschichte zu kennen?
Z. 40 f.	…die ihnen innewohnende Kraft…
Z. 41	…heilbringend…
Z. 43 f.	…die kühlen Abhandlungen, die an Christus vorbeigehen…
Z. 45	…von der Schöpfung im aktiven und passiven Sinne…
Z. 46 f.	…von den Themen, die dir Christus anempfehlen, dein Gewissen stärken, deinen Sinn gegen den Satan erheben sollen.
S. 438 Z. 39 ff.	Diese tätige Erkenntnis ist zweifellos sicherer als irgendeine müßige Spekulation. Dort nämlich erblickt der andächtige Sinn Gott am gegenwärtigsten und berührt ihn beinahe, wo er fühlt, wie er belebt, erleuchtet, errettet, gerechtfertigt und geheiligt wird.
S. 439 Z. 7	…Göttlichkeitsaussage…
Z. 29 ff.	…dies sei die einzige und alleinige Art und Weise, Gott zu erkennen (von den Sentenzenlehrern mit ihren Spekulationen über die absolute Gottheit schmählich vernachlässigt), daß,

Anhang: *Übersetzung der fremdsprachlichen Zitate* 15

wer immer in dienlicher Weise über Gott nachdenken oder spekulieren wolle, ganz und gar alles außer der Menschheit Christi in den Hintergrund stellen müsse.

Z. 33 ff. Daher soll, wer Gott erkennen will, die auf der Erde stehende Leiter [Gen. 28, 12] betrachten: Hier fällt die ganze Vernunft der Menschen. Die Natur nämlich lehrt, daß wir eher zum Betrachten großer als unbedeutender Dinge neigen. Von hierher schließe darauf, wie unbillig, um nicht zu sagen gottlos sie, im Vertrauen auf ihre Beharrlichkeit, mit den höchsten Geheimnissen der Dreieinigkeit umgehen und über sie spekulieren: an welchem Ort die Engel säßen, was die Heiligen redeten; wo doch Christus ins Fleisch hineingeboren worden ist und im Fleische bleiben wird. Siehe aber, was jenen widerfahren wird: Erstens:...Und das sind die Kommentatoren des ersten Sentenzenbuches. Und zweitens erreichen sie ganz und gar nichts mit ihren Spekulationen, so daß sie weder sich selbst noch anderen nützen oder raten können.

S. 440 Z. 17 f. ...die hinauf- und herabsteigenden Engel: [das sind] die Lehrer, die Verkündiger des Wortes Gottes.

Z. 19 ...von der menschlichen Natur Christi zur Gotteserkenntnis.

Z. 20 ff. Darauf, sobald man Christus in so demütiger Gestalt erkannt hat, dann steigt man hinauf und sieht, daß er Gott ist. Und dann erkennt man, daß Gott gütig und barmherzig herabschaut.

Z. 24 ff. Wir Christen haben [im Unterschied zu den Mohammedanern] nicht genug daran, wie ein Schöpfer sei zu rechnen gegenüber der Kreatur [d.h...nicht genug an der Erwägung des Verhältnisses zwischen Schöpfer und Geschöpf]. Sondern wir lehren darüber hinaus aus der Schrift, was Gott in sich selber ist...Was ist Gott in sich selber?...Da [sagen] die Christen: Dieser einzige Herr, König und Schöpfer hat sich durch den Sohn so dargestellt, [daß daraus erkennbar ist,] daß es in der Gottheit so stehe... Man soll Gott nicht nur von außen in seinen Werken betrachten. Sondern Gott will auch, daß wir ihn auch von innen erkennen.

Z. 49 f. Die Schrift lehrt uns von der Gottheit des Sohnes nicht nur auf spekulative, sondern auch auf praktische Weise, das ist, sie heißt uns, Christus anzurufen, Christus zu vertrauen.

S. 445 Z. 42 ff. Obwohl Christus der Gründer des himmlischen und ewigen Staates ist, hat dieser dennoch nicht deshalb den Glauben an

	ihn als Gott, weil er von ihm gegründet ist, sondern die Gründung beruht erst auf diesem Glauben... Rom hat an Romulus als Gott geglaubt, weil es ihn liebte; er [scil. der himmlische Staat] hat ihn [scil. Christus] geliebt, weil er geglaubt hat, daß er Gott ist.
S. 447 Z. 22 f.	Er wird nicht deshalb einziggeboren genannt, weil er geliebt ist, sondern er ist deshalb geliebt, weil er einziggeboren ist.
S. 449 Z. 4	Ohne Anfang, allezeit und ohne Ende: der zeugende Vater, der Sohn, der geboren wird, und der ausgehende Heilige Geist.
Z. 7 f.	«Heute» bedeutet nicht «eben erst», sondern «ewig»; «heute» ist soviel als «unzeitlich», «vor aller Zeit» [Übers. von Ph. Häuser, BKV 41, S. 164].
Z. 9	Das Wort «heute» bezeichnet einen Tag der unveränderlichen Ewigkeit.
Z. 11 ff.	Diese Zeugung des Sohnes geschieht nicht durch Abzweigung oder Übertragung, auch nicht durch eine Handlung, die anfängt oder aufhört, sondern sie geschieht durch unaufhörliche Emanation, wie etwas Ähnliches in der natürlichen Welt nicht vorkommt. Denn Gott der Vater *hat* seinen Sohn *von Ewigkeit her gezeugt und zeugt ihn allezeit*, und er wird ihn nie zu zeugen aufhören. Denn wenn die Zeugung des Sohnes ein Ende hätte, hätte sie auch einen Anfang und wäre somit nicht ewig.
Z. 18 ff.	Und dennoch kann diese Zeugung deswegen nicht unvollkommen oder in zeitlicher Abfolge sich ereignend genannt werden. Denn der Akt der Zeugung im Vater und im Sohne wird als *im Bewirkten vollendet, in der Bewirkung immerwährend* betrachtet.
S. 451 Z. 11 f.	...eine unnütze Schwätzerei...ein Lied, das sich eher zum Trällern eignet denn als Bekenntnisformel, in der jede Silbe zuviel schon absurd ist.
Z. 35 ff.	Wenn ein Strahl aus der Sonne ausgesendet wird,... wird die Sonne in dem Strahl sein, weil er ein Strahl der Sonne ist, und die Substanz wird dabei nicht geteilt, sondern auseinandergebreitet. So ist am Geiste der Geist und am Gotte Gott wie ein Licht am Lichte angezündet. [Übers. nach K. A. H. Kellner, BKV 24, S. 98]
S. 453 Z. 6 f.	...der Hervorgang des Wortes...

Anhang: *Übersetzung der fremdsprachlichen Zitate*   17

Z. 23 f.   In diesem Geheimnis ist der Begriff Zeugung von allen Unvollkommenheiten reinzuhalten, die ihm von der physischen Zeugung her anhaften.

Z. 33 f.   ...von einer *übernatürlichen Zeugung*, die von Ewigkeit her, ohne jede Zeitabfolge, Materie und Veränderung geschieht und allein in einer Wesensmitteilung besteht.

Z. 35 ff.   Wenn daher jemand uns fragen sollte: Wie ist also der Sohn vom Vater hervorgebracht?, dann antworten wir ihm, daß diese Hervorbringung oder Zeugung oder Aussprechung oder Eröffnung, oder mit welchem Namen immer man seine Zeugung, die unaussprechlich ist, bezeichnen möge, niemand kennt, nicht Valentinus, nicht Marcion, noch auch Saturninus, noch Basilides, noch die Engel, noch die Erzengel, noch die Fürstentümer, noch die Gewalten, sondern nur der Vater, der gezeugt hat, und der Sohn, der geboren ist.

Z. 41 f.   ...auf eine Weise, die ihm allein bekannt sei...

Z. 43 f.   Schäme dich nicht, deine Unkenntnis einzugestehen, da du sie doch mit den Engeln gemein hast.

Z. 44 f.   Sage mir zuerst, wer der ist, der gezeugt hat, und dann lerne kennen, was er gezeugt hat [Übers. nach Ph. Häuser, BKV 41, S. 173].

Z. 45   ...Wesensmitteilung...

S. 453 Z. 49–
S. 454 Z. 2 Es ist genug, daß wir das Daß festhalten, das die Schrift lehrt; das Wie aber habe ich dem vorzubehalten beschlossen, der reines Licht sein wird.

S. 455 Z. 21 f. Die Zeugung selbst hat ihren eigentlichen Sinn, wo sie von Gott ausgesagt wird, weitaus wahrer und vollkommener als bei irgendeinem Geschöpf.

Z. 30 f.   Die Art und Weise der Zeugung selbst ist bei Gott weitaus anders als bei uns und ist uns unbekannt und unaussprechlich.

S. 456 Z. 8 ff. *Zeugung* ist die Hervorbringung eines der Substanz nach gleichartigen Seienden aus der Substanz des Zeugenden. *Erschaffung* ist die Hervorbringung eines der Substanz nach ungleichartigen Seienden aus nichts, außerhalb des Wesens des Erschaffenden.

Z. 23   ...Naturakt...Willensakt...

Z. 27	...in welchem Gott Gott sein will...
Z. 43 f.	Der Sohn Gottes ist ein gewollter und geliebter Gegenstand des göttlichen Willens selbst, jedoch nicht durch jenen erzeugt...willentlich, aber nicht, weil er wollte.
Z. 45 f.	...nicht mit der Notwendigkeit einer Zwangsausübung, wohl aber mit der Notwendigkeit der Unwandelbarkeit.
S. 457 Z. 20 f.	Da Gott ganz Verstand und ganz Wort ist, so denkt er, was er spricht, und spricht, was er denkt [Übers. von E. Klebba, BKV 3, S. 180].
Z. 21 f.	Denn er hätte sich selbst nicht gänzlich und vollkommen ausgesprochen, wenn etwas mehr oder weniger in seinem Wort wäre als in ihm selbst.
Z. 23 ff.	Denn es kann nicht etwas anderes, als du bist, oder etwas mehr oder weniger als du in dem Wort sein, durch das du dich selbst aussprichst, da dein Wort in der Weise wahr ist, in der du wahrhaftig bist.
S. 457 Anm.	Sein Wort, das sein Sohn ist.
S. 458 Z. 30 f.	...Gottes ewige geistige Emanation wie die [Emanation] eines geistigen Wortes vom Sprechenden, welches in ihm bleibt.
S. 459 Z. 42	...Ähnlichkeit der höchsten Geschöpfe...
Z. 43	...die Emanation des Wortes, das in dem Sprechenden bleibt...
Z. 47 f.	vgl. S. 352 ff.
S. 460 Z. 3	Dadurch freilich ist er Sohn, daß er Wort ist...und dadurch Wort, daß er Sohn ist.
Z. 8 f.	Mit seinem Wort, das er *gezeugt* hat, redet er, nicht mit einem Wort, das vorgebracht wird und tönt und vorübergeht, sondern...mit dem ihm gleichen Wort, mit dem er immer und unwandelbar sich selbst ausspricht.
Z. 9 ff.	Indem er sich selbst aussprach, *zeugte* er das Wort, das ihm in allem gleich ist...Und *deswegen* ist dieses Wort wahrhaftig die Wahrheit.
Z. 13 ff.	Sohn, Glanz, Abbild, Wort. Nicht aber konnte ein einziger Name gefunden werden, durch den dies alles (...) bezeichnet würde.

Anhang: *Übersetzung der fremdsprachlichen Zitate* 19

Z. 25   Die Sünder gerecht!

S. 461 Z. 7   ...durch die Verwirrung der Menschen und die Vorsehung Gottes...

Z. 21   Wenn jemandem die Homousie mißfällt, so muß es ihm unausweichlich gefallen, daß sie von den Arianern bestritten worden ist.

Z. 30 f.   Denn es ist notwendig,...die Wesensidentität mit seinem eigenen Vater aufrechtzuerhalten.

Z. 31 f.   ...damit sie den Sohn nicht nur als gleich, sondern als identisch in der Gleichheit, [die er] vom Vater [hat], kennzeichnen.

Z. 32   ...der vom Vater die *Wesensidentität* hat.

S. 464 Z. 28   ...ein wesensmäßiges, nicht ein künstliches oder gemachtes oder erschaffenes Bild...

S. 465 Z. 21 f.   s. zu S. 382 Z. 32

Z. 41 f.   Aber woher hättest du das, was du nicht geschaffen hattest, haben sollen, um etwas daraus zu erschaffen? Denn was existiert aus einem anderen Grunde als aus dem, daß du existiert? Also hast du gesprochen, und es geschah, und in deinem Wort hast du es geschaffen.

Z. 43   Durch dies [scil. das Wort] wird alles in Ewigkeit ausgesprochen.

S. 465 Z. 43– S. 466 Z. 1   Er schuf alles durch sein Wort, und sein Wort ist Christus selbst, in dem die Engel und alle himmlischen reinsten Geister in heiligem Schweigen ruhen.

S. 466 Z. 1 ff.   Es steht fest..., daß die höchste Substanz zuerst gleichsam in sich selbst die ganze Kreatur ausgesprochen hat, bevor sie sie gemäß demselben und durch dieses ihr selbes innerstes Sprechen hervorbrachte.

Z. 3 ff.   Wenn dieser höchste Geist sich selbst ausspricht, spricht er alle erschaffenen Dinge aus...Immer sind sie in ihm selbst, nicht das, was sie in sich selbst sind, sondern das, was er selbst ist.

Z. 6 f.   ...ob im Begriff «Wort» die Beziehung zum Geschöpf umschlossen liege...Denn indem Gott sich erkennt, erkennt er jedes Geschöpf. In ein und demselben Akt...

Z. 9 ff.	Denn der Sohn hat in sich ein (Eben-)Bild nicht nur der göttlichen Majestät, sondern auch ein (Ur-)Bild aller geschaffenen Dinge.
Z. 12 f.	...aus dem göttlichen Wort, weil jene Wärme, wenn sie ohne das Wort existierte, unnütz und unwirksam wäre.
S. 469 Z. 3	...und durch diese wurde die Welt geschaffen.
Z. 24	...fortgesetzte Schöpfung...
S. 473 Z. 24	...uns Gott anzupassen...
Z. 25	...der Lehrer der Wahrheit...
Z. 25 f.	...der Finger Gottes, durch den wir geheiligt werden sollen...
Z. 26 ff.	Ich erkenne, daß der Geist Gottes, wenn er in unseren Herzen wohnt, bewirkt, daß wir die Kraft Christi fühlen. Denn daß wir die Wohltaten Christi mit unserem Sinn erfassen, das geschieht durch die Erleuchtung des Heiligen Geistes: Durch seine Überzeugungskraft geschieht es, daß sie von unseren Herzen besiegelt werden. Kurz, er allein gibt jenen in uns Raum. Er bewirkt unsere Wiedergeburt und macht, daß wir neue Geschöpfe sind. Welche Gaben uns auch immer in Christus dargebracht werden – wir empfangen sie demnach durch die Kraft des Geistes.
Z. 32	...der Zueigner, der Erleuchter, der Heiligmacher...
S. 479 Z. 2	Wie wird der sündige Mensch zu einem, der das Wort Gottes fassen kann? (vgl. S. 428 Z. 3)
S. 480 Z. 29	...Sohn Gottes von Natur aus...Kinder (Söhne) Gottes durch Adoption.
S. 481 Z. 38	Du bist ein Sünder!
Z. 41	...das bloße Wort...
Z. 44 f.	...soweit es unsere Wahrnehmung betrifft...
Z. 49	...nur spekulativ...
S. 482 Z. 2	...gegen den verderblichen Irrtum...
Z. 5 f.	...auf die Verheißung und Wahrheit Gottes, die nicht täuschen kann. Mit vom Gesetz, von den Werken, von der Wahrnehmung und vom Gewissen abgewandten Augen...

Anhang: *Übersetzung der fremdsprachlichen Zitate* 21

Z. 10 f. Alsdann ist mit Gewißheit im Himmel beschlossen, daß es keine Knechtschaft mehr geben wird, sondern reine Freiheit, Adoption und Kindschaft. Wer bewirkt sie? Dieser Seufzer.

Z. 12 ff. ... das geschieht, wenn ich mit diesem Seufzer schreie und mit kindlichem Herzen antworte mit diesem Wort: Vater. So kommen dort Vater und Sohn zusammen.

Z. 14 ff. Wie gewaltig aber die Größe und Herrlichkeit dieser Gabe ist, kann das menschliche Herz in diesem Leben nicht ermessen, geschweige denn aussprechen. Unterdessen nehmen wir es im Rätselbild wahr, haben wir dieses Seufzerlein und dieses bißchen Glauben, der sich nur auf das Hören und auf den Klang der verheißenden Stimme Christi stützt. Daher ist diese Sache, was unser Empfinden betrifft, nur eine Mitte; in sich selbst aber ist sie ein überaus großer, ja unendlicher Umkreis. So hat der Christ eine in sich selbst überaus große, ja unendliche, für sein Seh- und Empfindungsvermögen aber winzige und äußerst begrenzte Sache. Daher sollen wir sie nicht mit menschlicher Vernunft und menschlichem Empfinden messen, sondern mit einem anderen Zirkel, nämlich mit der Verheißung Gottes, dessen Verheißung, gleich wie er selbst unendlich ist, ebenfalls unendlich ist, so sehr sie auch hienieden in die Enge und in das sozusagen die Mitte bildende Wort eingeschlossen ist. Wir sehen also schon die Mitte; dereinst werden wir den ganzen Umfang sehen.

S. 483 Z. 20 Erkenne dich selbst!

Z. 48 ... mit menschlicher Vernunft und menschlichem Empfinden...

S. 484 Z. 24 Gib mir einen Punkt, wo ich hintreten kann! [Archimedes]

Z. 33 ... Teilnahme an Gott...

Z. 34 ... der göttlichen Natur...

Z. 42 f. Das Wort Geist muß hier von allem Kreatürlichen völlig freigehalten werden.

S. 485 Z. 26 ... Reich der Gnade...

Z. 43 ... Reich der Glorie...

S. 489 Z. 12 Komm Schöpfer Geist!

Z. 13 ... er kommt/ist gekommen...

S. 492 Z. 40 f.	Der Heilige Geist ist etwas dem Vater und dem Sohne Gemeinsames.
S. 493 Z. 1 f.	Der Name des Heiligen Geistes ist dem Vater und dem Sohn nichts Fremdes, da jeder von den beiden sowohl Geist als auch heilig ist.
Z. 16	…eine gewisse wesensgleiche Gemeinschaft…
Z. 17	…das Band des Friedens (Eph. 4, 3), die Liebe, die Zuneigung, die gegenseitige Gabe…
Z. 20 ff.	Wenn die Liebe, durch die der Vater den Sohn liebt und der Sohn den Vater liebt, beider Gemeinschaft in unaussprechlicher Weise erweist, was ist da zutreffender, als daß jener, welcher der beiden gemeinsame Geist ist, mit dem Eigennamen Liebe benannt werde? [Übers. von M. Schmaus, BKV II/14/12, S. 308 f.]
Z. 41 f.	Vater und Sohn bewahren nicht auf Grund von Teilnahme, sondern auf Grund ihres eigenen Wesens, und nicht kraft der Gabe irgendeines Höheren, sondern kraft ihrer eigenen Gabe die Gemeinschaft des Geistes im Bande des Friedens.
Z. 43 f.	Denn deshalb ist die Liebe dir oder deinem Sohne nicht ungleich, weil du dich und jenen und jener seinerseits dich und sich selbst in dem Maße liebt, in dem du und jener existieren, und sie ist nichts anderes als du und als jener.
S. 493 Z. 45–S. 494 Z. 3	Wenn niemals ein Geschöpf, d. h. wenn niemals irgendetwas anderes als der höchste Geist Vater und Sohn existierte, so würden Vater und Sohn nichtsdestoweniger sich selbst und einander lieben. Daraus folgt also, daß diese Liebe nichts anderes ist als das, was der Vater und der Sohn sind, nämlich das höchste Wesen.
S. 494 Z. 10 f.	…der Geber der Gabe…die Gabe des Gebers…
Z. 11 ff.	Gabe aber wird er nicht nur deshalb genannt, weil er gegeben werden soll, sondern [vielmehr] auf Grund seiner Eigenheit, die er von Ewigkeit her hatte. Daher war er auch von Ewigkeit her Gabe. Denn in Ewigkeit war er Gabe, nicht, weil er gegeben werden sollte, sondern weil er vom Vater und vom Sohne ausging…in der Zeit aber wurde er gegeben.
Z. 15 ff.	Gabe wird er nicht auf Grund dessen genannt, daß er tatsächlich gegeben wird, sondern insofern er eine Eignung dazu

Anhang: *Übersetzung der fremdsprachlichen Zitate* 23

	besitzt, gegeben werden zu können. Daher wird die göttliche Person von Ewigkeit her Gabe genannt, obwohl sie in der Zeit gegeben wird.
Z. 17 ff.	Die Liebe ist die erste Gabe schlechthin, durch die alle gnadenhaften Gaben gegeben werden. Weil der Heilige Geist ausgeht als Liebe,...geht er daher aus als die erste Gabe schlechthin.
S. 495 Z. 1 f.	...Geist...Odem...
Z. 2	...das Reich der Natur...
Z. 42 ff.	Die Erhabenheit des Heiligen Geistes ist unauflöslich, unbegrenzt und überall, und sie ist immer [wirksam] durch alles und in allem. Sie erfüllt die Welt und hält sie zusammen nach der Gottheit, [ist] unbegrenzt nach der Kraft, und sie mißt, wird aber nicht gemessen.
S. 495 Z. 45– S. 496 Z. 1	Dem Heiligen Geist...wird appropriiert, daß er, was vom Vater durch den Sohn erschaffen ist, lenkt und lebendig macht, indem er darüber Herr ist... die Güte... das Erstbewegende...
S. 496 Z. 5	Sende aus deinen Geist, so werden sie geschaffen werden, und du wirst das Angesicht der Erde erneuern.
Z. 6 f.	Der Geist des Herrn erfüllt den Erdkreis, Alleluja. Er, der das All zusammenhält, kennt jede Sprache. [Übers. von A. Schott/ P. Biehlmeyer, Meßbuch, S. 666]
Z. 9 ff.	Komm Schöpfer Geist, / besuche die Gemüter der Deinen, / fülle sie mit himmlischer Gnade, / die Seelen, die du geschaffen hast.
Z. 13 f.	Unseren Seelen...gieße ein den Heiligen Geist, dessen Weisheit uns geschaffen hat und dessen Vorsehung uns leitet [Übers. von A. Schott/P. Biehlmeyer, Meßbuch, S. 688].
Z. 15 ff.	...von einem zweifachen Geist, den Gott den Menschen gibt: einem beseelenden und einem heiligenden. Von dem beseelenden Geist sind z. B. alle geistreichen, klugen, gebildeten, tapferen und großherzigen Menschen getrieben. Allein aber die Christen und die Gottesfürchtigen haben den heiligenden Heiligen Geist.
Z. 20 f.	...als Gottes zwar über alles ausgebreitete Kraft, die [aber] dennoch in ihm ruht.

Z. 22	...(ungeordnete Masse, ungestaltete Materie)...
Z. 23	...(schöne und gestaltete Ordnung)...
Z. 24 f.	...einer geheimnisvollen Inspiration Gottes, einer...Lebenskraft...
Z. 28 ff.	Jener nämlich ist es, der, überall ausgebreitet, alle Dinge im Himmel und auf Erden erhält, nährt und belebt. Schon dadurch wird er aus der Zahl der Geschöpfe selbst herausgenommen, daß ihn keinerlei Grenzen umschließen; aber daß er seine Kraft in alles ergießt und dadurch allen Dingen Wesen, Leben und Bewegung einhaucht, das ist in Wahrheit ganz und gar göttlich. [Übers. nach O. Weber]
Z. 31 ff.	So, wie der Heilige Geist bei der ursprünglichen Schöpfung wirksam war, indem er das Wasser hegte und auf ihm brütete, so ist derselbe zusammen mit dem Vater und dem Sohn in wirksamer Weise tätig bei der Erhaltung der geschaffenen Dinge: in der Frühlingszeit, in der alles wieder grün zu werden und sich zu belauben beginnt, nachdem es den Winter über abgestorben gewesen ist...
S. 497 Z. 20 ff.	Das Wort «Ausgang» ist...auf Gottes Handeln nach innen hin anzuwenden,...d. h. [auf jenes Handeln,] mit dem Gott innerhalb seines Wesens dergestalt wirkt, daß er, auf sich selbst gewendet, durch das Mitteilen göttlichen Wesens ein wirkliches Verhältnis schafft.
S. 498 Z. 7 f.	Er ist, insofern er von dort ausgeht, kein Geschöpf; insofern er aber nicht gezeugt ist, ist er nicht Sohn.
Z. 9 f.	Der Heilige Geist ist vom Vater und Sohn, nicht gemacht, nicht geschaffen, nicht geboren, sondern ausgehend [BSLK S. 29].
Z. 27 f.	Zwischen jener Zeugung und diesem Ausgang zu unterscheiden weiß ich nicht, vermag ich nicht, bin ich nicht imstande.
Z. 29 f.	In welcher Weise sie sich von der Zeugung unterscheidet, wird niemand erklären [können].
Z. 32	Es ist sicherer, diesen Unterschied gar nicht zu kennen, als ihm nachzuforschen.
S. 499 Z. 11	...weil sowohl jene (Zeugung) als auch dieser (Ausgang) unaussprechlich ist.
Z. 15	...vom Abbild der Dreieinigkeit...

Anhang: *Übersetzung der fremdsprachlichen Zitate* 25

Z. 18 ff. ...(daß der Wille aus der Erkenntnis hervorgeht – denn niemand will etwas, wovon er nicht weiß, was oder welcher Art es ist –, daß er jedoch kein Bild der Erkenntnis ist).

Z. 22 ff. ...der Ausgang nach der Art des Willens...von dem Ausgang nach der Art der Erkenntnis...Was daher – bei Gott – in der Weise der Liebe ausgeht, geht nicht als etwas Gezeugtes oder als Sohn aus, sondern vielmehr geht es als Geist aus.

Z. 32 ...Sünde...

Z. 33 ...Schwachheit...

Z. 33 f. ...lieber mit einem Gebet als mit einer Abhandlung...

S. 500 Z. 35 ff. Was also ist der Ausgang? Erkläre du mir das Nicht-Gezeugtsein Gottes, und ich werde dir die Zeugung des Sohnes und den Ausgang des Geistes exakt auseinanderlegen, und dann wollen wir beide bei diesem Einblick in Gottes Geheimnisse den Verstand verlieren.

S. 501 Z. 4 Der Vater ist allezeit gewesen, und der Geist weht aus dem Vater und dem Sohne.

Z. 7 f. Der Heilige Geist...geht sowohl vom Vater als auch vom Sohne aus.

S. 502 Z. 8 ...nicht zum einfachen Glauben, sondern zur theologischen Gelehrsamkeit...

Z. 17 ff. Wir verurteilen und verwerfen diejenigen, *welche zu leugnen wagen,* daß der Heilige Geist ewig vom Vater und vom Sohne ausgeht.

Z. 42 ...ein trennendes Hindernis...

S. 504 Z. 31 f. Diese zeitliche Aussendung (des Heiligen Geistes) setzt jenes ewige Ausgehen des Heiligen Geistes (gleichermaßen vom Sohn wie vom Vater) voraus und ist dessen Kundgebung und Offenbarung.

S. 505 Z. 18 ...Ursprung und Quell der Gottheit...

Z. 33 ...aus dem Sohn...

Z. 34 ...durch den Sohn...

S. 506 Z. 2 ff. ...ursprünglich geht..., ...der Sohn, daß auch von ihm der Heilige Geist ausgeht.

Z. 19 ff.	Kein Ausgehen..., sondern nur ein Hervorleuchten aus dem Wort, das aus dem Vater ist.
Z. 30	...Ursprungs-Beziehung...
S. 508 Z. 36 f.	...durch eine Instrumentalursache...
S. 510 Z. 3	...die Einsetzung...
S. 511 Z. 15 f.	...daß der Geist sowohl Gottes ist, der ihn gegeben hat, als auch unser, die wir ihn empfangen haben...
Z. 20 f.	Nicht zwei Ursprünge, sondern wie Vater und Sohn ein einziger Gott und in ihrer Beziehung zum Geschöpf ein einziger Schöpfer und Herr sind, so sind sie in ihrer Beziehung zum Heiligen Geist ein einziger Ursprung.
Z. 23 f.	Er geht nicht als wie von zwei Ursprüngen, sondern als wie von einem einzigen Ursprung, nicht in zwei Hauchungen, sondern in einer alleinigen Hauchung aus.
Z. 26 ff.	Weil der Vater selbst alles, was sein ist, außer dem Vatersein, seinem eingeborenen Sohn mit der Zeugung gegeben hat, hat der Sohn seinerseits auch dies, daß der Heilige Geist von ihm ausgeht, in Ewigkeit vom Vater, von dem er ebenso in Ewigkeit gezeugt ist.
Z. 29 f.	...zur feierlichen Erklärung der Wahrheit und aus akuter Notwendigkeit...
Z. 19	...die sich uns zu eigen gebende Gnade des Heiligen Geistes...
Z. 33 ff.	...wenn du nicht Dreieinigkeit wärest. Nach dieser Glaubensregel richtete ich mich in meinem Beginnen, und von ihr aus habe ich, so gut ich es vermochte, so gut du mir Vermögen gabst, dich gesucht, habe ich mit Vernunft zu schauen verlangt, was ich glaubte, und viel habe ich erörtert, viel mich gemüht...Befreie mich, o Herr, von den Vielrederei, an der ich drinnen in meiner Seele leide; sie ist erbarmungswürdig vor deinen Augen und flieht hin zu deinem Erbarmen. [Übers. von M. Schmaus, BKV II/14/12, S. 331 f.]
S. 514 Z. 5 ff.	Herr, alleiniger Gott, du Gott Dreieinigkeit, was immer ich in diesem Werk aus dem Deinen [schöpfend] geschrieben habe, das mögen auch die Deinen wahr sein lassen; wenn [ich] etwas aus dem Meinen [geschöpft habe], dann wollest du – und auch die Deinen – es gnädig bedeckt sein lassen. Amen.

REGISTER

I. Bibelstellen

Genesis
1, 1 457
2 ...... 495, 496
20 f. 466
26 362
2, 7 .... 472, 495
7, 15 495
17, 17 349
28 439
12 f. 440
32, 22 f. 349

Exodus
3, 13 f. .... 335, 339 f.
23, 21 334

Deuteronomium
32, 6 .... 407, 410

Richter
13, 18 340

1. Könige
18 322

Jesaia
6 340
53 .... 405, 407
61, 1 323
1 f. 330
63, 16 410
64, 7 410

Jeremia
23, 23 340
31, 33 335

Hosea
11, 1 407

Maleachi
1, 6 407
3, 1 340

Psalmen
2, 7 449
33, 6 495
36, 10 488
39, 5 408
51, 2 489
19 489
73, 25 f. 488
90, 12 408
104, 29 f. 495
30 496
8, 26 f. 407
29 476
33 407
10, 19 476
36 422
38 420
44 477
46 477
11, 15 477
13, 2 476
16, 6 476
19, 2 f. 472
6 477

Römer
1, 1 f. 330
4 .... 408, 509
4, 17 410
19 f. 486
24 408
25 408
5, 5 476
10 ...... 429, 430
11 430
6, 3 f. 408
4 .... 341, 408
5 481
6 408
7 489
24 489
8 489
6 472
7 429
9 475
11 475
14 ...... 476, 480
15 ...... 408, 481
16 ...... 476, 480
17 ...... 481, 486
21 480
23 ... 430, 475, 486
26 f. 476
27 478
38 409
9, 28 337
10, 4 337
8 476
11, 32 322
33 330
36 394
13, 11 430
14, 8 409

1. Korinther
1, 9 480
23 407
2, 10 476
13 472
3, 16 476
22 409
23 406
6, 11 .... 420, 474
14 408
19 476
7, 27 479
8, 6 .... 406, 422, 464
11, 3 406
12 474
3 472
4 f. 331, 368, 473
14 477
15, 24 406
45 495
53 409

2. Korinther
1, 3 f. 476
21 476
22 475
3, 5 471
6 .... 472, 494
16 f. 473
17 ...... 479, 482
4, 4 406
6 478
5, 4 409
5 475
7 486
18 430
19 ... 341, 421, 430
20 430
6, 16 476
13, 13 .... 330, 332, 474

Galater

1, 1	341, 408
3	440
4	406, 432
3, 13	432
26 f.	480
29	486
4, 6	408, 475, 480, 481
7	481, 486
4, 30 f.	481
5, 1	479
5	486
13	479
19	476
24	408

Epheser

1, 8 f.	472
13	472, 486
14	475, 486
17	406, 472
20	341, 408
2, 14 f.	430
18	406
19	481
3, 15	410, 414
4, 4	331, 368
22	408
30	430, 486

Philipper

1, 19	430, 475
20	409
2, 5 f.	432
6	421
8	407
9	420
9 f.	407
10	420
11	406
12	430
3, 10	408, 481

Kolosser

1, 3	421
15	406
15 f.	464
16	422
18	469
20	430
22	430
2, 9	421
3, 3	408
3 f.	486
17	420

1. Thessalonicher

5, 8 f.	430
23	476

2. Thessalonicher

2, 8	472
13	330

1. Timotheus

2, 5	430

Titus

2, 13	421
3, 7	486

Hebräer

1, 1 f.	432
2	464
2 f.	422
3	379 f., 406
5 f.	421
8	422
14	430
3, 2	406
5, 7 f.	406
8	407
6, 5 f.	475
9, 14	406
15	430
28	430
13, 8	422

Jakobus

1, 17	480
18	480
25	479
2, 5	486
12	479

1. Petrus

1, 2	330, 474
3	486
11	475
2, 16	479

1. Johannes

1, 1	421
1 f.	471
20	476
23	411
27	476
3, 1 f.	480, 486
4, 9	421
13	475
5, 7 f.	330

2. Johannes

9	411

Judas

20 f.	331

Offenbarung

1, 4	330
8	422
17	422
5, 12	407
13	422
11, 1	486
35	430
12, 24	430
22, 1	472
22, 13	422

II. Namen

Alsted, H. 320
Althaus, P. 354
Ambrosius 368
Anselm v. Canterbury 355, 357, 370, 375, 377, 385, 390, 434, 457, 466, 493 f.
Arius 327, 372, 460, 465
Artemon 372
Athanasius 414, 456, 461 f., 465, 484, 490, 506
Athanasian. Symbol s. *Quicumque, Symb.*
Augustana, Conf. 380
Augustin 353, 355, 357, 358, 363, 375, 377, 384, 393, 395, 434, 445, 457, 459 f., 461, 465 f., 469, 473, 491, 492 f., 498 f., 506, 511, 513 f.

Bartmann, B. 380, 386, 394, 460, 493
Bavinck, H. 318, 355
Benedikt XIV. 501
Biedermann, A. E. 378
Boethius 376
Bolotow, V. 502, 506
Bonaventura 316, 357, 369, 393
Braun, J. 319, 386
Bretschneider, K. G. 438, 466
Bultmann, R. 421
Burmann, F. 380

Calov, A. 318
Calvin, J. 316 f., 318, 325, 326, 328, 363, 368, 370, 377, 379, 381, 385, 389, 438, 451, 473, 496
Carlyle, Th. 341
Caroli, P. 438, 451
Chalcedonense, Conc. 448
Chemnitz, M. 318, 325
Chomjakow, A. St. 502
Clemens-Homilie 432, 469
Coccejus, J. 502
Cyrill v. Alexandrien 501

Cyrill v. Jerusalem 374, 412 f., 437, 438, 449, 453

Dibelius, M. 422
Didymus v. Alexandrien 495
Diekamp, F. 359, 377, 380, 386, 460, 499
Dionysius, Papst 368

Ephesinum, Conc. 448
Ephraem 501
Epiphanius 501
Eunomius 372

Farel, W. 438
Feuerbach, L. 362
Fides Damasi 374
Florentinum, Conc. 373, 385, 395, 511
Fulgentius 369, 390

Genfer Konfession von 1536, 438
Gerhard, J. 318, 356, 362, 377, 496
Gerhardt, P. 496
Goethe, J. W. 346
Gregor v. Nazianz 384, 389, 498, 500
Gregor v. Nyssa 384, 432, 434, 506
Grützmacher, R. 377
Günther, A. 377

Haering, Th. 319
v. Harnack, A. 332, 406
Hegel, F. 341
Heidelberger Katechismus 328, 432
Hempel, J. 335
Hermae Pastor 469, 498
Hilarius 373, 374, 456, 461
Hirsch, E. 431
Holl, K. 483
Hollaz, D. 456

Irenäus 332, 358, 406, 453, 457, 460, 473

Joachim von Flore 356

Johannes Damascenus 390, 456, 487, 493, 498

Kant, I. 362
Karl der Große 501
Karsavin, L. P. 502
Keckermann, B. 318, 357, 362
König, J. Fr. 320
Konstantin I. 460
Kuhn, J. 456

Lateranense, Conc. IV 449
Leiden, *Syn. pur. Theol.* 370, 380, 397, 473, 484
Leo der Große 393
Leo III. 501 f.
Lessing, G. E. 357
Leydecker, M. 498
Lugdunense, Conc. II 502, 511
Luther, M. 355 f., 358, 362, 367, 382, 384, 385, 389, 395, 406, 432, 434 f., 439 f., 457 f., 461, 464, 466, 469, 481 f., 488, 496, 512

Macedonius v. Konstantinopel 372, 490
Marheineke, Ph. K. 319
Martensen, H. 319
Melanchthon, Ph. 316, 357, 377, 381, 385 f., 437 f., 440
Missale Romanum 389, 435, 445, 492, 496, 512
Moeller van den Bruck 356

Nicaeno-Constantinopolitanum, Symb. 444 f., 492 f.
Nitzsch, C. I. 318
Noet v. Smyrna 372

Origenes 372

Paul v. Samosata 372
Pelagius 327
Petrus Lombardus 316, 357, 358, 363, 374, 390, 494
Photius 502

Pius IX. 377
Pohle, J. 386, 391
Polanus, A. 413
Praxeas 372
Priscillian 372
Procksch, O. 335

Quenstedt, A. 363, 369, 379, 381, 447, 449, 453, 455 f., 502, 504
Quicumque, Symb. 369, 373, 490, 498

Rade, M. 319, 438
Rinckart, M. 512
Ritschl, A. 396, 438, 440, 443, 466, 491
Romanus, Cat. 368

Sabellius 372

Scheeben, J. M. 380, 386, 506
Scheel, O. 332
Schelling, F. W. J. 357, 362
Schlatter, A. 318, 357
Schleiermacher, F. 319, 320, 327, 372, 378, 422, 431
Schmidt, H. 335
Schmidt, K. L. 420, 422
Schweizer, A. 319
Seeberg, R. 469, 513 f.
Servet, M. 320, 327, 439
Spalding, J. 438, 441
Strauß, D. Fr. 378
Stephan, H. 438, 440
Sylvester, Archimandrit 502

Tertullian 368, 375, 384, 389, 451, 473, 490, 501

Thomas v. Aquino 326, 357, 358, 363, 373, 376, 380, 385 f., 390, 393 f., 413, 453, 456, 458 f., 460, 466, 494, 496, 499
Thurneysen, E. 322, 346
Tillich, P. 327
Toletanum, Conc. IX. 369
Toletanum, Conc. XI. 368, 373, 390, 414
Toletanum, Conc. XII. 369
Troeltsch, E. 319, 347
Turrettini, F. 326, 331, 498, 502
Twesten, A. 357

Voltaire 442

Weiß, J. 426
Wobbermin, G. 330, 356

III. Begriffe

Berufung 349, 407
Buße 408
Bilderverbot 340

Christus s. Jesus Christus

Dogma
  Autorität 436
  und Offenbarung 327
Dogmatik
  Aufgabe 325 f.
  und Dogma 327
Dreieinigkeit
  Appropriation 393 f., 415 f., 465, 497
  Begriff 388 f.
  «Dreifaltigkeit»? 389
  Dreiheit 373 f.
  Einheit 368 f., 373, 386, 415 f.
  Homousie vgl. Wesensidentität
  «ökonomische» und «immanente» 352, 503
  Offenbarung 311 f., 319 f.,

328 f., 392 f., 410, 411, 430 f., 435, 450, 468, 487, 489, 497, 503
  opera ad extra 391 f., 395, 417, 465, 495, 503
  Perichorese 390 f., 417, 509
  «Personen» s. Seinsweisen
  Relationen 384 f., vgl. Seinsweisen
  Seinsweisen 315, 318, 352, 369, 374, 378 f., 386, 390, 413, 430 f., 434 f., 450 f., 492 f., 497, 499 f., 510
  Unbegreiflichkeit 320, 387, 391 f., 450, 454, 499 f., 513 f.
  Ursprungsbeziehungen s. Seinsweisen
  Wesensgleichheit 370, 414, 461
  Wesensidentität 370,

414, 460 f., 506 f., 510 f.
  vgl. Trinitätslehre, Vater, Jesus Christus, Geist Hl.

Erfahrung vgl. Wort Gottes, Geist Hl., Glaube
Erlösung 430, 485 f.
Erwählung 407 vgl. Gnade
Eschatologie 486 f.
Exegese vgl. Hl. Schrift
«Frömmigkeit» 398

Gebet 488 f., 513
Geist, Hl. 342 f., 470 f.
  Gottheit 342 f., 472, 482 f., 490 f., 512 f.
  Klauseln des Symb. Nic. Const. 492 f.
  Herrschaft 492
  Schöpfer 494 f.
  Ausgehend v. Vater u. v. Sohn
  (*spiratio, Filioque*) 496 f.
  Angebetet mit d. Vater und d. Sohn 511 f.

u. Jesus Christus
473 f., 497
Werk 342 f., 475 f.
Erkenntnis u. Gehorsam
475, 484 f.
Belehrung u. Leitung
476 f.
Dienst Gottes 477 f.
Freiheit für Gott 473,
478 f.
Gotteskindschaft 407,
471, 480 f., 485 f., 509 f.
vgl. Dreieinigkeit,
Trinitätslehre
Gericht 467 f.
Glaube
analogia fidei 460, 480
Gabe Gottes 471 f.
Gehorsam 475 und
Hl. Geist 475, 484
Gewißheit 482, 486, 488
Verheißung 486
Gnade 391, 429, 431 f.,
467 f.
Gott
Eigenschaften 382, 434 f.
Einheit 315, 368
Erlöser 470 f., vgl.
Erlösung
Freiheit 323 f., 337, 339,
342, 391, 456
Heiligkeit 340
Herrschaft 323 f., 331,
337, 342, 351, 369, 405 f.
409, 445, 492
«Hypostasen» s.
Eigenschaften
Liebe 430, 456, 493 f.,
504, 507, 115
Name 334, 339, 368
Persönlichkeit 370, 378,
512
Schöpfer 409 f., 434,
vgl. Schöpfung
Unbegreiflichkeit 391
Unterschied, qualitativer
426, 512
Versöhner 434, vgl.
Versöhnung
Werk 391
Wesen 369, 391, 456
Wille 407 f., 456, 469

Zorn 431
vgl. Dreieinigkeit, Trinitätslehre, Vater,
Jesus Christus, Geist Hl.

Heiligung 472, 487 f. 513

Jesus Christus
Auferstehung 341, 408
beneficia Christi 440 f.
Christologie 329, 341,
372 und Hl. Geist 474
Gottheit 332 f., 341,
405 f., 422, 424 f., 431 f.,
435 f.
Klauseln des Symb. Nic.
Const. 444 f.
der eine Herr 445 f.
der einziggeborene
Sohn Gottes 446 f.
vom Vater vor aller
Zeit gezeugt 447 f.
wahrer Gott vom
wahren Gott usw. 450 f.
gezeugt, nicht
geschaffen 452 f.
einen Wesens mit dem
Vater 460 f.
Schöpfer 464 f., vgl 410
Jungfrauengeburt 510
u. d. Kirche 350, 397
Menschheit 341, 405,
452
Wort u. Tat 420 f.
Leiden u. Sterben 407 f.
Offenbarung 405, 411,
429 f., 433
u. d. Vater 332 f., 338 f.,
454 f., 462 f., 470, 508,
510 f.
Wort Gottes 405, 457 f.
vgl. Dreieinigkeit, Trinitätslehre

Kirche
Sichtbarkeit 398

Leben, ewiges 409, 487

Mensch
Existenz 409 f., 466 f.,
475 f., 478 f., 491
vgl. Theologie (natürliche)
vgl. Wort Gottes

Modernismus
Aufklärung 347, 348,
441 vgl. Theologie
(natürliche)

Offenbarung
Akt, göttl. 339, 348
Bund 335
Einheit im AT und NT
336 f.
Geschichte 314, 333,
343, 448
Gestalt 333 f.
Gott als Subjekt 311 f.,
320, 329, 403 f., 431,
484 f., 491, 513
Mitteilung 342 f.
u. Schrift, Hl. 311, 321 f.
«Offenbarungen»? 337,
342, 350 f., 446
Verhüllung u. Enthüllung 315, 338 f., 383
Gott an sich u. Gott
für uns 437 f.
Mysterium 320, 430
Tod u. Auferstehung
408
u. Verkündigung 321
vgl. Dreieinigkeit,
Jesus Christus, Geist Hl.,
Wort Gottes

Prädestination, s. Erwählung, Gott (Freiheit),
Offenbarung
(Gott als Subjekt)

Rechtfertigung 513
«Religion» s. «Frömmigkeit»
Religionsgeschichte 361

Sabbat 340
Schöpfung 338, 404 f.,
452 f., 497 durch den
Hl. Geist 494 f.
durch Jesus Christus 410,
464 f.
aus dem Nichts 409, 434
u. Offenbarung 495
u. Vaterschaft Gottes
410, 464 f.
u. Versöhnung 433, 452,
468 f.

Schrift, Hl.
　Apostolat 322 f., 477 f.
　u. Dogmatik 311, 326 f.
　Geschichtlichkeit, Sage,
　Mythus? 343 f.
　u. Glaube 327
　Prophetie 340
　vgl. Kirche, Wort Gottes,
　Offenbarung
Sünde 428 f., 467, 479

Theologie
　Disziplinen 367
　Häresie 397
　natürliche Theologie 411
　　analogia entis
　　353 f., 459
　　Apologetik 361
　　«Uroffenbarung» 354
　　Zirkel, religionspsychol.
　　443
　　«Offenbarungstheologie» 444
　und Philosophie 312 f.,
　　359, 388, 398, 411 f.,
　　505; vgl.
　　Theologie (natürliche)
　«Rationalisierung» 312,
　　388
　Sprache 358 f., 364 f.,
　　387 f., 450
　Wissenschaft vgl.
　　Dogmatik
　vgl. Kirche
Trinität s. Dreieinigkeit
Trinitätslehre
　Adoptianismus 372
　ihre Aktualität 328
　Antitrinitarismus 370 f.
　Begriff 324
　u. Christologie 332
　in d. Dogmatik 316 f.,
　　400
　Doketismus 423 f., 433,
　　443 f., 462
　Ebionitismus 422 f., 433,
　　443, 462
　drei Gestalten des
　　Wortes Gottes 367
　u. Gottesbegriff 317 f.,
　　329
　u. Kirche 325, 396
　Modalismus 329, 372,
　　380, 402, 417, 418,
　　461, 490
　Monarchianismus 372
　Monotheismus 370 f.,
　　373
　u. Offenbarung 311 f.,
　　325, 328 f., 351, 353,
　　400 f., vgl. Dreieinigkeit
　　(Offenbarung)
　in d. Reformation 399,
　　437 f., 501 f.
　Sabellianismus 372, 375,
　　377
　u. Hl. Schrift 312 f., 319,
　　325, 331, 351, 392, 396,
　　400 f., 436
　Sinn 395 f.
　Spekulation? 317, 352,
　　437, 441 f.
　Subordinatianismus 372,
　　401 f., 506
　Tauformel 368, 399
　u. theol. Disziplinen 367
　Tritheismus 370, 388,
　　461, 506
　Vestigium trinitatis
　　353 f., 384, 393
　　Bewußtsein, menschl.
　　357, 362
　　Geschichtsphilosophie
　　356, 362
　　Kultur 355 f.
　　Natur 355
　　Religionsgeschichte
　　356, 361
　vgl. Dreieinigkeit,
　　Vater (Gott),
　　Jesus Christus, Geist Hl.

Vater (Gott)
　Vater Jesu Christi 328,
　　411, 452 f., 462 f.
　als Schöpfer 405 f.
　unser Vater 412 f., 480 f.
　Ursprung d. Hl. Geistes
　　500 f.
　vgl. Dreieinigkeit,
　　Trinitätslehre
Verkündigung, kirchl.
　ihr Kriterium 401
　vgl. Offenbarung,
　　Hl. Schrift, Wort Gottes
Versöhnung 427 f., 433,
　446, 481
　vgl. Jesus Christus,
　　Offenbarung,
　　Schöpfung

Wiedergeburt 407 f., 471,
　480, 509
Wort Gottes
　Anerkennung 450
　Geheimnis 459
　Gewalt 468
　u. Glaube 471
　Herrenwort 468
　u. d. Mensch 468, 471
　als Offenbarung 321,
　　429, 457
　als Schöpferwort 468
　Versöhnerwort 468
　seine Wahrheit 321 f.
　vgl. Jesus Christus